PA
3612 Appian
A 64
Vol. 2

Appian's Roman History

Waubonsee Community College

THE LOEB CLASSICAL LIBRARY
FOUNDED BY JAMES LOEB, LL.D.

EDITED BY

†T. E. PAGE, C.H., LITT.D.

†E. CAPPS, PH.D., LL.D.   †W. H. D. ROUSE, LITT.D.

L. A. POST, L.H.D.   E. H. WARMINGTON, M.A., F.R.HIST.SOC.

APPIAN'S ROMAN HISTORY
II

APPIAN'S ROMAN HISTORY

WITH AN ENGLISH TRANSLATION BY
HORACE WHITE, M.A., LL.D.

IN FOUR VOLUMES
II

CAMBRIDGE, MASSACHUSETTS
HARVARD UNIVERSITY PRESS
LONDON
WILLIAM HEINEMANN LTD
MCMLXII

First printed 1912
Reprinted 1932, 1955, 1962

Printed in Great Britain

CONTENTS

	PAGE
BOOK VIII.—PART II.—NUMIDIAN AFFAIRS (FRAGMENTS)	1
BOOK IX.—MACEDONIAN AFFAIRS (FRAGMENTS)	9
BOOK X.—THE ILLYRIAN WARS	53
BOOK XI.—THE SYRIAN WARS	103
BOOK XII.—THE MITHRIDATIC WARS	239

APPIAN'S ROMAN HISTORY

BOOK VIII—PART II
NUMIDIAN AFFAIRS

FRAGMENTS

ΑΠΠΙΑΝΟΥ ΡΩΜΑΙΚΑ

Θ'

ΕΚ ΤΗΣ ΝΟΜΑΔΙΚΗΣ

I

Ὅτι Βομίλχας κατηγορούμενος ἔφυγε πρὸ δίκης, καὶ Ἰογόρθας σὺν αὐτῷ, τοῦτο δὴ τὸ περιφερόμενον ἐς τοὺς δωροδοκοῦντας εἰπών, ὅτι Ῥωμαίων ἡ πόλις ἐστὶν ὠνία πᾶσα, εἴ τις ὠνητὴς αὐτῆς εὑρεθείη. Mai script. vet. n. coll. t. II p. 367.

II

Ὅτι Μέτελλος ἀνεζεύγνυεν ἐς Λιβύην τὴν ὑπὸ Ῥωμαίοις αἰτίαν ἔχων παρὰ τῷ στρατῷ βραδυτῆτος ἐς τοὺς πολεμίους καὶ ἐπὶ σφίσιν ὠμότητος· σφόδρα γὰρ τοὺς ἁμαρτάνοντας ἐκόλαζεν. Val. p. 561.

III

Ὅτι Μέτελλος Βαγαίων ἀνῄρει τὴν βουλὴν ὅλην ὡς τὴν φρουρὰν προδόντας Ἰογόρθᾳ, καὶ τὸν φρούραρχον Τουρπίλιον, ἄνδρα Ῥωμαῖον οὐκ ἀνυπόπτως ἑαυτὸν ἐγχειρίσαντα τοῖς πολεμίοις,

APPIAN'S ROMAN HISTORY

BOOK VIII—PART II

NUMIDIAN AFFAIRS

I. FROM THE VATICAN MSS. OF CARDINAL MAI

BOMILCAR being under accusation fled before his trial, and with him Jugurtha, who uttered that famous saying about bribetakers, that "the whole city of Rome could be bought if a purchaser could be found for it." [B.C. 110]

II. FROM "VIRTUES AND VICES"

METELLUS went back to the African province, where he was accused by the soldiers of dilatoriness in attacking the enemy and of cruelty towards his own men, because he punished offenders severely. [109]

III. FROM THE SAME

METELLUS put the whole senate of Vacca to death because they had betrayed the Roman garrison to Jugurtha, and with them Turpilius, the commander of the garrison, a Roman citizen, who had surrendered himself to the enemy under suspicious [108]

ἐπαπκέτεινε τῇ βουλῇ. Θρᾷκας δὲ καὶ Λίγυας αὐτομόλους λαβὼν παρὰ Ἰογόρθα, τῶν μὲν τὰς χεῖρας ἀπέτεμνε, τοὺς δὲ ἐς τὴν γῆν μέχρι γαστρὸς κατώρυσσε, καὶ περιτοξεύων ἢ ἐσακοντίζων ἔτι ἐμπνέουσι πῦρ ὑπετίθει. id. ib.

IV

Ὅτι τοῦ Μαρίου ἐς Κίρταν ἀφικομένου πρέσβεις Βόκχου παρῆσαν, οἳ πεμφθῆναί τινας ἐς λόγους Βόκχῳ παρεκάλουν. καὶ ἐπέμφθησαν Αὖλός τε Μάλλιος ὁ πρεσβευτὴς καὶ Κορνήλιος Σύλλας ὁ ταμίας, οἷς ὁ Βόκχος ἔφη Ῥωμαίοις πολεμῆσαι διὰ Μάριον· γῆν γὰρ ἣν αὐτὸς Ἰογόρθαν ἀφείλετο, πρὸς Μαρίου νῦν ἀφῃρῆσθαι. Βόκχος μὲν δὴ ταῦτα ἐνεκάλει, Μάλλιος δ᾽ ἔφη τὴν γῆν τήνδε Ῥωμαίους ἀφελέσθαι Σύφακα πολέμου νόμῳ καὶ δοῦναι Μασσανάσσῃ δωρεάν, διδόναι δὲ Ῥωμαίους τὰς δωρεὰς ἔχειν τοῖς λαβοῦσιν ἕως ἂν τῇ βουλῇ καὶ τῷ δήμῳ δοκῇ. οὐ μὴν ἀλόγως μεταγνῶναι· Μασσανάσσην τε γὰρ ἀποθανεῖν, καὶ τοὺς Μασσανάσσου παῖδας Ἰογόρθαν κατακαίνοντα Ῥωμαίοις πολέμιον γενέσθαι. οὐκ οὖν ἔτι εἶναι δίκαιον οὔτε τὸν πολέμιον ἔχειν δωρεὰν ἣν ἔδομεν φίλῳ, οὔτε σὲ δοκεῖν Ἰογόρθαν ἀφαιρεῖσθαι τὰ Ῥωμαίων. καὶ Μάλλιος μὲν τάδε περὶ τῆς γῆς ἔλεξεν. Urs. p. 370.

circumstances. After Jugurtha had delivered up to Metellus certain Thracian and Ligurian deserters, the latter cut off the hands of some, and others he buried in the earth up to their stomachs, and after transfixing them with arrows and darts set fire to them while they were still alive. B.C. 108

IV. FROM "THE EMBASSIES"

WHEN Marius arrived at Cirta messengers came to him from Bocchus asking that he would send somebody to hold a conference with him. He accordingly sent Aulus Manlius, his lieutenant, and Cornelius Sulla, his quaestor. To them Bocchus said that he fought against the Romans on account of the acts of Marius, who had taken from him the territory which he himself had taken from Jugurtha. To this complaint of Bocchus, Manlius replied that the Romans had taken this territory from Syphax by right of arms, and had made a present of it to Masinissa, and that such gifts were made by the Romans to be kept by those who received them during the pleasure of the Senate and people of Rome. He added that they had not changed their minds without reason, for that Masinissa was dead and that Jugurtha, by murdering his grandchildren, had become an enemy of the Romans. "It is not therefore right," he said, "that an enemy should keep the gift that we made to a friend, nor should you think that you can take from Jugurtha property that belongs to the Romans." These were the words of Manlius concerning the territory in question. 107

APPIAN'S ROMAN HISTORY, BOOK VIII

V

Ὅτι ὁ Βόκχος ἑτέρους ἔπεμψε πρέσβεις, οἳ Μαρίου μὲν ἔμελλον περὶ εἰρήνης δεήσεσθαι, Σύλλα δὲ ἵνα συμπράξειεν ἐς τὰς διαλύσεις. λῃστευθέντας δ' ἐν ὁδῷ τοὺς πρέσβεις τούσδε ὁ Σύλλας ὑπεδέξατο, καὶ ξενίζει μέχρι Μάριον ἀπὸ Γαιτούλων ἐπανελθεῖν. παρῄνει δὲ Βόκχον διδάσκειν ὅτι χρὴ Σύλλᾳ πείθεσθαι περὶ ἁπάντων. ἐνδιδοὺς οὖν ἤδη πρὸς τὴν τοῦ Ἰογόρθα προδοσίαν ὁ Βόκχος, ἐς μὲν ὑπόκρισιν ἐπ' ἄλλον στρατὸν περιέπεμπεν ἐς Αἰθίοπας τοὺς γείτονας, οἳ ἐπὶ ἑσπέραν ἀπὸ τῶν ἑῴων Αἰθιόπων διήκουσιν ἐς τὸ Μαυρούσιον ὄρος ὃ καλοῦσιν Ἄτλαντα, Μάριον δ' ἠξίου Σύλλαν οἱ πέμψαι συνελθεῖν ἐς λόγους. καὶ Μάριος μὲν ἔπεμπε τὸν Σύλλαν, Ἄψαρα δὲ Ἰογόρθα φίλον, ἐν Βόκχου καταλελειμμένον ἐφορᾶν τὰ γιγνόμενα, αὐτός τε Βόκχος καὶ Μαγδάλσης φίλος Βόκχου, καί τις ἐξελεύθερος ἀνδρὸς Καρχηδονίου, Κορνήλιος, ἐνήδρευσαν ὧδε. id. ib.

NUMIDIAN AFFAIRS

V. From the Same

Bocchus sent another embassy to solicit peace from Marius and urge Sulla to assist them in the negotiation. These ambassadors were despoiled by robbers on the road, but Sulla received them kindly and entertained them until Marius returned from Gaetulia. Marius advised them to urge Bocchus to obey Sulla in everything. Accordingly Bocchus, who was by now inclined to betray Jugurtha, sent messengers around to the neighbouring Ethiopians (who extend from eastern Ethiopia westward to the Mauretanian Mount Atlas) under pretence of raising a new army, and then asked Marius to send Sulla to him for a conference, which Marius did. Bocchus himself, and his friend Magdalses, and a certain freedman of Carthage, named Cornelius, deceived Apsar, the friend of Jugurtha, who had been left in Bocchus' camp to keep watch on his doings, in the following way.

B.C. 107

BOOK IX
MACEDONIAN AFFAIRS

FRAGMENTS

Γ'

ΕΚ ΤΗΣ ΜΑΚΕΔΟΝΙΚΗΣ

I

Ὅτι Ῥωμαῖοι τοῦ Φιλίππου τοῦ Μακεδόνος τοῦ πολεμήσαντος αὐτοῖς πέρι πάμπαν ἐπολυπραγμόνουν οὐδέν, οὐδὲ σφίσιν ἐνθύμιος ἦν ὅλως πονουμένης ἔτι τῆς Ἰταλίας ὑπὸ Ἀννίβου τοῦ Καρχηδονίων στρατηγοῦ, καὶ αὐτοὶ μεγάλοις στρατοῖς Λιβύην καὶ Καρχηδόνα καὶ Ἰβηρίαν περικαθήμενοι, καὶ καθιστάμενοι Σικελίαν. αὐτὸς δὲ Φίλιππος ἀρχῆς ἐπιθυμίᾳ μείζονος, οὐδέν τι προπαθών, ἔπεμπε πρὸς Ἀννίβαν ἐς τὴν Ἰταλίαν πρέσβεις, ὧν ἡγεῖτο Ξενοφάνης, ὑπισχνούμενος αὐτῷ συμμαχήσειν ἐπὶ τὴν Ἰταλίαν, εἰ κἀκεῖνος αὐτῷ σύνθοιτο κατεργάσασθαι τὴν Ἑλλάδα. συμβάντος δ' ἐς ταῦτα τοῦ Ἀννίβου καὶ ἐπὶ τῇ συνθήκῃ ὀμόσαντος, πρέσβεις τε ἀντιπέμψαντος ἐπὶ τοὺς ὅρκους τοῦ Φιλίππου, Ῥωμαίων τριήρης ἔλαβε τοὺς ἑκατέρων πρέσβεις ἀναπλέοντας, καὶ ἐς Ῥώμην ἐκόμισεν. ἐφ' ᾧ Φίλιππος ἀγανακτῶν Κερκύρᾳ προσέβαλεν, ἣ Ῥωμαίοις συνεμάχει.
U. p. 357.

BOOK IX

MACEDONIAN AFFAIRS

I. From "The Embassies"

The Romans paid no attention to Philip, the Macedonian, when he began war against them. They were so busy about other things that they did not even think of him, for Italy was still scourged by Hannibal, the Carthaginian general, and they had large armies in Africa, Carthage, and Spain, and were restoring order in Sicily. Philip himself, B.C. 215 moved by a desire of enlarging his dominions, although he had suffered nothing whatever at the hands of the Romans, sent an embassy, the chief of which was Xenophanes, to Hannibal in Italy, promising to aid him in Italy if he would consent to assist him in the subjugation of Greece. Hannibal agreed to this arrangement and took an oath to support it, and sent an embassy in return to receive the oath of Philip. A Roman trireme intercepted the ambassadors of both on their return and carried them to Rome. Thereupon Philip in his anger attacked Corcyra, which was in alliance with Rome.

II

Ὅτι ἐνῆγε τοὺς Ῥωμαίους τὰ Σιβύλλεια εἰς τὸν Φιλίππου πόλεμον. ἔστι δὲ ταῦτα·

αὐχοῦντες βασιλεῦσι Μακηδόνες Ἀργεάδῃσιν,
ὑμῖν κοιρανέων ἀγαθὸν καὶ πῆμα Φίλιππος.
ἤτοι ὁ μὲν πρότερος πόλεσιν λαοῖσί τ' ἄνακτας
θήσει, ὁ δ' ὁπλότερος τιμὴν ἀπὸ πᾶσαν ὀλέσσει,
δμηθεὶς δ' ἑσπερίοισιν ὑπ' ἀνδράσιν ἐνθάδ'
ὀλεῖται.

Mai p. 368.

III

1. Ὅτι Πτολεμαίου τοῦ βασιλεύοντος Αἰγύπτου πρέσβεις, καὶ σὺν αὐτοῖς ἕτεροι παρά τε Χίων καὶ Μιτυληναίων καὶ Ἀμυνάνδρου τοῦ Ἀθαμάνων βασιλέως, δίς, ἔνθα περ οἱ Αἰτωλοὶ τὰς πόλεις ἐπισκεψομένας ἐκάλουν, συνῆλθον ἐπὶ διαλλαγῇ Ῥωμαίων καὶ Αἰτωλῶν καὶ Φιλίππου. Σουλπικίου δ' εἰπόντος οὐκ εἶναι κυρίου περὶ τῆς εἰρήνης τι κρῖναι, καὶ ἐς τὴν βουλὴν κρύφα ἐπιστέλλοντος ὅτι Ῥωμαίοις συμφέρει πολεμεῖν Αἰτωλοὺς Φιλίππῳ, ἡ μὲν βουλὴ τὰς συνθήκας ἐκώλυσε, καὶ τοῖς Αἰτωλοῖς ἔπεμπε συμμαχίαν πεζοὺς μυρίους καὶ ἱππέας χιλίους, μεθ' ὧν οἱ Αἰτωλοὶ κατέλαβον Ἀμβρακίαν, ἣν οὐ πολὺ ὕστερον αὐτῶν Φίλιππος ἀποπλευσάντων ἀνέλαβεν. οἱ δὲ πρέσβεις αὖθις συνῆλθον, καὶ πολλὰ φανερῶς ἔλεγον, ὅτι Φίλιππος καὶ Αἰτωλοὶ διαφερόμενοι τοὺς Ἕλληνας ἐς δουλείαν Ῥωμαίοις ὑποβάλλουσιν, ἐθίζοντες αὐτοὺς τῆς Ἑλλάδος

MACEDONIAN AFFAIRS

II. From the Vatican MSS. of Cardinal Mai

The Sibylline books induced the Romans to make war against Philip by these lines: "The Macedonians boast their descent from Argive kings. Philip will be the arbiter of weal or woe to you. The elder of that name shall give rulers to cities and peoples, but the younger shall lose every honour, and shall die here, conquered by men of the west." B.C. 215

III. From "The Embassies"

1. Ambassadors from Ptolemy, king of Egypt, and with them others from Chios and Mitylene, and from Amynander, king of the Athamanes, assembled at two different times at the place where the Aetolians were accustomed to call their cities together for consultation, to compose the differences between the Romans, the Aetolians, and Philip. But as Sulpicius said that it was not in his power to conclude peace, and wrote privately to the Senate that it was for the advantage of the Romans that the Aetolians should continue the war against Philip, the Senate forbade the treaty and sent 10,000 foot and 1000 horse to assist the Aetolians. With their help the Aetolians took Ambracia, which Philip recovered, not long afterward, on their departure. Again the ambassadors assembled and said openly and repeatedly that Philip and the Aetolians, by their differences, were subjecting the Greeks to servitude to the Romans, because they were accustoming the latter to make B.C. 208

θαμινὰ πειρᾶσθαι. ἐφ' οἷς ὁ μὲν Σουλπίκιος ἀντιλέξων ἀνίστατο, τὸ δὲ πλῆθος οὐκ ἤκουσεν, ἀλλ' ἐκεκράγεσαν τοὺς πρέσβεις εὖ λέγειν.

2. Καὶ τέλος Αἰτωλοί τε πρῶτοι κατὰ σφᾶς, ἄνευ Ῥωμαίων, Φιλίππῳ συνέβησαν, καὶ πρέσβεις αὐτοῦ Φιλίππου καὶ Ῥωμαίων ἐπὶ διαλλαγαῖς ἀφίκοντο ἐς Ῥώμην. καὶ ἐγένοντο συνθῆκαι Ῥωμαίοις καὶ Φιλίππῳ, μηδετέρους ἀδικεῖν τοὺς ἑκατέρωθεν φίλους. ἐς μὲν δὴ τοῦτ' ἔληξεν ἡ Φιλίππου καὶ Ῥωμαίων ἐς ἀλλήλους πεῖρα πρώτη, καὶ τὰς συνθήκας οὐδέτεροι βεβαίους, οὐδ' ἀπ' εὐνοίας, ἐδόκουν πεποιῆσθαι. U. p. 357.

IV

Ὅτι μετ' οὐ πολὺ Φίλιππος μὲν τῶν ὑπηκόων τοῖς ἐπὶ θαλάσσης στόλον ἐπαγγείλας, Σάμον καὶ Χίον εἷλε, καὶ μέρος τῆς Ἀττάλου γῆς ἐπόρθησε, καὶ αὐτῆς ἀπεπείρασε Περγάμου, μὴ φειδόμενος ἱερῶν ἢ τάφων, τήν τε Ῥοδίων περαίαν ἐδῄου διαλλακτήρων οἱ γεγονότων, καὶ ἑτέρῳ μέρει στρατοῦ τὴν Ἀττικὴν ἐλυμαίνετο καὶ τὰς Ἀθήνας ἐπολιόρκει, ὡς οὐδὲν τῶνδε Ῥωμαίοις προσηκόντων. λόγος τε ἦν ὅτι Φίλιππος καὶ Ἀντίοχος ὁ Σύρων βασιλεὺς ὑπόσχοιντο ἀλλήλοις, Ἀντιόχῳ μὲν ὁ Φίλιππος συστρατεύσειν ἐπί τε Αἴγυπτον καὶ ἐπὶ Κύπρον, ὧν τότε ἦρχεν ἔτι παῖς ὢν Πτολεμαῖος ὁ τέταρτος, ᾧ φιλοπάτωρ ἐπώνυμον ἦν, Φιλίππῳ δ' Ἀντίοχος ἐπὶ Κυρήνην καὶ τὰς Κυκλάδας νήσους καὶ Ἰωνίαν.

MACEDONIAN AFFAIRS

frequent attempts upon Greece. When Sulpicius rose to reply to them the crowd would not hear him, but shouted that the ambassadors had spoken well. [B.C. 208]

2. Finally the Aetolians took the initiative and made peace with Philip by themselves without the Romans, and ambassadors were sent to Rome by Philip himself and by the commander of the Roman forces in order to come to an agreement. Peace was made between them on the condition that neither party should do any injury to the friends of the other. This was the result of the first trial of strength between them, and neither of them believed that the treaty was a secure one, or based on goodwill. [205]

IV. From the Same

Not long afterward Philip, having ordered a fleet to be prepared by his maritime subjects, took Samos and Chios and devastated a part of the territory of King Attalus. He even assailed Pergamus itself, not sparing temples or sepulchres. He also ravaged the Mainland of the Rhodians, who had been promoters of the treaty of peace. With another part of his army he ravaged Attica and laid siege to Athens, on the ground that none of these countries concerned the Romans. It was reported also that a league had been made between Philip and Antiochus, king of Syria, to the effect that Philip should help Antiochus to conquer Egypt and Cyprus, of which Ptolemy IV., surnamed Philopator,[1] who was still a boy, was the ruler; and that Antiochus should help Philip to gain Cyrene, the Cyclades islands, and Ionia. [200]

[1] This should be Ptolemy V., surnamed Epiphanes, the son of Ptolemy Philopator. The latter died in B.C. 203.

Καὶ τήνδε τὴν δόξαν, ἐκταράσσουσαν ἅπαντας Ῥόδιοι μὲν Ῥωμαίοις ἐμήνυσαν, ἐπὶ δὲ τοῖς Ῥοδίων Ἀθηναίων πρέσβεις ᾐτιῶντο Φίλιππον τῆς πολιορκίας. καὶ Αἰτωλοὶ μεταγιγνώσκοντες κατηγόρουν ὡς καὶ περὶ σφᾶς ἀπίστου γεγονότος, ἠξίουν τε αὖθις ἐς τοὺς Ῥωμαίων συμμάχους ἐγγραφῆναι. Ῥωμαῖοι δ' Αἰτωλοῖς ἐμέμψαντο τῆς οὐ πρὸ πολλοῦ μεταβολῆς, πρέσβεις δ' ἐς τοὺς βασιλέας ἔπεμπον, οἳ προηγόρευον αὐτοῖς Ἀντίοχον μὲν Αἰγύπτῳ μὴ ἐπιχειρεῖν, Φίλιππον δὲ μηδὲν ἐς Ῥοδίους ἢ Ἀθηναίους ἢ Ἄτταλον ἢ ἐς ἄλλον τινὰ Ῥωμαίων φίλον ἁμαρτάνειν. τούτοις ὁ Φίλιππος ἀπεκρίνατο Ῥωμαίοις ἕξειν καλῶς, ἂν ἐμμένωσιν ᾗ συνέθεντο πρὸς αὐτὸν εἰρήνῃ. οὕτω μὲν αἱ γενόμεναι σπονδαὶ ἐλέλυντο, καὶ στρατιὰ Ῥωμαίων ἐς τὴν Ἑλλάδα ἠπείγετο, στρατηγοῦντος Ποπλίου καὶ ναυαρχοῦντος Λευκίου. U. p. 358.

V

Ὅτι ὁ Φίλιππος ὁ Μακεδόνων βασιλεὺς τῷ Φλαμινίνῳ . . . σητει, συναγόντων αὐτοὺς Ἠπειρωτῶν πρέσβεων. ὡς δὲ ὁ Φλαμινῖνος Φίλιππον ἐκέλευσεν ἐκστῆναι τῆς Ἑλλάδος οὐ Ῥωμαίοις ἀλλὰ ταῖς πόλεσιν αὐταῖς, καὶ τὰς βλάβας ταῖς προειρημέναις ἀποδοθῆναι, ὁ μὲν Φίλιππος τὰ μέν . . . Mai p. 368.

VI

Ποιμὴν ὑπέσχετο στρατὸν εὔζωνον ἄξειν ὁδὸν ἀτριβῆ τρισὶν ἡμέραις. Suid. v. εὔζωνοι.

MACEDONIAN AFFAIRS

This rumour, which caused universal dismay, the Rhodians communicated to Rome. After the Rhodians, ambassadors of Athens came complaining of the siege instituted by Philip. The Aetolians also had repented of their treaty, and they complained of Philip's bad faith toward them and asked to be inscribed again as allies. The Romans reproached the Aetolians for their recent defection, but they sent ambassadors to the kings ordering Antiochus not to invade Egypt, and Philip not to molest the Rhodians, or the Athenians, or Attalus, or any other ally of theirs. To them Philip made answer that it would be well if the Romans would abide by the treaty of peace they had entered into with him. Thus was the treaty dissolved and a Roman army hastened to Greece, Publius commanding the land forces and Lucius the fleet.

B.C. 200

V. From the Vatican MSS. of Cardinal Mai

Philip, king of Macedon, had a conference with Flamininus, which had been brought about by the ambassadors of the Epirots. When Flamininus ordered Philip to evacuate Greece, in favour, not of the Romans, but of the Greek cities themselves, and to make good the damage he had done to these cities, Philip partly. . .

198

VI. From Suidas

A shepherd promised to guide a lightly equipped army by a little used path in three days.

VII

Ὅτι Λεύκιος Κοΰντιος ἐς τὸν τῶν Ἀχαιῶν σύλλογον ἀπέστειλε πρέσβεις, οἳ μετὰ Ἀθηναίων καὶ Ῥοδίων ἔπειθον αὐτοὺς μεταθέσθαι πρὸς σφᾶς ἀπὸ τοῦ Φιλίππου, διεπρεσβεύετο δὲ καὶ Φίλιππος αἰτῶν βοήθειαν ὡς συμμάχους. οἱ δὲ ἐνοχλούμενοι μὲν οἰκείῳ καὶ γείτονι πολέμῳ Νάβιδος τοῦ Λακεδαιμονίων τυράννου, διεστῶτες δὲ ταῖς γνώμαις ἠπόρουν, καὶ οἱ πλείονες ᾑροῦντο τὰ Φιλίππου καὶ ἀπεστρέφοντο Ῥωμαίους διά τινα ἐς τὴν Ἑλλάδα Σουλπικίου τοῦ στρατηγοῦ παρανομήματα. ἐγκειμένων δὲ βιαίως τῶν ῥωμαϊζόντων, οἱ πολλοὶ τῆς ἐκκλησίας ἀπεχώρουν δυσχεραίνοντες, καὶ οἱ λοιποὶ διὰ τὴν ὀλιγότητα ἐκβιασθέντες συνέθεντο τῷ Λευκίῳ, καὶ εὐθὺς ἠκολούθουν ἐπὶ Κόρινθον μηχανήματα φέροντες. U. p. 359.

VIII

Ὅτι Φλαμινῖνος αὖθις συνῆλθεν ἐς λόγους Φιλίππῳ κατὰ τὸν Μηλιέα κόλπον, ἔνθα κατηγορούντων τοῦ Φιλίππου Ῥοδίων καὶ Αἰτωλῶν καὶ Ἀμυνάνδρου τοῦ Ἀθαμᾶνος ἐκέλευσε Φίλιππον ἐξάγειν τὰς φρουρὰς ἐκ Φωκίδος, καὶ πρέσβεις ἐς Ῥώμην ἀμφοτέρους ἀποστεῖλαι. γενομένων δὲ τούτων, οἱ μὲν Ἕλληνες ἐν τῇ βουλῇ τῇ Ῥωμαίων ἠξίουν τὸν Φίλιππον ἐξαγαγεῖν ἐκ τῆς Ἑλλάδος τὰς τρεῖς φρουρὰς ἃς αὐτὸς πέδας ἐκάλει τῆς Ἑλλάδος, τὴν μὲν ἐν Χαλκίδι Βοιωτοῖς καὶ Εὐβοεῦσι καὶ Λοκροῖς ἐπικειμένην, τὴν δὲ ἐν

MACEDONIAN AFFAIRS

VII. From "The Embassies"

Lucius Quintius [Flamininus] sent envoys to the Achaean League to persuade them, together with the Athenians and Rhodians, to abandon Philip and join the Romans. Philip also sent ambassadors, asking assistance from them as allies. But they, being troubled by a war on their own borders with Nabis, the tyrant of Lacedaemon, were divided in mind and hesitated. The greater part of them preferred the alliance of Philip and sided against the Romans on account of certain outrages against Greece committed by Sulpicius, the former commander. When the Roman faction urged their views with vehemence, most of their opponents left the assembly in disgust, and the remainder, being forced to yield by the smallness of their number, entered into an alliance with Lucius and followed him at once to the siege of Corinth, bringing engines of war with them.

B.C. 198

VIII. From the Same

Flamininus came into conference with Philip a second time at the Malian gulf. When the Rhodians, the Aetolians, and Amynander the Athamanian made their complaints against Philip, Flamininus ordered him to remove his garrisons from Phocis, and required both parties to send ambassadors to Rome. When this was done the Greeks asked the Roman Senate to require Philip to remove from their country the three garrisons which he called "the fetters of Greece"; the one at Chalcis, which threatened the Boeotians, the Euboeans, and the Locrians;

197

Κορίνθῳ καθάπερ πύλαις τὴν Πελοπόννησον ἀποκλείουσαν, καὶ τρίτην ἐν Δημητριάδι τὴν Αἰτωλοῖς καὶ Μάγνησιν ἐφεδρεύουσαν· ἡ δὲ βουλὴ τοὺς Φιλίππου πρέσβεις ἤρετο τί φρονοίη περὶ τῶνδε τῶν φρουρῶν ὁ βασιλεύς, ἀποκριναμένων δὲ ἀγνοεῖν, Φλαμινῖνον ἔφη κρινεῖν, καὶ πράξειν ὅ τι ἂν δίκαιον ἡγῆται. οὕτω μὲν οἱ πρέσβεις ἐκ Ῥώμης ἐπανῄεσαν, Φλαμινῖνος δὲ καὶ Φίλιππος ἐς οὐδὲν συμβαίνοντες ἀλλήλοις αὖθις ἐς πόλεμον καθίσταντο. U. p. 360.

IX

1. Ὅτι ἡττηθεὶς πάλιν ὁ Φίλιππος περὶ συμβάσεων ἐπεκηρυκεύετο πρὸς Φλαμινῖνον, ὁ δ' αὖθις αὐτῷ συνελθεῖν ἐς λόγους συνεχώρει, πολλὰ μὲν τῶν Αἰτωλῶν δυσχεραινόντων, καὶ διαβαλλόντων αὐτὸν ἐς δωροδοκίαν, καὶ καταγιγνωσκόντων τῆς ἐς ἅπαντα εὐχεροῦς μεταβολῆς, ἡγούμενος δ' οὔτε Ῥωμαίοις συμφέρειν οὔτε τοῖς Ἕλλησι Φιλίππου καθαιρεθέντος ἐπιπολάσαι τὴν Αἰτωλῶν βίαν. τάχα δ' αὐτὸν καὶ τὸ παράδοξον τῆς νίκης ἀγαπᾶν ἐποίει. συνθέμενος δὲ χωρίον οἷ τὸν Φίλιππον ἐπελθεῖν ἔδει τοὺς συμμάχους ἐκέλευσε γνώμην προαποφήνασθαι κατὰ πόλεις. τὰ μὲν δὴ παρὰ τῶν ἄλλων φιλάνθρωπα ἦν, τό τε τῆς τύχης ἄδηλον ἐξ ὧν ἔπαθεν ὁ Φίλιππος ὑφορωμένων, καὶ τὸ πταῖσμα τοῦτο οὐ κατ' ἀσθένειαν ἀλλὰ πλέον ἐκ συντυχίας αὐτὸν παθεῖν ἡγουμένων· Ἀλέξανδρος δὲ ὁ τῶν Αἰτωλῶν πρόεδρος ἀγνοεῖν ἔφη τὸν Φλαμινῖνον ὅτι μηδὲν ἄλλο μήτε

MACEDONIAN AFFAIRS

the one at Corinth, which closed the door of the Peloponnesus; and the third at Demetrias, which, as it were, kept guard over the Aetolians and the Magnesians. The Senate asked Philip's ambassadors what the king's views were respecting these garrisons. When they answered they did not know, the Senate said that Flamininus should decide the question and do what he considered just. So the ambassadors took their departure from Rome, but Flamininus and Philip, being unable to come to any agreement, resumed hostilities.

B.C. 197

IX. FROM THE SAME

1. PHILIP, after being defeated again, sent a herald to Flamininus to sue for peace, and again Flamininus granted him a conference, whereat the Aetolians were greatly displeased and accused him of being bribed by the king, and complained of his facile change of mind as to all these matters. But he thought that it would not be to the advantage of the Romans, or of the Greeks, that Philip should be deposed and the Aetolian power made supreme. Perhaps, also, the unexpected victory made him satisfied. Having agreed upon a place where Philip should come, he directed the allies to deliver their opinions first city by city. The others were disposed to be moderate, viewing suspiciously the uncertainties of fortune as evinced in the calamities of Philip, and considering this disaster that had befallen him due not so much to weakness as to bad luck. But Alexander, the presiding officer of the Aetolians, said, "Flamininus is ignorant of the fact that nothing else

Ῥωμαίοις μήθ' Ἕλλησι συνοίσει πλὴν ἐξαιρεθῆναι τὴν ἀρχὴν τὴν Φιλίππου.

2. Ὁ δὲ Ἀλέξανδρον ἀγνοεῖν ἔφη τὴν Ῥωμαίων φύσιν, οἳ οὐδένα πω τῶν ἐχθρῶν εὐθὺς ἀπ' ἀρχῆς ἀνέτρεψαν, ἀλλὰ πολλῶν ἐς αὐτοὺς ἁμαρτόντων, καὶ Καρχηδονίων ἔναγχος, ἐφείσαντο, τὰ σφέτερα αὐτοῖς ἀποδόντες καὶ φίλους ποιησάμενοι τοὺς ἠδικηκότας. "ἀγνοεῖς δ'," ἔφη, "καὶ τοῦθ', ὅτι τοῖς Ἕλλησιν ἔθνη πολλά, ὅσα βάρβαρα τὴν Μακεδονίαν περικάθηται, εἴ τις ἐξέλοι τοὺς Μακεδόνων βασιλέας, ἐπιδραμεῖται ῥᾳδίως. ὅθεν ἐγὼ δοκιμάζω τὴν μὲν ἀρχὴν ἐᾶν τῶν Μακεδόνων προπολεμεῖν ὑμῶν πρὸς τοὺς βαρβάρους, Φίλιππον δὲ ἐκστῆναι τοῖς Ἕλλησιν ὧν πρότερον ἀντέλεγε χωρίων, καὶ Ῥωμαίοις ἐς τὴν τοῦ πολέμου δαπάνην ἐσενεγκεῖν τάλαντα διακόσια, ὅμηρά τε δοῦναι τὰ ἀξιολογώτατα καὶ τὸν υἱὸν αὐτοῦ Δημήτριον, μέχρι δὲ ταῦθ' ἡ σύγκλητος ἐπικυρώσει, τετραμήνους ἀνοχὰς γενέσθαι."

3. Δεξαμένου δὲ πάντα τοῦ Φιλίππου, τὴν μὲν εἰρήνην ἡ βουλὴ μαθοῦσα ἐπεκύρωσε, τὰς δὲ προτάσεις τὰς Φλαμινίνου σμικρύνασα καὶ φαυλίσασα, ἐκέλευσε τὰς πόλεις ὅσαι ἦσαν Ἑλληνίδες ὑπὸ Φιλίππῳ, πάσας ἐλευθέρας εἶναι, καὶ τὰς φρουρὰς ἀπ' αὐτῶν Φίλιππον ἐξαγαγεῖν πρὸ τῶν ἐπιόντων Ἰσθμίων, ναῦς τε ὅσας ἔχει, χωρὶς ἐξήρους μιᾶς καὶ σκαφῶν πέντε καταφράκτων, παραδοῦναι τῷ Φλαμινίνῳ, καὶ ἀργυρίου τάλαντα Ῥωμαίοις ἐσενεγκεῖν πεντακόσια μὲν αὐτίκα πεντακόσια δὲ ἔτεσι δέκα, ἑκάστου τὸ μέρος ἔτους ἐς Ῥώμην ἀναφέροντα, ἀποδοῦναι δὲ καὶ αἰχμάλωτα καὶ αὐτόμολα αὐτῶν

MACEDONIAN AFFAIRS

but the destruction of Philip's empire will benefit either the Romans or the Greeks."

B.C. 197

2. Flamininus replied that Alexander was ignorant of the character of the Romans, who had never yet destroyed an enemy at once, but had spared many offenders, as recently the Carthaginians, restoring their property to them and making allies of those who had done them wrong. "You also," he said, "are ignorant of the fact that there are many barbarous tribes on the border of Macedonia, who would make easy incursions into Greece if the Macedonian kings were taken away. Wherefore, I think that the Macedonian government should be left to protect you against the barbarians, but Philip must retire from those Greek places that he has hitherto refused to give up, and must pay the Romans 200 talents for the expenses of the war, and give hostages of the most noble families, including his own son, Demetrius. Until the Senate ratifies these conditions there shall be an armistice of four months."

3. Philip accepted all these conditions, and the Senate, when it learned of the peace, ratified it, but considering that the terms demanded by Flamininus were poor and inadequate it decreed that all the Greek cities that had been under Philip's rule should be free, and that he should withdraw his garrisons from them before the next celebration of the Isthmian games; that he should deliver to Flamininus all his ships, except one with six benches of oars and five small vessels with decks; that he should pay the Romans 500 talents of silver down, and remit to Rome 500 more in ten years, in annual instalments; and that he should surrender all prisoners and de-

196

ὅσα ἔχοι. τάδε μὲν ἡ βουλὴ προσέθηκε, καὶ Φίλιππος ἐδέξατο ἅπαντα· ᾧ καὶ μάλιστα ἡ σμικρολογία Φλαμινίνου καταφανὴς ἐγένετο. συμβούλους δ' ἔπεμπον αὐτῷ, καθάπερ εἰώθεσαν ἐπὶ τοῖς λήγουσι πολέμοις, δέκα ἄνδρας, μεθ' ὧν αὐτὸν ἔδει τὰ εἰλημμένα καθίστασθαι.

4. Καὶ τάδε μὲν διετίθετο σὺν ἐκείνοις, αὐτὸς δ' ἐς τὸν τῶν Ἰσθμίων ἀγῶνα ἐπελθών, πληθύοντος τοῦ σταδίου, σιωπήν τε ἐσήμηνεν ὑπὸ σάλπιγγι, καὶ τὸν κήρυκα ἀνειπεῖν ἐκέλευσεν· "ὁ δῆμος ὁ Ῥωμαίων καὶ ἡ σύγκλητος καὶ Φλαμινῖνος ὁ στρατηγός, Μακεδόνας καὶ βασιλέα Φίλιππον ἐκπολεμήσαντες, ἀφιᾶσι τὴν Ἑλλάδα ἀφρούρητον ἀφορολόγητον ἰδίοις ἤθεσι καὶ νόμοις χρῆσθαι." πολλῆς δ' ἐπὶ τούτῳ βοῆς καὶ χαρᾶς γενομένης θόρυβος ἥδιστος ἦν, ἑτέρων μεθ' ἑτέρους τὸν κήρυκα καὶ παρὰ σφᾶς ἀνειπεῖν μετακαλούντων. στεφάνους τε καὶ ταινίας ἐπέβαλλον τῷ στρατηγῷ, καὶ ἀνδριάντας ἐψηφίζοντο κατὰ πόλεις. πρέσβεις τε μετὰ χρυσῶν στεφάνων ἔπεμπον ἐς τὸ Καπιτώλιον, οἳ χάριν ὡμολόγουν, καὶ ἐς τοὺς Ῥωμαίων συμμάχους ἀνεγράφοντο. καὶ δεύτερος ὅδε πόλεμος Ῥωμαίοις τε καὶ Φιλίππῳ ἐς τοῦτο ἐτελεύτα.

5. Οὐ πολὺ δὲ ὕστερον καὶ συνεμάχησε Ῥωμαίοις ὁ Φίλιππος ἐν τῇ Ἑλλάδι κατ' Ἀντιόχου βασιλέως, περῶντάς τε ἐπ' Ἀντίοχον ἐς τὴν Ἀσίαν διὰ Θρᾴκης καὶ Μακεδονίας ὁδὸν οὐκ εὐμαρῆ παρέπεμπεν οἰκείοις τέλεσι καὶ τροφαῖς, ὁδοποιῶν καὶ ποταμοὺς δυσπόρους ζευγνὺς καὶ τοὺς ἐπικειμένους Θρᾷκας

MACEDONIAN AFFAIRS

serters in his hands. These conditions were added B.C. 196
by the Senate and Philip accepted them all,
which proved more strongly than anything how
inadequate Flamininus' terms were. They sent to the
latter as counsellors ten men (as was customary at the
end of a war), with whose aid he should regulate the
new acquisitions.

4. When he had arranged these things with them
he himself went to the Isthmian games, and, the
stadium being full of people, he commanded silence
by trumpet and directed the herald to make this
proclamation: "The Roman people and Senate, and
Flamininus, their general, having vanquished the
Macedonians and Philip, their king, leave Greece
free from foreign garrisons and not subject to tribute,
to live under her own customs and laws." There-
upon there was great shouting and rejoicing and a
scene of rapturous tumult; and groups here and
there called the herald back in order that he might
repeat his words for them. They threw wreaths and
fillets upon the general and voted statues for him in
their cities. They sent ambassadors with golden
crowns to the Capitol at Rome to express their grati-
tude, and inscribed themselves as allies of the Roman
people. Such was the end of the second war be-
tween the Romans and Philip.

5. Not long afterwards Philip even lent aid in 190
Greece to the Romans in their war against King
Antiochus, and as they were moving against Antiochus
in Asia, passing through Thrace and Macedonia by a
difficult road, he escorted them with his own troops,
supplied them with food and money, repaired the
roads, bridged the unfordable streams, and dispersed
the hostile Thracians, until he had conducted them

διακόπτων, ἕως ἐπὶ τὸν Ἑλλήσποντον ἤγαγεν. ἐφ' οἷς ἡ μὲν βουλὴ τὸν υἱὸν αὐτῷ Δημήτριον παρὰ σφίσιν ὁμηρεύοντα ἀπέλυσε, καὶ τῶν χρημάτων ἀφῆκεν ὧν ἔτι ὤφειλεν· οἱ δὲ Θρᾷκες οἵδε Ῥωμαίους ἀπὸ τῆς ἐπ' Ἀντιόχῳ νίκης, ἐπανιόντας, οὐκέτι Φιλίππου παρόντος, τήν τε λείαν ἀφείλοντο καὶ πολλοὺς διέφθειραν, ᾧ καὶ μάλιστα ἐπεδείχθη ὅσον αὐτοὺς ἀνιόντας ὤνησεν ὁ Φίλιππος.

6. Ἐκτελεσθέντος δὲ τοῦ κατ' Ἀντιόχου πολέμου πολλοὶ κατηγόρουν τοῦ Φιλίππου, τὰ μὲν ἀδικεῖν αὐτόν, τὰ δὲ οὐ ποιεῖν ὧν ὥρισε Φλαμινῖνος, ὅτε διετίθετο τὴν Ἑλλάδα. καὶ Δημήτριος ἐς ἀντιλογίαν ἐπρέσβευεν ὑπὲρ αὐτοῦ, κεχαρισμένος μὲν ἔκπαλαι Ῥωμαίοις ἀπὸ τῆς ὁμηρείας, Φλαμινίνου δὲ αὐτὸν τῇ βουλῇ γνωρίζοντος ἰσχυρῶς. νεώτερον δ' ὄντα καὶ θορυβούμενον ἐκέλευσαν τὰ τοῦ πατρὸς ὑπομνήματα ἀναγνῶναι, ἐν οἷς ἦν ἐφ' ἑκάστου, τὰ μὲν ἤδη γεγονέναι, τὰ δὲ γενήσεσθαι, καίπερ ἀδίκως ὡρισμένα· καὶ γὰρ τοῦτο προσέκειτο πολλοῖς. ἡ δὲ βουλὴ τὴν ὑπόγυον αὐτοῦ ἐς Ἀντίοχον προθυμίαν αἰδουμένη, συγγιγνώσκειν τε ἔφη, καὶ προσεπεῖπε διὰ Δημήτριον. ὁ δ' ὁμολογουμένως αὐτοῖς ἐς τὸν Ἀντιόχου πόλεμον χρησιμώτατός τε γεγονώς, καὶ βλαβερώτατος ἂν φανεὶς εἰ Ἀντιόχῳ παρακαλοῦντι συνέπραξε, πολλὰ ἐλπίσας ἐπὶ τῷδε, καὶ ὁρῶν αὐτὸν ἀπιστούμενον καὶ κατηγορούμενον καὶ συγγνώμης ἀντὶ χαρίτων ἀξιούμενον,

to the Hellespont. In return for these favours the Senate released his son Demetrius, who had been held by them as a hostage, and remitted the payments of money still due from him. But these Thracians fell upon the Romans when they were returning from their victory over Antiochus, when Philip was no longer with them, carried off their booty and killed many—by which it was plainly shown how great a service Philip had rendered them when they were advancing.

B.C. 190

6. The war with Antiochus being ended, many of the Greeks charged Philip with doing or omitting various things in disregard of the orders given by Flamininus when he settled the affairs of Greece. To answer these charges Demetrius went as an envoy to Rome in his father's behalf, the Romans being well pleased with him aforetime, when he had been a hostage, and Flamininus strongly recommending him to the Senate. As he was rather young and somewhat flustered, they directed him to read his father's memorandum in which it was severally entered that certain things had already been done, and that others should be done, although decided upon contrary to justice; for this observation was appended to many of the clauses. Nevertheless, the Senate, having regard to his late zeal in the matter of Antiochus, said that it would pardon him, and added that it did so on account of Demetrius. But Philip, having been confessedly most useful to them in the war with Antiochus, when he might have done them the greatest damage if he had co-operated with Antiochus, as the latter asked him to, expecting much on this account and now seeing himself discredited and accused, and considered worthy of pardon rather than of gratitude,

188

καὶ τῆσδε διὰ Δημήτριον, ἤχθετο καὶ ἠγανάκτει,
καὶ ἐπέκρυπτεν ἄμφω. ὡς δὲ καὶ ἐν δίκῃ τινὶ
Ῥωμαῖοι πολλὰ τῶν Φιλίππου πρὸς Εὐμένη
μετέφερον, ἀσθενοποιοῦντες ἀεὶ τὸν Φίλιππον, ἐς
πόλεμον ἤδη λανθάνων ἠτοιμάζετο. id. ib.

X

Ὁ δὲ Φίλιππος τοὺς ἐπιπλέοντας διέφθειρεν, ἵνα
μὴ Ῥωμαίοις λέγοιεν τὰ Μακεδόνων ἐκτετρῦσθαι.
Suid. v. τετρῦσθαι.

XI

1. Ὅτι Ῥωμαῖοι ταχέως αὐξανόμενον τὸν
Περσέα ὑφεωρῶντο· καὶ μάλιστα αὐτοὺς ἠρέθιζεν
ἡ τῶν Ἑλλήνων φιλία καὶ γειτνίασις, οἷς ἔχθος ἐς
Ῥωμαίους ἐπεποιήκεσαν οἱ Ῥωμαίων στρατηγοί.
ὡς δὲ καὶ οἱ πρέσβεις οἱ ἐς Βαστέρνας ἀπεσταλ-
μένοι τὴν Μακεδονίαν ἔφασκον ἰδεῖν ἀσφαλῶς
ὠχυρωμένην καὶ παρασκευὴν ἱκανὴν καὶ νεότητα
γεγυμνασμένην, Ῥωμαίους καὶ τάδε διετάρασσεν.
αἰσθόμενος δ' ὁ Περσεὺς ἑτέρους ἔπεμπε πρέσβεις,
τὴν ὑπόνοιαν ἐκλύων. ἐν δὲ τούτῳ καὶ Εὐμένης ὁ
τῆς περὶ τὸ Πέργαμον Ἀσίας βασιλεύς, ἀπὸ τῆς
πρὸς Φίλιππον ἔχθρας δεδιὼς Περσέα ἧκεν ἐς
Ῥώμην, καὶ κατηγόρει φανερῶς αὐτοῦ, παρελθὼν
ἐς τὸ βουλευτήριον, ὅτι Ῥωμαίοις δυσμενὴς γένοιτο
ἀεί, καὶ τὸν ἀδελφὸν οἰκείως ἐς αὐτοὺς ἔχοντα

MACEDONIAN AFFAIRS

and even this merely on account of Demetrius, was indignant and angry, but concealed his feelings. When afterwards, in a certain arbitration before the Romans, they transferred much of his territory to Eumenes, seeking all the time to weaken him, he at last began secretly preparing for war

X. FROM SUIDAS

PHILIP utterly destroyed all forces that sailed against him, lest the Romans should say that the Macedonian power had been crushed.

XI. FROM "THE EMBASSIES"

1. THE Romans were suspicious of Perseus (the son of Philip) on account of his rapidly growing power, and they were especially disturbed by his nearness to the Greeks and his friendship for men whom the Roman generals had filled with hatred of the Roman people. Afterward the ambassadors, who were sent to the Bastarnae, reported that they had observed that Macedonia was strongly fortified and had abundant war material, and that its young men were well drilled; and these things also disturbed the Romans. When Perseus perceived this he sent other ambassadors to allay the suspicion. At this time also Eumenes, king of that part of Asia lying about Pergamus, fearing Perseus on account of his own former enmity to Philip, came to Rome and accused him publicly before the Senate, saying that he had always been hostile to the Romans; that he had killed his brother for being friendly to them;

ἀνέλοι, καὶ Φιλίππῳ τε παρασκευὴν τοσήνδε κατ᾽ αὐτῶν συναγαγόντι συμπράξειε, καὶ βασιλεὺς γενόμενος οὐδὲν ἐκλύσειεν αὐτῆς ἀλλὰ καὶ προσεξεργάσαιτο ἕτερα, καὶ τὴν Ἑλλάδα ἀμέτρως θεραπεύοι, Βυζαντίοις τε καὶ Αἰτωλοῖς καὶ Βοιωτοῖς συμμαχήσας, καὶ Θρᾴκην κατακτῷτο, μέγα ὁρμητήριον, καὶ Θετταλοὺς καὶ Περραιβοὺς διαστασιάσειε βουλομένους τι πρεσβεῦσαι πρὸς ὑμᾶς.

2. "Καὶ τῶν ὑμετέρων," ἔφη, "φίλων καὶ συμμάχων Ἀβρούπολιν μὲν ἀφῄρηται τὴν ἀρχήν, Ἀρθέταυρον δ᾽ ἐν Ἰλλυριοῖς δυνάστην καὶ ἔκτεινεν ἐπιβουλεύσας, καὶ τοὺς ἐργασαμένους ὑποδέδεκται." διέβαλλε δ᾽ αὐτοῦ καὶ τὰς ἐπιγαμίας βασιλικὰς ἄμφω γενομένας, καὶ τὰς νυμφαγωγίας ὅλῳ τῷ Ῥοδίων στόλῳ παραπεμφθείσας. ἔγκλημα δ᾽ ἐποίει καὶ τὴν ἐπιμέλειαν αὐτοῦ καὶ τὸ νηφάλιον τῆς διαίτης, ὄντος οὕτω νέου, καὶ ὅτι πρὸς πολλῶν ὀξέως ἐν ὀλίγῳ ἀγαπῷτο καὶ ἐπαινοῖτο. ζήλου τε καὶ φθόνου καὶ δέους μᾶλλον ἢ ἐγκλημάτων οὐδὲν ὁ Εὐμένης ἀπολιπών, ἐκέλευε τὴν σύγκλητον ὑφορᾶσθαι νέον ἐχθρὸν εὐδοκιμοῦντα καὶ γειτονεύοντα.

3. Ἡ δ᾽ ἔργῳ μὲν οὐκ ἀξιοῦσα βασιλέα σώφρονα καὶ φιλόπονον καὶ ἐς πολλοὺς φιλάνθρωπον, ἀθρόως οὕτως ἐπαιρόμενον καὶ πατρικὸν ὄντα σφίσιν ἐχθρόν, ἐν πλευραῖς ἔχειν, λόγῳ δ᾽ ἃ προύτεινεν ὁ Εὐμένης αἰτιωμένη, πολεμεῖν ἔκρινε τῷ Περσεῖ. καὶ τοῦτ᾽ ἀπόρρητον ἔτι ἐν σφίσιν αὐτοῖς ποιούμενοι, "Ἅρπαλόν τε πεμφθέντα παρὰ

MACEDONIAN AFFAIRS

that he had aided Philip in collecting his great armament against them, an armament which, when he became king, he actually increased instead of diminishing; that he was conciliating the Greeks in every possible way and furnishing military aid to the Byzantines, the Aetolians, and the Boeotians; that he had possessed himself of the great stronghold of Thrace and had stirred up dissensions among the Thessalians and the Perrhaebi when they wanted to send an embassy to Rome.

B.C. 172

2. "And of your two friends and allies," he said, "he drove Abrupolis out of his kingdom and conspired to kill Arthetaurus, the Illyrian chief, and gave shelter to his murderers." Eumenes also slandered him on account of his foreign marriages, both of which were with royal families, and for his bridal processions escorted by the whole fleet of Rhodes. He even made into an accusation the industry and sobriety of life which he shewed at such an early age, and the widespread popularity and praise which he had quickly attained. Of the things that could excite their jealousy, envy, and fear even more strongly than direct accusations, Eumenes omitted nothing, and he urged the Senate to beware of a youthful enemy so highly esteemed and so near to them.

3. The Senate, in reality because they did not choose to have on their flank a sober-minded, laborious, and benevolent king, an hereditary enemy to themselves, attaining eminence so suddenly, but ostensibly on the ground of Eumenes' allegations, decided to make war against Perseus. This intention they at present kept secret among themselves, and when Harpalus, who had been sent by Perseus

Περσέως ἐς ἀντιλογίαν Εὐμένους, καὶ Ῥοδίων τινὰ πρεσβευτήν, βουλομένους ἐς ὄψιν τὸν Εὐμένη διελέγχειν, παρόντος μὲν ἔτι τοῦ Εὐμένους οὐ προσήκαντο, μεταστάντος δὲ ἐδέξαντο. καὶ οἱ μὲν ἐπὶ τῷδε πρῶτον ἀγανακτοῦντές τε καὶ παρρησίᾳ χρώμενοι πλέον πολεμεῖν βουλομένους ἤδη Ῥωμαίους Περσεῖ καὶ Ῥοδίοις μᾶλλον ἐξηγρίωσαν· τῶν δὲ βουλευτῶν πολλοὶ τὸν Εὐμένη δι' αἰτίας εἶχον ὑπὸ φθόνου καὶ δέους αἴτιον τοσοῦδε πολέμου γενόμενον. καὶ Ῥόδιοι τὴν θεωρίαν αὐτοῦ, μόνου βασιλέων, ἐς τὴν ἑορτὴν τοῦ Ἡλίου πεμπομένην οὐκ ἐδέξαντο.

4. Αὐτὸς δ' ἐς τὴν Ἀσίαν ἐπανιὼν ἐκ Κίρρας ἐς Δελφοὺς ἀνέβαινε θύσων, καὶ αὐτῷ τέσσαρες ἄνδρες ὑπὸ τὸ τειχίον ὑποστάντες ἐπεβούλευον. καὶ ἄλλας δέ τινας αἰτίας οἱ Ῥωμαῖοι ἐς τὸν Περσέως πόλεμον ὡς οὔπω κεκριμένον προσελάμβανον, καὶ πρέσβεις ἐς τοὺς φίλους βασιλέας, Εὐμένη καὶ Ἀντίοχον καὶ Ἀριαράθην καὶ Μασανάσσην καὶ Πτολεμαῖον τὸν Αἰγύπτου, περιέπεμπον, ἑτέρους δ' ἐς τὴν Ἑλλάδα καὶ Θεσσαλίαν καὶ Ἤπειρον καὶ Ἀκαρνανίαν, καὶ ἐς τὰς νήσους, ὅσας δύναιντο προσαγαγέσθαι· ὃ καὶ μάλιστα τοὺς Ἕλληνας ἐτάραττεν, ἡδομένους μὲν τῷ Περσεῖ φιλέλληνι ὄντι, ἀναγκαζομένους δ' ἐνίους Ῥωμαίοις ἐς συμβάσεις χωρεῖν.

5. Ὧν ὁ Περσεὺς αἰσθόμενος ἔπεμπεν ἐς Ῥώμην, ἀπορῶν τε καὶ πυνθανόμενος τί παθόντες ἐκλήθονται τῶν συγκειμένων καὶ πρέσβεις κατ' αὐτοῦ περιπέμπουσιν ὄντος φίλου, δέον, εἰ καί τι μέμφονται, λόγῳ διακριθῆναι. οἱ δ' ἐνεκάλουν

MACEDONIAN AFFAIRS

to answer the charge of Eumenes, and a certain ambassador of the Rhodians, desired to refute Eumenes face to face, they were not admitted while he was still there, but after his departure they were received. They now, for the first time, lost patience, and using too much freedom of speech, still more exasperated the Romans, who were already meditating war against Perseus and the Rhodians. Many senators, however, blamed Eumenes for causing so great a war on account of his own private grudges and fears, and the Rhodians refused to receive his representatives, alone among all those sent by the kings to their festival of the Sun.

B.C. 172

4. When Eumenes was returning to Asia he went up from Cirrha to Delphi to sacrifice, and there four men, hiding behind a wall, made an attempt upon his life. Other causes besides this were advanced by the Romans for a war against Perseus, as though it had not yet been decreed, and ambassadors were sent to the allied kings, Eumenes, Antiochus, Ariarathes, Masinissa, and Ptolemy of Egypt, also to Greece, Thessaly, Epirus, Acarnania, and to such of the islands as they could draw to their side. This specially troubled the Greeks, some because they were fond of Perseus as a Philhellene, and some because they were compelled to enter into agreement with the Romans.

5. When Perseus learned these facts he sent other ambassadors to Rome, who said that the king was surprised and wished to know for what reason they had forgotten the agreement and sent around legates against himself, their ally. If they were offended at anything, they ought to discuss the matter first. The Senate then accused him of the things that

171

33

ὅσα Εὐμένης εἴποι καὶ πάθοι, καὶ μάλιστα ὅτι
Θρᾴκην κατακτῷτο, καὶ στρατιὰν ἔχοι καὶ
παρασκευὴν οὐκ ἠρεμήσοντος ἀνδρός. ὁ δ' αὖθις
ἔπεμπεν ἑτέρους, οἳ ἐς τὸ βουλευτήριον ἀπαχθέντες
ἔλεγον ὧδε· "τοῖς μὲν προφάσεως ἐς πόλεμον, ὦ
Ῥωμαῖοι, δεομένοις ἱκανὰ πάντα ἐς τὴν πρόφασιν
ἐστίν. εἰ δ' αἰδεῖσθε συνθήκας οἱ πολὺν ἀξιοῦντες
αὑτῶν λόγον ἔχειν, τί παθόντες ὑπὸ Περσέως
αἴρεσθε πόλεμον; οὐ γὰρ ὅτι στρατιὰν ἔχει καὶ
παρασκευήν. οὐ γὰρ ἔχει ταῦτα καθ' ὑμῶν. οὐδὲ
τοὺς ἄλλους κεκτῆσθαι βασιλέας κωλύετε· οὐδ'
ἄδικον ἀσφαλῶς ἔχειν ἐς τοὺς ἀρχομένους καὶ τὰ
περίοικα, καὶ εἴ τις ἔξωθεν ἐπιβουλεύοι. πρὸς δὲ
ὑμᾶς, ὦ ἄνδρες Ῥωμαῖοι, ὑπὲρ τῆς εἰρήνης ἐπρέσ-
βευσε καὶ τὰς συνθήκας ἔναγχος ἀνεκαίνισεν.
6. Ἀλλ' Ἀβρούπολιν ἐξέβαλε τῆς ἀρχῆς. ἐπι-
δραμόντα γε τοῖς ἡμετέροις ἀμυνόμενος. καὶ τοῦτ'
αὐτὸς ὑμῖν ἐδήλωσε Περσεύς, καὶ τὰς συνθήκας
αὐτῷ μετὰ τοῦτο ἀνενεώσασθε, οὔπω διαβάλλοντος
Εὐμένους. τὸ μὲν δὴ περὶ Ἀβρούπολιν καὶ πρεσ-
βύτερόν ἐστι τῶν συνθηκῶν, καὶ παρ' ὑμῖν, ὅτε
συνετίθεσθε, δίκαιον ἐφάνη. Δόλοψι γὰρ ἐπε-
στράτευσεν οὖσι τῆς ἰδίας ἀρχῆς, καὶ δεινὸν εἰ τῶν
ἑαυτοῦ λογισμὸν ὑμῖν ὀφλήσει. δίδωσι δ' ὅμως,
περὶ πολλοῦ ποιούμενος ὑμᾶς τε καὶ δόξαν ἀγαθήν.
ἔκτειναν δ' οἱ Δόλοπες οἵδε τὸν ἡγούμενον αὐτῶν
αἰκισάμενοι, καὶ ζητεῖ Περσεὺς τί ἂν ὑμεῖς ἐδρά-
σατε τοὺς ὑπηκόους τοιαῦτα πράξαντας. ἀλλ'

MACEDONIAN AFFAIRS

Eumenes had told them, and also of what Eumenes had suffered, and especially of taking possession of Thrace and collecting an army and war material, in a manner which did not shew a desire for peace. Again he sent ambassadors who were brought into the senate-chamber, and spoke as follows: "To those who are seeking an excuse for war, O Romans, anything will serve for a pretext, but if you have respect for treaties—you who profess so much regard for them—what have you suffered at the hands of Perseus that you should bring war against him? It cannot be because he has an army and war material. He does not hold them against you, nor do you prohibit other kings from having them, nor is it wrong that he should take precautions against those under his rule, and against his neighbours, and foreigners who might have designs against him. But to you, Romans, he sent ambassadors to confirm the peace and only recently renewed the treaty.

6. "But, you say, he drove Abrupolis out of his kingdom. Yes, in self-defence, for he had invaded our territory. This fact Perseus himself explained to you, and afterward you renewed the treaty with him, as Eumenes had not yet slandered him. The affair of Abrupolis antedates the treaty and seemed to you just, when you ratified it. You say that he made war on the Dolopians, but they were his own subjects. It is hard if he is to be obliged to give an account to you of what he does with his own. He gives it nevertheless, being moved by his high regard for you and for his own reputation. These Dolopians put their governor to death with torture, and Perseus asks what you would have done to any of your subjects who had been guilty of such a crime. But

'Αρθέταυρόν τινες ἀνελόντες ἐν Μακεδονίᾳ διέ-
τριβον. κοινῷ γε πάντων ἀνθρώπων νόμῳ, καθὰ
καὶ ὑμεῖς τοὺς ἑτέρωθεν φεύγοντας ὑποδέχεσθε.
μαθὼν δὲ καὶ τοῦθ' ὅτι ἔγκλημα ποιεῖσθε, ἐξεκήρυ-
ξεν αὐτοὺς τῆς ἀρχῆς ὅλης.

7. Βυζαντίοις δὲ καὶ Αἰτωλοῖς καὶ Βοιωτοῖς οὐ
καθ' ὑμῶν ἀλλὰ καθ' ἑτέρων συνεμάχησεν. καὶ
ταῦτα πάλαι ὑμῖν ἡμέτεροι πρέσβεις ἐμήνυον, καὶ
οὐκ ἐμέμφεσθε μέχρι τῆς Εὐμένους διαβολῆς, ἣν
οὐκ εἰάσατε τοὺς ἡμετέρους πρέσβεις ἐς ὄψιν
αὐτὸν ἐλέγξαι. ἀλλὰ τὴν ἐπιβουλὴν τὴν ἐν
Δελφοῖς αὐτῷ γενομένην προσγράφετε Περσεῖ,
πόσων Ἑλλήνων, πόσων δὲ βαρβάρων κατ'
Εὐμένους πρεσβευσάντων πρὸς ὑμᾶς οἷς πᾶσιν
ἐχθρός ἐστι τοιοῦτος ὤν. Ἐρέννιον δὲ τὸν
ἐν Βρεντεσίῳ τίς ἂν πιστεύσειεν ὅτι Περσεύς,
Ῥωμαῖον ὄντα καὶ φίλον ὑμέτερον καὶ πρόξενον,
εἴληφεν ἐπὶ τὴν τῆς βουλῆς φαρμακείαν, ὡς
ἀναλῶσαι τὴν σύγκλητον δι' αὐτοῦ δυνάμενος, ἢ
τοὺς ὑπολοίπους εὐμενεστέρους ἕξων διὰ τοὺς
ἀναιρουμένους; ἀλλ' Ἐρέννιος μὲν ἐψεύσατο τοῖς
ἐπιτρίβουσιν ἐς τὸν πόλεμον ὑμᾶς πρόφασιν
εὐσχήμονα διδούς, Εὐμένης δ' ὑπ' ἔχθρας τε καὶ
φθόνου καὶ δέους οὐδὲ ταῦτ' ὤκνησεν ἐγκαλέσαι
Περσεῖ, ὅτι πολλοῖς ἔθνεσι κεχαρισμένος καὶ
φιλέλλην, καὶ σωφρόνως ἀντὶ μέθης καὶ τρυφῆς
ἄρχει. καὶ ταῦθ' ὑμεῖς αὐτοῦ λέγοντος ὑπέστητε
ἀκροάσασθαι.

8. Τοιγάρτοι τὴν ἐκείνου διαβολὴν αὔξετε καθ'
ὑμῶν ὡς οὐ φέροντες σώφρονας καὶ δικαίους καὶ
φιλοπόνους γείτονας. Περσεὺς δ' Ἐρέννιον μὲν

the slayers of Arthetaurus lived on in Macedonia! B.C. 171
Yes, by the common law of mankind, the same
under which you yourselves give asylum to fugitives
from other countries. But when Perseus learned
that you considered this a crime he forbade them
his kingdom entirely.

7. "He gave aid to the Byzantines, the Aetolians,
and the Boeotians, not against you, but against
others. Of these things our ambassadors advised
you long ago, and you did not object until Eumenes
uttered his slander against us, which you did not
allow our ambassadors to answer in his presence.
But you accuse Perseus of the plot against him at
Delphi. How many Greeks, how many barbarians,
have sent ambassadors to you to complain against
Eumenes, to all of whom he is an enemy because so
base a man! As for Erennius of Brundusium, who
would believe that Perseus would choose a Roman
citizen, your hospitable friend, to administer poison
to the Senate, as though he could destroy the Senate
by means of him, or by destroying some of them
render the others more favourable to himself?
Erennius has lied to those who are inciting you to
war, furnishing them with a plausible pretext.
Eumenes, moved by hatred, envy, and fear, does not
even scruple to make it a crime on the part of
Perseus that he is liked by so many nations, that he
is a Philhellene, and that he leads the life of a
temperate ruler, instead of being a drunkard and a
profligate. And you endure to listen to such stuff
from his lips!

8. "Therefore the reproaches which you level
against him will recoil in an even greater measure
on your own heads, since you will be seen not to

καὶ Εὐμένη, καὶ εἴ τις ἄλλος ἐθέλοι, προκαλεῖται παρ' ὑμῖν ἐς ἐξέτασιν καὶ κρίσιν, ὑμᾶς δ' ἀναμιμνήσκει μὲν τῆς ἐς Ἀντίοχον τὸν μέγαν τοῦ πατρὸς ἑαυτοῦ προθυμίας καὶ βοηθείας, ἧς ἐπιγιγνομένης καλῶς ᾐσθάνεσθε, αἰσχρὸν δὲ παρελθούσης ἐπιλαθέσθαι, προφέρει δὲ συνθήκας πατρῴας τε καὶ ἰδίας πρὸς αὐτὸν ὑμῖν γενομένας. καὶ ἐπὶ τοῖσδε οὐκ ὀκνεῖ καὶ παρακαλεῖν ὑμᾶς, θεοὺς οὓς ὠμόσατε αἰδεῖσθαι, καὶ μὴ πολέμου κατάρχειν ἀδίκως ἐς φίλους, μηδ' ἔγκλημα ποιεῖσθαι γειτνίασιν καὶ σωφροσύνην καὶ παρασκευήν, οὐ γὰρ ἄξιον, ὡς Εὐμένους, καὶ ὑμῶν ἅπτεσθαι φθόνον ἢ φόβον. τὸ δὲ ἐναντίον ἐστὶ σῶφρον, φείδεσθαι γειτόνων ἐπιμελῶν, καὶ ὡς Εὐμένης φησίν, εὖ παρεσκευασμένων."

9. Οἱ μὲν δὴ πρέσβεις τοιαῦτα εἶπον, οἱ δὲ οὐδὲν αὐτοῖς ἀποκρινάμενοι τὸν πόλεμον ἐς τὸ φανερὸν ἐκύρουν. καὶ ὁ ὕπατος ἐκέλευε τοὺς πρέσβεις ἐκ μὲν τῆς πόλεως αὐτῆς ἡμέρας, ἐκ δὲ τῆς Ἰταλίας τριάκοντα ἄλλαις ἐξιέναι. τὰ δὲ αὐτὰ καὶ τοῖς ἐπιδημοῦσι Μακεδόνων ἐκήρυττεν. καὶ θόρυβος αὐτίκα μετὰ τὸ βουλευτήριον ἐπίφθονος ἦν, ἐν ὀλίγαις ὥραις ἐλαυνομένων τοσῶνδε ὁμοῦ, καὶ οὐδὲ ὑποζύγια εὑρεῖν ἐν οὕτω βραχεῖ διαστήματι, οὐδὲ πάντα φέρειν δυναμένων. ὑπὸ δὲ σπουδῆς οἱ μὲν οὐκ ἔφθανον ἐπὶ τοὺς σταθμούς, ἀλλ' ἐν μέσαις ἀνεπαύοντο ταῖς ὁδοῖς, οἱ δὲ παρὰ ταῖς πύλαις μετὰ παίδων ἑαυτοὺς ἐρρίπτουν καὶ μετὰ γυναικῶν. πάντα τε ἐγίγνετο ὅσα εἰκὸς ἐν αἰφνιδίῳ καὶ τοιῷδε κηρύγματι· αἰφνίδιον γὰρ αὐτοῖς ἐφαίνετο διὰ τὰς ἔτι πρεσβείας. U. p. 364.

MACEDONIAN AFFAIRS

tolerate temperate, honest, and industrious neighbours. Perseus challenges Erennius and Eumenes and anybody else to scrutiny and trial before you. He reminds you of his father's zeal and assistance to you against Antiochus the Great. You realized it very well at the time; it would be base to forget it now that it is past. Further, he invokes the treaties that you made with his father and with himself, does not hesitate to exhort you also to fear the gods by whom you swore, and not to bring an unjust war against your allies and not to make nearness, sobriety, and preparation causes of complaint. It is not worthy of you to be stirred by envy or fear like Eumenes. On the contrary, it will be the part of wisdom for you to spare neighbours who are diligent and, as Eumenes says, well prepared."

9. When the ambassadors had thus spoken the Senate gave them no answer, but made a public declaration of war, and the consul ordered the ambassadors to depart from Rome the same day and from Italy within thirty days. The same orders were proclaimed to all Macedonian residents. Consternation mingled with anger followed this action of the Senate, because, on a few hours' notice, so many people were compelled to depart together, who were not even able to find animals in so short a time, nor yet to carry all their goods themselves. Some, in their haste, could not reach a lodging-place, but passed the night in the middle of the roads. Others threw themselves on the ground at the city gates with their wives and children. Everything happened that was likely to follow such an unexpected decree, for it was unexpected to them on account of the pending negotiation.

XII

Ὅτι μετὰ τὴν νίκην ὁ Περσεύς, εἴτ' ἐπιγελῶν Κράσσῳ καὶ τωθάζων αὐτόν, εἴτ' ἀποπειρώμενος ὅπως ἔτι φρονήματος ἔχοι, εἴτε τὴν Ῥωμαίων δύναμίν τε καὶ παρασκευὴν ὑφορώμενος, εἴθ' ἑτέρῳ τῳ λογισμῷ, προσέπεμπεν αὐτῷ περὶ διαλλαγῶν, καὶ πολλὰ δώσειν ὑπισχνεῖτο ὧν ὁ πατὴρ Φίλιππος οὐ συνεχώρει· ᾧ καὶ μᾶλλον ὕποπτος ἦν ἐπιγελῶν καὶ πειρώμενος. ὁ δὲ Περσεῖ μὲν ἀπεκρίνατο Ῥωμαίων ἀξίας οὐκ εἶναι διαλύσεις αὐτῷ, εἰ μὴ καὶ Μακεδόνας καὶ ἑαυτὸν ἐπιτρέψειε Ῥωμαίοις· αἰδούμενος δ' ὅτι Ῥωμαῖοι τῆς ἥττης κατῆρξαν, ἐκκλησίαν συναγαγὼν Θεσσαλοῖς μὲν ἐμαρτύρησεν ὡς ἀνδράσιν ἀγαθοῖς περὶ τὴν συμφορὰν γενομένοις, Αἰτωλῶν δὲ καὶ ἑτέρων Ἑλλήνων κατεψεύσατο ὡς πρώτων τραπέντων. καὶ τούτους ἐς Ῥώμην ἔπεμψεν. id. p. 369.

XIII

Τὸ δὲ λοιπὸν τοῦ θέρους ἀμφότεροι περὶ σιτολογίαν ἐγίγνοντο, Περσεὺς μὲν ἐν τοῖς πεδίοις ἁλωνευόμενος, Ῥωμαῖοι δὲ ἐν τῷ στρατοπέδῳ. Suid. v. ἁλωνευόμενος.

XIV

Ὃς δὲ πρῶτος ἐξῆρχε τοῦ πόνου, ἑξηκοντούτης ὢν καὶ βαρὺς τὸ σῶμα καὶ πιμελής. id. v. πιμελής.

MACEDONIAN AFFAIRS

XII. From the Same

AFTER his victory Perseus, either to make sport of Crassus, and by way of joke, or to test his present state of mind, or fearing the power and resources of the Romans, or for some other reason, sent messengers to him to treat for peace, and promised to make many concessions which his father, Philip, had refused. In this promise he seemed to be rather joking with him and testing him. But Crassus replied that it would not be worthy of the dignity of the Roman people to come to terms with him unless he should surrender Macedonia and himself to them. Being ashamed that the Romans were the first to retreat, Crassus called an assembly, in which he praised the Thessalians for their brave conduct in the catastrophe, and falsely accused the Aetolians and the other Greeks of being the first to fly; and these men he sent to Rome.

B.C. 171

XIII. From Suidas

BOTH armies employed the rest of the summer in collecting corn, Perseus threshing in the fields and the Romans in their camp.

XIV. From the Same

HE (Q. Marcius) was foremost in labour, although sixty years of age and heavy and corpulent.

XV

Τότε δὲ ἔθει τις δρόμῳ δηλώσων τῷ Περσεῖ
λουομένῳ καὶ τὸ σῶμα ἀναλαμβάνοντι. ὁ δὲ
ἐξήλατο τοῦ ὕδατος βοῶν ὅτι ἑαλώκοι πρὸ τῆς
μάχης. id. v. ἀναλαμβάνειν b.

XVI

"Οτι Περσεὺς ἀναθαρρῶν ἤδη κατ' ὀλίγον μετὰ
τὴν φυγήν, Νικίαν καὶ Ἀνδρόνικον, οὓς ἐπὶ τὸν
καταποντισμὸν τῶν χρημάτων καὶ τὸν ἐμπρησμὸν
τῶν νεῶν ἐπεπόμφει, περιποιήσας αὐτῷ καὶ τὰς
ναῦς καὶ τὰ χρήματα, συνίστορας ἡγούμενος
αἰσχροῦ φόβου καὶ ἑτέροις ἐξαγγελεῖν, ἀπέκτεινεν
ἀθεμίστως, καὶ ἀπὸ τοῦδε εὐθὺς ἐκ μεταβολῆς
ὠμὸς καὶ εὐχερὴς ἐς ἅπαντας ἐγένετο, καὶ οὐδὲν
ὑγιὲς οὐδ' εὔβουλόν οἱ ἔτι ἦν, ἀλλ' ὁ πιθανώτατος
ἐς εὐβουλίαν καὶ λογίσασθαι δεξιὸς καὶ εὐτολ-
μότατος ἐς μάχας, ὅσα γε μὴ σφάλλοιτο δι'
ἀπειρίαν, ἀθρόως τότε καὶ παραλόγως ἐς δειλίαν
καὶ ἀλογιστίαν ἐτράπετο, καὶ ταχὺς καὶ εὐμετά-
θετος ἄφνω καὶ σκαιὸς ἐς πάντα ἐγένετο, ἀρχομέ-
νης αὐτὸν ἐπιλείπειν τῆς τύχης. ὅπερ ἔστι
πολλοὺς ἰδεῖν, μεταβολῆς προσιούσης ἀλογωτέ-
ρους γιγνομένους ἑαυτῶν. Val. p. 561 (hinc Suid.
v. Περσεὺς Μακεδών).

XVII

"Οτι Ῥόδιοι πρέσβεις ἐς Μάρκιον ἔπεμψαν,
συνηδόμενοι τῶν γεγονότων [Περσεῖ]. ὁ δὲ
Μάρκιος τοὺς πρέσβεις ἐδίδασκε Ῥοδίους πεῖσαι

MACEDONIAN AFFAIRS

XV. From the Same

THEN somebody ran to Perseus, while he was refreshing himself with a bath, and told him [that the enemy was approaching]. He sprang out of the water, exclaiming that he had been captured before the battle.

B.C. 171

XVI. From "Virtues and Vices"

PERSEUS, who was now gradually plucking up courage after his flight, wickedly put to death Nicias and Andronicus, whom he had sent with orders to throw his money into the sea and to burn his ships; because after the ships and money had been saved he knew that they were witnesses of his disgraceful panic and might tell others of it. And from that time, by a sudden change, he became cruel and reckless toward everybody. Nor did he show any soundness or wisdom of judgment thereafter, but he, who had before been most persuasive in counsel and shrewd in calculation and courageous in battle, except when he failed owing to inexperience, when fortune began to desert him became suddenly and unaccountably cowardly and imprudent, as well as unsteady, changeable and maladroit in all things. Thus we see many who lose their usual discretion when reverses come.

69

XVII. From "The Embassies"

THE Rhodians sent ambassadors to Marcius to congratulate him on the state of affairs in his war with Perseus. Marcius advised the ambassadors to

πέμψαντας ἐς Ῥώμην διαλῦσαι τὸν πόλεμον
Ῥωμαίοις τε καὶ Περσεῖ. καὶ Ῥόδιοι πυθόμενοι
μετέπιπτον ὡς οὐ φαύλως ἔχοντος τοῦ Περσέως·
οὐ γὰρ εἴκαζον ἄνευ Ῥωμαίων ταῦτα Μάρκιον
ἐπισκήπτειν. ὁ δ' ἀφ' ἑαυτοῦ καὶ τάδε καὶ ἕτερα
πολλὰ δι' ἀτολμίαν ἔπραττεν. Ῥόδιοι μὲν οὖν
καὶ ὣς πρέσβεις ἔπεμπον ἐς Ῥώμην, καὶ ἑτέρους
πρὸς Μάρκιον. U. p. 369.

XVIII

1. Ὅτι Γένθιος βασιλεὺς Ἰλλυριῶν ἑνὸς ἔθνους
προσοίκου Μακεδόσι, Περσεῖ συμμαχῶν ἐπὶ
τριακοσίοις ταλάντοις, ὧν τι καὶ προειλήφει,
ἐσέβαλεν ἐς τὴν ὑπὸ Ῥωμαίοις Ἰλλυρίδα, καὶ
πρέσβεις περὶ τούτων πρὸς αὐτὸν ἐλθόντας Περ-
πένναν καὶ Πετίλιον ἔδησεν. ὧν ὁ Περσεὺς
αἰσθόμενος οὐκέτι τὰ λοιπὰ τῶν χρημάτων ἔπεμ-
πεν ὡς ἤδη καὶ δι' αὐτὸν Ῥωμαίοις πεπολεμωμέ-
νον. ἐς δὲ Γέτας ἔπεμπε τοὺς ὑπὲρ Ἴστρον, καὶ
Εὐμένους ἀπεπείρασεν ἐπὶ χρήμασιν ἢ μεταθέ-
σθαι πρὸς αὐτόν, ἢ διαλῦσαι τὸν πόλεμον, ἢ
ἀμφοτέροις ἐκστῆναι τοῦ ἀγῶνος, εὖ μὲν εἰδὼς
οὐ λησόμενα ταῦτα Ῥωμαίους, ἐλπίζων δ' ἢ
πράξειν τι αὐτῶν ἢ τῇ πείρᾳ διαβαλεῖν τὸν
Εὐμένη. ὁ δὲ μεταθήσεσθαι μὲν οὐκ ἔφη, τάλαντα
δ' ᾔτει τῆς μὲν διαλύσεως χίλια καὶ πεντα-
κόσια, τῆς δὲ ἡσυχίας χίλια. καὶ ὁ Περ-
σεὺς ἤδη Γετῶν αὐτῷ προσιέναι μισθοφόρους
μυρίους ἱππέας καὶ μυρίους πεζοὺς πυθόμενος,

MACEDONIAN AFFAIRS

persuade the Rhodians to send legates to Rome to bring about peace between the Romans and Perseus. When the Rhodians heard these things they changed their minds, thinking that the affairs of Perseus were not in such a bad state, for they did not think that Marcius would have enjoined this without the concurrence of the Romans. But he did this and many other things on his own motion, by reason of cowardice. The Rhodians nevertheless sent ambassadors to Rome and others to Marcius.

B.C. 169

XVIII. FROM VIRTUES AND VICES

I. GENTHIUS, king of a tribe of Illyrians bordering on Macedonia, having formed an alliance with Perseus in consideration of 300 talents, of which he had received a part down, made an attack upon Roman Illyria, and when the Romans sent Perpenna and Petilius as ambassadors to enquire about it, he put them in chains. When Perseus learned this he decided not to pay the rest of the money, thinking that Genthius had already, by his own action, made himself an enemy of the Romans. He also sent legates to the Getae on the other side of the Danube, and he offered money to Eumenes if he would come over to his side, or negotiate for him a peace with Rome, or help neither party in the contest. He knew well that the Romans would hear of this and hoped either to achieve one of these things, or to cast suspicion on Eumenes by the very attempt. Eumenes refused to come over to his side, and he demanded 1500 talents for negotiating a peace, or 1000 for remaining neutral. But now Perseus, learning that 10,000 foot and as many horse were coming to him as mercenaries from the Getae, began forthwith to despise

168

αὐτίκα τοῦ Εὐμένους κατεφρόνει, καὶ τῆς μὲν
ἡσυχίας οὐκ ἔφη δώσειν οὐδέν (αἰσχύνην γὰρ
φέρειν ἀμφοῖν), τὰ δὲ τῆς διαλύσεως οὐ προδώσειν,
ἀλλ' ἐν Σαμοθράκῃ καταθήσειν μέχρι γένοιτο ἡ
διάλυσις, εὐμετάβολος ἤδη καὶ μικρολόγος ὑπὸ
θεοβλαβείας ἐς πάντα γενόμενος. ἑνὸς δὲ ὢν
ἤλπισεν ὅμως οὐκ ἀπέτυχε, Ῥωμαίοις Εὐμένους
ὑπόπτου γενομένου.

2. Γετῶν δὲ τὸν Ἴστρον περασάντων, ἐδόκει
Κλοιλίῳ μὲν τῷ ἡγεμόνι δοθῆναι χιλίους χρυσοῦς
στατῆρας, ἱππεῖ δ' ἑκάστῳ δέκα, καὶ τὰ ἡμίσεα
πεζῷ· καὶ τοῦτο σύμπαν ἦν ὀλίγῳ πλέον πεντε-
καίδεκα μυριάδων χρυσίου. ὁ δὲ χλαμύδας μέν
τινας ἐπήγετο καὶ ψέλια χρυσᾶ καὶ ἵππους ἐς
δωρεὰν τοῖς ἡγουμένοις, καὶ στατῆρας φερομένους
μυρίους, καὶ πλησιάσας μετεπέμπετο Κλοίλιον.
ὁ δὲ τοὺς ἐλθόντας, εἰ φέρουσι τὸ χρυσίον, ἤρετο,
καὶ μαθὼν οὐκ ἔχοντας ἀναστρέφειν ἐπ' αὐτὸν
ἐκέλευσεν. ὧν ὁ Περσεὺς πυθόμενος, πάλιν αὐτὸν
ἐλαύνοντος θεοῦ, κατηγόρει τῶν Γετῶν ἐν τοῖς
φίλοις ἐκ μεταβολῆς ὡς φύσεως ἀπίστου, καὶ
ὑπεκρίνετο μὴ θαρρεῖν δισμυρίους αὐτῶν ἐς τὸ
στρατόπεδον ὑποδέξασθαι, μόλις δ' ἔφη μυρίους,
ὧν καὶ νεωτεριζόντων κρατῆσαι δύνασθαι.

3. Ταῦτα δὲ τοῖς φίλοις εἰπὼν ἕτερα τοῖς Γέταις
ἐπλάττετο, καὶ τὸ ἥμισυ τῆς στρατιᾶς ᾔτει, τὸ
χρυσίον τὸ γιγνόμενον ὑπισχνούμενος δώσειν.
τοσαύτης ἀνωμαλίας ἔγεμε, φροντίζων χρημάτων
τῶν πρὸ βραχέος ἐς θάλασσαν μεθειμένων. ὁ δὲ
Κλοίλιος τοὺς ἀφικομένους ἰδὼν ἤρετο μετὰ βοῆς

MACEDONIAN AFFAIRS

Eumenes, and said that he would pay nothing for his neutrality, for that would be a disgrace to both of them, but for negotiating a peace he would not fail to pay, and would deposit the money in Samothrace until the treaty was concluded, so fickle and mean in all matters had he become in his infatuation. Nevertheless, one of the things that he hoped for took place; Eumenes fell under suspicion at Rome.

B.C. 168

2. When the Getae had crossed the Danube, they claimed that there should be given to Cloelius, their leader, 1000 gold staters and also ten to each horseman and five to each foot soldier, the whole amounting to a little over 150,000 pieces of gold. Perseus sent messengers to them bearing military cloaks, gold necklaces, and horses for the officers, and 10,000 staters. When he was not far from their camp he sent for Cloelius. The latter asked the messengers whether they had brought the gold, and when he learned that they had not, he ordered them to go back to Perseus. When Perseus learned this, he was again persecuted by Heaven, and capriciously complained among his friends of the faithless nature of the Getae, and pretended to be afraid to receive 20,000 of them in his camp. He said that he could with difficulty receive 10,000 of them, whom he could subdue if they should rebel.

3. While saying these things to his friends, he told other lies to the Getae and asked for half of their force, promising to give them gold that was coming in to him—so inconsistent was he, and so anxious about the money that he had ordered to be thrown into the sea a little while before. Cloelius, seeing the messengers returning, asked in a loud

εἰ τὸ χρυσίον κεκομίκασι, καὶ βουλομένους τι
λέγειν ἐκέλευε πρῶτον εἰπεῖν περὶ τοῦ χρυσίου.
ὡς δ' ἔμαθεν οὐκ ἔχοντας, οὐκ ἀνασχόμενος αὐτῶν
οὐδ' ἀκοῦσαι, τὴν στρατιὰν ἀπῆγεν ὀπίσω. καὶ
Περσεὺς ἀφήρητο καὶ τῆσδε συμμαχίας, πολλῆς
τε καὶ κατὰ καιρὸν ἐλθούσης. ὑπὸ δ' ἀφροσύνης,
ἐν Φίλᾳ χειμάζων καὶ στρατὸν ἔχων πολὺν Θεσ-
σαλίαν μὲν οὐκ ἐπέτρεχεν, ἢ Ῥωμαίοις ἐχορήγει
τροφάς, ἐς δὲ τὴν Ἰωνίαν ἔπεμπε κωλύειν τὴν
ἀγορὰν τὴν ἐκεῖθεν αὐτοῖς φερομένην. Val. p.
562.

XIX

Ὅτι Παύλῳ ἐπ' εὐτυχίας τοσῆσδε γενομένῳ τὸ
δαιμόνιον ἐφθόνησε τῆς εὐτυχίας. καὶ οἱ τεσ-
σάρων παίδων ὄντων τοὺς μὲν πρεσβυτέρους
αὐτῶν ἐς θέσιν ἄλλοις ἐδεδώκει, Μάξιμόν τε καὶ
Σκιπίωνα, τοὺς δὲ νεωτέρους ἄμφω συνέβη, τὸν
μὲν πρὸ τριῶν ἡμερῶν τοῦ θριάμβου τὸν δὲ μετὰ
πέντε, ἀποθανεῖν. καὶ τοῦτ' οὐδενὸς ἧττον ὁ
Παῦλος κατελογίσατο τῷ δήμῳ. ἔθους γὰρ ὄντος
τοῖς στρατηγοῖς καταλέγειν τὰ πεπραγμένα,
παρελθὼν ἐς τὴν ἀγορὰν εἶπεν ἐς μὲν Κέρκυραν ἐκ
Βρεντεσίου διαπλεῦσαι μιᾶς ἡμέρας, ἐκ δὲ Κερ-
κύρας πέντε μὲν ἐς Δελφοὺς ὁδεῦσαι καὶ θῦσαι τῷ
θεῷ, πέντε δὲ ἄλλαις ἐς Θεσσαλίαν παραγενέσθαι
καὶ παραλαβεῖν τὸν στρατόν, ἀπὸ δὲ ταύτης
πεντεκαίδεκα ἄλλαις ἑλεῖν Περσέα καὶ Μακεδόνας
παραλαβεῖν. οὕτω δὲ ὀξέως ἁπάντων ἐπιτυχὼν
δεῖσαι μή τι τῷ στρατῷ συμπέσοι πρὸς ὑμᾶς
ἐπανιόντι. " διασωθέντος δὲ τοῦ στρατοῦ περὶ

MACEDONIAN AFFAIRS

voice whether they had brought the gold, and when they wanted to talk about something else he ordered them to speak of the gold first. When he learned that they had not got it, he led his army home without waiting to hear another word from them. Thus Perseus deprived himself of these allies also, who were numerous and had arrived at an opportune moment. He was so foolish, also, that while wintering with a large army at Phila he made no incursion into Thessaly, which furnished supplies to the Romans, but sent a force to Ionia to prevent the bringing of supplies to them from that quarter.

B.C. 168

XIX. FROM THE SAME

HEAVEN was jealous of the prosperity of Paulus when he had reached such a pinnacle of fortune. Of his four sons, while he gave the two elder, Maximus and Scipio, for adoption into other families, the two younger ones died, one of them three days before his triumph and the other five days after it. Paulus alluded to this as much as anything in his address to the people. When he came to the forum to give an account of his doings, according to the custom of generals, he said, "I sailed from Brundusium to Corcyra in one day. Five days I was on the road from Corcyra to Delphi, where I sacrificed to the god. In five days more I arrived in Thessaly and took command of the army. Fifteen days later I overthrew Perseus and conquered Macedonia. All these strokes of good fortune coming so rapidly led me to fear the approach of some calamity to the army on my return. When the army was made safe,

APPIAN'S ROMAN HISTORY, BOOK IX

ὑμῶν ἐδεδοίκειν," ἔφη· "φθονερὸς γὰρ ὁ δαίμων. ἐς ἐμὲ δὲ ἀποσκήψαντος τοῦ κακοῦ, καὶ ἀθρόως μοι τῶν δύο παίδων ἀποθανόντων, ἐπ' ἐμαυτῷ μέν εἰμι βαρυσυμφορώτατος, ἐπὶ δὲ ὑμῖν ἀμέριμνος." ταῦτ' εἰπών, καὶ καταθαυμαζόμενος ἐπὶ πᾶσιν, οἰκτιζόμενος δὲ ἐπὶ τοῖς τέκνοις, μετ' οὐ πολὺν χρόνον ἀπέθανεν. id. p. 565.

MACEDONIAN AFFAIRS

I feared for you on account of the enviousness of fate. Now that the calamity falls upon me, in the sudden loss of my two sons, I am the most unfortunate of men for myself, but free from anxiety as to you." Having spoken thus, Paulus became the object of universal admiration on account of all his exploits, and of commiseration on account of his children; and he died not long after.

B.C. 168

BOOK X
THE ILLYRIAN WARS

Κ'

ΙΛΛΥΡΙΚΗ

I

CAP. I

1. Ἰλλυριοὺς Ἕλληνες ἡγοῦνται τοὺς ὑπέρ τε Μακεδονίαν καὶ Θρᾴκην ἀπὸ Χαόνων καὶ Θεσπρωτῶν ἐπὶ ποταμὸν Ἴστρον. καὶ τοῦτ᾽ ἐστὶ τῆς χώρας τὸ μῆκος, εὖρος δ᾽ ἐκ Μακεδόνων τε καὶ Θρᾳκῶν τῶν ὀρείων ἐπὶ Παίονας καὶ τὸν Ἰόνιον καὶ τὰ πρόποδα τῶν Ἄλπεων. καὶ ἔστι τὸ μὲν εὖρος ἡμερῶν πέντε, τὸ δὲ μῆκος τριάκοντα, καθὰ καὶ τοῖς Ἕλλησιν εἴρηται. Ῥωμαίων δὲ τὴν χώραν μετρησαμένων ἔστιν ὑπὲρ ἑξακισχιλίους σταδίους τὸ μῆκος, καὶ τὸ πλάτος ἀμφὶ τοὺς χιλίους καὶ διακοσίους.

2. Φασὶ δὲ τὴν μὲν χώραν ἐπώνυμον Ἰλλυριοῦ τοῦ Πολυφήμου γενέσθαι· Πολυφήμῳ γὰρ τῷ Κύκλωπι καὶ Γαλατείᾳ Κελτὸν καὶ Ἰλλυριὸν καὶ Γάλαν παῖδας ὄντας ἐξορμῆσαι Σικελίας, καὶ ἄρξαι τῶν δι᾽ αὐτοὺς Κελτῶν καὶ Ἰλλυριῶν καὶ Γαλατῶν λεγομένων. καὶ τόδε μοι μάλιστα, πολλὰ μυθευόντων ἕτερα πολλῶν, ἀρέσκει. Ἰλλυριῷ δὲ παῖδας Ἐγχέλεα καὶ Αὐταριέα καὶ Δάρδανον καὶ Μαῖδον καὶ Ταύλαντα καὶ Περραιβὸν γενέσθαι, καὶ θυγατέρας Παρθὼ καὶ

BOOK X

THE ILLYRIAN WARS

I

1. THE Greeks call those people Illyrians who occupy the region beyond Macedonia and Thrace from Chaonia and Thesprotia to the river Danube. This is the length of the country, while its breadth is from Macedonia and the mountains of Thrace to Pannonia and the Adriatic and the foot-hills of the Alps. Its breadth is five days' journey and its length thirty—so the Greek writers say. The Romans measured the country and found its length to be upwards of 6000 stades and its width about 1200.

CHAP.
I
Origin of the Illyrians

2. They say that the country received its name from Illyrius, the son of Polyphemus; for the Cyclops Polyphemus and his wife, Galatea, had three sons, Celtus, Illyrius, and Galas, all of whom migrated from Sicily, and ruled over the peoples called after them Celts, Illyrians and Galatians. Among the many myths prevailing among many peoples this seems to me the most plausible. Illyrius had six sons, Encheleus, Autarieus, Dardanus, Maedus, Taulas, and Perrhaebus, also daughters,

CAP. I Δαορθὼ καὶ Δασσαρὼ καὶ ἑτέρας, ὅθεν εἰσὶ Ταυλάντιοί τε καὶ Περραιβοὶ καὶ Ἐγχέλεες καὶ Αὐταριεῖς καὶ Δάρδανοι καὶ Παρθηνοὶ καὶ Δασσαρήτιοι καὶ Δάρσιοι. Αὐταριεῖ δὲ αὐτῷ Παννόνιον ἡγοῦνται παῖδα ἢ Παίονα γενέσθαι, καὶ Σκορδίσκον Παίονι καὶ Τριβαλλόν, ὧν ὁμοίως τὰ ἔθνη παρώνυμα εἶναι. καὶ τάδε μὲν τοῖς ἀρχαιολογοῦσι μεθείσθω, 3. γένη δ᾽ ἔστιν Ἰλλυριῶν, ὡς ἐν τοσῇδε χώρᾳ, πολλά. καὶ περιώνυμα ἔτι νῦν, χώραν νεμόμενα πολλὴν, Σκορδίσκων καὶ Τριβαλλῶν, οἳ ἐς τοσοῦτον ἀλλήλους πολέμῳ διέφθειραν ὡς Τριβαλλῶν εἴ τι ὑπόλοιπον ἦν ἐς Γέτας ὑπὲρ Ἴστρον φυγεῖν, καὶ γένος ἀκμάσαν μέχρι Φιλίππου τε καὶ Ἀλεξάνδρου νῦν ἔρημον καὶ ἀνώνυμον τοῖς τῇδε εἶναι, Σκορδίσκους δὲ ἀσθενεστάτους ἀπὸ τοῦδε γενομένους ὑπὸ Ῥωμαίων ὕστερον ὅμοια παθεῖν καὶ ἐς τὰς νήσους τοῦ αὐτοῦ ποταμοῦ φυγεῖν, σὺν χρόνῳ δέ τινας ἐπανελθεῖν καὶ Παιόνων ἐσχατιαῖς παροικῆσαι· ὅθεν ἔστι καὶ νῦν Σκορδίσκων γένος ἐν Παίοσιν. τῷ δ᾽ αὐτῷ τρόπῳ καὶ Ἀρδιαῖοι τὰ θαλάσσια ὄντες ἄριστοι πρὸς Αὐταριέων ἀρίστων ὄντων τὰ κατὰ γῆν, πολλὰ βλάψαντες αὐτοὺς, ὅμως ἐφθάρησαν. καὶ ναυτικοὶ μὲν ἐπὶ τοῖς Ἀρδιαίοις ἐγένοντο Λιβυρνοί, γένος ἕτερον Ἰλλυριῶν, οἳ τὸν Ἰόνιον καὶ τὰς νήσους ἐλῄστευον ναυσὶν ὠκείαις τε καὶ κούφαις, ὅθεν ἔτι νῦν Ῥωμαῖοι τὰ κοῦφα καὶ ὀξέα δίκροτα Λιβυρνίδας προσαγορεύουσιν.

THE ILLYRIAN WARS

Partho, Daortho, Dassaro, and others, from whom sprang the Taulantii, the Perrhaebi, the Enchelces, the Autarienses, the Dardani, the Partheni, the Dassaretii, and the Darsii. Autarieus had a son Pannonius, or Paeon, and the latter had sons, Scordiscus and Triballus, from whom also nations bearing similar names were derived. But I will leave these matters to the archaeologists.

3. The Illyrian tribes are many, as is natural in so extensive a country; and celebrated even now are the names of the Scordisci and the Triballi, who inhabited a wide region and destroyed each other by wars to such a degree that the remnant of the Triballi took refuge with the Getae on the other side of the Danube, and, though flourishing until the time of Philip and Alexander, is now extinct and its name scarcely known in the regions once inhabited by it. The Scordisci, having been reduced to extreme weakness in the same way, and having suffered much at a later period in war with the Romans, took refuge in the islands of the same river. In the course of time some of them returned and settled on the confines of Pannonia, and thus it happens that a tribe of the Scordisci still remains in Pannonia. In like manner the Ardiaei, who were distinguished for their maritime power, were finally destroyed by the Autarienses, whose land forces were stronger, but whom they had often defeated. The Liburni, another Illyrian tribe, were next to the Ardiaei as a nautical people. These practised piracy in the Adriatic Sea and islands, with their light, fast-sailing pinnaces, from which circumstance the Romans to this day call their own light, swift biremes "Liburnians."

APPIAN'S ROMAN HISTORY, BOOK X

CAP.
I

4. Αὐταριέας δὲ φασὶν ἐκ θεοβλαβείας Ἀπόλλωνος ἐς ἔσχατον κακοῦ περιελθεῖν. Μολιστόμῳ γὰρ αὐτοὺς καὶ Κελτοῖς τοῖς Κίμβροις λεγομένοις ἐπὶ Δελφοὺς συστρατεῦσαι, καὶ φθαρῆναι μὲν αὐτίκα τοὺς πλέονας αὐτῶν πρὸ ἐπιχειρήσεως, ὑετῶν σφίσι καὶ θυέλλης καὶ πρηστήρων ἐμπεσοντων, ἐπιγενέσθαι δὲ τοῖς ὑποστρέψασιν ἄπειρον βατράχων πλῆθος, οἳ διασαπέντες τὰ νάματα διέφθειραν. καὶ ἐκ τῆς γῆς ἀτμῶν ἀτόπων γενομένων λοιμὸς ἦν Ἰλλυριῶν καὶ φθόρος Αὐταριέων μάλιστα, μέχρι φεύγοντες τὰ οἰκεῖα, καὶ τὸν λοιμὸν σφίσι περιφέροντες, οὐδενὸς αὐτοὺς δεχομένου διὰ τοῦτο τὸ δέος ὑπερῆλθον ὁδὸν ἡμερῶν εἴκοσι καὶ τριῶν, καὶ τὴν Γετῶν ἑλώδη καὶ ἀοίκητον, παρὰ τὸ Βαστερνῶν ἔθνος, ᾤκησαν. Κελτοῖς δὲ ὁ θεὸς τὴν γῆν ἔσεισε καὶ τὰς πόλεις κατήνεγκε· καὶ τὸ κακὸν οὐκ ἔληγε, μέχρι καὶ οἵδε τὰ οἰκεῖα φεύγοντες ἐνέβαλον ἐς Ἰλλυριοὺς τοὺς συναμαρτόντας σφίσιν, ἀσθενεῖς ὑπὸ τοῦ λοιμοῦ γενομένους, καὶ ἐδῄωσάν τε τὰ ἐκείνων, καὶ τοῦ λοιμοῦ μετασχόντες ἔφυγον καὶ μέχρι Πυρήνης ἐλεηλάτουν. ἐπιστρέφουσι δ' αὐτοῖς ἐς τὴν ἕω, Ῥωμαῖοι, δεδιότες ὑπὸ μνήμης τῶν προπεπολεμηκότων σφίσι Κελτῶν, μὴ καὶ οἵδε ἐς τὴν Ἰταλίαν ὑπὲρ Ἄλπεις ἐσβάλοιεν, ἀπήντων ἅμα τοῖς ὑπάτοις καὶ πανστρατιᾷ διώλλυντο. καὶ τὸ πάθος τοῦτο Ῥωμαίων μέγα δέος Κελτῶν ἐς ὅλην τὴν Ἰταλίαν ἐνέβαλε, μέχρι Γάιον Μάριον ἑλόμενοι σφῶν οἱ Ῥωμαῖοι στρατηγεῖν, ἄρτι Λιβύων τοῖς Νομάσι καὶ Μαυρουσίοις ἐγκρατῶς πεπολεμηκότα, τοὺς Κίμβρους ἐνίκων καὶ πολὺν φόνον αὐτῶν εἰργάσαντο πολλάκις, ὥς μοι περὶ Κελτῶν λέγοντι

THE ILLYRIAN WARS

4. The Autarienses are said to have been overtaken with destruction by the vengeance of Apollo. Having joined Molistomus and the Celtic people called Cimbri in an expedition against the temple of Delphi, the greater part of them were destroyed at once by storm, hurricane, and lightning before the sacrilege was attempted. Upon those who returned home there came a countless number of frogs, whose bodies decayed and polluted the streams, and noxious vapours rising from the ground caused a plague among the Illyrians which was especially fatal to the Autarienses. At last they fled from their homes, and still carrying the plague with them (and for fear of it nobody would receive them), they came, after a journey of twenty-three days, to a marshy and uninhabited district of the Getae, where they settled near the Bastarnae. The Celts the god visited with an earthquake and overthrew their cities, and did not abate the calamity until these also fled from their abodes and made an incursion into Illyria among their fellow-culprits, who had been weakened by the plague. While robbing the Illyrians they caught the plague and again took to flight and reached the Pyrenees, plundering as they went. But when they were returning to the east the Romans, mindful of their former encounters with the Celts, and fearful lest these too should cross the Alps and invade Italy, sent against them both consuls, who were annihilated with the whole army. This calamity to the Romans brought great dread of the Celts upon all Italy until Gaius Marius, who had lately triumphed over the Numidians and Mauretanians, was chosen commander and defeated the Cimbri repeatedly with great slaughter, as I have related in my Celtic history.

CHAP. 1

Vengeance of Apollo

B.C. 105

First contact with the Romans

CAP. εἴρηται. οἱ δὲ ἀσθενεῖς τε ἤδη γενόμενοι καὶ
I πάσης γῆς ἀποκλειόμενοι διὰ τὸ ἀσθενές, ἐς τὰ
οἰκεῖα ἐπανῆλθον πολλὰ καὶ δράσαντες καὶ πα-
θόντες.

5. Τοιοῦτον μὲν δὴ τέλος τῆς ἀσεβείας ὁ θεὸς
ἐπέθηκεν Ἰλλυριοῖς τε καὶ Κελτοῖς· οὐ μὴν
ἀπέσχοντο τῆς ἱεροσυλίας, ἀλλ' αὖθις, ἅμα τοῖς
Κελτοῖς, Ἰλλυριῶν οἱ Σκορδίσκοι μάλιστα καὶ
Μαῖδοι καὶ Δάρδανοι τὴν Μακεδονίαν ἐπέδραμον
ὁμοῦ καὶ τὴν Ἑλλάδα, καὶ πολλὰ τῶν ἱερῶν καὶ
τὸ Δελφικὸν ἐσύλησαν, πολλοὺς ἀποβαλόντες
ὅμως καὶ τότε. Ῥωμαῖοι δ' ἔχοντες ἤδη δεύτερον
καὶ τριακοστὸν ἔτος ἀπὸ τῆς πρώτης ἐς
Κελτοὺς πείρας, καὶ ἐξ ἐκείνου πολεμοῦντες αὐτοῖς
ἐκ διαστημάτων, ἐπιστρατεύουσι τοῖς Ἰλλυριοῖς
ἐπὶ τῇδε τῇ ἱεροσυλίᾳ ἡγουμένου Λευκίου Σκι-
πίωνος, ἤδη τῶν τε Ἑλλήνων καὶ Μακεδόνων
προστατοῦντες. καί φασι τοὺς μὲν περιχώρους
οὐ συμμαχῆσαι τοῖς ἱεροσύλοις, ἀλλ' ἑκόντας
ἐγκαταλιπεῖν τῷ Σκιπίωνι ἀβοηθήτους, μνήμῃ
τῶν δι' Αὐταριέας ἐς πάντας Ἰλλυριοὺς συμ-
πεσόντων· Σκιπίωνα δὲ Σκορδίσκους μὲν δια-
φθεῖραι, καὶ εἴ τι λοιπὸν αὐτῶν ἦν, ἐς τὸν Ἴστρον
καὶ τὰς νήσους τοῦ ποταμοῦ μετοικῆσαι φυγόντας,
Μαίδοις δὲ καὶ Δαρδανεῦσι συνθέσθαι δωροδοκή-
σαντα τοῦ ἱεροῦ χρυσίου. καί τις ἔφη τῶν
Ἰταλικῶν συγγραφέων ὡς διὰ τοῦτο μάλιστα
Ῥωμαίοις πλεόνως μετὰ Λεύκιον τὰ ἐμφύλια
ἤκμασε μέχρι μοναρχίας· καὶ περὶ μὲν τῶν
νομιζομένων εἶναι τοῖς Ἕλλησιν Ἰλλυριῶν τοσαῦτά
μοι προλελέχθω.

THE ILLYRIAN WARS

Being reduced to extreme weakness, and for that reason excluded from every land, they returned home, having inflicted and suffered many injuries.

5. Such was the punishment which the god visited upon the Illyrians and the Celts for their impiety. But they did not desist from temple-robbing, for again, in conjunction with the Celts, certain Illyrian tribes, especially the Scordisci, the Maedi, and the Dardani, again invaded Macedonia and Greece simultaneously, and plundered many temples, including that of Delphi, but with loss of many men this time also. The Romans, thirty-two years after their first encounter with the Celts, having fought with them at intervals since that time, now, under the leadership of Lucius Scipio, made war against the Illyrians, on account of this temple-robbery, being now in possession of Greece and Macedon. It is said that the neighbouring tribes, remembering the calamity that befell all the Illyrians on account of the crime of the Autarienses, would not give aid to the temple-robbers, but deliberately abandoned them to Scipio, who destroyed the greater part of the Scordisci, the remainder fleeing to the Danube and settling in the islands of that river. He made peace with the Maedi and Dardani, accepting from them as a bribe part of the gold belonging to the temple. One of the Roman writers says that this was the chief cause of the numerous civil wars of the Romans after Lucius Scipio's time till the establishment of the empire. So much by way of preface concerning the peoples whom the Greeks called Illyrians.

APPIAN'S ROMAN HISTORY, BOOK X

CAP.
I

6. Ῥωμαῖοι δὲ καὶ τούσδε καὶ Παίονας ἐπ' αὐτοῖς καὶ Ῥαιτοὺς καὶ Νωρικοὺς καὶ Μυσοὺς τοὺς ἐν Εὐρώπῃ, καὶ ὅσα ἄλλα ὅμορα τούτοις ἐν δεξιᾷ τοῦ Ἴστρου καταπλέοντι ᾤκηται, διαιροῦσι μὲν ὁμοίως τοῖς Ἕλλησιν ἀπὸ Ἑλλήνων, καὶ καλοῦσι τοῖς ἰδίοις ἑκάστους ὀνόμασι, κοινῇ δὲ πάντας Ἰλλυρίδα ἡγοῦνται, ὅθεν μὲν ἀρξάμενοι τῆσδε τῆς δόξης, οὐκ ἔσχον εὑρεῖν, χρώμενοι δ' αὐτῇ καὶ νῦν, ὅπου καὶ τὸ τέλος τῶνδε τῶν ἐθνῶν, ἀπὸ ἀνίσχοντος Ἴστρου μέχρι τῆς Ποντικῆς θαλάσσης, ὑφ' ἓν ἐκμισθοῦσι καὶ Ἰλλυρικὸν τέλος προσαγορεύουσιν. ὅπως δὲ αὐτοὺς ὑπηγάγοντο Ῥωμαῖοι, ὡμολόγησα μὲν καὶ περὶ Κρήτης λέγων οὐχ εὑρεῖν τὰς ἀκριβεῖς τῶν πολέμων ἀρχάς τε καὶ προφάσεις, καὶ ἐς τοῦτο τοὺς δυναμένους τι πλέον εἰπεῖν παρεκάλουν· ὅσα δ' αὐτὸς ἔγνων, ἀναγράψω.

II

CAP.
II

7. Ἄγρων ἦν βασιλεὺς Ἰλλυριῶν μέρους ἀμφὶ τὸν κόλπον τῆς θαλάσσης τὸν Ἰόνιον, ὃν δὴ καὶ Πύρρος ὁ τῆς Ἠπείρου βασιλεὺς κατεῖχε καὶ οἱ τὰ Πύρρου διαδεξάμενοι. Ἄγρων δ' ἔμπαλιν τῆς τε Ἠπείρου τινὰ καὶ Κόρκυραν ἐπ' αὐτοῖς καὶ Ἐπίδαμνον καὶ Φάρον καταλαβὼν ἔμφρουρα εἶχεν. ἐπιπλέοντος δ' αὐτοῦ καὶ τὸν ἄλλον Ἰόνιον, νῆσος, ᾗ ὄνομα Ἴσσα, ἐπὶ Ῥωμαίους κατέφυγεν. οἱ δὲ πρέσβεις τοῖς Ἰσσίοις συνέπεμψαν, εἰσομένους τὰ Ἄγρωνος ἐς αὐτοὺς ἐγκλήματα. τοῖς δὲ πρέσβεσιν ἔτι προσπλέουσιν ἐπαναχθέντες Ἰλλυρικοὶ λέμβοι τῶν μὲν Ἰσσίων πρεσβευτὴν Κλεέμπορον, τῶν δὲ

THE ILLYRIAN WARS

6. These peoples, and also the Pannonians, the Rhaetians, the Noricans, the Mysians of Europe, and the other neighbouring tribes who inhabited the right bank of the Danube, the Romans distinguish from one another just as the various Greek peoples are distinguished from each other, and they call each by its own name, but they consider the whole of Illyria as embraced under a common designation. Whence this idea took its start I have not been able to find out, but it continues to this day, for they farm the tax of all the nations from the source of the Danube to the Euxine Sea under one head, and call it the Illyrian tax. How the Romans subjugated them, and what exactly were the causes and pretext of the wars, I acknowledged, when writing of Crete, that I had not discovered, and I exhorted those who were able to tell more, to do so. I shall write down only what I myself learnt.

II

7. AGRON was king of that part of Illyria which borders the Adriatic Sea, over which sea Pyrrhus, king of Epirus, and his successors held sway. Agron in turn captured a part of Epirus and also Corcyra, Epidamnus, and Pharus in succession, and established garrisons in them. When he threatened the rest of the Adriatic with his fleet, the isle of Issa implored the aid of the Romans. The latter sent ambassadors to accompany the Issii and to ascertain what offences Agron imputed to them. The Illyrian light vessels attacked the ambassadors as they sailed up, and slew Cleemporus, the envoy of Issa, and the

CAP. Ῥωμαίων Κορογκάνιον ἀναιροῦσιν· οἱ δὲ λοιποὶ
II διέδρασαν αὐτούς. καὶ ἐπὶ τῇδε Ῥωμαίων ἐπ'
Ἰλλυριοὺς ναυσὶν ὁμοῦ καὶ πεζῷ στρατευόντων,
Ἄγρων μὲν ἐπὶ παιδίῳ σμικρῷ, Πίννῃ ὄνομα,
ἀποθνήσκει, τῇ γυναικὶ τὴν ἀρχὴν ἐπιτροπεύειν
τῷ παιδὶ παραδούς, καίπερ οὐκ οὔσῃ μητρὶ τοῦ
παιδίου, Δημήτριος δ' ὁ Φάρου ἡγούμενος Ἄγρωνι
(Φάρου τε γὰρ αὐτῆς ἦρχε, καὶ ἐπὶ τῇδε Κορ-
κύρας) παρέδωκεν ἄμφω Ῥωμαίοις ἐπιπλέουσιν
ἐκ προδοσίας. οἱ δ' ἐπὶ ταύταις Ἐπίδαμνον ἐς
φιλίαν ὑπηγάγοντο, καὶ τοῖς Ἰσσίοις καὶ Ἐπι-
δαμνίοις πολιορκουμένοις ὑπὸ Ἰλλυριῶν ἐς ἐπι-
κουρίαν ἔπλεον. Ἰλλυριοὶ μὲν δὴ τὰς πολιορκίας
λύσαντες ἀνεχώρουν, καί τινες αὐτῶν ἐς Ῥω-
μαίους, οἱ Ἀτιντανοὶ λεγόμενοι, μετετίθεντο. μετὰ
ταῦτα δὲ ἡ Ἄγρωνος γυνὴ πρέσβεις ἐς Ῥώμην
ἔπεμψε τά τε αἰχμάλωτα ἀποδιδόντας αὐτοῖς καὶ
τοὺς αὐτομόλους ἄγοντας, καὶ ἐδεῖτο συγγνώμης
τυχεῖν τῶν οὐκ ἐφ' ἑαυτῆς ἀλλ' ἐπὶ Ἄγρωνος
γενομένων. οἱ δὲ ἀπεκρίναντο Κόρκυραν μὲν καὶ
Φάρον καὶ Ἴσσαν καὶ Ἐπίδαμνον καὶ Ἰλλυριῶν
τοὺς Ἀτιντανοὺς ἤδη Ῥωμαίων ὑπηκόους εἶναι,
Πίννην δὲ τὴν ἄλλην Ἄγρωνος ἀρχὴν ἔχειν καὶ
φίλον εἶναι Ῥωμαίοις, ἢν ἀπέχηταί τε τῶν προλε-
λεγμένων, καὶ τὴν Λίσσον μὴ παραπλέωσιν Ἰλλυ-
ρικοὶ λέμβοι δυοῖν πλείονες, καὶ τούτοιν δὲ
ἀνόπλοιν.

8. Ἡ μὲν δὴ ταῦτα πάντα ἐδέχετο, καὶ γίγνονται
Ῥωμαίοις αἵδε πρῶται πρὸς Ἰλλυριοὺς πεῖραί τε
καὶ συνθῆκαι· Ῥωμαῖοι δ' ἐπ' αὐταῖς Κόρκυραν
μὲν καὶ Ἀπολλωνίαν ἀφῆκαν ἐλευθέρας, Δημη-
τρίῳ δ' ἔστιν ἃ χωρία μισθὸν ἔδοσαν τῆς προ-

THE ILLYRIAN WARS

Roman Coruncanius; the remainder escaped by flight. Thereupon the Romans invaded Illyria by land and sea. Agron, in the meantime, had died, leaving an infant son named Pinnes, having given the guardianship and regency to his wife, although she was not the child's mother. Demetrius, who was Agron's governor of Pharus and held Corcyra also, surrendered both places to the invading Romans by treachery. The latter then entered into an alliance with Epidamnus and went to the assistance of the Issii and of the Epidamnians, who were besieged by the Illyrians. The latter raised the siege and fled, and one of their tribes, called the Atintani, went over to the Romans. After these events the widow of Agron sent ambassadors to Rome to surrender the prisoners and deserters into their hands. She begged pardon also for what had been done, not by herself, but by Agron. They received for answer that Corcyra, Pharus, Issa, Epidamnus, and the Illyrian Atintani were already Roman subjects, that Pinnes might have the remainder of Agron's kingdom and be a friend of the Roman people if he would keep hands off the aforesaid territory, and agree not to sail beyond Lissus with more than two Illyrian pinnaces, both unarmed. She accepted all these conditions.

8. This was the first conflict and treaty between the Romans and the Illyrians. Thereupon the Romans made Corcyra and Apollonia free. To Demetrius they gave certain castles as a reward for his treason to his own people adding the express

APPIAN'S ROMAN HISTORY, BOOK X

CAP. II δοσίας, ἐπειπόντες ὅτι ἐν τοσῷδε διδόασι, τὴν ἀπιστίαν ἄρα τοῦ ἀνδρὸς ὑφορώμενοι. ἣ δὴ καὶ ἦρξεν αὐτοῦ μετ' ὀλίγον· Ῥωμαίων γὰρ Κελτοῖς ἐπὶ τριετὲς τοῖς ἀμφὶ τὸν Ἠριδανὸν οὖσι πολεμούντων, ὁ Δημήτριος ὡς ὄντων ἐν ἀσχολίᾳ τὴν θάλασσαν ἐλῄζετο, καὶ Ἴστρους ἔθνος ἕτερον Ἰλλυριῶν ἐς τοῦτο προσελάμβανε, καὶ τοὺς Ἀτιντανοὺς ἀπὸ Ῥωμαίων ἀφίστη. οἱ δέ, ἐπεὶ τὰ Κελτῶν διετέθειτο, εὐθὺς μὲν ἐπιπλεύσαντες αἱροῦσι τοὺς λῃστάς, ἐς νεῶτα δὲ ἐστράτευον ἐπὶ Δημήτριον καὶ Ἰλλυριῶν τοὺς συναμαρτόντας αὐτῷ. Δημήτριον μὲν δὴ πρὸς Φίλιππον τὸν Μακεδόνων βασιλέα φυγόντα καὶ αὖθις ἐπιόντα καὶ λῃστεύοντα τὸν Ἰόνιον κτείνουσι, καὶ τὴν πατρίδα αὐτῷ Φάρον συναμαρτοῦσαν ἐπικατέσκαψαν, Ἰλλυριῶν δ' ἐφείσαντο διὰ Πίννην αὖθις δεηθέντα. καὶ δεύτεραι πεῖραί τε καὶ συνθῆκαι πρὸς Ἰλλυριοὺς αὐτοῖς ἐγίγνοντο.

9. Τὰ λοιπὰ δ' οὔτι μοι πάντα χρόνῳ καὶ τάξει μᾶλλον ἢ κατὰ ἔθνος Ἰλλυριῶν ἕκαστον, ὅσα ηὗρον, συγγέγραπται.

Ῥωμαῖοι Μακεδόσιν ἐπολέμουν, καὶ Περσεὺς ἦν ἤδη Μακεδόνων βασιλεὺς μετὰ Φίλιππον· Περσεῖ δὲ Γένθιος Ἰλλυριῶν ἑτέρων βασιλεὺς ἐπὶ χρήμασι συνεμάχει, καὶ ἐς τοὺς Ῥωμαίων Ἰλλυριοὺς ἐνέβαλε, καὶ πρέσβεις Ῥωμαίων πρὸς αὐτὸν ἐλθόντας ἔδησεν, αἰτιώμενος οὐ πρέσβεις ἀλλὰ κατασκόπους ἐλθεῖν. Ἀνίκιος δὲ Ῥωμαίων στρατηγὸς λέμβους τε τοῦ Γενθίου τινὰς εἷλεν ἐπιπλεύσας, καὶ κατὰ γῆν αὐτῷ συνενεχθεὶς

THE ILLYRIAN WARS

condition that they gave them only temporarily, for they suspected the man's faithless spirit, which shortly after gained complete mastery over him. For while the Romans were engaged in a three year's war with the Gauls on the River Po, Demetrius, thinking that they had their hands full, set forth on a piratical expedition, brought the Istrians, another Illyrian tribe, into the enterprise, and detached the Atintani from Rome. The Romans, when they had settled their business with the Gauls, immediately sent a naval force and overpowered the pirates. The following year they marched against Demetrius and his Illyrian fellow-culprits. Demetrius fled to Philip king of Macedon, but when he returned and resumed his piratical career in the Adriatic they slew him and utterly demolished his native town of Pharus, which was associated with him in crime. They spared the Illyrians, however, on account of Pinnes, who again besought them to do so. Such was the second conflict and treaty between them and the Illyrians.

CHAP. II

B.C. 222 Second Illyrian war

B.C. 220

9. All the remaining facts which I have discovered I have set down not in chronological order, but rather taking each Illyrian nation separately.

When the Romans were at war with the Macedonians during the reign of Perseus, the successor of Philip, Genthius, the king of another Illyrian tribe, made an alliance with Perseus for money and attacked Roman Illyria, and put the ambassadors sent by the Romans in chains, charging them with coming not as ambassadors, but as spies. The Roman general, Anicius, in a naval expedition, captured some of Genthius' pinnaces and then engaged him in battle on land, defeated him, and

B.C. 168 War with Genthius

CAP. ἐκράτει τὴν μάχην, καὶ συνέκλεισεν ἔς τι χωρίον,
II ὅθεν αὐτῷ δεομένῳ ὁ μὲν Ἀνίκιος ἐκέλευσε
Ῥωμαίοις ἑαυτὸν ἐπιτρέψαι, ὁ δ' ἐς βουλὴν ᾔτησε
τρεῖς ἡμέρας, καὶ ἔλαβεν. ἐν δὲ ταύταις τῶν
ὑπηκόων αὐτοῦ πρὸς τὸν Ἀνίκιον μετατιθεμένων
ἠξίωσεν ἐντυχεῖν τῷ Ἀνικίῳ, καὶ γονυπετὴς ἐδεῖτο
αὐτοῦ πάνυ αἰσχρῶς. ὁ δὲ αὐτὸν ἐπιθαρρύνων
κατεπτηχότα ἀνίστη, καὶ καλέσας ἐπὶ ἑστίασιν,
ἀπιόντα ἀπὸ τοῦ δείπνου προσέταξε τοῖς ὑπηρ-
έταις ἐς φυλακὴν ἐμβαλεῖν. καὶ τόνδε μὲν ἐς
θρίαμβον ἅμα τοῖς παισὶν ὁ Ἀνίκιος ἐς Ῥώμην
ἤγαγε, καὶ ὁ Γενθίου πόλεμος ἅπας εἴκοσιν ἡμέ-
ραις ἐπεπολέμητο· ἑβδομήκοντα δ' αὐτοῦ πόλεις
οὔσας Αἰμίλιος Παῦλος ὁ τὸν Περσέα ἑλών, τῆς
βουλῆς ἐπιστειλάσης ἐν ἀπορρήτῳ, ἐς Ῥώμην
παρώδευεν ἐπίτηδες, καὶ δεδιόσιν αὐτοῖς ὑπέσχετο
συγγνώσεσθαι τῶν γεγονότων, ἐὰν ὅσον ἔχουσιν
ἀργύριόν τε καὶ χρυσίον ἐσενέγκωσιν. ὑποδεξ-
αμένων δ' ἐκείνων συνέπεμπεν αὐτοῖς τοῦ στρα-
τοῦ μέρος ἐς πόλιν ἑκάστην, ὁρίσας ἡμέραν τοῖς
στρατηγοῦσι τοῦ στρατοῦ πᾶσι τὴν αὐτήν, καὶ
ἐντειλάμενος ἅμα ἕῳ κηρύσσειν ἕκαστον ἐν ἑκάστῃ
πόλει τρισὶν ὥραις ἐς τὴν ἀγορὰν τὰ χρήματα
φέρειν, συνενεγκόντων δὲ τὰ λοιπὰ διαρπάσαι.

10. Οὕτω μὲν ὁ Παῦλος ἑβδομήκοντα πόλεις
διήρπασεν ὥρᾳ μιᾷ· Ἀρδεῖοι δὲ καὶ Παλάριοι,
γένη ἕτερα Ἰλλυριῶν, τὴν ὑπὸ Ῥωμαίους Ἰλλυ-
ρίδα ἐδῄουν, καὶ οἱ Ῥωμαῖοι δι' ἀσχολίαν πρέσ-
βεις ἔπεμψαν ἐπιπλήξοντας αὐτοῖς. οὐ μετα-
θεμένων δὲ ἐκείνων ἐστράτευον ἐπ' αὐτοὺς μυρίοις

THE ILLYRIAN WARS

shut him up in a fortress. When he begged a parley Anicius ordered him to surrender himself to the Romans. He asked and obtained three days for consideration, at the end of which time, his subjects having meanwhile gone over to Anicius, he asked for an interview with the latter, and, falling on his knees, begged pardon in the most abject manner. Anicius encouraged the trembling wretch, lifted him up, and invited him to supper, but as he was going away from the feast he ordered the lictors to cast him into prison. Anicius afterward led both him and his sons in triumph at Rome and the whole war with Genthius was finished within twenty days. But Aemilius Paulus, the conqueror of Perseus, acting on secret orders from the Senate, specially visited the seventy towns which had belonged to Genthius, on his way back to Rome. They were much alarmed, but he promised to pardon them for what they had done if they would deliver to him all the gold and silver they had. When they agreed to do so he sent a detachment of his army into each town appointing the same day for all the commanding officers to act, and ordering them to make proclamation at daybreak in each that the inhabitants should bring their money into the market-place within three hours, and when they had done so to plunder what remained. Thus Paulus despoiled seventy towns in one hour.

CHAP. II

B C. 167

10. The Ardei and the Palarii, two other Illyrian tribes, made a raid on Roman Illyria, and the Romans, being otherwise occupied, sent ambassadors to reprimand them. When they refused to be obedient, the Romans collected an army of 10,000 foot and 600 horse to be despatched against them.

CAP. II πεζοῖς καὶ ἱππεῦσιν ἑξακοσίοις. οἱ δὲ πυθόμενοι, καὶ ἔτι ὄντες ἀπαράσκευοι, πρέσβεις ἔπεμψαν μεταγιγνώσκοντες καὶ δεόμενοι. καὶ ἡ βουλὴ τὰς βλάβας αὐτοῖς ἐκέλευσεν ἀποδοῦναι τοῖς ἠδικημένοις. οὐκ ἀποδιδόντων δὲ ἐστράτευεν ἐπ' αὐτοὺς Φούλουιος Φλάκκος. καὶ ὁ πόλεμος ἄρα μέχρι καταδρομῆς ἔληξε μόνης. οὐ γὰρ ηὗρον αὐτοῦ τέλος ἀκριβές. Ἰάποσι δὲ τοῖς ἐντὸς Ἄλπεων ἐπολέμησε μὲν Σεμπρώνιος ὁ Τουδιτανὸς ἐπίκλην καὶ Πανδούσας Τιβέριος καὶ ἐοίκασιν οἱ Ἰάποδες αὐτοῖς ὑπακοῦσαι, ἐοίκασι δὲ καὶ Σεγεστανοὶ Λευκίῳ Κόττᾳ καὶ Μετέλλῳ, ἀμφότεροι δ' οὐ πολὺ ὕστερον ἀποστῆναι.

11. Δαλμάται δέ, Ἰλλυριῶν ἕτερον γένος, Ἰλλυριοὺς τοὺς ὑπὸ Ῥωμαίοις κατέθεον, καὶ πρέσβεις ἀφικομένους περὶ τοῦδε Ῥωμαίων οὐ προσίεντο. στρατεύουσιν οὖν ἐπ' αὐτοὺς οἱ Ῥωμαῖοι, Μαρκίου Φίγλου σφῶν ὑπατεύοντός τε καὶ ἐς τὸν πόλεμον ἡγουμένου. οἱ δὲ ἄρτι τοῦ Φίγλου παραστρατοπεδεύοντος τὰς φυλακὰς ἐνίκων ἐπιδραμόντες, καὶ αὐτὸν ἐκ τοῦ στρατοπέδου κατήραξαν ἐς πεδίον πρανές, μέχρι ἐπὶ Νάρωνα ποταμὸν ἧκεν ὑποφεύγων. ὡς δὲ οἱ μὲν ἀνεχώρουν, ἀρχὴ δὲ χειμῶνος ἦν, ὁ Φίγλος ἐλπίσας αὐτοῖς ἀδοκήτως ἐπιπεσεῖσθαι συνερρυηκότας ηὗρεν ἐκ τῶν πόλεων πρὸς τὴν ἔφοδον αὐτοῦ. καὶ συνήλασεν ὅμως ἐς πόλιν Δελμίνιον, ὅθεν ἄρα καὶ τὸ ὄνομα αὐτοῖς ἐς Δελματέας, εἶτα Δαλμάτας ἐτράπη. οὐδὲν δὲ πρὸς ἐχυρὰν πόλιν ἐξ ἐφόδου δυνάμενος, οὐδὲ μηχανήμασιν ἔχων χρῆσθαι διὰ τὸ ὕψος, ᾕρει τὰς ἄλλας ἐπιθέων, ἐρημοτέρας

THE ILLYRIAN WARS

When the Illyrians learned this, as they were not yet prepared for fighting, they sent ambassadors to crave pardon. The Senate ordered them to make reparation to those whom they had wronged. As they did not do so, Fulvius Flaccus marched against them. This war resulted in a raid only, for I cannot find any definite end to it. Sempronius Tuditanus and Tiberius Pandusa waged war with the Iapydes, who live on the nearer side of the Alps, and seem to have subjugated them, as Lucius Cotta and Metellus seem to have subjugated the Segestani; but both tribes revolted not long afterward.

CHAP. II
B.C. 135
B.C. 129
B.C. 119

11. The Dalmatians, another Illyrian tribe, made a raid on the Illyrian subjects of Rome, and when ambassadors were sent to them to remonstrate they were not received. The Romans accordingly sent an army against them, with Marcius Figulus as consul and commander. While Figulus was laying out his camp the Dalmatians overpowered the guard, defeated him, and drove him out of the camp in headlong flight to the plain as far as the river Naro. As the Dalmatians were returning home (for winter was now approaching), Figulus hoped to fall upon them unawares, but he found them reassembled from their towns at the news of his approach. Nevertheless, he drove them into the city of Delminium, from which place they first got the name of Delmatenses, which was afterward changed to Dalmatians. Not being able to make any impression on this strongly defended town by assault, nor to use the engines that he had, on account of the height of the place, he attacked and captured the other towns, which were partially deserted on account of the

B.C. 156
War with the Dalmatians

APPIAN'S ROMAN HISTORY, BOOK X

CAP. ἀνδρῶν ὑπὸ τῆς ἐς τὸ Δελμίνιον συνόδου γενο-
II μένας. εἶτα διπήχεας κορύνας πίσσῃ καὶ θείῳ
καὶ στυππίῳ περιβαλὼν ἐς τὸ Δελμίνιον ἐκ κατα-
πελτῶν ἐσφενδόνα. αἱ δ' ὑπὸ τῆς ῥύμης ἐξεκαί-
οντο, καὶ φερόμεναι καθάπερ λαμπάδες ὅπου
τύχοιεν ἐνεπίμπρασαν, ἕως πολλὰ μὲν κατε-
πρήσθη, καὶ τέλος ἄρα τοῦτο ἦν τότε Φίγλῳ τοῦ
Δαλματῶν πολέμου. χρόνῳ δ' ὕστερον Καικίλιος
Μέτελλος ὑπατεύων οὐδὲν ἀδικοῦσι τοῖς Δαλμά-
ταις ἐψηφίσατο πολεμεῖν ἐπιθυμίᾳ θριάμβου,
καὶ δεχομένων αὐτὸν ἐκείνων ὡς φίλον διεχείμασε
παρ' αὐτοῖς ἐν Σαλώνῃ πόλει, καὶ ἐς Ῥώμην
ἐπανῆλθε καὶ ἐθριάμβευσεν.

III

CAP. 12. Τοῦ δὲ Καίσαρος ἡγουμένου Κελτῶν, οἱ
III Δαλμάται οἵδε, καὶ ὅσοι ἄλλοι Ἰλλυριῶν τότε
μάλιστα διηυτύχουν, Λιβυρνούς, ἕτερον ἔθνος Ἰλ-
λυριῶν, Πρωμόναν πόλιν ἀφείλοντο· οἱ δὲ σφᾶς
Ῥωμαίοις ἐπιτρέποντες ἐπὶ τὸν Καίσαρα ἐγγὺς
ὄντα κατέφευγον. ὁ δὲ ἔπεμψε μέν, καὶ προηγό-
ρευσε τοῖς ἔχουσι τὴν Πρωμόναν ἀποδοῦναι τοῖς
Λιβυρνοῖς· οὐ φροντισάντων δὲ ἐκείνων τέλος
ἔπεμψε στρατοῦ πολλοῦ, οὓς ἅπαντας ἔκτειναν οἱ
Ἰλλυριοί. καὶ ὁ Καῖσαρ οὐκ ἐπεξῆλθεν· οὐ γὰρ
ἦν οἱ σχολὴ τότε στασιάζοντι πρὸς Πομπήιον.
ἐκραγείσης δὲ ἐς πόλεμον τῆς στάσεως ὁ μὲν
Καῖσαρ μεθ' ὅσων εἶχεν ἐκ Βρεντεσίου χειμῶνος
τὸν Ἰόνιον ἐπέρα καὶ Πομπηίῳ κατὰ Μακεδονίαν

THE ILLYRIAN WARS

concentration of forces at Delminium. Then, returning to Delminium, he hurled sticks of wood, two cubits long, covered with flax and smeared with pitch and sulphur, from catapults into the town. These were fanned into flame by the draught, and, flying in the air like torches, wherever they fell caused a conflagration, so that the greater part of the town was burned. This was the end of the war waged by Figulus against the Dalmatians. At a later period, in the consulship of Caecilius Metellus, war was declared against the Dalmatians, although they had been guilty of no offence, because he desired a triumph. They received him as a friend and he wintered among them at the town of Salona, after which he returned to Rome and was awarded a triumph.

CHAP. II

B.C. 119

III

12. AT the time when Caesar held the command in Gaul these same Dalmatians and the other Illyrians who were then most prosperous took the city of Promona from the Liburni, another Illyrian tribe. The latter put themselves in the hands of the Romans and appealed to Caesar, who was near by. Caesar sent word to those who were holding Promona that they should give it up to the Liburni, and when they refused, he sent against them a strong detachment of his army who were totally destroyed by the Illyrians. Nor did Caesar renew the attempt, for he had no leisure then, on account of the civil strife with Pompey. When the civil strife broke out into war Caesar crossed the Adriatic from Brundusium in the winter, with what forces he had, and opened his campaign against Pompey in Macedonia. Of the rest

CHAP. III

Caesar and the Illyrians

B.C. 50

CAP.
III ἐπολέμει, τοῦ δ' ἄλλου στρατοῦ τὸν μὲν Ἀντώνιος ἐς τὴν Μακεδονίαν ἦγε τῷ Καίσαρι, περῶν καὶ ὅδε τὸν Ἰόνιον χειμῶνος ἄκρου, σπείρας δὲ πεζοῦ πεντεκαίδεκα καὶ τρισχιλίους ἱππέας Γαβίνιος ἦγεν αὐτῷ διὰ τῆς Ἰλλυρίδος, περιοδεύων τὸν Ἰόνιον. οἱ δὲ Ἰλλυριοὶ φόβῳ τῶν οὐ πρὸ πολλοῦ γεγονότων ἐς Καίσαρα, τὴν νίκην αὐτοῦ νομίζοντες ὄλεθρον γενήσεσθαι ἑαυτοῖς, κτείνουσι πάντα τὸν ὑπὸ τῷ Γαβινίῳ στρατὸν ἐπιδραμόντες, χωρὶς αὐτοῦ Γαβινίου καὶ ὀλίγων διαφυγόντων. καὶ ἐς χρήματα τότε μάλιστα καὶ τὴν ἄλλην ἰσχὺν ἐκ τοσῶνδε λαφύρων ἔστησαν.

13. Ὁ δὲ Καῖσαρ ἠσχολεῖτο μὲν ὑπ' ἀνάγκης ἐς Πομπήιον, καὶ Πομπηίου καθαιρεθέντος ἐς τὰ ὑπόλοιπα τῆς ἐκείνου στάσεως πολυμερῆ γενόμενα, καταστησάμενος δὲ πάντα ἐπανῆλθεν ἐς Ῥώμην, καὶ ἐστράτευεν ἐπὶ Γέτας τε καὶ Παρθυαίους. ἔδεισαν οὖν οἱ Ἰλλυριοὶ μὴ ἐν ὁδῷ σφίσιν οὖσιν ἐπιθοῖτο, καὶ πρέσβεις πέμψαντες ἐς Ῥώμην ᾔτουν τε συγγνώμην τῶν γεγονότων καὶ ἐς φιλίαν ἑαυτοὺς καὶ συμμαχίαν ἐδίδοσαν, ὡς περὶ ἔθνους ἀλκίμου μάλιστα σεμνολογούμενοι. ὁ δὲ ἐπειγόμενος ἄρα ἐς Παρθυαίους σεμνότερον ὅμως αὐτοῖς ἀπεκρίνατο, φίλους μὲν οὐ θήσεσθαι τοὺς τοιαῦτα δεδρακότας, συγγνώσεσθαι δέ, εἰ φόρους ὑποσταῖεν καὶ ὅμηρα δοῖεν. ὑπισχνουμένων δὲ ἐς ἀμφότερα αὐτῶν Οὐατίνιον ἔπεμψε σὺν στρατοῦ τέλεσι τρισὶ καὶ ἱππεῦσι πολλοῖς, φόρους τε ὀλίγους τάξοντα αὐτοῖς καὶ τὰ ὅμηρα ληψόμενον. ἀναιρεθέντος δὲ τοῦ Καίσαρος, ἡγούμενοι τὴν Ῥωμαίων ἰσχὺν ἐν τῷ Καίσαρι γεγονέναι τε καὶ διεφθάρθαι, οὐδὲν ἔτι τοῦ Οὐατινίου κατήκουον, οὔτε ἐς τοὺς

THE ILLYRIAN WARS

of the army, Antony brought another detachment to Caesar's aid in Macedonia, he also crossing the Adriatic in mid-winter, and Gabinius led fifteen cohorts of foot and 3000 horse for him by way of Illyria, passing around the Adriatic. The Illyrians, fearing punishment for what they had done to Caesar not long before, and thinking that his victory would be their destruction, attacked and slew the whole army under Gabinius, except Gabinius himself and a few who escaped. By the acquisition of so many spoils their wealth and power now rose to its highest point.

13. Caesar was preoccupied by the necessity of coming to a conclusion with Pompey, and, after Pompey's death, with the various sections of his remaining partisans. When he had settled everything he returned to Rome and made preparations for war with the Getae and the Parthians. The Illyrians therefore began to fear lest he should attack them, as they were on his intended line of march. So they sent ambassadors to Rome to crave pardon for what they had done and to offer their friendship and alliance, vaunting themselves as a very brave race. Caesar was hastening his preparations against the Parthians; nevertheless, he gave them the dignified answer that he could not make friends of those who had done what they had, but that he would grant them pardon if they would subject themselves to tribute and give him hostages. They promised to do both, and accordingly he sent Vatinius thither with three legions and a large cavalry force to impose a light tribute on them and receive the hostages. When Caesar was slain the Dalmatians, thinking that the Roman power resided in him and had perished with him, would not listen to Vatinius on the subject

CAP. φόρους οὔτε ἐς τὰ ἄλλα, βιάζεσθαι δὲ ἐγχειροῦντος
III αὐτοὶ πέντε τάξεις ἐπιδραμόντες ἔφθειραν, καὶ
τὸν ἡγούμενον τῶν τάξεων Βαίβιον, ἄνδρα ἀπὸ
βουλῆς. καὶ Οὐατίνιος μὲν σὺν τοῖς ὑπολοίποις
ἐς Ἐπίδαμνον ἀνεχώρει· ἡ δὲ Ῥωμαίων βουλὴ
τὸν στρατὸν τόνδε καὶ Μακεδονίαν ἐπ' αὐτῷ,
καὶ Ἰλλυριοὺς ὅσων ἦρχον, ἐνεχείρισε Βρούτῳ
Καιπίωνι τῷ κτείναντι Γάιον, ὅτε περ καὶ Συρίαν
Κασσίῳ, καὶ τῷδε ἀνδροφόνῳ Γαΐου γενομένῳ.
ἀλλὰ καὶ οἴδε, πολεμούμενοι πρὸς Ἀντωνίου
καὶ τοῦ δευτέρου Καίσαρος τοῦ Σεβαστοῦ προσα-
γορευθέντος, ἐς οὐδὲν ἐσχόλασαν Ἰλλυριοῖς.

14. Οἱ δὲ Παίονές εἰσιν ἔθνος μέγα παρὰ τὸν
Ἴστρον, ἐπίμηκες ἐξ Ἰαπόδων ἐπὶ Δαρδάνους,
Παίονες μὲν ὑπὸ τῶν Ἑλλήνων λεγόμενοι, καὶ
ῥωμαϊστὶ Παννόνιοι, συναριθμούμενοι δὲ ὑπὸ
Ῥωμαίων τῇ Ἰλλυρίδι, ὡς προεῖπον. διὸ καὶ
περὶ τῶνδέ μοι δοκεῖ νῦν κατὰ τὰ Ἰλλυρικὰ εἰπεῖν.
ἔνδοξοι δ' εἰσὶν ἐκ Μακεδόνων δι' Ἀγριᾶνας, οἳ
τὰ μέγιστα Φιλίππῳ καὶ Ἀλεξάνδρῳ κατεργασά-
μενοι Παίονές εἰσι τῶν κάτω Παιόνων, Ἰλλυριοῖς
ἔποικοι. ἐπεὶ δ' ἐπὶ τοὺς Παίονας ἐστράτευσε
Κορνήλιος, κακῶς ἀπαλλάξας μέγα δέος Παιόνων
Ἰταλοῖς ἅπασιν ἐνεποίησε, καὶ ἐς πολὺ τοῖς
ἔπειτα ὑπάτοις ὄκνον ἐπὶ Παίονας ἐλαύνειν.
τὰ μὲν δὴ πάλαι τοσαῦτα περὶ Ἰλλυριῶν καὶ
Παιόνων ἔσχον εὑρεῖν· ἐν δὲ τοῖς ὑπομνήμασι τοῦ
δευτέρου Καίσαρος τοῦ κληθέντος Σεβαστοῦ,
παλαιότερον μὲν οὐδὲν οὐδ' ἐν τοῖσδε περὶ Παιόνων
ηὗρον.

15. Ἰλλυριῶν δέ μοι φαίνεται χωρὶς τῶν
εἰρημένων ἐθνῶν καὶ ἕτερα Ῥωμαίων προϋπα-

THE ILLYRIAN WARS

of the tribute or anything else. When he attempted to use force they attacked and destroyed five of his cohorts, including their commanding officer, Baebius, a man of senatorial rank. Vatinius took refuge with the remainder of his force in Epidamnus. The Roman Senate transferred this army, together with the province of Macedonia and Roman Illyria, to Brutus Caepio, one of Caesar's murderers, and at the same time assigned Syria to Cassius, another of the assassins. But they also, being involved in war with Antony and the second Caesar, surnamed Augustus, had no time to attend to the Illyrians.

14. The Paeones are a great nation on the Danube, extending from the Iapydes to the Dardani. They are called Paeones by the Greeks, but Pannonians by the Romans. They are counted by the Romans as a part of Illyria, as I have previously said, for which reason it seems proper that I should include them in my Illyrian history. They have been renowned from the Macedonian period through the Agrianes, who rendered very important aid to Philip and Alexander and are Paeones of Lower Pannonia bordering on Illyria. When the expedition of Cornelius against the Pannonians resulted disastrously, so great a fear of those people came over all the Italians that for a long time afterwards none of the consuls ventured to march against them. Thus much I have been able to learn concerning the early history of the Illyrians and Pannonians, and not even in the commentaries of the second Caesar, surnamed Augustus, could I find anything earlier about the Pannonians.

15. Nevertheless I think that other Illyrian tribes besides those mentioned had previously come under

CAP. κοῦσαι. καὶ ὅπως μὲν, οὐκ ἔγνων· οὐ γὰρ ἀλλο-
III τρίας πράξεις ὁ Σεβαστός, ἀλλὰ τὰς ἑαυτοῦ
συνέγραφεν, ὡς δ' ἀποστάντας ἐς τοὺς φόρους
ἐπανήγαγε, καὶ ἑτέρους ὡς ἀρχῆθεν ἔτι ὄντας
αὐτονόμους εἷλε, καὶ πάντας ἐκρατύνατο ὅσοι τὰς
κορυφὰς οἰκοῦσι τῶν Ἄλπεων, βάρβαρα καὶ μά-
χιμα ἔθνη, καὶ κλοπεύοντα τὴν Ἰταλίαν ὡς
γείτονα. καί μοι θαῦμά ἐστιν ὅτι καὶ πολλοὶ καὶ
μεγάλοι Ῥωμαίων στρατοὶ ἐπὶ Κελτοὺς καὶ
Ἴβηρας διὰ τῶν Ἄλπεων ὁδεύοντες ὑπερεῖδον
τάδε τὰ ἔθνη, καὶ οὐδὲ Γάιος Καῖσαρ, εὐτυχέ-
στατος ἐς πολέμους ἀνήρ, ἐξήνυσεν αὐτά, ὅτε
Κελτοῖς ἐπολέμει καὶ δέκα ἔτεσιν ἀμφὶ τήνδε τὴν
χώραν ἐχείμαζεν. ἀλλά μοι δοκοῦσιν οἱ μέν, ἐφ'
ἃ ᾑρέθησαν ἐπειγόμενοι, τῆς διόδου τῶν Ἄλπεων
μόνης φροντίσαι, ὁ δὲ Γάιος ἀμφί τε τὰ Κελτικὰ
γενέσθαι, καὶ τῆς στάσεως τοῦ Πομπηίου τὰ
Κελτικὰ ἐπιλαβούσης τὸ τούτων τέλος ὑπερ-
θέσθαι. φαίνεται μὲν γὰρ καὶ Ἰλλυρίδος ἅμα
Κελτοῖς αἱρεθεὶς ἄρχειν, οὐ πάσης δ' ἄρα ἦρχεν
ἀλλ' ὅση τις ἦν τότε Ῥωμαίοις Ἰλλυρίς.

IV

CAP. 16. Ὁ δὲ Σεβαστὸς πάντα ἐχειρώσατο ἐντελῶς,
V καὶ ἐν παραβολῇ τῆς ἀπραξίας Ἀντωνίου κατε-
λογίσατο τῇ βουλῇ τὴν Ἰταλίαν ἡμερῶσαι
δυσμάχων ἐθνῶν θαμινὰ ἐνοχλούντων. Ὀξυαίους
μὲν δὴ καὶ Περθεηνάτας καὶ Βαθιάτας καὶ Ταυ-
λαντίους καὶ Καμβαίους καὶ Κινάμβρους καὶ
Μερομέννους καὶ Πυρισσαίους εἷλε δι' ὅλης πείρας·

THE ILLYRIAN WARS

Roman rule. How, I do not know, for Augustus did not describe the transactions of others so much as his own, telling how he brought back those who had revolted and compelled them again to pay tribute, how he subjugated others that had been independent from the beginning, and how he mastered all the tribes that inhabit the summits of the Alps, barbarous and warlike peoples, who often plundered the neighbouring country of Italy. It is a wonder to me that so many great Roman armies traversing the Alps to conquer the Gauls and Spaniards, should have overlooked these tribes, and that even Gaius Caesar, that most successful man of war, did not accomplish their subjection during the ten years that he was fighting the Gauls and wintering in that very country. But the others seem to have been intent only upon getting through the Alpine region on the business for which they had been appointed, and Caesar seems to have delayed putting an end to the Illyrian troubles on account of the Gallic war and the strife with Pompey, which closely followed it. For it appears that he was chosen commander of Illyria as well as of Gaul—that is, not all Illyria, but as much of it as was then under Roman rule.

IV

16. WHEN Augustus had made himself master of everything, he informed the Senate, by way of contrast with Anthony's slothfulness, that he had freed Italy from the savage tribes that had so often raided it. He overcame the Oxyaei, the Perthoneatae, the Bathiatae, the Taulantii, the Cambaei, the Cinambri, the Meromenni, and the Pyrissaei in one cam-

CAP. ἔργῳ δὲ μείζονι ἐλήφθησαν, καὶ φόρους ὅσους
IV ἐξέλιπον ἠναγκάσθησαν ἀποδοῦναι, Δοκλεᾶταί τε
καὶ Κάρνοι καὶ Ἰντερφρουρῖνοι καὶ Ναρήσιοι καὶ
Γλιντιδίωνες καὶ Ταυρίσκοι. ὧν ἁλόντων οἱ
ὅμοροι προσέθεντο αὐτῷ καταπλαγέντες, Ἱππα-
σῖνοί τε καὶ Βεσσοί. ἑτέρους δὲ αὐτῶν ἀπο-
στάντας, Μελιτηνοὺς καὶ Κορκυρηνούς, οἳ νήσους
ᾤκουν, ἀνέστησεν ἄρδην, ὅτι ἐλῄστευον τὴν
θάλασσαν· καὶ τοὺς μὲν ἡβῶντας αὐτῶν ἔκτεινε,
τοὺς δ' ἄλλους ἀπέδοτο. Λιβυρνῶν δὲ τὰς ναῦς
ἀφείλετο, ὅτι καὶ οἵδε ἐλῄστευον. Ἰαπόδων δὲ
τῶν ἐντὸς Ἄλπεων Μοεντῖνοι μὲν καὶ Αὐενδεᾶται
προσέθεντο αὐτῷ προσιόντι, Ἀρουπῖνοι δ', οἳ
πλεῖστοι καὶ μαχιμώτατοι τῶνδε τῶν Ἰαπόδων
εἰσίν, ἐκ τῶν κωμῶν ἐς τὸ ἄστυ ἀνῳκίσαντο, καὶ
προσιόντος αὐτοῦ ἐς τὰς ὕλας συνέφυγον. ὁ δὲ
Καῖσαρ τὸ ἄστυ ἑλὼν οὐκ ἐνέπρησεν, ἐλπίσας
ἐνδώσειν αὐτούς· καὶ ἐνδοῦσιν οἰκεῖν ἔδωκεν.

17. Μάλιστα δ' ἠνώχλησαν αὐτὸν Σαλασσοί τε
καὶ Ἰάποδες οἱ πέραν Ἄλπεων καὶ Σεγεστανοὶ καὶ
Δαλμάται καὶ Δαισιτιᾶται καὶ Παίονες, ὄντες
ἑκὰς τοῖς Σαλασσοῖς, οἳ κορυφὰς οἰκοῦσι τῶν
Ἄλπεων, ὄρη δύσβατα, καὶ στενὴ δίοδός ἐστιν ἐπ'
αὐτὰ καὶ δυσχερής· δι' ἃ καὶ ἦσαν αὐτόνομοι, καὶ
τέλη τοὺς παροδεύοντας ᾔτουν. τούτοις Οὐέτερ
ἐμπεσὼν ἀδοκήτως τὰ στενὰ προὔλαβε δι' ἐνέδρας,
καὶ ἐπὶ διετὲς αὐτοὺς ἐπολιόρκει. οἱ δὲ ἁλῶν
ἀπορίᾳ, ὧν εἰσὶ μάλιστα ἐν χρείᾳ, φρουρὰς

THE ILLYRIAN WARS

paign. By more prolonged effort he also overcame CHAP. the Docleatae, the Carni, the Interphrurini, the IV Naresii, the Glintidiones, and the Taurisci. From these tribes he exacted the tributes they had been failing to pay. When these were conquered, the Hippasini and the Bessi, neighbouring tribes, were overcome by fear and surrendered themselves to him. Others which had revolted, the Maltese and the Corcyreans, who inhabited islands, he destroyed utterly, because they practised piracy, putting the young men to death and selling the rest as slaves. He deprived the Liburnians of their ships because they also practised piracy. The Moentini and the Avendeatae, two tribes of the Iapydes, dwelling within the Alps, surrendered themselves to him at his approach. The Arupini, who are the most numerous and warlike of these Iapydes, betook themselves from their villages to their city, and when he arrived there they fled to the woods. Augustus took the city, but did not burn it, hoping that they would deliver themselves up, and when they did so he allowed them to occupy it.

17. Those who gave him the most trouble were Subjugation the Salassi, the transalpine Iapydes, the Segestani, the of the Dalmatians, the Daesitiatae, and the Pannonians, far Iapydes distant from the Salassi, which latter tribe occupies the higher Alpine mountains, a range difficult of access, the paths being narrow and hard to climb. For this reason they had not only preserved their independence, but had levied tolls on those who passed through their country. Vetus assaulted them unexpectedly, seized the passes by stratagem, and besieged them for two years. They were driven to surrender for want of salt, which they use largely, and they received a

CAP. ἐδέξαντο. καὶ Οὐέτερος ἀποστάντος τὰς φρουρὰς
IV ἐξέβαλον εὐθύς, καὶ τὰ στενὰ κρατυνάμενοι τοὺς
ἐπιπεμπομένους σφίσιν ὑπὸ τοῦ Καίσαρος διέ-
παιζον, οὐδὲν δρᾶν μέγα ἔχοντας. ὅθεν αὐτοῖς ὁ
Καῖσαρ, προσδοκωμένου τοῦ πρὸς Ἀντώνιον
πολέμου, συνέθετο αὐτονόμους ἐάσειν, καὶ ἀκολά-
στους τῶν ἐπὶ Οὐέτερι πραχθέντων. οἱ δ' ἅτε ἐν
ὑποψίᾳ ταῦτ' ἔχοντες ἄλας πολλοὺς ἐσώρευον,
καὶ τὴν Ῥωμαίων κατέθεον, μέχρι Μεσσάλας
Κορουῖνος αὐτοῖς ἐπιπεμφθεὶς λιμῷ παρεστήσατο.

18. Καὶ Σαλασσοὶ μὲν οὕτως ἐλήφθησαν, Ἰά-
ποδες δὲ οἱ πέραν Ἄλπεων, ἔθνος ἰσχυρόν τε καὶ
ἄγριον, δὶς μὲν ἀπεώσαντο Ῥωμαίους, ἔτεσί που
ἀγχοῦ εἴκοσιν, Ἀκυληίαν δ' ἐπέδραμον καὶ
Τεργηστὸν Ῥωμαίων ἄποικον ἐσκύλευσαν. ἐπιόν-
τος δ' αὐτοῖς τοῦ Καίσαρος ὁδὸν ἀνάντη καὶ
τραχεῖαν· οἱ δ' ἔτι μᾶλλον αὐτὴν ἐδυσχέραινον
αὐτῷ, τὰ δένδρα κόπτοντες. ὡς δ' ἀνῆλθεν, ἐς
τὴν ἄλλην ὕλην αὐτοὶ συνέφυγον καὶ προσιόντα
ἐλόχων. ὁ δέ (ὑπώπτευε γὰρ ἀεί τι τοιοῦτον) ἐς
τὰς ἀκρωρείας τινὰς ἔπεμπεν, οἳ ἑκατέρωθεν αὐτῷ
συνέθεον προβαίνοντι διὰ τοῦ χθαμαλοῦ καὶ
κόπτοντι τὴν ὕλην· οἱ δὲ Ἰάποδες ἐπεξέθεον μὲν
ἐκ τῶν ἐνεδρῶν καὶ πολλοὺς ἐτίτρωσκον, ὑπὸ δὲ
τῶν ἐν τοῖς ἄκροις ἐπιτρεχόντων κατεκόπτοντο οἱ
πλείους. οἱ δὲ λοιποὶ πάλιν ἐς τὰ λάσια συνέ-
φευγον, τὴν πόλιν ἐκλιπόντες, ᾗ ὄνομα Τέρπωνος.
καὶ αὐτὴν ὁ Καῖσαρ ἑλὼν οὐκ ἐνέπρησεν, ἐλπίσας
καὶ τούσδε ἐνδώσειν· καὶ ἐνέδωκαν.

THE ILLYRIAN WARS

Roman garrison; but when Vetus went away they expelled the garrison forthwith, and possessing themselves of the mountain passes, mocked at the forces that Augustus sent against them, which were unable to accomplish anything of importance. Thereupon Augustus, anticipating a war with Antony, acknowledged their independence and allowed them to go unpunished for their offences against Vetus. But as they were suspicious of this behaviour, they laid in large supplies of salt and made incursions into the Roman territory until Messala Corvinus was sent against them and reduced them by hunger. In this way were the Salassi subjugated.

18. The transalpine Iapydes, a strong and savage tribe, drove back the Romans twice within the space of about twenty years, overran Aquileia, and plundered the Roman colony of Tergestus. When Augustus advanced against them by a steep and rugged road, they made it still harder for him by felling trees. As he advanced farther they took refuge in other parts of the forest, where they lay in ambush for the approaching foe. Augustus, who was always suspecting something of this kind, sent forces to occupy the ridges, and these marched parallel to him on either side as he advanced along the lower ground, cutting the wood as he went. The Iapydes darted out from their ambush and wounded many of the soldiers, but the greater part of their own forces were killed by the Romans who fell upon them from the heights above. The remainder again took refuge in the thickets, abandoning their town, the name of which was Terponus. Augustus took this town, but did not burn it, hoping that they also would give themselves up, and they did so.

APPIAN'S ROMAN HISTORY, BOOK X

CAP.
IV

19. Ἐπὶ δ' ἑτέραν πόλιν ἐχώρει, Μετοῦλον, ἣ τῶν Ἰαπόδων ἐστὶ κεφαλή, κεῖται δ' ἐν ὄρει σφόδρα ὑλώδει ἐπὶ δύο λόφων, οὓς διαιρεῖ χαράδρα στενή. καὶ ἡ νεότης ἦν ἀμφὶ τοὺς τρισχιλίους μαχίμους τε καὶ σφόδρα εὐόπλους· οἳ Ῥωμαίους τὰ τείχη σφῶν περιστάντας εὐκόλως ἀπεκρούοντο. οἱ δὲ χῶμα ἤγειρον· καὶ οἱ Μετοῦλοι τό τε χῶμα νυκτὸς καὶ ἡμέρας ἐκτρέχοντες ἠνώχλουν, καὶ τοὺς ἄνδρας ἀπὸ τοῦ τείχους μηχαναῖς κατεπόνουν, ἃς ἐσχήκεσαν ἐκ τοῦ πολέμου ὃν Δέκμος[1] Βροῦτος ἐνταῦθα ἐπολέμησεν Ἀντωνίῳ τε καὶ τῷ Σεβαστῷ. πονοῦντος δὲ κἀκείνοις ἤδη τοῦ τείχους, οἵδ' ὑπετείχισαν ἔνδοθεν, καὶ τὸ κεκμηκὸς ἐκλιπόντες μετεπήδησαν ἐς τὸ νεότευκτον· οἱ δὲ Ῥωμαῖοι τὸ μὲν ἐκλειφθὲν λαβόντες ἐνέπρησαν, κατὰ δὲ τοῦ ἄλλου δύο χώματα ἔχουν, καὶ ἀπ' αὐτῶν γεφύρας τέσσαρας ἐξέτεινον ἐς τὸ τεῖχος. γενομένων δὲ τούτων ὁ Καῖσαρ περιέπεμψέ τινας ἐς τὰ ὀπίσθια τῆς πόλεως, περισπᾶν τοὺς Μετούλους, τοῖς δ' ἄλλοις προσέταξε περᾶν ἐς τὰ τείχη διὰ τῶν γεφυρῶν. καὶ αὐτὸς ἐς ὑψηλὸν πύργον ἀναβὰς ἑώρα.

20. Οἱ βάρβαροι δὲ τοῖς περῶσιν ὑπήντων τε ἐκ μετώπου κατὰ τὸ τεῖχος, καὶ ὑφεδρεύοντες ἕτεροι τὰς γεφύρας μακροῖς δόρασιν ὑπεκέντουν, μᾶλλόν τε ἐθάρρησαν μιᾶς γεφύρας καὶ δευτέρας ἐπ' ἐκείνῃ πεσούσης. ὡς δὲ καὶ ἡ τρίτη συνέπεσε, φόβος ἤδη παντελὴς τοὺς Ῥωμαίους ἐπεῖχε, καὶ οὐδεὶς τῆς τετάρτης ἐπέβαινεν, ἕως ὁ Καῖσαρ ἐκ τοῦ

---

[1] The Latin version of Candidus omits "Decimus." Decimus Brutus did not fight against Antony in Illyria, but in Cisalpine Gaul, where he was killed while trying to escape to Illyria. See *Civil Wars*, iii. 98.

THE ILLYRIAN WARS

19. Thence he advanced to another place called Metulus, which is the chief town of the Iapydes. It is situated on a thickly wooded mountain, on two ridges with a narrow valley between them. Here were about 3000 warlike and well-armed youths, who easily beat off the Romans who surrounded their walls. The latter raised a mound. The Metulians interrupted the work by sallies day and night, and harassed the soldiers from the walls with engines which they had obtained from the war which Decimus Brutus had waged there with Antony and Augustus. When their wall began to crumble they built another inside, abandoned the ruined one, and took shelter behind the newly-built one. The Romans captured the abandoned wall and burned it. Against the new fortification they raised two mounds and from these threw four bridges to the top of the wall. Then, in order to distract the Metulians' attention, Augustus sent a part of his force round to the rear of the town and meantime ordered the others to dash across the bridges to the walls, while he himself ascended to the top of a high tower to see the result.

20. Some of the barbarians met those who were crossing face to face on the wall, while others lurked beneath the bridges and stabbed at them from below with their long spears. They were much encouraged at seeing one bridge fall and a second one follow on top of it. When a third one went down a complete panic overtook the Romans, so that no one ventured on the fourth bridge until Augustus leaped down from the

CAP.
IV
πύργου καταθορὼν ὠνείδιζεν αὐτούς. ἀλλὰ καὶ ὡς οὐκ ἐρεθιζομένων, αὐτὸς ἀσπίδα λαβὼν ἐπὶ τὴν γέφυραν ἵετο δρόμῳ. συνέθεον δ' αὐτῷ τῶν ἡγεμόνων Ἀγρίππας τε καὶ Ἱέρων καὶ ὁ σωματοφύλαξ Λοῦτος καὶ Οὐόλας, τέσσαρες οἵδε μόνοι, καὶ τῶν ὑπασπιστῶν ὀλίγοι. ἤδη δ' αὐτοῦ τὴν γέφυραν περῶντος, ἐν αἰδοῖ γενόμενος ὁ στρατὸς ἀνεπήδησεν ἀθρόους. καὶ πάλιν ἡ γέφυρα βαρηθεῖσα καταπίπτει, καὶ οἱ ἄνδρες ὑπ' αὐτῆς ἀθρόοι κατεχώννυντο, καὶ οἱ μὲν ἀπέθανον αὐτῶν, οἱ δὲ συντριβέντες ἐφέροντο. ὁ δὲ Καῖσαρ ἐπλήγη μὲν τὸ σκέλος τὸ δεξιὸν καὶ τοὺς βραχίονας ἄμφω, ἀνέδραμε δ' ὅμως εὐθὺς ἐπὶ τὸν πύργον μετὰ τῶν συμβόλων, καὶ ἑαυτὸν ἔδειξεν ἐρρωμένον, μή τις ὡς ἀποθανόντος γένοιτο θόρυβος. ἵνα δὲ μηδ' οἱ πολέμιοι νομίσειαν αὐτὸν ἐνδώσειν ἀναχωρήσαντα, εὐθὺς ἑτέρας ἐπήγνυτο γεφύρας. ὃ καὶ μάλιστα κατέπληξε τοὺς Μετούλους ὡς ὑπὸ γνώμης ἀμάχου πολεμουμένους.

21. Καὶ τῆς ἐπιούσης πρεσβευσάμενοι πρὸς αὐτὸν ὁμήρους τε πεντήκοντα ἔδοσαν, οὓς ὁ Καῖσαρ ἐπελέξατο, καὶ φρουρὰν ὑποσχόμενοι δέξεσθαι τὸν ὑψηλότερον λόφον τοῖς φρουροῖς ἀπέλιπον, αὐτοὶ δὲ μετεχώρουν ἐς τὸν ἕτερον. ἐπεὶ δὲ ἐσελθοῦσα ἡ φρουρὰ τὰ ὅπλα αὐτοὺς ἐκέλευεν ἀποθέσθαι, οἱ δὲ ἠγανάκτησάν τε, καὶ τὰ γύναια σφῶν καὶ τοὺς παῖδας ἐς τὸ βουλευτήριον συγκλείσαντες, καὶ φυλακὴν ἐπιστήσαντες, οἷς εἴρητο, εἴ τι ἀηδὲς γίγνοιτο περὶ αὐτούς, ἐμπρῆσαι τὸ βουλευτήριον, ἐπεχείρουν τοῖς Ῥωμαίοις αὐτοὶ μετ' ἀπονοίας. οἷα δ' ὑψηλοτέροις ἐπιχειροῦντες ἐκ ταπεινοῦ, συνεχώσθησαν ἀθρόοι, καὶ οἱ φύλακες τὸ βουλευ-

THE ILLYRIAN WARS

tower and reproached them. As they were not roused to their duty by his words, he seized a shield and ran on to the bridge himself. Agrippa and Hiero, two of the generals, and one of his bodyguard, Lutus, and Volas ran with him, only these four with a few armour-bearers. He had almost crossed the bridge when the soldiers, overcome by shame, rushed after him in crowds. Then this bridge, being overweighted, fell also, and the men on it went down in a heap. Some were killed and others were carried away with broken bones. Augustus was injured in the right leg and in both arms. Nevertheless, he ascended the tower with his insignia forthwith and showed himself safe and sound, lest panic should arise from a report of his death. In order too that the enemy might not fancy that he was going to give in and retire, he began at once to construct new bridges; and this above all struck terror into the Metulians, who thought that they were contending against an unconquerable will.

21. The next day they sent messengers to Augustus and gave him fifty hostages whom he selected himself, and promised to receive a garrison and to assign to them the higher hill while they themselves would occupy the other. But when the garrison entered and ordered them to lay down their arms, then indeed they were very angry. They shut their wives and children up in their council-chamber and stationed guards there with orders to set fire to the building in case things went wrong with them, and themselves attacked the Romans with desperation. Since, however, they made the attack from a lower position upon those occupying higher ground, they were completely overpowered. Then the guards set

CHAP. IV

Destruction of the city

APPIAN'S ROMAN HISTORY, BOOK X

CAP.
IV
τήριον κατέπρησαν, πολλαί τε τῶν γυναικῶν ἑαυτάς τε καὶ τὰ τέκνα διεχρῶντο, αἱ δὲ καὶ ζῶντα ἔτι φέρουσαι ἐς τὸ πῦρ ἐνήλαντο, ὡς ἀπολέσθαι τῶν Μετούλων τήν τε νεότητα πᾶσαν ἐν τῇ μάχῃ καὶ τῶν ἀχρείων τὸ πλέον τῷ πυρί. συγκατεφλέγη δὲ αὐτοῖς καὶ ἡ πόλις, καὶ οὐδὲν ἦν ἴχνος μεγίστης ἐκεῖθι γενομένης. Μετούλου δ' ἁλούσης οἱ λοιποὶ τῶν Ἰαπόδων καταπλαγέντες ἑαυτοὺς ἐπέτρεψαν τῷ Καίσαρι. Ἰάποδες μὲν οὖν οἱ πέραν Ἄλπεων τότε πρῶτον Ῥωμαίων ὑπήκουσαν· καὶ αὐτῶν Ποσηνοὺς ἀποχωρήσαντος τοῦ Καίσαρος ἀποστάντας ἐπιπεμφθεὶς αὐτοῖς Μᾶρκος Ἕλουιος εἷλε, καὶ τοὺς μὲν αἰτίους ἔκτεινε, τοὺς δὲ λοιποὺς ἀπέδοτο.

22. Ἐς δὲ τὴν Σεγεστικὴν γῆν οἱ Ῥωμαῖοι δὶς πρότερον ἐμβαλόντες οὔτε ὅμηρον οὔτε ἄλλο τι εἰλήφεσαν· ὅθεν ἦσαν ἐπὶ φρονήματος οἱ Σεγεστανοί. ὁ δὲ Καῖσαρ αὐτοῖς ἐπῄει διὰ τῆς Παιόνων γῆς, οὔπω Ῥωμαίοις οὐδὲ τῆσδε ὑπηκόου γενομένης. ὑλώδης δ' ἐστὶν ἡ Παιόνων, καὶ ἐπιμήκης ἐξ Ἰαπόδων ἐπὶ Δαρδάνους. καὶ οὐ πόλεις ᾤκουν οἱ Παίονες οἵδε, ἀλλ' ἀγροὺς ἢ κώμας κατὰ συγγένειαν· οὐδ' ἐς βουλευτήρια κοινὰ συνῄεσαν, οὐδ' ἄρχοντες αὐτοῖς ἦσαν ἐπὶ πᾶσιν. οἱ δ' ἐν ἡλικίᾳ μάχης ἐς δέκα μυριάδας συνετέλουν. ἀλλ' οὐδ' οὗτοι συνῄεσαν ἀθρόοι δι' ἀναρχίαν. προσιόντος δ' αὐτοῖς τοῦ Καίσαρος, ἐς τὰς ὕλας ὑποφυγόντες τοὺς ἀποσκιδναμένους τῶν στρατιωτῶν ἀνῄρουν. ὁ δὲ Καῖσαρ ἕως μὲν ἤλπιζεν αὐτοὺς ἀφίξεσθαι πρὸς αὐτόν, οὔτε τὰς κώμας οὔτε τοὺς ἀγροὺς ἐλυμαίνετο, οὐκ ἀπαντώντων δὲ πάντα ἐνεπίμπρη

THE ILLYRIAN WARS

fire to the council-chamber and many of the women killed their children and themselves. Others, holding in their arms their children still alive, leaped into the flames. Thus all the Metulian youth perished in battle and the greater part of the non-combatants by fire. Their city was entirely consumed, and not a trace of it was left, although it had been the greatest city in those parts. After the destruction of Metulus the remainder of the Iapydes, being terror-stricken, surrendered to Augustus. The transalpine Iaypdes were then for the first time brought in subjection to the Romans. After Augustus departed the Poseni rebelled and Marcus Helvius was sent against them. He conquered them and after punishing the leaders of the revolt with death sold the rest as slaves.

22. At an earlier time the Romans twice attacked the country of the Segestani, but obtained no hostages nor anything else, for which reason the Segestani became very arrogant. Augustus advanced against them through the Pannonian territory, which was not yet under subjection to the Romans. Pannonia is a wooded country extending from the Iapydes to the Dardani. The inhabitants did not live in cities, but scattered through the country or in villages according to relationship. They had no common council and no rulers over the whole nation. They numbered 100,000 fighting men, but they did not assemble in one body, because they had no common government. When Augustus advanced against them they took to the woods, and slew the stragglers of the army; but as long as Augustus hoped that they would surrender voluntarily he spared their fields and villages. As none of them came in he devastated

CAP. IV καὶ ἔκειρεν ἐπὶ ἡμέρας ὀκτώ, ἐς ὃ διῆλθεν ἐς τὴν Σεγεστανῶν, καὶ τήνδε Παιόνων οὖσαν, ἐπὶ τοῦ Σάου ποταμοῦ, ἐν ᾧ καὶ πόλις ἔστιν ἐχυρά, τῷ τε ποταμῷ καὶ τάφρῳ μεγίστῃ διειλημμένη, διὸ καὶ μάλιστα αὐτῆς ἔχρῃζεν ὁ Καῖσαρ, ὡς ταμιείῳ χρησόμενος ἐς τὸν Δακῶν καὶ Βαστερνῶν πόλεμον, οἳ πέραν εἰσὶ τοῦ Ἴστρου, λεγομένου μὲν ἐνταῦθα Δανουβίου, γιγνομένου δὲ μετ᾽ ὀλίγον Ἴστρου. ἐμβάλλει δ᾽ ὁ Σάος ἐς τὸν Ἴστρον· καὶ αἱ νῆες ἐν τῷ Σάῳ Καίσαρι ἐγίγνοντο, αἳ ἐς τὸν Δανούβιον αὐτῷ τὴν ἀγορὰν διοίσειν ἔμελλον.

23. Διὰ μὲν δὴ ταῦτα τῆς Σεγέστης ἔχρῃζεν ὁ Καῖσαρ· προσιόντι δὲ αὐτῷ οἱ Σεγεστανοὶ προσέπεμψαν, πυνθανόμενοι τίνος χρῄζει. ὁ δὲ φρουρὰν ἐσαγαγεῖν ἔφη, καὶ ὁμήρους ἑκατὸν λαβεῖν, ἵν᾽ ἀσφαλῶς ταμιείῳ τῇ πόλει χρῷτο ἐπὶ Δάκας. ᾔτει δὲ καὶ σῖτον, ὅσον δύναιντο φέρειν. ταῦθ᾽ οἱ μὲν πρωτεύοντες ἠξίουν δοῦναι· ὁ δὲ δῆμος ἐξαγριαίνων τὰ μὲν ὅμηρα διδόμενα περιεῖδεν, ὅτι ἴσως οὐ παρὰ σφῶν ἀλλὰ τῶν πρωτευόντων παῖδες ἦσαν, προσιούσης δὲ τῆς φρουρᾶς τὴν ὄψιν οὐκ ἐνεγκόντες ὁρμῇ μανιώδει τὰς πύλας αὖθις ἀπέκλειον καὶ αὐτοὺς τοῖς τείχεσιν ἐπέστησαν. ὁ οὖν Καῖσαρ τόν τε ποταμὸν ἐγεφύρου, καὶ χάρακας καὶ τάφρους πάντοθεν ἐποιεῖτο, ἀποτειχίσας δ᾽ αὐτοὺς δύο χώματα ἔχου. οἷς ἐπέδραμον μὲν οἱ Σεγεστανοὶ πολλάκις, οὐ δυνηθέντες δ᾽ ἑλεῖν λαμπάδας καὶ πῦρ πολὺ ἄνωθεν ἐπέβαλλον. προσιούσης δ᾽ αὐτοῖς Παιόνων ἑτέ-

THE ILLYRIAN WARS

the country with fire and sword for eight days, until he came to the Segestani. Theirs is also Pannonian territory, on the river Save, on which is situated a city strongly fortified by the river and by a very large ditch encircling it. For this reason Augustus greatly desired to possess it as a magazine convenient for a war against the Dacians and the Bastarnae on the other side of the Ister, which is there called the Danube, but a little lower down becomes the Ister. The Save flows into it, and Augustus caused ships to be built on the latter stream to bring provisions to the Danube for him.

23. For these reasons he desired to obtain possession of Segesta. As he was approaching, the Segestani sent to inquire what he wanted. He replied that he desired to station a garrison there and to receive 100 hostages in order that he might use the town safely as a base of operations in his war against the Dacians. He also asked for as much food as they were able to supply. The chief men of the town acquiesced, but the common people were furious, yet consented to the giving of the hostages, perhaps because they were not their children, but those of the notables. When the garrison approached, however, they could not bear the sight of them, but shut the gates in a mad fury and stationed themselves on the walls. Thereupon Augustus bridged the river and surrounded the place with ditches and palisades, and, having blockaded them, raised two mounds. Upon these the Segestani made frequent assaults and, being unable to capture them, threw down upon them torches and fire in large quantities. When aid was sent to them by the other Pannonians

APPIAN'S ROMAN HISTORY, BOOK X

CAP.
IV
ρων βοηθείας, ὁ Καῖσαρ ὑπαντήσας ἐνήδρευσεν
αὐτήν· καὶ οἱ μὲν ἀνῃρέθησαν, οἱ δ' ἔφυγον, καὶ
οὐδεὶς ἔτι Παιόνων ἐβοήθει.

24. Οἱ Σεγεστανοὶ δὲ πᾶσαν πολιορκίαν ὑποστάντες ἡμέρᾳ τριακοστῇ κατὰ κράτος ἐλήφθησαν, καὶ τότε πρῶτον ἤρξαντο ἱκετεύειν. καὶ αὐτοὺς ὁ Καῖσαρ ἐπαίνῳ τε τῆς ἀρετῆς καὶ ἐλέῳ τῆς ἱκεσίας οὔτε ἔκτεινεν οὔτε ἀνέστησεν, ἀλλὰ χρήμασιν ἐζημίωσε, καὶ τῆς πόλεως μέρος διατειχίσας ἐσήγαγεν ἐς αὐτὸ φρουρὰν πέντε καὶ εἴκοσι σπειρῶν. καὶ ὁ μὲν τάδ' ἐργασάμενος ἐς Ῥώμην ἀνέζευξεν, ὡς ἦρος ἐπανήξων ἐς τὴν Ἰλλυρίδα. φήμης δ' ἐπιδραμούσης ὅτι τὴν φρουρὰν οἱ Σεγεστανοὶ διέφθειραν, ἐξέθορε χειμῶνος. καὶ τὸ μὲν τέλος τῆς φήμης ψευδὲς ηὗρε, τὴν δὲ αἰτίαν ἀληθῆ· ἐγεγόνεσαν γὰρ ἐν κινδύνῳ, τῶν Σεγεστανῶν αὐτοὺς ἄφνω περιστάντων, καὶ πολλοὺς τὸ αἰφνίδιον ἀπωλωλέκει, τῆς δ' ἐπιούσης προελθόντες ἐκράτουν τῶν Σεγεστανῶν. ὁ οὖν Καῖσαρ ἐπὶ Δαλμάτας μετῄει, γένος ἕτερον Ἰλλυριῶν, Ταυλαντίοις ὅμορον.

V

CAP.
V
25. Οἱ Δαλμάται δ' ἐξ οὗ τὰς ὑπὸ Γαβινίῳ πέντε τάξεις ἀνῃρήκεσαν καὶ τὰ σημεῖα εἰλήφεσαν, ἐπαρθέντες ἐπὶ τῷδε τὰ ὅπλα οὐκ ἀπετέθειντο ἔτεσιν ἤδη δέκα, ἀλλὰ καὶ τοῦ Καίσαρος ἐπιόντος αὐτοῖς συμμαχήσειν ἀλλήλοις συνετίθεντο. καὶ ἦσαν οἱ μαχιμώτατοι μυρίων καὶ δισχιλίων πλείους, ὧν στρατηγὸν Οὔερσον αἱροῦνται. ὁ δὲ

THE ILLYRIAN WARS

Augustus met and ambuscaded this reinforcement, destroyed a part of it, and put the rest to flight. After this none of the Pannonians came to their assistance any more.

24. Thus the Segestani, after enduring all the evils of a siege, were taken by force on the thirtieth day, and then for the first time they began to supplicate. Augustus, admiring them for their bravery and pitying their prayers, neither killed nor banished them, but contented himself with a fine. He walled off a part of the city and in this he placed a garrison of twenty-five cohorts. Having accomplished this he went back to Rome, intending to return to Illyria in the spring. But a rumour becoming current that the Segestani had massacred the garrison, he set forth hastily in the winter. However, he found that the rumour was false, yet not without cause. They had been in danger from a sudden uprising of the Segestani and had lost many men by reason of its unexpectedness, but on the next day they rallied and put down the insurgents. Augustus therefore turned his forces against the Dalmatians, another Illyrian tribe, bordering on the Taulantians.

CHAP. IV

Capture of the city

V

25. THE Dalmatians, after the slaughter of the five cohorts under Gabinius and the taking of their standards, elated by their success, had not laid down their arms for ten years. When Augustus advanced against them they made an alliance with each other for mutual aid in war. They had upwards of 12,000 fighting men, of whom they chose Versus general.

CHAP. V
B.C. 34
Second war against the Dalmatians

CAP. V Προμόναν αὖθις, τὴν τῶν Λιβυρνῶν πόλιν, καταλαβὼν ὠχύρου, καὶ τἆλλα οὖσαν ἐκφυῶς ὀχυρωτάτην· ὄρειον γάρ ἐστι τὸ χωρίον, καὶ αὐτῷ περίκεινται λόφοι πάντοθεν ὀξεῖς οἷα πρίονες. ἐν μὲν δὴ τῇ πόλει τὸ πλέον ἦν, ἐν δὲ τοῖς λόφοις διέθηκεν Οὔερσος φρούρια· καὶ πάντες ἐφεώρων τὰ Ῥωμαίων ἀφ' ὑψηλοῦ. ὁ δὲ Καῖσαρ ἐς μὲν τὸ φανερὸν πάντας ἀπετείχιζε, λάθρᾳ δὲ τοὺς εὐτολμοτάτους ἔπεμπε ζητεῖν ἄνοδον ἐς τὸν ἀκρότατον τῶν λόφων. καὶ οἱ μέν, τῆς ὕλης αὐτοὺς ἐπικαλυπτούσης, νυκτὸς ἐμπίπτουσι τοῖς φύλαξιν εὐναζομένοις, καὶ κτείνουσιν αὐτούς, καὶ τῷ Καίσαρι κατέσεισαν ὑπὸ λύγῃ· ὁ δὲ τῆς τε πόλεως ἐς πεῖραν ᾔει τῷ πλέονι στρατῷ, καὶ ἐς τὸ εἰλημμένον ἄκρον ἑτέρους ἐφ' ἑτέροις ἔπεμπεν, οἳ τοῖς ἄλλοις λόφοις ἐπικατῄεσαν. φόβος τε καὶ θόρυβος ἦν τοῖς βαρβάροις ὁμοῦ πᾶσιν ἐπιχειρουμένοις πάντοθεν· μάλιστα δὲ οἱ ἐν τοῖς λόφοις ἔδεισαν διὰ τὸ ἄνυδρον, μὴ τῶν διόδων ἀφαιρεθῶσιν. καὶ συμφεύγουσιν ἐς τὴν Προμόναν.

26. Ὁ δὲ Καῖσαρ αὐτήν τε καὶ δύο λόφους, οἳ ἔτι ἐκρατοῦντο ὑπὸ τῶν πολεμίων, ὁμοῦ περιετείχιζε, τεσσαράκοντα σταδίων περίμετρον. κἂν τούτῳ Τέστιμον Δαλμάτην, στρατὸν ἕτερον ἄγοντα τοῖς ἐν Προμόνῃ συμμάχων, ὑπαντήσας ἐδίωκεν ἐς τὰ ὄρη, καὶ ἐφορῶντος ἔτι τοῦ Τεστίμου τὴν Προμόναν εἷλεν, οὔπω τῆς περιτειχίσεως τετελεσμένης. ἐκδραμόντων γὰρ τῶν ἔνδον καὶ συνελαυνομένων ὀξέως, οἱ Ῥωμαῖοι φεύγουσιν αὐτοῖς ἐς τὴν πόλιν συνεσέπεσον, καὶ τὸ τρίτον τούτων ἔνδον ἔκτειναν· οἱ λοιποὶ δ' ἐς τὴν ἄκραν ἀνέ-

THE ILLYRIAN WARS

He again occupied Promona, the city of the Liburni, CHAP. V
and fortified it, although it was very strong by nature,
for it is a mountain stronghold surrounded on all sides
by sharp-pointed hills like saw-teeth. The greater
part of his forces were stationed in the town, but he
placed guards on the hills, who all looked down
upon the Romans from elevated positions. Augustus
in plain sight began to cut them all off by a wall,
but secretly he sent his bravest men to seek a path
to the highest of the hills.   These, concealing
themselves in the woods, fell upon the guards by
night while they were asleep, slew them, and signalled
to Augustus in the twilight. He then led the bulk
of the army to make an attempt upon the city, and
sent detachment after detachment to the height
that had been taken, who then descended on to the
lower hills. Terror and confusion fell upon the
barbarians attacked, as they were, simultaneously on
all sides. Especially were those on the hills alarmed
lest they should be cut off from their supply of
water, for which reason they all fled into Promona.

26. Augustus surrounded the town, and two hills City of Promona taken
which were still held by the enemy, with a wall
forty stades in length. Meanwhile Testimus, a
Dalmatian, brought another army to the relief of the
place. Augustus met him and drove him back to
the mountains, and while Testimus was still looking
on he took Promona before the line of circum-
vallation was finished. For when the citizens made
a sally and were sharply repulsed, the Romans
pursued them and entered the town with them,
where they killed a third part of them. The
remainder took refuge in the citadel, at the gates of

CAP. δραμον. καὶ σπεῖρα Ῥωμαίων ἐφύλασσεν αὐτοὺς
V ἐπὶ τῶν πυλῶν. οἷς προσπίπτουσιν οἱ βάρβαροι
νυκτὸς τετάρτης, καὶ ἐξέλιπεν ἡ σπεῖρα τὰς πύλας
ὑπὸ δέους. ὁ δὲ Καῖσαρ τοὺς μὲν πολεμίους
ἀνέκοψε τῆς ὁρμῆς, καὶ τῆς ἐπιούσης εἷλε παρα-
δόντας ἑαυτούς· τὴν δὲ σπεῖραν ἣ τὸ φυλάκιον
ἐξέλιπε διακληρώσας, ἐζημίωσε θανάτῳ τὸ δέ-
κατον, καὶ λοχαγοὺς ἐπὶ τῷ δεκάτῳ δύο. καὶ
τοῖς λοιποῖς ἐκέλευεν ἐκείνου τοῦ θέρους κριθὴν
ἀντὶ σίτου τραφῆναι δίδοσθαι.

27. Οὕτω μὲν ἑάλω Προμόνα, Τέστιμος δ᾽
ὁρῶν διεσκέδασε τὸν στρατὸν ἑαυτοῦ, φεύγειν
ἄλλους ἀλλαχοῦ· ὅθεν αὐτοὺς οὐκ ἐδύναντο οἱ
Ῥωμαῖοι διώκειν ἐς πολύ, τήν τε διαίρεσιν σφῶν
τὴν ἐς πολλὰ δείσαντες, καὶ τὴν ἀπειρίαν τῶν
ὁδῶν καὶ τὰ ἴχνη τῆς φυγῆς συγκεχυμένα.
Συνόδιον δ᾽ αἱροῦσι πόλιν ἐν ἀρχῇ τῆς ὕλης, ἐν
ᾗ τὸν Γαβινίου στρατὸν ἐνήδρευσαν οἱ Δαλμάται
περὶ φάραγγι βαθείᾳ καὶ ἐπιμήκει καὶ μέσῃ δύο
ὀρῶν, ἔνθα καὶ τὸν Καίσαρα ἐνήδρευον. ὁ δὲ τό
τε Συνόδιον ἐνέπρησε, καὶ ἐς τὰ ὄρη περιπέμψας
ἄνω στρατὸν ἑκατέρωθεν αὐτῷ συμπαρομαρτεῖν,
αὐτὸς ᾔει διὰ τῆς φάραγγος, κόπτων τὴν ὕλην
καὶ τὰς πόλεις αἱρῶν, καὶ πάντα ἐμπιπρὰς ὅσα
κατὰ τὴν ὁδὸν ᾔρει. πολιορκουμένης δὲ πόλεως
Σετουΐας, ἐπῄει τις αὐτοῖς συμμαχία βαρβάρων,
ἣν ὁ Καῖσαρ ὑπαντήσας ἐκώλυσεν ἐσδραμεῖν ἐς
τὴν Σετουΐαν. κἀν τῷ πόνῳ τῷδε ἐπλήγη λίθῳ
τὸ γόνυ, καὶ ἐς πολλὰς ἡμέρας ἐθεραπεύετο.
ῥαΐσας δὲ ἐς Ῥώμην ἐπανῆλθεν, ὑπατεύσων σὺν

which a Roman cohort was placed to keep watch. On the fourth night the barbarians assaulted them, and the cohort fled terror-stricken from the gates, but Augustus checked the enemy's onset, and the following day received their surrender. The cohort that had abandoned its position was obliged to cast lots, and every tenth man, and in addition to them two centurions, suffered death. It was ordered, as a further punishment, that the surviving members of the cohort should subsist on barley instead of wheat for that summer.

27. Thus was Promona taken and Testimus, seeing it, disbanded his army, telling them to scatter in all directions. For this reason the Romans were not able to pursue them long, as they feared to divide themselves into small bands, being ignorant of the roads, and the foot-prints of the fugitives being much confused. However, they took the town of Synodium at the edge of the forest in which the army of Gabinius had been entrapped by the Dalmatians in a long and deep gorge between two mountains, where also the enemy now lay in wait for Augustus, but after he had burned Synodium he sent soldiers round by the summits of the mountains to keep even pace with him on either side while he passed through the gorge. He cut down trees and captured towns and burned everything that he found on his way. While he was besieging the city Setovia a force of barbarians came to its assistance, which he met and prevented from entering the place. In this conflict he was struck by a stone on the knee and was laid up for several days. When he recovered he returned to Rome to perform the

CAP. Οὐολκατίῳ Τύλλῳ, Στατίλιον Ταῦρον ἐς τὰ λοιπὰ
V τοῦ πολέμου καταλιπών.

28. Νουμηνίᾳ δ' ἔτους ἀρξάμενος ὑπατεύειν, καὶ τὴν ἀρχὴν αὐτῆς ἡμέρας παραδοὺς Αὐτρωνίῳ Παίτῳ, εὐθὺς ἐξέθορεν αὖθις ἐπὶ τοὺς Δαλμάτας, ἄρχων ἔτι τὴν τῶν τριῶν ἀρχήν· δύο γὰρ ἔλειπεν ἔτη τῇ δευτέρᾳ πενταετίᾳ τῆσδε τῆς ἀρχῆς, ἣν ἐπὶ τῇ προτέρᾳ σφίσιν αὐτοῖς ἐψηφίσαντο καὶ ὁ δῆμος ἐπεκεκυρώκει. οἱ Δαλμάται δ' ἤδη κάμνοντες ὑπὸ λιμοῦ, τῶν ἔξωθεν ἀγορῶν ἀποκεκλεισμένοι, ἐρχομένῳ τῷ Καίσαρι ὑπήντων καὶ σφᾶς παρέδοσαν σὺν ἱκετηρίᾳ, ὅμηρά τε δόντες ἑπτακοσίους παῖδας, οὓς καὶ ὁ Καῖσαρ ᾔτει, καὶ τὰ Ῥωμαϊκὰ σημεῖα τὰ Γαβινίου· τὸν δὲ φόρον τὸν ἀπὸ Γαΐου Καίσαρος ἐκλειφθέντα ἀποδώσειν ὑποστάντες, εὐπειθεῖς ἐς τὸ ἔπειτα ἐγένοντο. τὰ σημεῖα δὲ ὁ Καῖσαρ ἀπέθηκεν ἐν τῇ στοᾷ τῇ Ὀκταουίᾳ λεγομένῃ. Δαλματῶν δ' ἁλόντων καὶ Δερβανοὶ προσιόντα τὸν Καίσαρα συγγνώμην ᾔτουν σὺν ἱκετηρίᾳ, καὶ ὁμήρους ἔδοσαν, καὶ τοὺς ἐκλειφθέντας φόρους ὑπέστησαν ἀποδώσειν. τῶν δὲ . . . οἷς μὲν ὁ Καῖσαρ ἐπλησίασε, καὶ ὁμήρους ἐπὶ ταῖς συνθήκαις ἔδοσαν· ὅσοις δ' οὐκ ἐπλησίασε διὰ νόσον, οὔτ' ἔδοσαν οὔτε συνέθεντο. φαίνονται δὲ καὶ οἵδε ὕστερον ὑπαχθέντες.

Οὕτω πᾶσαν ὁ Καῖσαρ τὴν Ἰλλυρίδα γῆν, ὅση τε ἀφειστήκει Ῥωμαίων, καὶ τὴν οὐ πρότερον ὑπακούσασαν αὐτοῖς, ἐκρατύνατο. καὶ αὐτῷ ἡ βουλὴ θρίαμβον Ἰλλυρικὸν ἔδωκε θριαμβεῦσαι, ὃν ἐθριάμβευσεν ὕστερον ἅμα τοῖς κατ' Ἀντωνίου.

THE ILLYRIAN WARS

duties of the consulship with Volcatius Tullus, his colleague, leaving Statilius Taurus to finish the war.

28. Entering upon his new consulship on the Calends of January, and delivering the government to Autronius Paetus the same day, he started back to Dalmatia at once, being still triumvir; for two years remained of the second five-year period which the triumvirs themselves had ordained and the people confirmed. And now the Dalmatians, oppressed by hunger and cut off from foreign supplies, met him on the road and delivered themselves up with supplications, giving 700 of their children as hostages, as Augustus demanded, and also the Roman standards taken from Gabinius. They also promised to pay the tribute that had been in arrears since the time of Gaius Caesar, and were obedient henceforth. Augustus deposited the standards in the portico called the Octavia. After the Dalmatians had been conquered Augustus advanced against the Derbani, who likewise begged forgiveness with supplications, gave hostages, and promised to pay the arrears of tribute.[1] In like manner other tribes at his approach gave hostages for observing the treaties that he made with them. Some, however, he was prevented by sickness from reaching. These gave no hostages and made no treaties. It appears, however, that they too were subjugated later.

Thus Augustus subdued the whole Illyrian country, not only the parts that had revolted from the Romans, but those that had never before been under their rule. Wherefore the Senate awarded him an Illyrian triumph, which he enjoyed later, together with those for his victory over Antony.

[1] At this point there is a lacuna in the text.

APPIAN'S ROMAN HISTORY, BOOK X

CAP.
V

29. Λοιποὶ δ' εἰσὶ τῆς ὑπὸ Ῥωμαίων νομιζομένης Ἰλλυρίδος εἶναι πρὸ μὲν Παιόνων Ῥαιτοὶ καὶ Νωρικοί, μετὰ Παίονας δὲ Μυσοὶ ἕως ἐπὶ τὸν Εὔξεινον Πόντον. Ῥαιτοὺς μὲν οὖν καὶ Νωρικοὺς ἡγοῦμαι Γάιον Καίσαρα πολεμοῦντα Κελτοῖς ἐπιλαβεῖν, ἢ τὸν Σεβαστὸν χειρούμενον Παίονας· ἐν μέσῳ γάρ εἰσιν ἀμφοτέρων, καὶ οὐδὲν ηὗρον ἴδιον ἐς Ῥαιτοὺς ἢ Νωρικοὺς γενόμενον· ὅθεν μοι δοκοῦσι τοῖς ἑτέροις τῶν γειτόνων συναλῶναι.

30. Μυσοὺς δὲ Μᾶρκος μὲν Λεύκολλος, ὁ ἀδελφὸς Λικινίου Λευκόλλου τοῦ Μιθριδάτῃ πολεμήσαντος, κατέδραμε, καὶ ἐς τὸν ποταμὸν ἐμβαλών, ἔνθα εἰσὶν Ἑλληνίδες ἓξ πόλεις Μυσοῖς πάροικοι, Ἴστρος τε καὶ Διονυσόπολις καὶ Ὀδησσὸς καὶ Μεσημβρία, καὶ Καλλατίς, καὶ Ἀπολλωνία· ἐξ ἧς ἐς Ῥώμην μετήνεγκε τὸν μέγαν Ἀπόλλωνα τὸν ἀνακείμενον ἐν τῷ Παλατίῳ. καὶ πλεῖον οὐδὲν ηὗρον ἐπὶ τῆς Ῥωμαίων δημοκρατίας ἐς Μυσοὺς γενόμενον, οὐδ' ἐς φόρου ὑπαχθέντας· οὐδ' ἐπὶ τοῦ Σεβαστοῦ· ὑπήχθησαν δὲ ὑπὸ Τιβερίου τοῦ μετὰ τὸν Σεβαστὸν τοῖς Ῥωμαίοις αὐτοκράτορος γενομένου. ἀλλά μοι τὰ μὲν πρὸ ἁλώσεως Αἰγύπτου πάντα ὑπὸ νεύματι τοῦ δήμου γενόμενα ἐφ' ἑαυτῶν συγγέγραπται, ἃ δὲ μετ' Αἴγυπτον οἱ αὐτοκράτορες οἵδε ἐκρατύναντο ἢ προσέλαβον, ὡς ἴδια αὐτῶν ἔργα, μετὰ τὰ κοινὰ εἴρηται· ἔνθα καὶ περὶ Μυσῶν ἐρῶ πλέονα. νῦν δ', ἐπεὶ τοὺς Μυσούς τε οἱ Ῥωμαῖοι τῆς Ἰλλυρίδος ἡγοῦνται, καὶ τὸ σύγγραμμά μοι τοῦτο Ἰλλυρικόν ἐστιν, ὡς ἂν εἴη τὸ σύγγραμμα ἐντελές, ἐδόκει προειπεῖν ὅτι καὶ Μυσοὺς Λεύκολλός τε τῷ δήμῳ στρατηγῶν ἐπέδραμε καὶ Τιβέριος εἷλε κατὰ τὴν μόναρχον ἐξουσίαν.

THE ILLYRIAN WARS

29. The remaining peoples, who are considered by the Romans to be parts of Illyria, are the Rhaetians and the Noricans, on this side of Pannonia, and the Mysians on the other side as far as the Euxine Sea. I think that the Rhaetians and Noricans were subdued by Gaius Caesar during the Gallic war or by Augustus during the Pannonian war, as they lie between the two. I have found no mention of any war against them separately, whence I infer that they were conquered along with other neighbouring tribes.

30. Marcus Lucullus, brother of that Licinius Lucullus who conducted the war against Mithridates advanced against the Mysians and arrived at the river where six Grecian cities lie adjacent to the Mysian territory, namely, Istrus, Dionysopolis, Odessus, Mesembria, Callatis, and Apollonia; from which he brought to Rome the great statue of Apollo which was afterward set up on the Palatine Hill. I have found nothing further done by the Roman republic as to the Mysians. They were not subjected to tribute in the time of Augustus, but by Tiberius, who succeeded him as Roman emperor. All the things done by command of the people before the taking of Egypt have been written by me for each country separately. Those countries that these emperors themselves pacified after Egypt was taken, or annexed as their own work, will be mentioned after the affairs of the commonwealth. There I shall also tell more about the Mysians. For the present, since the Romans consider the Mysians a part of Illyria and this is my Illyrian history, in order that it may be complete it seems proper to premise that Lucullus invaded Mysia as a general of the republic and that Tiberius took it in the time of the empire.

BOOK XI
THE SYRIAN WARS

Λ´

ΣΤΡΙΑΚΗ

I

CAP. I
1. Ἀντίοχος ὁ Σελεύκου τοῦ Ἀντιόχου, Σύρων καὶ Βαβυλωνίων καὶ ἑτέρων ἐθνῶν βασιλεύς, ἕκτος δὲ ἀπὸ Σελεύκου τοῦ μετ᾽ Ἀλέξανδρον Ἀσίας τῆς περὶ Εὐφράτην βεβασιλευκότος, ἐσβαλὼν ἐς Μηδίαν τε καὶ Παρθυηνὴν καὶ ἕτερα ἔθνη ἀφιστάμενα ἔτι πρὸ αὑτοῦ, καὶ πολλὰ καὶ μεγάλα δράσας, καὶ μέγας Ἀντίοχος ἀπὸ τοῦδε κληθείς, ἐπαιρόμενος τοῖς γεγονόσι καὶ τῇ δι᾽ αὐτὰ προσωνυμίᾳ, Συρίαν τε τὴν κοίλην καὶ Κιλικίας ἔστιν ἃ Πτολεμαίου τοῦ φιλοπάτορος, Αἰγύπτου βασιλέως ἔτι παιδὸς ὄντος, ἐπιδραμὼν περιέσπασε, καὶ μικρὸν οὐδὲν ἐνθυμούμενος Ἑλλησποντίους ἐπῄει καὶ Αἰολέας καὶ Ἴωνας ὡς οἱ προσήκοντας ἄρχοντι τῆς Ἀσίας, ὅτι καὶ πάλαι τῶν τῆς Ἀσίας βασιλέων ὑπήκουον. ἔς τε τὴν Εὐρώπην διαπλεύσας Θρᾴκην ὑπήγετο καὶ τὰ ἀπειθοῦντα ἐβιάζετο, Χερρόνησόν τε ὠχύρου, καὶ Λυσιμάχειαν ᾤκιζεν, ἣν Λυσίμαχος μὲν ὁ Θρᾴκης ἐπὶ Ἀλεξάνδρῳ βασιλεύσας ἔκτισεν ἐπιτείχισμα τοῖς Θρᾳξὶν

BOOK XI

THE SYRIAN WARS

I

1. ANTIOCHUS (the son of Seleucus and grandson of Antiochus), king of the Syrians, the Babylonians and other nations, was the sixth in succession from that Seleucus who succeeded Alexander in the government of the Asiatic countries around the Euphrates. He invaded Media and Parthia, and other countries that had revolted from his ancestors, and performed many exploits, from which he was named Antiochus the Great. Elated by his successes, and by the title which he had derived from them, he invaded Coele-Syria and a portion of Cilicia and took them away from Ptolemy Philopator,[1] king of Egypt, who was still a boy. Filled with unbounded ambition, he marched against the Hellespontines, the Aeolians, and the Ionians as though they belonged to him as the ruler of Asia, because they had been formerly subjects of the Asiatic kings. Then he crossed over to Europe, brought Thrace under his sway, and reduced by force those who would not obey him. He fortified Chersonesus and rebuilt Lysimacheia, which Lysimachus, who ruled Thrace after Alexander, built as a stronghold against the

CHAP.
1
B.C. 224
Ambition of Antiochus the Great

B.C. 198

B.C. 196

[1] An error for Epiphanes.

APPIAN'S ROMAN HISTORY, BOOK XI

CAP. I εἶναι, οἱ Θρᾷκες δ' ἀποθανόντος τοῦ Λυσιμάχου καθῃρήκεσαν. καὶ ὁ Ἀντίοχος συνῴκιζε, τούς τε φεύγοντας τῶν Λυσιμαχέων κατακαλῶν, καὶ εἴ τινες αὐτῶν αἰχμάλωτοι γεγονότες ἐδούλευον ὠνούμενος, καὶ ἑτέρους προσκαταλέγων, καὶ βοῦς καὶ πρόβατα καὶ σίδηρον ἐς γεωργίαν ἐπιδιδούς, καὶ οὐδὲν ἐλλείπων ἐς ταχεῖαν ἐπιτειχίσματος ὁρμήν· πάνυ γὰρ αὐτῷ τὸ χωρίον ἐφαίνετο λαμπρῶς ἔχειν ἐπὶ ὅλῃ Θρᾴκῃ, καὶ ταμιεῖον εὔκαιρον ἐς τὰ λοιπὰ ὧν ἐπενόει πάντων ἔσεσθαι.

2. Ταῦτα δ' αὐτῷ διαφορᾶς φανερᾶς καὶ πρὸς Ῥωμαίους ἦρξεν. ὡς γὰρ δὴ μετῄει τὰς τῇδε Ἑλληνίδας πόλεις, οἱ μὲν πλέονες αὐτῷ προσετίθεντο καὶ φρουρὰς ἐσεδέχοντο δέει τῷ τῆς ἁλώσεως, Σμυρναῖοι δὲ καὶ Λαμψακηνοὶ καὶ ἕτεροι ἔτι ἀντέχοντες ἐπρεσβεύοντο ἐς Φλαμινῖνον τὸν Ῥωμαίων στρατηγόν, ἄρτι Φιλίππου τοῦ Μακεδόνος μεγάλῃ μάχῃ περὶ Θετταλίαν κεκρατηκότα· ἐγίγνετο γὰρ δὴ καὶ τὰ Μακεδόνων καὶ τὰ Ἑλλήνων ἐπίμικτα ἀλλήλοις ἀνὰ μέρη καὶ χρόνους, ὥς μοι ἐν τῇ Ἑλληνικῇ γραφῇ δεδήλωται. καὶ γίγνονταί τινες Ἀντιόχῳ καὶ Φλαμινίνῳ διαπρεσβεύσεις τε ἐς ἀλλήλους καὶ ἀπόπειραι ἀτελεῖς. ἐκ πολλοῦ δὲ οἱ Ῥωμαῖοι καὶ ὁ Ἀντίοχος ὑπόπτως εἶχον ἀλλήλοις, οἱ μὲν οὐκ ἀτρεμήσειν ὑπολαμβάνοντες Ἀντίοχον ἐπαιρόμενον ἀρχῆς τε μεγέθει καὶ εὐπραξίας ἀκμῇ, ὁ δὲ Ῥωμαίους οἱ μόνους αὐξομένῳ μάλιστα ἐμποδὼν ἔσεσθαι, καὶ κωλύσειν ἐς τὴν Εὐρώπην περαιούμενον. οὐδενὸς δέ πω

THE SYRIAN WARS

Thracians themselves, but which they destroyed after his death. Antiochus repeopled it, calling back the citizens who had fled, redeeming those who had been sold as slaves, bringing in others, supplying them with cattle, sheep, and iron for agricultural purposes, and omitting nothing that might contribute to its speedy completion as a stronghold; for the place seemed to him to be admirably situated to hold all Thrace in subjection, and a convenient base of supplies for all the other operations that he contemplated.

2. This was the beginning of an open disagreement with the Romans as well, for as he passed among the Greek cities thereabout most of them joined him and received his garrisons, because they feared capture by him. But the inhabitants of Smyrna and Lampsacus, and some others who still resisted, sent ambassadors to Flamininus, the Roman general, who had lately overthrown Philip the Macedonian in a great battle in Thessaly; for the affairs of the Macedonians and of the Greeks were closely linked together at certain times and places, as I have shown in my Grecian history. Accordingly, certain embassies passed between Antiochus and Flamininus and they sounded each other without result. The Romans and Antiochus had been suspicious of each other for a long time, the former surmising that he would not keep quiet because he was so much puffed up by the extent of his dominions and the height of fortune that he had reached. Antiochus, on the other hand, believed that the Romans were the only people who could put a stop to his increase of power and prevent him from passing over to Europe. Still, there was no

CAP. I φανεροῦ γεγονότος αὐτοῖς ἐς ἔχθραν ἀφίκοντο πρέσβεις ἐς Ῥώμην παρὰ Πτολεμαίου τοῦ φιλοπάτορος, αἰτιωμένου Συρίαν τε καὶ Κιλικίαν Ἀντίοχον αὐτὸν ὑφελέσθαι. καὶ οἱ Ῥωμαῖοι τῆς ἀφορμῆς ἐπέβαινον ἄσμενοι, κατὰ καιρὸν σφίσι γενομένης, καὶ πρέσβεις ἐς τὸν Ἀντίοχον ἔστελλον, οἳ λόγῳ μὲν ἔμελλον συναλλάξειν Πτολεμαῖον Ἀντιόχῳ, ἔργῳ δὲ κατασκέψεσθαι τὴν ὁρμὴν Ἀντιόχου καὶ κωλύσειν ὅσα δύναιντο.

3. Τούτων δὴ τῶν πρέσβεων Γναῖος ἡγούμενος ἠξίου τὸν Ἀντίοχον Πτολεμαίῳ μέν, ὄντι Ῥωμαίων φίλῳ, συγχωρεῖν ἄρχειν ὅσων ὁ πατὴρ αὐτῷ κατέλιπε, τὰς δ᾽ ἐν Ἀσίᾳ πόλεις, ὧν Φίλιππος ὁ Μακεδὼν ἦρχεν, αὐτονόμους ἐᾶν· οὐ γὰρ εἶναι δίκαιον Ἀντίοχον κρατεῖν ὧν Φίλιππον ἀφείλοντο Ῥωμαῖοι. ὅλως δ᾽ ἀπορεῖν ἔφη τί τοσοῦτον στόλον ὁ Ἀντίοχος καὶ τοσαύτην στρατιὰν ἄγων ἄνωθεν ἐκ Μήδων ἔλθοι τῆς Ἀσίας ἐπὶ θάλασσαν, ἔς τε τὴν Εὐρώπην ἐσβάλοι, καὶ πόλεις ἐν αὐτῇ κατασκευάζοιτο, καὶ Θρᾴκην ὑπάγοιτο, εἰ μὴ ταῦτά ἐστιν ἑτέρου πολέμου θεμέλια. ὁ δ᾽ ἀπεκρίνατο Θρᾴκην μέν, τῶν προγόνων αὐτοῦ γενομένην τε καὶ δι᾽ ἀσχολίας ἐκπεσοῦσαν, αὐτὸς ἐπὶ σχολῆς ὢν ἀναλαμβάνειν, καὶ Λυσιμάχειαν ἐγείρειν οἰκητήριον Σελεύκῳ τῷ παιδὶ εἶναι, τὰς δ᾽ ἐν Ἀσίᾳ πόλεις αὐτονόμους ἐάσειν, εἰ τὴν χάριν οὐ Ῥωμαίοις

THE SYRIAN WARS

open breach between them until ambassadors came to Rome from Ptolemy Philopator complaining that Antiochus had taken Syria and Cilicia away from him. The Romans gladly seized this occasion as one well suited to their purposes, and sent ambassadors to Antiochus ostensibly to bring about a reconciliation between him and Ptolemy, but really to find out his designs and to check him as much as they could.

3. Gnaeus,[1] the chief of the embassy, demanded that Antiochus should allow Ptolemy, who was a friend of the Roman people, to rule over all the countries that his father had left to him, and that the cities of Asia that had been part of the dominions of Philip should be left independent, for it was not right that Antiochus should seize places of which the Romans had deprived Philip. "We are wholly at a loss to know," he said, "why Antiochus should come from Media bringing so large a fleet and an army from the upper country to the Asiatic coast, make an incursion into Europe, build cities there, and subdue Thrace, unless these are the preparations for another war." Antiochus replied that Thrace had belonged to his ancestors, that it had slipped from their grasp when they were occupied elsewhere, and that he had resumed possession because he had leisure to do so. He had built Lysimacheia as the future seat of government of his son Seleucus. He would leave the Greek cities of Asia independent if they would acknowledge the favour as due to himself and not to the Romans.

A conference at Lysimacheia

---

[1] The name of this ambassador, according to Polybius (xvii. 31), was Lucius Cornelius. In other respects the account of the conference by Polybius agrees with that of our author. The conference took place at Lysimacheia.

CAP. ἀλλ' ἑαυτῷ μέλλοιεν ἕξειν. "Πτολεμαίῳ δ'," ἔφη,
I "καὶ συγγενής εἰμι καὶ ὅσον οὔπω καὶ κηδεστὴς
ἔσομαι, καὶ χάριν ὑμῖν αὐτὸν ὁμολογεῖν παρα-
σκευάσω. ἀπορῶ δὲ κἀγὼ τίνι Ῥωμαῖοι δικαίῳ
τὴν Ἀσίαν πολυπραγμονοῦσιν, ἐμοῦ τὴν Ἰταλίαν
οὐ πολυπραγμονοῦντος."

4. Οὕτω μὲν ἀπ' ἀλλήλων ἄπρακτοι διεκρί-
θησαν, ἀπορρηγνύντες ἤδη τὰς ἀπειλὰς ἐς τὸ
φανερώτερον· λόγου δὲ καὶ δόξης ἐμπεσούσης ὅτι
Πτολεμαῖος ὁ φιλοπάτωρ ἀποθάνοι, κατὰ σπουδὴν
ὁ Ἀντίοχος ἀπῄει ὡς Αἴγυπτον ἔρημον ἄρχοντος
ἁρπασόμενος. καὶ αὐτῷ κατὰ Ἔφεσον Ἀννίβας
ὁ Καρχηδόνιος συμβάλλει, φεύγων τὴν πατρίδα
δι' ἐχθρῶν διαβολάς, οἳ Ῥωμαίοις αὐτὸν ἔφασκον
εἶναι δύσερίν τε καὶ φιλοπόλεμον καὶ οὔποτε
εἰρηνεύειν δυνάμενον. τότε δ' ἦν ὅτε Καρχηδόνιοι
Ῥωμαίοις ὑπήκουον ἔνσπονδοι. Ἀννίβαν μὲν
δὴ διώνυμον ἐπὶ στρατηγίαις ὄντα ὁ Ἀντίοχος
ὑπεδέχετο λαμπρῶς καὶ εἶχεν ἀμφ' αὑτόν· περὶ
δὲ τὴν Λυκίαν Πτολεμαῖον περιεῖναι μαθὼν
Αἰγύπτου μὲν ἀπέγνω, Κύπρον δ' ἐλπίσας αἱρήσειν
ἀντὶ Αἰγύπτου διέπλει κατὰ τάχος ἐπ' αὐτήν.
χειμῶνι δ' ἀμφὶ τὸν Σάρον ποταμὸν συμπεσών,
καὶ πολλὰς τῶν νεῶν ἀποβαλών, ἐνίας δ' αὐτοῖς
ἀνδράσι καὶ φίλοις, ἐς Σελεύκειαν τῆς Συρίας
κατέπλευσε, καὶ τὸν στόλον κατεσκεύαζε πεπονη-
μένον. γάμους τε τῶν παίδων ἔθυεν, Ἀντιόχου
καὶ Λαοδίκης, ἀλλήλοις συναρμόζων.

5. Ἤδη δὲ τὸν πρὸς Ῥωμαίους πόλεμον ἐγνω-
κὼς ἀποκαλύπτειν, ἐπιγαμίαις τοὺς ἐγγὺς βασι-
λέας προκατελάμβανε, καὶ Πτολεμαίῳ μὲν ἐς

THE SYRIAN WARS

"I am a relative of Ptolemy," he said, "and I shall very shortly be his father-in-law, and I will see to it that he renders gratitude to you. I too am at a loss to know by what right the Romans interfere in the affairs of Asia when I never interfere in those of Italy." 4. And so they separated without coming to any understanding, and both sides broke into more open threats.

A rumour having spread abroad that Ptolemy Philopator was dead, Antiochus hastened to Egypt in order to seize the country while bereft of a ruler. While on this journey Hannibal the Carthaginian met him at Ephesus. He was now a fugitive from his own country on account of the accusations of his enemies, who reported to the Romans that he was a stirrer up of strife, that he wanted to bring on a war, and that he could never enjoy peace. This was the time when the Carthaginians were by treaty subject to the Romans. Antiochus received Hannibal in a magnificent manner on account of his great military reputation, and kept him close to his person. At Lycia he learned that Ptolemy was alive. So he gave up the idea of seizing Egypt and hoping to take Cyprus instead sailed thither with all speed; but encountering a storm at the mouth of the river Sarus and losing many of his ships, some of them with his soldiers and friends, he put in at Seleucia in Syria to repair his damaged fleet. There he celebrated the nuptials of his children, Antiochus and Laodice, whom he had joined together in marriage.

5. Now, determining no longer to conceal his intended war with the Romans, he formed alliances by marriage with the neighbouring kings. To Ptolemy

CAP. I Αἴγυπτον ἔστελλε Κλεοπάτραν τὴν Σύραν ἐπίκλησιν, προῖκα Συρίαν τὴν κοίλην ἐπιδιδούς, ἣν αὐτὸς ἀφῄρητο τοῦ Πτολεμαίου, θεραπεύων ἤδη τὸ μειράκιον, ἵν᾽ ἐν τῷ πολέμῳ τῷ πρὸς Ῥωμαίους ἀτρεμῇ· Ἀντιοχίδα δ᾽ ἔπεμπεν Ἀριαράθῃ τῷ Καππαδοκῶν βασιλεῖ, καὶ τὴν ἔτι λοιπὴν Εὐμένει τῷ Περγάμου βασιλεῖ. ὁ δέ (ἑώρα γὰρ αὐτὸν ἤδη Ῥωμαίοις τε πολεμησείοντα καὶ πρὸς τήνδε τὴν χρείαν τὸ κῆδος αὐτῷ συναπτόμενον) ἠρνήσατο, καὶ τοῖς ἀδελφοῖς Ἀττάλῳ τε καὶ Φιλεταίρῳ, θαυμάζουσιν ὅτι κῆδος βασιλέως τοσοῦδε καὶ γείτονος, αὐτοῦ τε κατάρχοντος καὶ δεομένου, παραιτοῖτο, ἐπεδείκνυ τὸν ἐσόμενον πόλεμον ἐν μὲν ἀρχῇ τι παρ᾽ ἀμφοῖν ἕξειν ἰσοπαλές, σὺν χρόνῳ δ᾽ ὑπεροίσειν τὰ Ῥωμαίων δι᾽ εὐψυχίαν καὶ ταλαιπωρίαν. "ἐγὼ δ᾽," ἔφη, "Ῥωμαίων μὲν ἐπικρατούντων βεβαίως τῆς ἀρχῆς τῆς ἐμῆς ἄρξω, Ἀντιόχου δὲ νικῶντος ἐλπὶς μὲν ἀφαιρεθήσεσθαι πάντα πρὸς γείτονος, ἐλπὶς δὲ καὶ ἔχοντα βασιλεύσειν βασιλευόμενον ὑπ᾽ ἐκείνου."

II

CAP. II 6. Ὁ μὲν δὴ τοιοῖσδε λογισμοῖς τοὺς γάμους ἀπεώσατο, ὁ δ᾽ Ἀντίοχος αὖθις ἐφ᾽ Ἑλλησπόντου κατῄει, καὶ περιπλεύσας ἐς Χερρόνησον πολλὰ καὶ τότε τῆς Θρᾴκης ὑπήγετό τε καὶ κατεστρέφετο. Ἕλληνας δ᾽, ὅσοι τοῖς Θρᾳξὶν ὑπήκουον, ἠλευθέρου, καὶ Βυζαντίοις ἐχαρίζετο πολλὰ ὡς ἐπίκαιρον ἐπὶ τοῦ στόματος πόλιν ἔχουσιν.

THE SYRIAN WARS

in Egypt he sent his daughter Cleopatra, surnamed Syra, giving with her Coele-Syria as a dowry, which he had taken away from Ptolemy himself, thus flattering the young king in order to keep him quiet during the war with the Romans. To Ariarathes, king of Cappadocia, he sent his daughter Antiochis, and the remaining one to Eumenes, king of Pergamus. But the latter, seeing that Antiochus was about to engage in war with the Romans and that he wanted to form a marriage connection with him on this account, refused her. To his brothers, Attalus and Philetaerus, who were surprised that he should decline marriage relationship with so great a king, who was also his neighbour and who made the first overtures, he pointed out that the coming war would be of doubtful issue at first, but that the Romans would prevail in the end by their courage and perseverance. "If the Romans conquer," said he, "I shall be firmly seated in my kingdom. If Antiochus is the victor, I may expect to be stripped of all my possessions by my neighbour, or, if I am allowed to reign, to be ruled over by him." For these reasons he rejected the proffered marriage.

II

6. THEN Antiochus went down to the Hellespont and crossed over to Chersonesus and possessed himself of a large part of Thrace by surrender or conquest. He freed the Greeks who were under subjection to the Thracians, and propitiated the Byzantines in many ways, because their city was admirably situated at the outlet of the Euxine Sea.

CAP. II Γαλάτας τε δώροις καὶ καταπλήξει τῆς παρασκευῆς ἐς συμμαχίαν ὑπήγετο, ἀξιομάχους ἡγούμενος ἔσεσθαί οἱ διὰ τὰ μεγέθη τῶν σωμάτων. μετὰ δὲ τοῦτο ἐς Ἔφεσον κατῆρε, καὶ πρέσβεις ἐς Ῥώμην ἔπεμπε Λυσίαν τε καὶ Ἡγησιάνακτα καὶ Μένιππον, οἳ τῷ μὲν ἔργῳ τῆς βουλῆς ἀποπειράσειν ἔμελλον, τῷ λόγῳ δ' ὁ Μένιππος ἔφη τὸν βασιλέα περὶ τὴν Ῥωμαίων φιλίαν ἐσπουδακότα, καὶ βουλόμενον αὐτοῖς εἶναι καὶ σύμμαχον ἂν ἀξιῶσι, θαυμάζειν ὅτι κελεύουσι τῶν ἐν Ἰωνίᾳ πόλεων ἀφίστασθαι, καὶ φόρους τισὶν ἀφιέναι, καὶ τῆς Ἀσίας ἔνια μὴ πολυπραγμονεῖν, καὶ Θρᾴκην ἐᾶν ἀεὶ τῶν προγόνων αὐτοῦ γενομένην· ἅπερ οὐ τοῖς φίλοις ἀλλὰ τοῖς ἡττημένοις τοὺς κεκρατηκότας ἐπικελεύειν. οἱ δὲ τῆς πρεσβείας συνιέντες ἐπὶ διαπείρᾳ σφῶν ἀφιγμένης, διὰ βραχέος ἀπεκρίναντο αὐτοῖς, ἐὰν Ἀντίοχος αὐτονόμους τοὺς Ἕλληνας ἐᾷ τοὺς ἐν Ἀσίᾳ καὶ τῆς Εὐρώπης ἀπέχηται, Ῥωμαίοις αὐτὸν ἔσεσθαι φίλον, ἂν ἐθέλῃ.

7. Τοσάδε μὲν ἀπεκρίναντο Ῥωμαῖοι, καὶ τὰς αἰτίας ταῖς ἀποκρίσεσιν οὐκ ἐπέθεσαν· ὁ δ' Ἀντίοχος ἐς πρώτην ἐπινοῶν τὴν Ἑλλάδα ἐσβαλεῖν, κἀκεῖθεν ἄρξασθαι τοῦ πρὸς Ῥωμαίους πολέμου, ὑπετίθετο τὴν γνώμην τῷ Καρχηδονίῳ Ἀννίβᾳ· ὁ δ' ἔφη τὴν μὲν Ἑλλάδα ἐκ πολλοῦ τετρυμένην ἔργον εὐχείρωτον εἶναι, τοὺς δὲ πολέμους ἅπασι χαλεποὺς μὲν οἴκοι διὰ λιμὸν τὸν ἐπιγιγνόμενον, ἔξω δὲ κουφοτέρους· καὶ τὰ Ῥωμαίων οὔ ποτε Ἀντίοχον ἐν τῇ Ἑλλάδι καθαιρήσειν, ἀγορᾶς τε οἰκείας καὶ παρασκευῆς ἱκανῆς εὐπορούντων. ἐκέλευεν οὖν τι προλαβεῖν τῆς

THE SYRIAN WARS

By gifts and by fear of his resources he brought the Galatians into his alliance, because he considered that they would be good soldiers for him by reason of their bodily size. Then he put in at Ephesus and sent as ambassadors to Rome Lysias, Hegesianax, and Menippus. They were sent really to find out the intentions of the Senate, but for the sake of appearances Menippus said, " King Antiochus, while strongly desirous of the friendship of the Romans and willing to be their ally if they wish, is surprised that they urge him to give up the cities of Ionia and to remit tribute for certain states, and not to interfere with certain of the affairs of Asia and to leave Thrace alone, though it has always belonged to his ancestors. Yours are not the exhortations of friends, but resemble orders given by victors to the vanquished." The Senate, perceiving that the embassy had come to make a test of their disposition, replied curtly, " If Antiochus will leave the Greeks in Asia free and independent, and keep away from Europe, he can be the friend of the Roman people if he desires." Such was the answer of the Romans, and they gave no reason for their rejoinder.

7. As Antiochus intended to invade Greece first and thence begin his war against the Romans, he communicated his design to Hannibal. The latter said that as Greece had been wasted for a long time, the task would be easy; but that wars which were waged at home were the hardest to bear, by reason of the scarcity which they caused, while those which took place in foreign territory were much easier to endure. Antiochus could never vanquish the Romans in Greece, where they would have plenty of home-grown corn and adequate resources. Hannibal

CAP.
II 'Ιταλίας καὶ πολεμεῖν ἐκεῖθεν ὁρμώμενον, ἵνα Ῥωμαίοις ἀσθενέστερα ᾖ καὶ τὰ οἴκοι καὶ τὰ ἔξω. "ἔχω δ' ἐμπείρως," ἔφη, "τῆς Ἰταλίας, καὶ μυρίοις ἀνδράσι δύναμαι καταλαβεῖν αὐτῆς τὰ ἐπίκαιρα, ἔς τε Καρχηδόνα τοῖς φίλοις ἐπιστεῖλαι τὸν δῆμον ἐς ἀπόστασιν ἐγεῖραι, δυσφοροῦντα τέως ἐφ' ἑαυτοῦ καὶ πρὸς Ῥωμαίους ἀπίστως ἔχοντα, τόλμης τε καὶ ἐλπίδος ἐμπλησόμενον, εἰ πύθοιντό με πορθοῦντα τὴν Ἰταλίαν αὖθις." ὁ δ' ἄσμενος ἀκούσας τοῦ λόγου, καὶ μέγα, ὥσπερ ἦν, ἐς τὸν πόλεμον ἡγούμενος Καρχηδόνα προσλαβεῖν, αὐτίκα αὐτὸν ἐπιστέλλειν τοῖς φίλοις ἐκέλευεν.

8. Ὁ δὲ οὐκ ἐπέστειλε μέν (οὐ γὰρ ἀσφαλὲς ἡγεῖτό πω, Ῥωμαίων τε πάντ' ἀνερευνωμένων, καὶ τοῦ πολέμου μή πω φανεροῦ γεγονότος, καὶ πολλῶν οἱ διαφερομένων ἐν Καρχηδόνι, καὶ τῆς πολιτείας οὐδὲν βέβαιον οὐδ' εὐσταθὲς ἐχούσης, ἃ καὶ μετ' ὀλίγον ἀνέτρεψε τὴν Καρχηδόνα), Ἀρίστωνα δ' ἔμπορον Τύριον ἐπὶ προφάσει τῆς ἐμπορίας ἔπεμπε πρὸς τοὺς φίλους, ἀξιῶν, ὅταν αὐτὸς ἐς τὴν Ἰταλίαν ἐμβάλῃ, τότε ἐκείνους τὴν Καρχηδόνα ἐς ἄμυναν ὧν ἐπεπόνθεσαν ἐγείρειν. καὶ ὁ μὲν Ἀρίστων οὕτως ἔπραξεν, οἱ δὲ τοῦ Ἀννίβου ἐχθροί, αἰσθόμενοι τῆς Ἀρίστωνος ἐπιδημίας, ἐθορύβουν ὡς ἐπὶ νεωτέροις ἔργοις, καὶ τὸν Ἀρίστωνα ἐζήτουν περιιόντες. ὁ δέ, ἵνα τὴν διαβολὴν μὴ ἐξαίρετον ἔχοιεν οἱ Ἀννίβου φίλοι, προύθηκε νυκτὸς λαθὼν γράμματα πρὸ τοῦ βουλευτηρίου, ὅτι πάντας ὁ Ἀννίβας τοὺς βουλευτὰς παρακαλοίη τῇ πατρίδι συνάρασθαι μετ' Ἀντιόχου. καὶ τοῦτο πράξας ἀπέπλευσεν. ἅμα δ' ἡμέρᾳ τὸ μὲν δέος ἐξῄρητο τῶν Ἀννίβου φίλων ἐκ τῆς Ἀρί-

THE SYRIAN WARS

therefore urged him to occupy some part of Italy and make his base of operations there, so that the Romans might be weakened both at home and abroad. "I have had experience of Italy," he said, "and with 10,000 men I can occupy the strategic points and write to my friends in Carthage to stir up the people to revolt. They are already discontented with their condition, and mistrust the Romans, and they will be filled with courage and hope if they hear that I am ravaging Italy again." Antiochus listened eagerly to this advice, and as he considered the accession of Carthage a great advantage (as it was) for his war, directed him to write to his friends at once.

8. Hannibal did not write the letters, since he did not consider it yet safe to do so, as the Romans were searching out everything and the war was not yet openly declared, and he had many opponents in Carthage, and the city had no fixed or consistent policy—the very lack of which caused its destruction not long afterward. But he sent Aristo, a Tyrian merchant, to his friends, on the pretext of trading, asking them when he should invade Italy to rouse Carthage to avenge her wrongs. Aristo did this, but when Hannibal's enemies learned that he was in the city they raised a tumult as though a revolution was impending, and searched everywhere to find him. But he, in order that Hannibal's friends might not be particularly accused, posted letters in front of the senate-house secretly by night, saying that Hannibal exhorted the whole senate to rescue the country with the help of Antiochus. Having done this he sailed away. In the morning the friends of Hannibal were relieved of their fears by

CAP. στωνος ἐπινοίας, ὡς πρὸς ἅπασαν τὴν γερουσίαν
II ἀπεσταλμένου, ἡ δὲ πόλις ἐπεπλήρωτο θορύβου
ποικίλου, δυσμενῶς μὲν ἔχουσα Ῥωμαίοις, λή-
σεσθαι δ' οὐ προσδοκῶσα.

9. Καὶ τὰ μὲν Καρχηδονίων ὧδε εἶχε, Ῥωμαίων
δὲ πρέσβεις, ἕτεροί τε καὶ Σκιπίων ὁ Καρχη-
δονίους ἀφελόμενος τὴν ἡγεμονίαν, ἐς ὁμοίαν
πεμφθέντες Ἀντιόχου τῆς τε γνώμης ἀπόπειραν
καὶ τῆς παρασκευῆς κατάσκεψιν, ἐπεὶ τὸν βασιλέα
ηὗρον οἰχόμενον ἐς Πισίδας, ἐν Ἐφέσῳ περιέ-
μενον, ἔνθα συνῆεσαν θαμινὰ ἐς λόγους τῷ
Ἀννίβᾳ, Καρχηδόνος τε σφίσιν ἔτι οὔσης ἐνσπόν-
δου καὶ οὔπω φανερῶς Ἀντιόχου πολεμίου, κατα-
μεμφόμενοι τὸν Ἀννίβαν ὅτι τὴν πατρίδα φύγοι,
Ῥωμαίων οὐδὲν οὔτε ἐς αὐτὸν οὔτε ἐς τοὺς ἄλλους
Καρχηδονίους ἐπὶ ταῖς συνθήκαις ἁμαρτόντων.
ἔπρασσον δὲ ταῦθ', ὕποπτον ἐργαζόμενοι γενέ-
σθαι τῷ βασιλεῖ τὸν Ἀννίβαν ἐκ τῆς συνεχοῦς
σφῶν ὁμιλίας τε καὶ συνόδου. καὶ τοῦθ' ὁ μὲν
στρατηγικώτατος Ἀννίβας οὐχ ὑπενόησεν, ὁ δὲ
βασιλεὺς πυθόμενος ὑπώπτευσε, καὶ ἀμβλύτερος
ἦν τἀπὸ τοῦδε πιστεύειν ἔτι τῷ Ἀννίβᾳ· καὶ γάρ
τι καὶ ζήλου προὔπῆν ἐς αὐτὸν ἤδη καὶ φθόνου, μὴ
τῶν γιγνομένων τὸν ἔπαινον Ἀννίβας ἀποφέροιτο.

10. Λέγεται δ' ἐν ταῖσδε ταῖς διατριβαῖς ἐν τῷ
γυμνασίῳ λεσχηνεῦσαί ποτε πρὸς ἀλλήλους Σκι-
πίωνα καὶ Ἀννίβαν περὶ στρατηγίας πολλῶν
ἐφεστώτων, καὶ τοῦ Σκιπίωνος ἐρομένου τίς δοκοίη
οἱ στρατηγὸς ἄριστος γενέσθαι, τὸν Ἀννίβαν
εἰπεῖν, "ὁ Μακεδὼν Ἀλέξανδρος." Σκιπίωνα δ'
ἡσυχάσαι μὲν ἐπὶ τῷδ', ἐξιστάμενον ἄρα Ἀλεξαν-

THE SYRIAN WARS

this afterthought of Aristo, which implied that he had been sent to the whole senate, but the city was filled with all kinds of tumult, the people feeling bitterly toward the Romans, but despairing of avoiding detection. Such was the situation of affairs in Carthage.

9. In the meantime Roman ambassadors, and among them Scipio, who had humbled the Carthaginian power, were sent, like those of Antiochus, to ascertain his designs and to form an estimate of his strength. Learning that the king had gone to Pisidia, they waited for him at Ephesus. There they entered into frequent conversations with Hannibal, Carthage being still at peace with them and Antiochus not yet openly at war. They reproached Hannibal for flying his country when the Romans had done nothing to him or to the Carthaginians in violation of the treaty. They did this in order to cast suspicion on Hannibal in the mind of the king owing to his protracted conversations and intercourse with themselves. This Hannibal, although a most profound military genius, failed to perceive, but the king, when he learned what had been going on, did suspect him, and was more reluctant to give him his confidence thereafter. There was already an underlying feeling of jealousy and envy in his mind, lest Hannibal should carry off the glory of his exploits.

10. It is said that at one of their meetings in the gymnasium Scipio and Hannibal had a conversation on the subject of generalship, in the presence of a number of bystanders, and that Scipio asked Hannibal whom he considered the greatest general, to which the latter replied, "Alexander of Macedon." On this Scipio made no comment, yielding, as it seemed, the first place

CAP. δρῳ, ἐπανερέσθαι δὲ τίς εἴη δεύτερος μετ' Ἀλέ-
II ξανδρον. καὶ τὸν φάναι, " Πύρρος ὁ Ἠπειρώτης,"
τὴν ἀρετὴν ἄρα τὴν στρατηγικὴν ἐν τόλμῃ τιθέ-
μενον· οὐ γὰρ ἔστιν εὑρεῖν μεγαλοτολμοτέρους
τῶνδε τῶν βασιλέων. δακνόμενον δ' ἤδη τὸν
Σκιπίωνα ὅμως ἐπανερέσθαι ἔτι τίνι διδοίη τὰ
τρίτα, ταχὺ γοῦν ἐλπίζοντα ἕξειν τὰ τρίτα. τὸν
δέ, " ἐμαυτῷ," φάναι· " νέος γὰρ ὢν ἔτι Ἰβηρίας
τε ἐκράτησα, καὶ στρατῷ τὰ Ἄλπεια ὄρη μεθ'
Ἡρακλέα πρῶτος ὑπερῆλθον, ἔς τε τὴν Ἰταλίαν,
ὑμῶν οὐδενός πω θαρρούντων, ἐμβαλὼν τετρακόσια
ἀνέστησα ἄστη, καὶ περὶ τῇ πόλει τὸν ἀγῶνα
πολλάκις ὑμῖν ἐπέστησα, οὔτε μοι χρημάτων
οὔτε στρατιᾶς ἐπιπεμπομένης ἐκ Καρχηδόνος."
ὡς δὲ αὐτὸν ὁ Σκιπίων εἶδεν ἀπομηκύνοντα τὴν
σεμνολογίαν, ἔφη γελάσας, " ποῦ δ' ἂν ἑαυτὸν
ἔταττες, ὦ Ἀννίβα, μὴ νενικημένος ὑπ' ἐμοῦ; "
τὸν δέ φασιν, αἰσθανόμενον ἤδη τῆς ζηλοτυπίας,
εἰπεῖν ὅτι ἔγωγε ἔταξα ἂν ἐμαυτὸν πρὸ Ἀλεξ-
άνδρου. οὕτω μὲν ὁ Ἀννίβας ἐπέμεινέ τε τῇ
σεμνολογίᾳ, καὶ τὸν Σκιπίωνα λαθὼν ἐθεράπευσεν
ὡς καθελόντα τὸν ἀμείνονα Ἀλεξάνδρου·

11. Διαλυομένης δὲ τῆς συνόδου Σκιπίωνα μὲν
ὁ Ἀννίβας ἐπὶ ξένια ἐκάλει, Σκιπίων δὲ ἐλθεῖν ἂν
ἔφη μάλα προθύμως, εἰ μὴ συνῇσθα νῦν Ἀντιόχῳ
πρὸς Ῥωμαίους ὑπόπτως ἔχοντι. ὧδε μὲν ἐκεῖνοι,
τῆς στρατηγίας ἀξίως, τὴν ἔχθραν ὡρίζοντο τοῖς
πολέμοις, Φλαμινῖνος δ' ἀνομοίως. ἡττηθέντος
γὰρ ὕστερον Ἀντιόχου φεύγοντα τὸν Ἀννίβαν
καὶ ἀλώμενον περὶ Βιθυνίαν, πρεσβεύων, ἐφ' ἕτερα

THE SYRIAN WARS

to Alexander, but proceeded to ask Hannibal whom he placed next. Hannibal replied, "Pyrrhus of Epirus," because he considered boldness the first qualification of a general; for it is not possible to find two kings more enterprising than these. Scipio was rather nettled by this, but nevertheless he asked Hannibal to whom he would give the third place, expecting that at least the third would be assigned to him; but Hannibal replied, "To myself; for when I was a young man I conquered Spain and crossed the Alps with an army, which no one after Hercules ever did. I invaded Italy and struck terror into all of you, laid waste 400 of your towns, and often put your city in extreme peril, all this time receiving neither money nor reinforcements from Carthage." As Scipio saw that he was likely to prolong his self-laudation he said, laughing, "Where would you have placed yourself, Hannibal, if you had not been defeated by me?" Hannibal, now perceiving his jealousy, replied, "I should have put myself before Alexander." Thus Hannibal persisted in his self-laudation, but flattered Scipio in a delicate manner by suggesting that he had conquered one who was the superior of Alexander.[1]

11. At the end of this conversation Hannibal invited Scipio to be his guest, and Scipio replied that he would have come gladly if Hannibal were not living with Antiochus, who was held in suspicion by the Romans. Thus did they, in a manner worthy of great commanders, cast aside their enmity at the end of their wars. Not so Flamininus, for, at a later period when Hannibal had fled after the defeat of Antiochus and was wandering around Bithynia, he sent

[1] This tale is considered by most modern critics a fiction.

CAP. II πρὸς Προυσίαν, οὔτε τι πρὸς τοῦ Ἀννίβου προπαθών, οὔτε Ῥωμαίων ἐντειλαμένων, οὔτε φοβερὸν ἔτι αὐτοῖς γενέσθαι δυνάμενον Καρχηδόνος κατεστραμμένης, ἔκτεινε διὰ τοῦ Προυσίου φαρμάκῳ, λεγόμενον μὲν ἐσχηκέναι ποτὲ χρησμὸν ὧδε ἔχοντα "Λίβυσσα κρύψει βῶλος Ἀννίβου δέμας," καὶ οἰόμενον ἐν Λιβύῃ τεθνήξεσθαι, ποταμὸς δ᾽ ἔστι Λίβυσσος ἐν τῇ Βιθυνίᾳ, καὶ πεδίον ἐκ τοῦ ποταμοῦ Λίβυσσα. καὶ τάδε μὲν ἐς ὑπόμνημα τῆς Ἀννίβου καὶ Σκιπίωνος μεγαλονοίας καὶ Φλαμινίνου σμικρότητος παρεθέμην.

III

CAP. III 12. Ὁ δ᾽ Ἀντίοχος ἐκ Πισιδῶν ἐς τὴν Ἔφεσον ἐπανῄει, καὶ χρηματίσας τοῖς Ῥωμαίων πρέσβεσι Ῥοδίους μὲν καὶ Βυζαντίους καὶ Κυζικηνούς, καὶ ὅσοι ἄλλοι περὶ τὴν Ἀσίαν εἰσὶν Ἕλληνες, αὐτονόμους ἐπηγγείλατο ἐάσειν, εἰ γίγνοιντο αὐτῷ συνθῆκαι πρὸς Ῥωμαίους, Αἰολέας δὲ καὶ Ἴωνας οὐ συνεχώρει ὡς ἐκ πολλοῦ καὶ τοῖς βαρβάροις βασιλεῦσι τῆς Ἀσίας εἰθισμένους ὑπακούειν. οἱ μὲν δὴ Ῥωμαίων πρέσβεις ἐς οὐδὲν αὐτῷ συμβαίνοντες (οὐ γὰρ ἐπ᾽ ἔργῳ συμβάσεων ἐληλύθεσαν ἀλλ᾽ ἐς ἀπόπειραν) ᾤχοντο ἐς Ῥώμην· Ἀντιόχῳ δ᾽ ἧκον Αἰτωλῶν πρέσβεις, ὧν Θόας ἦρχεν, αὐτοκράτορά τε στρατ-

THE SYRIAN WARS

an embassy to King Prusias on other matters, and, although he had no grievance against Hannibal, and had no orders from the Senate, and Hannibal could no longer be formidable to them, Carthage having fallen, he caused Prusias to put him to death by poison. There was a story that Hannibal once received an oracle which said:

The place of Hannibal's death

"Libyssan earth shall cover Hannibal's remains."

So he believed that he should die in Libya. But there is a river Libyssus in Bithynia, and the adjoining country takes the name of Libyssa from the river. These things I have placed side by side as memorials of the magnanimity of Hannibal and Scipio and of the smallness of Flamininus.

III

12. ANTIOCHUS, on his return from Pisidia to Ephesus entered upon the business with the Roman ambassadors, and promised to leave the Rhodians, the Byzantines, the Cyzicenes, and the other Greeks of Asia free and independent if the Romans would make a treaty with him; but he would not release the Aetolians and the Ionians, since they had long been accustomed to obey even the barbarian kings of Asia. The Roman ambassadors came to no agreement with him—in fact, they had not come to make an agreement, but to find out his purposes. So they returned to Rome. Thereupon an Aetolian embassy came to Antiochus, of which Thoas was the principal

Antiochus invades Greece

CAP. ἡγὸν Αἰτωλῶν Ἀντίοχον ἀποφαίνοντες, καὶ δια-
III πλεῖν ἐς τὴν Ἑλλάδα ἤδη παρακαλοῦντες ὡς ἐπὶ
ἔργον ἕτοιμον. οὐδὲ εἴων ἀναμένειν τὴν στρατιὰν
ἀπὸ τῆς Ἀσίας τῆς ἄνω κατιοῦσαν, ἀλλὰ τὰ
Αἰτωλῶν ὑπερεπαίροντες, καὶ Λακεδαιμονίους
ἐπαγγελλόμενοι σφίσι καὶ Φίλιππον ἐπὶ τοῖς
Λακεδαιμονίοις τὸν Μακεδόνα, Ῥωμαίοις μηνί-
οντα, συμμαχήσειν, ἐπέσπερχον ἐς τὴν διάβασιν.
ὁ δ' ἠρεθίζετο μάλα κουφόνως, καὶ οὐδὲ τοῦ
παιδὸς αὐτῷ προσαγγελθέντος ἐν Συρίᾳ τεθνάναι
τῆς ὁρμῆς τι ἐνδούς, διέπλει μετὰ μυρίων ὧν τότε
εἶχε μόνων ἐς Εὔβοιαν. καὶ τήνδε μὲν αὐτὸς
παρεστήσατο ἅπασαν, ἐνδοῦσαν ὑπὸ ἐκπλήξεως·
Μικιθίων δέ, αὐτοῦ στρατηγός, τοῖς περὶ Δήλιον
Ῥωμαίοις ἐπιπεσὼν (ἱερὸν δ' ἐστὶ τὸ χωρίον
Ἀπόλλωνος) τοὺς μὲν αὐτῶν ἔκτεινε, τοὺς δ'
ἐζώγρησεν.

13. Ἀμύνανδρός τε, ὁ Ἀθαμάνων βασιλεύς, ἐς
συμμαχίαν Ἀντιόχῳ συνῆλθε διὰ τοιᾶσδε προ-
φάσεως. τῶν τις Μακεδόνων Ἀλέξανδρος, ἐν
Μεγάλῃ πόλει τραφεὶς καὶ τῆς αὐτόθι πολιτείας
ἀξιωθείς, ἐτερατεύετο γένος Ἀλεξάνδρῳ τῷ Φιλίπ-
που προσήκειν, γενομένους τέ οἱ παῖδας ὠνόμασεν,
ἐς πίστιν ὧν ἐλογοποίει, Φίλιππόν τε καὶ Ἀλέ-
ξανδρον καὶ Ἀπάμαν, ἣν Ἀμυνάνδρῳ πρὸς γάμον
ἠγγύησεν. ἀγαγὼν δ' αὐτὴν Φίλιππος ὁ ἀδελφὸς
ἐς τὸν γάμον, ἐπεὶ τὸν Ἀμύνανδρον εἶδεν ἀσθενῆ
καὶ πραγμάτων ἄπειρον, παρέμενε, τὴν ἀρχὴν διὰ
τὸ κῆδος διοικῶν. τοῦτον οὖν τὸν Φίλιππον ὁ
Ἀντίοχος τότε ἐπελπίζων ἐς τὴν Μακεδόνων
ἀρχὴν ὡς οἰκείαν οἱ κατάξειν, προσέλαβε τοὺς
Ἀθαμᾶνας ἐς τὴν συμμαχίαν, ἐπὶ δ' αὐτοῖς καὶ

THE SYRIAN WARS

member, offering him the command of the Aetolian forces and urging him to embark for Greece at once, as everything was in readiness there. They would not allow him to wait for the army that was coming from upper Asia, but by exaggerating the strength of the Aetolians and promising the alliance of the Lacedaemonians and of Philip of Macedon in addition, who was angry with the Romans, they urged his crossing. His head was quite turned by excitement, nor did even the news of his son's death in Syria delay him at all. He sailed to Euboea with 10,000 men, who were all that he had at the time. He took possession of the whole island, which surrendered to him through panic. Micithio, one of his generals, fell upon the Romans at Delium (a place sacred to Apollo), killed some of them, and took the rest prisoners.

13. Amynander, king of the Athamanes, leagued himself with Antiochus for the following reason. A certain Macedonian, named Alexander, who had been educated at Megalopolis and admitted to citizenship there, pretended that he was a descendant of Alexander the Great, and to make people believe his fables he named his two sons Philip and Alexander and his daughter Apama. The latter he betrothed to Amynander. Her brother Philip conducted her to the nuptial ceremony, and when he saw that Amynander was weak and inexperienced he remained there and took charge of the government by virtue of this connection. By holding out to this Philip the hope that he would restore his ancestral kingdom of Macedonia to him, Antiochus secured the alliance of the Athamanes. He secured that of the

CAP. Θηβαίους, αὐτὸς ἐς Θήβας παρελθών τε καὶ
III δημηγορήσας.

Ὁ μὲν δὴ Θηβαίοις τε καὶ Ἀμυνάνδρῳ καὶ
Αἰτωλοῖς ἐπὶ τοσῷδε πολέμῳ μάλα ματαίως
ἐθάρρει, καὶ ἐς Θεσσαλίαν ἐσκόπει πότερον εὐθὺς
ἢ μετὰ χειμῶνα δέοι στρατεύειν· Ἀννίβαν δ' ἐπὶ
τῇ σκέψει τῇδε ἡσυχάζοντα ἐκέλευε γνώμην πρῶ-
τον ἐσενεγκεῖν.

14. Ὁ δ' ἔφη, "Θεσσαλοὺς μὲν οὐ δυσχερές,
εἴτε νῦν εἴτε μετὰ χειμῶνα ἐθέλοις, ὑπάγεσθαι.
τὸ γὰρ ἔθνος ἐκ πολλοῦ πεπονηκὸς ἔς τε σὲ
νῦν καὶ ἐς Ῥωμαίους αὖ, εἴ τι γίγνοιτο νεώ-
τερον, μεταβαλεῖται. ἤλθομεν δ' ἄνευ τῆς οἰκείας
δυνάμεως, Αἰτωλοῖς ἐπάγουσι πεισθέντες ὅτι καὶ
Λακεδαιμόνιοι καὶ Φίλιππος ἡμῖν συμμαχήσουσιν·
ὧν Λακεδαιμονίους μὲν καὶ πολεμεῖν ἡμῖν ἀκούω
μετ' Ἀχαιῶν, Φίλιππον δὲ οὐχ ὁρῶ σοι παρόντα,
δυνατὸν ἐν τῷδε τῷ πολέμῳ ῥοπήν, ὁποτέρωσε
προσθοῖτο, ποιῆσαι. τῆς δὲ γνώμης ἔχομαι τῆς
αὐτῆς, τὴν στρατιὰν ἀπὸ τῆς Ἀσίας καλεῖν ὅτι
τάχιστα, καὶ μὴ ἐν Ἀμυνάνδρῳ καὶ Αἰτωλοῖς τὰς
ἐλπίδας ἔχειν, ὅταν δ' ἀφίκηται, τὴν Ἰταλίαν πορ-
θεῖν, ἵνα τοῖς οἰκείοις κακοῖς περισπώμενοι τὰ σὰ
λυπῶσιν ἥκιστα, καὶ περὶ τῶν σφετέρων δεδιότες
μηδαμοῦ προΐωσιν. ὁ δὲ τρόπος οὐκέθ' ὅμοιος ᾧ
προύλεγον, ἀλλὰ χρὴ τὸ μὲν ἥμισυ τῶν νεῶν τὰ
παράλια τῆς Ἰταλίας πορθεῖν, τὸ δὲ ἥμισυ
ναυλοχεῖν ἐφεδρεῦον ἐς τὰ συμφερόμενα, αὐτὸν δὲ
σὲ τῷ πεζῷ παντὶ προκαθήμενον τῆς Ἑλλάδος,
ἀγχοῦ τῆς Ἰταλίας, δόξαν ἐμποιεῖν ἐσβολῆς, καὶ

THE SYRIAN WARS

Thebans also by going himself to Thebes and making a speech to the people.

CHAP. III

He was emboldened to enter upon this great war relying most rashly on the Thebans, Amynander, and the Aetolians, and he debated whether to invade Thessaly at once or after the winter had passed. But as Hannibal expressed no opinion on the subject, Antiochus, before coming to a decision, asked him his views.

14. Hannibal replied, "It is not difficult to reduce the Thessalians either now or at the end of winter, if you wish. Exhausted by much suffering they will change now to you, and again to the Romans, if any misfortune befalls you. We have come here without any army of our own, trusting to the Aetolians, who brought us here and said that the Lacedaemonians and Philip would join us. Of these I hear that the Lacedaemonians are actually fighting on the side of the Achaeans against us, and as for Philip I do not see him here helping you, although he can turn the scale of this war for whichever side he favours. I hold the same opinion as before, that you should summon your army from Asia as quickly as possible and not put any reliance on Amynander and the Aetolians. When your army comes, carry the war into Italy so that they may be distracted by evils at home, and thus harm you as little as possible, and make no advance movement for fear of what may befall themselves. The plan I spoke of before is no longer available, but you ought to employ half of your fleet in ravaging the shores of Italy and keep the other half lying in wait for opportunities while you station yourself with all your land forces at some point in Greece near to Italy, making a feint of invasion

Hannibal repeats his advice

CAP.
III
εἰ δύναιό ποτε, καὶ ἐσβαλεῖν. Φίλιππον δὲ πειρᾶσθαι μὲν προσάγεσθαι μηχανῇ πάσῃ, πλεῖστον ἐς ἑκατέρους ἐν τῷδε τῷ πολέμῳ δυνάμενον· ἢν δ᾽ ἀπειθῇ, τὸν σὸν υἱὸν αὐτῷ Σέλευκον ἐπιπέμπειν διὰ Θρᾴκης, ἵνα καὶ ὅδε περισπώμενος οἰκείοις κακοῖς μηδὲν ᾖ τοῖς πολεμίοις χρήσιμος."

Τοσάδε μὲν ὁ Ἀννίβας εἶπε, καὶ ἦν ἄριστα πάντων· ὑπὸ δὲ φθόνου τῆς τε δόξης αὐτοῦ καὶ συνέσεως οἵ τε ἄλλοι καὶ αὐτὸς οὐχ ἧσσον ὁ βασιλεύς, ἵνα μὴ δοκοίη σφῶν ὁ Ἀννίβας τῇ στρατηγίᾳ προφέρειν, μηδὲ ἡ δόξα τῶν ἐσομένων ἐκείνου γένοιτο, μεθῆκαν ἅπαντα, πλὴν ὅτι Πολυξενίδας ἐπὶ τὴν στρατιὰν ἐς τὴν Ἀσίαν ἐπέμφθη.

15. Ῥωμαῖοι δ᾽ ἐπεὶ τῆς ἐσβολῆς τῆς ἐς τὴν Ἑλλάδα Ἀντιόχου καὶ τῶν ἐπὶ Δηλίου Ῥωμαίων ἀναιρέσεώς τε καὶ αἰχμαλωσίας ἐπύθοντο, πολεμεῖν ἐψηφίσαντο. οὕτω μὲν ὁ Ἀντιόχου τε καὶ Ῥωμαίων πόλεμος, ἐκ πολλοῦ δι᾽ ὑπονοίας ἀλλήλοις γενόμενος, τότε πρῶτον ἀπερρήγνυτο ἐς ἔργον· οἷα δ᾽ Ἀντιόχου τῆς τε Ἀσίας τῆς ἄνω πολλῶν καὶ μεγάλων ἐθνῶν καὶ τῆς ἐπὶ θαλάσσῃ, χωρὶς ὀλίγων, ὅλης ἐπικρατοῦντος, ἔς τε τὴν Εὐρώπην διαβεβηκότος ἤδη, καὶ δόξαν ἐπίφοβον καὶ παρασκευὴν ἱκανὴν ἔχοντος, πολλά τε ἄλλα καθ᾽ ἑτέρων ἐξειργασμένου λαμπρά, δι᾽ ἃ καὶ μέγας ἦν ἐπώνυμον αὐτῷ, τὸν πόλεμον οἱ Ῥωμαῖοι χρόνιον σφίσι καὶ μέγαν ἔσεσθαι προσεδόκων. Φίλιππόν τε τὸν Μακεδόνα δι᾽ ὑποψίας εἶχον, ἄρτι ὑπὸ σφῶν καταπεπολεμημένον, καὶ Καρχηδονίους, μὴ οὐ πιστοὶ σφίσιν ὦσιν ἐπὶ ταῖς συνθήκαις, Ἀννίβου συνόντος Ἀντιόχῳ. τούς

THE SYRIAN WARS

and invading it in reality any time you may be able. Try by every means to make an alliance with Philip, because he can be of the greatest service to whichever side he espouses. If however he will not consent, send your son Seleucus against him by way of Thrace, so that Philip likewise may be distracted by troubles at home, and prevented from furnishing aid to the enemy." Such were the counsels of Hannibal, and they were the best of all that were offered; but, moved by jealousy of his reputation and judgment, the other counsellors, and the king himself no less, cast them all aside lest Hannibal should seem to excel them in generalship, and lest the glory of the exploits should be his—except that Polyxenidas was sent to Asia to bring the army.

15. When the Romans heard of the irruption of Antiochus into Greece and the killing and capturing of Romans at Delium, they declared war. Thus war first actually broke out between Antiochus and the Romans, who had long suspected each other. So great was the dominion of Antiochus, who was ruler of many powerful nations of upper Asia, and of all but a few on the sea coast and who had now invaded Europe; so formidable was his reputation and so considerable his resources, so many and so famous had been his exploits against other peoples, from which he had earned the title of Great, that the Romans anticipated that this war would be long and severe for them. They had their suspicions also of Philip of Macedon, whom they had lately conquered, and of the Carthaginians also, lest they should prove false to the treaty because Hannibal was cooperating with Antiochus. They also suspected their other subjects,

CAP.
III
τε ἄλλους σφῶν ὑπηκόους ὑπονοοῦντες, μὴ καὶ παρὰ τούτων τι νεώτερον ἐς τὴν Ἀντιόχου δόξαν γένοιτο, στρατιὰν ἐς ἅπαντας, ἐφεδρεύειν εἰρηνικῶς αὐτοῖς, καὶ στρατηγοὺς ἐπὶ τῇ στρατιᾷ, περιέπεμπον, οὓς αὐτοὶ καλοῦσιν ἐξαπελέκεας, ὅτι τῶν ὑπάτων δυώδεκα πελέκεσι καὶ δυώδεκα ῥάβδοις, ὥσπερ οἱ πάλαι βασιλεῖς, χρωμένων, τὸ ἥμισυ τῆς ἀξιώσεως ἔστι τοῖσδε τοῖς στρατηγοῖς καὶ τὰ ἡμίσεα παράσημα. ὡς δ' ἐν μεγάλῳ φόβῳ, καὶ περὶ τῆς Ἰταλίας ἐδείμαινον, μὴ οὐδ' αὐτὴ σφίσιν ᾖ πιστὴ ἢ βέβαιος ἐπ' Ἀντιόχῳ. πεζὸν δὴ πολὺν ἐς Τάραντα διέπεμπον, ἐφεδρεύειν τοῖς ἐπιοῦσι, καὶ νεῶν στόλος τὴν παράλιον περιέπλει. τοσόσδε φόβος ἦν Ἀντιόχου τὰ πρῶτα. ὡς δὲ αὐτοῖς τὰ ἐς τὴν ἀρχὴν συνετετάχατο πάντα, ἐπ' αὐτὸν Ἀντίοχον ἤδη κατέλεγον ἀπὸ μὲν σφῶν αὐτῶν ἐς δισμυρίους ἄνδρας, ἀπὸ δὲ τῶν συμμάχων τὸ διπλάσιον, ὡς ἅμα τῷ ἦρι τὸν Ἰόνιον διαβαλοῦντες.

16. Καὶ οἱ μὲν τὸν χειμῶνα ὅλον ἐν τούτῳ παρασκευῆς ἦσαν, ὁ δ' Ἀντίοχος ἤλαυνεν ἐπὶ Θετταλούς, καὶ γενόμενος ἐν Κυνὸς κεφαλαῖς, ἔνθα τὸ πταῖσμα τοῖς Μακεδόσιν ὑπὸ Ῥωμαίων ἐγεγένητο, τὰ λείπανα τῶν τότε πεσόντων ἄταφα ἔτι ὄντα μεγαλοπρεπῶς ἔθαπτε, δημοκοπῶν ἐς Μακεδόνας, καὶ Φίλιππον αὐτοῖς διαβάλλων οὐ θάψαντα τοὺς ὑπὲρ αὐτοῦ πεσόντας. ὧν πυθόμενος ὁ Φίλιππος, ἐνδοιάζων ἔτι καὶ περισκοπῶν ὁποτέρωσε προσθοῖτο, αὐτίκα εἵλετο τὰ Ῥωμαίων, Βαιβίον τε στρατηγὸν αὐτῶν, ἄρχοντά τινος πλησίον στρατοῦ, καλέσας ἐλθεῖν ἔς τι χωρίον, πίστεις αὖθις ἐδίδου Ῥωμαίοις ἀδόλως συμμαχή-

THE SYRIAN WARS

lest they too should rebel in consequence of the fame of Antiochus. For these reasons they sent forces into all the provinces to watch them without provoking hostilities. With them were sent praetors, whom they call six-axe men, because while the consuls have twelve bundles of rods and twelve axes (as the kings before them had), these praetors have only half the dignity of the consuls and half the number of insignia of office. The peril being so great, they were anxious about Italy also, lest there should be some disaffection or revolt against them there. They therefore sent a large force of infantry to Tarentum to guard against an attack in that quarter, and also a fleet to patrol the coast. So great was the alarm caused by Antiochus at first. But when everything appertaining to the government at home was arranged, they raised an army to serve against Antiochus himself, 20,000 from the city and double that number from the allies, with the intention of crossing the Adriatic in the early spring. Thus they employed the whole winter in making preparations for war.

16. Antiochus marched against the Thessalians and came to Cynoscephalae, where the Macedonians had been defeated by the Romans, and finding the remains of the dead still unburied, gave them a magnificent funeral. Thus he curried favour with the Macedonians and accused Philip before them of leaving unburied those who had fallen in his service. Until now Philip had been wavering and in doubt which side he should espouse, but when he heard of this he joined the Romans at once. He invited Baebius, their general, who was in command of an army in the neighbourhood, to a rendezvous, and gave

Philip joins the Romans

CAP. σειν κατ' Ἀντιόχου. ἐφ' οἷς αὐτὸν ὁ Βαίβιος
III ἐπῄνει, καὶ θαρρήσας αὐτίκα ἔπεμπε διὰ τῆς
Μακεδονίας Ἄππιον Κλαύδιον μετὰ δισχιλίων
πεζῶν ἐς Θεσσαλίαν. καὶ ὁ Ἄππιος ἀπὸ τῶι
Τεμπῶν Ἀντίοχον Λαρίσῃ παρακαθήμενον ἰδὼν
πῦρ πολὺ ἤγειρεν, ἐπικρύπτων τὴν ὀλιγότητα.
καὶ ὁ Ἀντίοχος, ὡς Βαιβίου καὶ Φιλίππου παρόν-
των διαταραχθείς, ἐξέλιπε τὴν πολιορκίαν, πρό-
φασιν τὸν χειμῶνα ποιούμενος, καὶ ἐς Χαλκίδα
παρῆλθεν, ἔνθα κόρης εὐπρεποῦς ἔρωτι ἁλούς,
ὑπὲρ ἔτη πεντήκοντα γεγονὼς καὶ τοσόνδε πόλεμον
διαφέρων, ἔθυε γάμους καὶ πανηγύρεις ἦγε, καὶ
τὴν δύναμιν ἐς πᾶσαν ἀργίαν καὶ τρυφὴν ἐπὶ τὸν
χειμῶνα ὅλον ἀνῆκεν. ἀρχομένου δ' ἦρος ἐμβαλὼν
ἐς Ἀκαρνανίαν ᾔσθετο μὲν τῆς ἀργίας τοῦ στρατοῦ
δυσέργου πρὸς ἅπαντα ὄντος, καὶ τότε τῶν γάμων
αὐτῷ καὶ τῆς πανηγύρεως μετέμελεν· ὑπαγαγό-
μενος δ' ὅμως τινὰ τῆς Ἀκαρνανίας, καὶ τὰ λοιπὰ
πολιορκῶν, ἐπεὶ τάχιστα Ῥωμαίους ἐπύθετο περᾶν
τὸν Ἰόνιον, ἐς Χαλκίδα ἀνεζεύγνυ.

IV

CAP. 17. Ῥωμαῖοι δ' ὑπὸ σπουδῆς τοῖς τότε ἑτοίμοις
IV ἱππεῦσι δισχιλίοις καὶ πεζοῖς δισμυρίοις καὶ
ἐλέφασί τισιν, ἡγουμένου σφῶν Ἀκιλίου Μανίου
Γλαβρίωνος, ἐς Ἀπολλωνίαν ἐκ Βρεντεσίου δια-
βαλόντες ἐπὶ Θεσσαλίας ἐβάδιζον καὶ τὰς πόλεις
ἐξέλυον τῶν πολιορκιῶν, ἐν ὅσαις δ' ἦσαν ἤδη
Ἀθαμάνων φρουραί, τὰς φρουρὰς ἐξέβαλλον. καὶ

THE SYRIAN WARS

fresh pledges of faithful alliance against Antiochus. Baebius praised him for this, and felt emboldened to send Appius Claudius straightway with 2000 foot through Macedonia into Thessaly. When Appius arrived at Tempe and from that point saw Antiochus besieging Larissa, he kindled a large number of fires to conceal the smallness of his force. Antiochus thought that Baebius and Philip had arrived, and became panic-stricken, abandoned the siege on the pretext that it was winter, and retreated to Chalcis. There he fell in love with a pretty girl, and, although he was above fifty years of age and was supporting the burden of so great a war, he celebrated his nuptials with her, gave a public festival, and allowed his army to spend the whole winter in idleness and luxury. When spring came he made a descent upon Acarnania, where he perceived that idleness had unfitted his army for every kind of duty. Then he repented of his marriage and his public festival. Nevertheless he reduced a part of Acarnania and was besieging the rest of its strongholds when he learned that the Romans were crossing the Adriatic. Then he returned at once to Chalcis.

CHAP. III

IV

17. THE Romans crossed hastily from Brundusium to Apollonia with the forces that were then ready, being 2000 horse, 20,000 foot, and a few elephants, under the command of Acilius Manius Glabrio. They marched to Thessaly and relieved the besieged cities. They expelled the enemy's garrisons, from the towns of the Athamanes and made a prisoner of

CHAP. IV
The Romans cross the Adriatic

CAP.
IV
τὸν Μεγαλοπολίτην Φίλιππον αἰχμάλωτον ἔλαβον, ἐλπίζοντα ἔτι τὴν Μακεδόνων ἀρχήν. εἷλον δὲ καὶ τῶν Ἀντιοχείων ἐς τρισχιλίους. ἅμα δὲ ταῦτα ὁ Μάνιος εἰργάζετο, καὶ ὁ Φίλιππος ἐς Ἀθαμανίαν ἐμβαλὼν πᾶσαν αὐτὴν ὑπήκοον ἔλαβεν, Ἀμυνάνδρου φυγόντος ἐς Ἀμβρακίαν. ὧν ὁ Ἀντίοχος αἰσθανόμενός τε, καὶ τὴν ὀξύτητα τῶν γιγνομένων καταπλαγείς, ἔδεισεν ὡς ἐπὶ αἰφνιδίῳ καὶ ταχείᾳ μεταβολῇ, καὶ τῆς εὐβουλίας Ἀννίβου τότε ᾔσθετο, ἔς τε τὴν Ἀσίαν ἄλλους ἐπ' ἄλλοις ἔπεμπεν ἐπισπέρχειν Πολυξενίδαν ἐς τὴν διάβασιν, αὐτὸς δ' ὅσους εἶχε, πανταχόθεν συνεκάλει. γενομένων δ' αὐτῷ τῶν μὲν οἰκείων πεζῶν μυρίων καὶ ἱππέων πεντακοσίων, ἐπὶ δὲ τούτοις καὶ τινῶν συμμάχων, Θερμοπύλας κατέλαβεν ὡς τὴν δυσχωρίαν προβαλούμενος τοῖς πολεμίοις καὶ τὸν στρατὸν ἐκ τῆς Ἀσίας ἀναμενῶν. δίοδος δ' ἐστὶν αἱ Θερμοπύλαι στενὴ καὶ ἐπιμήκης, καὶ αὐτὴν περιέχει τῇ μὲν θάλασσα τραχεῖα καὶ ἀλίμενος, τῇ δὲ ἕλος ἄβατόν τε καὶ βαραθρῶδες. κορυφαί τε εἰσὶν ἐν αὐτῇ δύο ὀρῶν ἀπόκρημνοι, καὶ τούτων μὲν Τειχιοῦντα καλοῦσι τὴν δὲ Καλλίδρομον. ἔχει δὲ ὁ τόπος θερμῶν ὑδάτων πηγάς, καὶ Θερμοπύλαι ἀπὸ τοῦδ' ἐπικλῄζονται.

18. Τεῖχος οὖν ἐνταῦθα διπλοῦν ὁ Ἀντίοχος ᾠκοδομήσατο, καὶ τὰς μηχανὰς ἐπὶ τὸ τεῖχος ἐπέθηκεν. ἔς τε τὰς κορυφὰς τῶν ὀρῶν Αἰτωλοὺς ἀνέπεμψε, μή τις λάθοι κατὰ τὴν λεγομένην ἀτραπὸν περιελθών, ᾗ δὴ καὶ Λακεδαιμονίοις τοῖς ἀμφὶ Λεωνίδαν Ξέρξης ἐπέθετο, ἀφυλάκτων τότε τῶν ὀρῶν ὄντων. Αἰτωλοὶ δὲ χιλίους μὲν ἑκατέρῳ τῶνδε τῶν ἄκρων ἐπέστησαν, τοῖς δὲ λοιποῖς

THE SYRIAN WARS

that Philip of Megalopolis who was still expecting the throne of Macedonia. They also captured about 3000 of the soldiers of Antiochus. While Manius was doing these things, Philip made a descent upon Athamania and brought the whole of it into subjection, King Amynander fleeing to Ambracia. When Antiochus learned these facts, he was terrified by the swiftness of events and by the suddenness of the change of fortune, and he now perceived the wisdom of Hannibal's advice. He sent messenger after messenger to Asia to hasten the coming of Polyxenidas. Then from all sides he drew in what forces he had. These amounted to 10,000 foot and 500 horse of his own, besides some allies, with which he occupied Thermopylae, in order to put this difficult pass between himself and the enemy while waiting for the arrival of his army from Asia. The pass at Thermopylae is long and narrow, flanked on the one side by a rough and harbourless sea and on the other by a deep and impassable morass. It is overhung by two precipitous peaks, one called Teichius and the other Callidromus. The place also contains some hot springs, whence comes the name Thermopylae (the Hot Gates).

18. There Antiochus built a double wall on which he placed his engines. He sent Aetolian troops to occupy the summits of the mountains to prevent anybody from coming round secretly by way of the famous path by which Xerxes had come upon the Spartans under Leonidas, the mountains at that time being unguarded. One thousand Aetolians occupied each mountain. The remainder encamped

CAP. IV ἐστρατοπέδευον ἐφ' ἑαυτῶν περὶ πόλιν Ἡράκλειαν. ὁ δὲ Μάνιος ἐπεὶ κατεῖδε τὴν τῶν πολεμίων παρασκευήν, σημεῖον ἔδωκεν ἐς ἕω μάχης· καὶ δύο τῶν χιλιάρχων, Μᾶρκον Κάτωνα καὶ Λεύκιον Οὐαλέριον, ἐκέλευσε νυκτός, ἐπιλεξαμένους ἑκάτερον ὁπόσους ἐθέλοι, τὰ ὄρη περιελθεῖν καὶ τοὺς Αἰτωλοὺς ἀπὸ τῶν ἄκρων, ὅπῃ δύναιντο, βιάσασθαι. τούτων ὁ μὲν Λεύκιος ἀπεκρούσθη τοῦ Τειχιοῦντος, ἀγαθῶν ἐνταῦθα τῶν Αἰτωλῶν γενομένων· ὁ δὲ Κάτων τῷ Καλλιδρόμῳ παραστρατοπεδεύσας, κοιμωμένοις ἔτι τοῖς ἐχθροῖς ἐπέπεσε περὶ ἐσχάτην φυλακήν, καὶ πολὺς ἀμφ' αὐτὸν ἐγίγνετο ἀγών, βιαζόμενον ἐς ὑψηλὰ καὶ ἀπόκρημνα κωλυόντων τῶν πολεμίων. ἤδη δὲ καὶ Μάνιος ἐπῆγε τὴν στρατιὰν Ἀντιόχῳ κατὰ μέτωπον, ἐς λόχους ὀρθίους διῃρημένην· ὧδε γὰρ μόνως ἐν στενοῖς ἐδύνατο. καὶ ὁ βασιλεὺς τοὺς μὲν ψιλοὺς καὶ πελταστὰς προμάχεσθαι τῆς φάλαγγος ἐκέλευσεν, αὐτὴν δ' ἔστησε πρὸ τοῦ στρατοπέδου, ἐπὶ δεξιὰ δ' αὐτῆς τοὺς σφενδονήτας καὶ τοξότας ἐπὶ τῶν ὑπωρειῶν, τοὺς δ' ἐλέφαντας ἐν ἀριστερᾷ, καὶ τὸ στῖφος ὃ μετ' αὐτῶν ἀεὶ συνετάσσετο, παρὰ τῇ θαλάσσῃ.

19. Γενομένης δ' ἐν χερσὶ τῆς μάχης, τὰ μὲν πρῶτα τὸν Μάνιον οἱ ψιλοὶ πανταχόθεν περιτρέχοντες ἐλύπουν· ἐπεὶ δὲ αὐτοὺς φιλοπόνως δεχόμενός τε καὶ ἀναχωρῶν καὶ αὖθις ἐπιὼν ἔτρεψατο, τοὺς μὲν ψιλοὺς ἡ φάλαγξ ἡ τῶν Μακεδόνων διαστᾶσα ἐς αὑτὴν ἐδέξατο καὶ συνελθοῦσα ἐκάλυψε, καὶ τὰς σαρίσσας ἐν τάξει πυκνὰς προὐβάλλοντο, ᾧ δὴ μάλιστα οἱ Μακεδόνες ἐξ Ἀλεξάνδρου καὶ Φιλίππου κατεπλήσσοντο τοὺς πολεμίους,

THE SYRIAN WARS

by themselves near the city of Heraclea. When Manius saw the enemy's preparations he gave the signal for battle on the morrow at dawn and ordered two of his tribunes, Marcus Cato and Lucius Valerius, to select such forces as they pleased and to go around the mountains by night and drive the Aetolians from the heights as best they could. Lucius was repulsed from Mount Teichius by the Aetolians, who at that place fought well, but Cato, who encamped near Mount Callidromus, fell upon the enemy while they were still asleep, about the last watch. Nevertheless there was a stiff fight here, as he was obliged to climb over high rocks and precipices in the face of an opposing enemy. Meantime Manius was leading his army against Antiochus' front in files, as this was the only way possible in the narrow pass. The king placed his light-armed troops and peltasts in front of the phalanx, and drew up the phalanx itself in front of the camp, with the archers and slingers on the right hand on the lower slopes, and the elephants, with the column that always accompanied them, on the left near the sea.

19. Battle being joined, the light-armed troops assailed Manius first, rushing in from all sides. He received their onset bravely, first yielding and then advancing, and drove them back. The phalanx opened and let the light-armed men pass through. It then closed and covered them, with its long spears presented in massed order, the formation with which the Macedonians from the time of Alexander and Philip used to strike terror into enemies who did

CAP.
IV
ἀντίοις δόρασι πολλοῖς καὶ μακροῖς οὐ τολμῶντας πελάζειν. αἰφνίδιον δ᾽ ὤφθη τῶν Αἰτωλῶν ἐκ τοῦ Καλλιδρόμου φυγὴ καὶ βοή, καθαλλομένων ἐς τὸ Ἀντιόχου στρατόπεδον. τὸ μὲν δὴ πρῶτον ἑκατέροις ἄγνοιά τε τοῦ γιγνομένου καὶ θόρυβος ἦν ὡς ἐν ἀγνοίᾳ· ὡς δὲ ὁ Κάτων ἐπεφαίνετο διώκων αὐτοὺς μετὰ πολλῆς βοῆς, καὶ ὑπὲρ τὸ στρατόπεδον ἐγίγνετο ἤδη τὸ Ἀντιόχου, ἔδεισαν οἱ τοῦ βασιλέως, περί τε τῆς Ῥωμαίων μάχης ἐπιφόβως ἐκ πολλοῦ πυνθανόμενοι, καὶ σφᾶς εἰδότες ὑπὸ ἀργίας καὶ τρυφῆς δι᾽ ὅλου τοῦ χειμῶνος ἐς δυσεργίαν διεφθαρμένους. τούς τε σὺν τῷ Κάτωνι σαφῶς μὲν οὐ καθορῶντες ὁπόσοι τινὲς εἶεν ὑπὸ δὲ τοῦ φόβου πλείους νομίζοντες εἶναι, καὶ περὶ τῷ στρατοπέδῳ δείσαντες, ἀκόσμως ἐς αὐτὸ κατέφυγον ὡς ἀπ᾽ αὐτοῦ τοὺς πολεμίους ἀμυνούμενοι. Ῥωμαῖοι δ᾽ αὐτοῖς παραθέοντες συνεσέπεσον ἐς τὸ στρατόπεδον, καὶ ἦν ἄλλη φυγὴ τῶν Ἀντιοχείων ἐκεῖθεν ἄκοσμος. ὁ δὲ Μάνιος μέχρι μὲν ἐπὶ Σκάρφειαν ἐδίωκαν αὐτοὺς κτείνων τε καὶ ζωγρῶν, ἀπὸ δὲ τῆς Σκαρφείας ἐπανιὼν διήρπαζε τὸ στρατόπεδον τοῦ βασιλέως καὶ τοὺς Αἰτωλοὺς ἐπιδραμόντας τῷ Ῥωμαίων χάρακι παρὰ τὴν ἀπουσίαν αὐτῶν ἐξήλασεν ἐπιφανείς.

20. Ἀπέθανον δ᾽ ἐν τῇ μάχῃ καὶ τῇ διώξει Ῥωμαίων μὲν ἀμφὶ τοὺς διακοσίους, Ἀντιόχου δέ, σὺν τοῖς ληφθεῖσιν, ἀμφὶ τοὺς μυρίους. αὐτὸς δ᾽ ὁ βασιλεὺς ἀπὸ μὲν τῆς πρώτης τροπῆς μετὰ πεντακοσίων ἱππέων ἐς Ἐλάτειαν ἀμεταστρεπτὶ διέδραμεν, ἀπὸ δ᾽ Ἐλατείας ἐς Χαλκίδα καὶ ἐς Ἔφεσον μετ᾽ Εὐβοίας τῆς νεογάμου (τοῦτο γὰρ

THE SYRIAN WARS

not dare to encounter the thick array of long pikes presented to them. Suddenly, however, the Aetolians were seen fleeing from Callidromus with loud cries, and leaping down into the camp of Antiochus. At first neither side knew what had happened, and there was confusion among both in their uncertainty; but when Cato made his appearance pursuing the Aetolians with shouts of victory and was already close above the camp of Antiochus, the king's forces, who had been hearing for some time back fearful accounts of the Roman style of fighting, and who knew that they themselves had been enervated by idleness and luxury all the winter, took fright. Not seeing clearly how large Cato's force was, it was magnified to their minds by terror. Fearing for the safety of their camp they fled to it in disorder, with the intention of defending it against the enemy. But the Romans were close at their heels and entered the camp with them. Then there was another flight of the troops of Antiochus as disorderly as the first. Manius pursued them as far as Scarphia, killing and taking prisoners. Returning thence he plundered the king's camp, and by merely shewing himself drove out the Aetolians who had broken into the Roman camp during his absence.

CHAP. IV

Antiochus defeated

20. The Romans lost about 200 in the battle and the pursuit; Antiochus about 10,000, including prisoners. The king himself, at the first sign of defeat, fled without looking back with 500 horse as far as Elateia, and from Elateia to Chalcis, and thence to Ephesus with his bride Euboea, as he called her, on board his

He flees to Asia

CAP. IV αὐτὴν ὠνόμαζεν) ἐπὶ τῶν νεῶν ἔφυγεν, οὐδὲ τούτων ἁπασῶν· ἀγορὰν γάρ τινας αὐτῶν διαφερούσας ὁ Ῥωμαίων ναύαρχος ἐπαναχθεὶς διέφθαρκει. οἱ δ' ἐν ἄστει Ῥωμαῖοι τῆς νίκης πυθόμενοι, ταχείας τε οὕτω σφίσι καὶ εὐχεροῦς φανείσης, ἔθυον, ἐκ φοβερᾶς τῆς Ἀντιόχου δόξης τὴν πρώτην πεῖραν ἀσπασάμενοι. Φίλιππόν τε τῆς συμμαχίας ἀμειβόμενοι, τὸν υἱὸν αὐτῷ Δημήτριον, ὁμηρεύοντα ἔτι παρὰ σφίσιν, ἔπεμψαν.

21. Καὶ τάδε μὲν ἦν ἐν ἄστει, Μάνιος δὲ Φωκέας μὲν καὶ Χαλκιδέας, καὶ ὅσοι ἄλλοι τῷ Ἀντιόχῳ συνεπεπράχεσαν, δεομένους ἀπέλυσε τοῦ δέους, τὴν δ' Αἰτωλίαν αὐτός τε καὶ Φίλιππος ἐδῄουν, καὶ τὰς πόλεις ἐπολιόρκουν. Δαμόκριτόν τε τὸν στρατηγὸν τῶν Αἰτωλῶν ἐνταῦθα ὁ Μάνιος ἔλαβε κρυπτόμενον, ὃς Φλαμινίνῳ παρὰ τὸν Τίβεριν ἠπείλει στρατοπεδεύσειν. ὁ μὲν δὴ Μάνιος ἐπὶ Καλλιπόλεως διώδευε τὸ ὄρος ὃ καλοῦσι Κόρακα, ὑψηλότατόν τε ὀρῶν καὶ δυσόδευτον καὶ ἀπόκρημνον, μετὰ στρατοῦ βαρυτάτου τε καὶ λαφύρων καταγόμου· πολλοὶ δ' ἐξέπιπτον ὑπὸ τῆς δυσοδίας ἐς τὰ ἀπόκρημνα, καὶ σκεύεσιν αὐτοῖς καὶ ὅπλοις κατεφέροντο. καὶ αὐτοὺς δυνηθέντες ἂν οἱ Αἰτωλοὶ συνταράξαι οὐδὲ ὤφθησαν, ἀλλ' ἐς Ῥώμην περὶ εἰρήνης ἐπρέσβευον. Ἀντίοχος δὲ τὴν στρατιὰν ἀπὸ τῶν ἄνω σατραπειῶν κατὰ σπουδὴν ἐπὶ θάλασσαν ἐκάλει, καὶ τὰς ναῦς ἐπεσκεύαζε, ναυαρχοῦντος αὐτῷ Πολυξενίδου Ῥοδίου φυγάδος. ἔς τε Χερρόνησον διαπλεύσας πάλιν αὐτὴν ὠχύρου, καὶ Σηστὸν καὶ Ἄβυδον ἐκρατύνετο, δι' ὧν ἔδει τὴν φάλαγγα τὴν Ῥωμαίων ἐς τὴν Ἀσίαν ὁδεῦσαί τε καὶ περᾶσαι. Λυσιμά-

THE SYRIAN WARS

ships; but not all of them, for the Roman admiral made an attack upon some that were bringing supplies, and sank them. When the people of Rome heard of this victory, so swiftly and easily gained, they offered sacrifice, being satisfied with their first trial of the formidable reputation of Antiochus. To Philip, in return for his services as an ally, they sent his son Demetrius, who was still a hostage in their hands.

21. While these things were going on in the city, Manius received the supplications of the Phocians, the Chalcidians, and the others who had cooperated with Antiochus, and relieved their fears. He and Philip ravaged Aetolia and laid siege to its cities. He there captured, in hiding, Democritus, the general of the Aetolians, who had threatened Flamininus that he would pitch his camp on the banks of the Tiber. Manius, with an army laden with baggage and spoils, made his way to Callipolis over Mount Corax, a precipitous and difficult mountain, and the highest in that region. Many soldiers, by reason of the badness of the road, fell over precipices and were dashed in pieces with their arms and accoutrements, and although the Aetolians might have thrown the army into confusion, they were not even to be seen, but were sending an embassy to Rome to treat for peace. In the meantime Antiochus ordered the army to march in haste from the satrapies of upper Asia to the sea, and fitted out a fleet which he put under the command of Polyxenidas, an exile from Rhodes. He then crossed over to Chersonesus and again fortified it. He also strengthened Sestus and Abydus, through which the Roman legions would be obliged to pass if they should invade Asia. He made Lysimacheia his

CAP. γειαν δὲ ταμιεῖον τῷδε τῷ πολέμῳ ποιούμενος,
IV ὅπλα καὶ σῖτον πολὺν ἐς αὐτὴν συνέφερεν,
ἡγούμενος αὐτίκα οἱ Ῥωμαίους πεζῷ τε πολλῷ
καὶ ναυσὶν ἐπιθήσεσθαι. οἱ δὲ Μανίῳ μὲν αἱροῦν-
ται διάδοχον ἐπὶ τὴν στρατηγίαν Λεύκιον Σκιπ-
ίωνα, ὃς τότε αὐτοῖς ὕπατος ἦν, ἀπράκτῳ δ' ὄντι
καὶ ἀπειροπολέμῳ σύμβουλον αἱροῦνται τὸν ἀδελ-
φὸν Πόπλιον Σκιπίωνα τὸν Καρχηδονίους ἀφε-
λόμενον τὴν ἡγεμονίαν καὶ πρῶτον ὀνομασθέντα
Ἀφρικανόν.

V

CAP. 22. Καὶ οἱ μὲν Σκιπίωνες ἔτι ἦσαν ἐν παρα-
V σκευῇ, Λίουιος δ' ὁ φύλαξ τῆς Ἰταλίας, ἐπὶ τὴν
ναυαρχίαν αἱρεθεὶς Ἀτιλίῳ διάδοχος, αὐτίκα ταῖς
τε ἰδίαις ναυσίν, αἷς τὴν Ἰταλίαν περιέπλει, καὶ
παρὰ Καρχηδονίων αὐτῷ τισὶ δοθείσαις καὶ
συμμαχίσιν ἄλλαις ἐς Πειραιᾶ κατήχθη, καὶ
τὸν ὑπ' Ἀτιλίῳ στόλον παραλαβὼν ἔπλει κατα-
φράκτοις ὀγδοήκοντα καὶ μιᾷ, ἑπομένου καὶ
Εὐμένους πεντήκοντα ἰδίαις· καὶ ἦν κατάφρακτον
καὶ τῶνδε τὸ ἥμισυ. ἔς τε Φώκαιαν ὑπήκοον μὲν
Ἀντιόχου, ὑπὸ δ' ἐκπλήξεως αὐτοὺς δεχομένην
κατήγοντο, καὶ τῆς ἐπιούσης ἐς ναυμαχίαν ἀνέ-
πλεον. ἀντανήγετο δ' αὐτοῖς ὁ ναύαρχος ὁ
Ἀντιόχου Πολυξενίδας διακοσίαις ναυσί, κουφο-
τέραις τῶν πολεμίων παρὰ πολύ· ᾧ δὴ καὶ
μάλιστα προύλαβε τοῦ πελάγους ἔτι Ῥωμαίων
ἀναπειρωμένων. καὶ δύο τῶν Καρχηδονίων ναῦς
ἰδὼν προπλεούσας, τρεῖς τῶν ἰδίων ἐπιπέμψας
εἷλε τὰς δύο κενάς, ἐξαλομένων τῶν Λιβύων ἐς τὸ

principal magazine for the present war and accumulated large supplies of arms and provisions in it, believing that the Romans would soon attack him with large land and sea forces. They appointed Lucius Scipio, who was then consul, to succeed Manius in the command, but as he was inexperienced in war they appointed as his adviser his brother, Publius Scipio, who had humbled the Carthaginian power and who first bore the title of Africanus.

CHAP. IV

The two Scipios sent against him

V

22. While the Scipios were still making their preparations, Livius, who had charge of the coast defence of Italy and who had been chosen the successor of Atilius, with his own coast-guard ships and some contributed by the Carthaginians and other allies, sailed at once for the Piraeus. Receiving there the fleet from Atilius he set sail with eighty-one decked ships, Eumenes following with fifty of his own, one-half of which had decks. They put in at Phocaea, a place belonging to Antiochus, but which received them from fear, and on the following day they sailed out for a naval engagement. Polyxenidas, commanding the fleet of Antiochus, met them with 200 ships much lighter than those opposed to him, which was a great advantage to him, since the Romans were not yet experienced in nautical affairs. Seeing two Carthaginian ships sailing in front, he sent three of his own against them and took them, but without the crews, who leaped overboard. Livius

CHAP. V

Roman naval victory

CAP. V πέλαγος. Λίουιος δ' ἐπὶ τὰς τρεῖς ἐφέρετο πρῶτος ὑπ' ὀργῆς τῇ στρατηγίδι νηί, πολὺ προύχων τοῦ στόλου. αἱ δ', ὡς μιᾷ, σὺν καταφρονήσει χεῖράς τε σιδηρᾶς ἐπέβαλον, καὶ συνεστηκότων τῶν σκαφῶν ὁ ἀγὼν ἦν ὥσπερ ἐν γῇ. πολὺ δὲ κρείσσους ὄντες οἱ Ῥωμαῖοι ταῖς εὐτολμίαις, ἐπιβάντες ἐς τὰς ἀλλοτρίας ἐκράτουν, καὶ μιᾷ νηὶ δύο ὁμοῦ φέροντες ἐπανῄεσαν. καὶ τόδε μὲν τῆς ναυμαχίας προαγώνισμα ἦν· ἐπεὶ δὲ οἱ στόλοι συνέπεσον ἀλλήλοις, ἰσχύι μὲν καὶ προθυμίᾳ τὰ Ῥωμαίων ἐπεκράτει, διὰ δὲ βαρύτητα τῶν σκαφῶν τοὺς ἐχθροὺς οὐκ ἐδύναντο καταλαμβάνειν κούφαις ναυσὶν ὑποφεύγοντας, ἕως οἱ μὲν ἐς τὴν Ἔφεσον ὀξέως κατέφυγον, οἱ δ' ἐς Χίον ἀπῆραν, ἔνθα αὐτοῖς Ῥοδίων νῆες συμμαχίδες ἦλθον ἑπτὰ καὶ εἴκοσιν. Ἀντίοχος δὲ περὶ τῆσδε τῆς ναυμαχίας πυθόμενος, Ἀννίβαν ἔστελλεν ἐπὶ Συρίας ἐς νεῶν ἄλλων ἔκ τε Φοινίκης καὶ Κιλικίας παρασκευήν.

Καὶ τόνδε μὲν ἐπανιόντα Ῥόδιοι κατέκλεισαν ἐς Παμφυλίαν, καί τινας αὐτοῦ τῶν νεῶν εἷλον, καὶ τὰς λοιπὰς ἐφεδρεύοντες ἐφύλασσον· 23. Πόπλιος δὲ Σκιπίων ἀφικόμενος ἐς Αἰτωλίαν μετὰ τοῦ ὑπάτου, καὶ τὸν Μανίου στρατὸν παραλαβών, τὰς μὲν ἐν Αἰτωλίᾳ πολιορκίας ὑπερεῖδεν ὡς μικρὸν ἔργον, καὶ τοῖς Αἰτωλοῖς δεομένοις ἐπέτρεψεν αὖθις ἐς Ῥώμην πρεσβεῦσαι περὶ σφῶν, ἐπὶ δὲ τὸν Ἀντίοχον ἠπείγετο πρὶν ἐκβῆναι τῷ ἀδελφῷ τὴν στρατηγίαν. διὰ δὲ Μακεδόνων ὥδευε καὶ Θρᾳκῶν ἐπὶ τὸν Ἑλλήσποντον, δυσχερῆ καὶ χαλεπὴν ὁδὸν αὐτῷ γενομένην ἄν, εἰ μὴ Φίλιππος ὁ Μακεδὼν ὡδοποίει καὶ ὑπεδέχετο καὶ

THE SYRIAN WARS

dashed angrily at the three with his flag-ship, much CHAP.
in advance of the rest of the fleet. The enemy V
being three to one grappled him contemptuously
with iron hooks, and when the ships were fastened
together the battle was fought as though it were on
land. The Romans, being much superior in valour,
sprang upon the enemy's ships, overpowered them,
and returned on their one ship, bringing two
of the enemy's with them. This was the prelude
to the naval engagement. When the fleets came
together the Romans had the best of it by reason
of their bodily strength and bravery, but on account
of the unwieldy size of their ships they could not
overtake the enemy, who got away with their nimble
craft, and, by rapid flight, took refuge in Ephesus.
The Romans repaired to Chios, where twenty-seven
Rhodian ships joined them as allies. When Antiochus received the news of this naval fight, he sent
Hannibal to Syria to fit out another fleet from
Phoenicia and Cilicia. When he was returning
with it the Rhodians drove him into Pamphylia,
captured some of his ships, and blockaded the rest.

23. In the meantime Publius Scipio arrived in B.C. 190
Aetolia with the consul and received the command The
of the army from Manius. He scorned the siege of Scipios
the Aetolian towns as a small business, and granted the Hellespont
the petition of the inhabitants to send a new embassy
to Rome, while he hastened against Antiochus before
his brother's command should expire. He moved
by way of Macedonia and Thrace to the Hellespont,
and it would have been a very hard march for him
had not Philip of Macedon repaired the roads,

CAP. V παρέπεμπεν ἐζευγμένοις τε ποταμοῖς ἐκ πολλοῦ καὶ ἀγοραῖς ἑτοίμοις· ἐφ' οἷς αὐτὸν οἱ Σκιπίωνες αὐτίκα τῶν ὑπολοίπων χρημάτων ἀπέλυσαν, ἐπιτετραμμένοι τοῦθ' ὑπὸ τῆς βουλῆς, εἰ πρόθυμον εὕροιεν. ἐπέστελλον δὲ καὶ ἐς Προυσίαν τὸν Βιθυνῶν βασιλέα, καταλέγοντες ὅσοις βασιλεῦσι Ῥωμαῖοι συμμαχήσασι τὰς ἀρχὰς ἐπηύξησαν· Φίλιππον δέ, φασί, τὸν Μακεδόνα καὶ πολέμῳ κρατήσαντες ἄρχειν ἐῶσι, καὶ τὸν παῖδα αὐτῷ τῆς ὁμηρείας ἀπελύσαμεν, καὶ τὸ ἔτι ὄφλημα τῶν χρημάτων. οἷς ὁ Προυσίας ἡσθεὶς συνέθετο συμμαχήσειν ἐπ' Ἀντίοχον.

Λίουιος δ' ὁ ναύαρχος ἐπεὶ τῆς ὁδοιπορίας τῶν Σκιπιώνων ἐπύθετο, Παυσίμαχον μὲν τὸν Ῥόδιον μετὰ τῶν Ῥοδίων νεῶν ἐν τῇ Αἰολίδι κατέλιπε, καὶ μέρος τι τοῦ ἰδίου στόλου, ταῖς δὲ πλείοσιν ἐς τὸν Ἑλλήσποντον ἔπλει τὸν στρατὸν ὑποδεξόμενος. καὶ Σηστὸς μὲν αὐτῷ καὶ Ῥοίτειον καὶ ὁ Ἀχαιῶν λιμὴν καί τινα ἄλλα προσέθετο, Ἄβυδον δὲ ἀπειθοῦσαν ἐπολιόρκει.

24. Παυσίμαχος δ' οἰχομένου Λιουίου πείρας τε πυκνὰς καὶ μελέτας τῶν ἰδίων ἐποιεῖτο, καὶ μηχανὰς ποικίλας συνεπήγνυτο, πυρφόρα τε ἀγγεῖα σιδηρᾶ ἐξῆπτε κοντῶν μακρῶν, αἰωρεῖσθαι τὸ πῦρ ἐς τὸ πέλαγος, ἵνα τῶν μὲν ἰδίων σκαφῶν πολὺ προύχῃ, τοῖς δὲ πολεμίοις προσιοῦσιν ἐμπίπτῃ. καὶ αὐτὸν τάδε φιλοπονούμενον Πολυξενίδας ὁ Ἀντιόχου ναύαρχος, Ῥόδιός τε ὢν καὶ ὅδε καί τισιν αἰτίαις ἐκπεσὼν τῆς πατρίδος, ἐνήδρευεν, ὑπισχνούμενος τὸν Ἀντιόχου στόλον ἐγχειριεῖν, εἰ συνθοῖτο συμπράξειν ἐς κάθοδον

THE SYRIAN WARS

entertained him, escorted him, bridged the streams some time before, and furnished him provisions. In return for this the Scipios immediately relieved him from the payment of the remaining money indemnity, having been authorized to do so by the Senate if they should find him zealous. They also wrote to Prusias, king of Bithynia, reminding him that the Romans had often augmented the Empires of the kings in alliance with them. Philip of Macedon, they said, although they had conquered him in war, they had allowed to retain his kingdom, had released his son whom they held as a hostage, and had remitted the money payment still due. Thereupon Prusias gladly entered into alliance with them against Antiochus.

Livius, the commander of the fleet, when he learned that the Scipios were on the march, left Pausimachus, the Rhodian, with the Rhodian ships and a part of his own, in Aeolis, and himself sailed with the greater part to the Hellespont to receive the army. Sestos and Rhoeteum, and the harbour of the Achaeans, and several other places surrendered to him. Abydos refused and he laid siege to it.

24. After the departure of Livius, Pausimachus trained his sailors by repeated exercises, and constructed machines of various kinds. He attached iron vessels containing fire to long poles, for suspending over the sea, so as to hang clear of his own ships and fall upon those of the enemy when they approached. While he was thus engaged, Polyxenidas, the admiral of Antiochus, who was also a Rhodian, but had been banished for crime, laid a trap for him. He promised to deliver the fleet of Antiochus to him if he would agree to help him in securing his recall.

CAP. αὐτῷ. ὁ δὲ ὑπώπτευε μὲν ἐπίκλοπον ἄνδρα καὶ
V πανοῦργον, καὶ ἐς πολὺ καλῶς ἐφυλάσσετο·
γράψαντος δ' αὐτῷ τοῦ Πολυξενίδου περὶ τῆς
προδοσίας ἐπιστολὴν αὐτόγραφον, καὶ ἐπ' αὐτῇ
καὶ ἀναζεύξαντος ἀπὸ τῆς Ἐφέσου, καὶ τὴν στρα-
τιὰν ὑποκριθέντος ἐς χορτολογίαν περιπέμπειν, ὁ
Παυσίμαχος τήν τε ἀνάζευξιν ὁρῶν, καὶ οὐκ
ἐλπίσας ἄν τινα περὶ προδοσίας ἐπιστολὴν αὐτό-
γραφον οὐκ ἀληθεύοντα πέμψαι, πάγχυ πιστεύ-
σας ἐξέλυσε τὰς φυλακὰς καὶ ἐς σιτολογίαν καὶ
αὐτὸς περιέπεμπεν. ὁ δὲ Πολυξενίδας ἐπεὶ κατ-
εῖδεν αὐτὸν ἐνηδρευμένον, αὐτίκα τὴν παρασκευὴν
συνῆγε, καὶ Νίκανδρον τὸν πειρατὴν σὺν ὀλίγοις
ἐς τὴν Σάμον περιέπεμπε, κατὰ τὴν γῆν ὄπισθεν
τοῦ Παυσιμάχου θορυβοποιεῖν. ἐκ δὲ μέσων
νυκτῶν αὐτὸς ἐπέπλει, καὶ περὶ τὴν ἑωθινὴν
φυλακὴν ἐπέπιπτεν ἔτι κοιμωμένῳ. ὁ δὲ ἐν
αἰφνιδίῳ κακῷ καὶ ἀδοκήτῳ τοὺς στρατιώτας
ἐκέλευε, τὰς ναῦς ἐκλιπόντας, ἀπὸ τῆς γῆς ἀμύνε-
σθαι τοὺς πολεμίους. προσπεσόντος δ' ὄπισθεν
αὐτῷ τοῦ Νικάνδρου, νομίσας καὶ τὴν γῆν προει-
λῆφθαι οὐχ ὑπὸ τῶν ἑωραμένων μόνων ἀλλ', ὡς
ἐν νυκτί, πολὺ πλειόνων, πάλιν ἐς τὰς ναῦς ἐνέ-
βαινε θορυβούμενος, πρῶτός τε ἐς μάχην ἀνήγετο,
καὶ πρῶτος ἔπιπτε λαμπρῶς ἀγωνιζόμενος. τῶν
δ' ἄλλων οἱ μὲν ἐλήφθησαν οἱ δ' ἀπώλοντο. καὶ
τῶν νεῶν ἑπτὰ μέν αἳ τὸ πῦρ ἔφερον, οὐδενὸς
αὐταῖς διὰ τὴν φλόγα προσιόντος ἔφυγον, τὰς δὲ
λοιπὰς εἴκοσιν ὁ Πολυξενίδας ἀναδησάμενος ἐς
τὴν Ἔφεσον κατήχθη.

25. Καὶ ἐπὶ τῇδε τῇ νίκῃ Φώκαια αὖθις καὶ
Σάμος καὶ Κύμη πρὸς Ἀντίοχον μετετίθεντο.

THE SYRIAN WARS

Pausimachus suspected the wily rascal and for a long time guarded against him carefully. But after Polyxenidas had written him an autograph letter on the subject of the betrayal and in accord therewith had actually sailed away from Ephesus and had pretended to send his army round to procure corn, Pausimachus, observing the movement and thinking that no one would put his own signature to a letter proposing a betrayal unless he were speaking the truth, felt entire confidence, relaxed his vigilance, and sent his own fleet away to procure corn. Polyxenidas, seeing that his stratagem was successful, at once reassembled his ships, and sent the pirate Nicander to Samos with a few men to create confusion by getting in the rear of Pausimachus on the land, and himself sailed at midnight, and about daybreak fell upon him while still asleep. Pausimachus, in this sudden and unexpected catastrophe, ordered his men to abandon their ships and defend themselves on land. But when Nicander attacked him in the rear he thought, as was natural in the darkness, that the land had been taken possession of not merely by those who were visible, but by a much larger number. So he made another confused rush for his ships. He was foremost in the encounter and the first to fall, fighting bravely. The rest were all captured or killed. Seven of the ships, which were provided with the fire-apparatus, escaped, as no one dared approach them for fear of conflagration. The remaining twenty Polyxenidas towed to Ephesus.

25. Upon the news of this victory Phocaea again changed sides to Antiochus, as did also Samos and

CAP. V δείσας δ' ὁ Λίουιος περὶ τῶν σφετέρων νεῶν, ἃς ἐν τῇ Αἰολίδι κατελελοίπει, κατὰ σπουδὴν ἐς αὐτὰς ἐπανῄει. καὶ Εὐμένης πρὸς αὐτὸν ἠπείγετο, Ῥόδιοί τε Ῥωμαίοις ναῦς ἑτέρας εἴκοσιν ἔπεμπον. μικρὸν δὲ διαλιπόντες ἅπαντες ἀνεθάρρησαν, καὶ ἐπὶ τὴν Ἔφεσον ἔπλεον ἐς ναυμαχίαν ἐσκευασμένοι. οὐδενὸς δ' αὐτοῖς ἀντεπιπλέοντος, τὸ μὲν ἥμισυ τῶν νεῶν ἐς ἐπίδειξιν ἔστησαν ἐν μέσῃ τῇ θαλάσσῃ μέχρι πολλοῦ, ταῖς δ' ὑπολοίποις ἐς τὴν πολεμίαν καταχθέντες ἐπόρθουν, μέχρι Νίκανδρος αὐτοῖς ἐκ τῆς μεσογείας ἐπιπεσὼν τήν τε λείαν ἀφείλετο καὶ ἐς τὰς ναῦς κατεδίωξεν.

26. Οἱ μὲν δὴ πάλιν ἐς Σάμον ἀνήγοντο, καὶ ὁ χρόνος ἔληγε Λιουίῳ τῆς ναυαρχίας· τοῦ δ' αὐτοῦ χρόνου Σέλευκος ὁ Ἀντιόχου τὴν Εὐμένους γῆν ἐδῄου καὶ Περγάμῳ παρεκάθητο, τοὺς ἄνδρας ἐς τὴν πόλιν κατακλείσας. ὅθεν ὁ Εὐμένης ἐς Ἐλαίαν, τὸ τῆς ἀρχῆς ἐπίνειον, διέπλει κατὰ σπουδήν, καὶ σὺν αὐτῷ Λεύκιος Αἰμίλιος Ῥηγίλλος ὁ Λιουίου τὴν ναυαρχίαν παραδεδεγμένος. ἧκον δὲ καὶ παρὰ τῶν Ἀχαιῶν Εὐμένει σύμμαχοι χίλιοι πεζοὶ καὶ ἱππεῖς ἑκατὸν ἐπίλεκτοι, ὧν Διοφάνης ὁ στρατηγὸς ἀπὸ τοῦ τείχους ἰδὼν τοὺς Σελευκείους παίζοντάς τε καὶ μεθύοντας ἐκ καταφρονήσεως, ἔπειθε τοὺς Περγαμηνοὺς ἑαυτῷ συνεκδραμεῖν ἐπὶ τοὺς πολεμίους. οὐχ ὑφισταμένων δ' ἐκείνων, ὥπλισε τοὺς ἰδίους χιλίους καὶ τοὺς ἑκατὸν ἱππέας. καὶ προαγαγὼν ὑπὸ τὸ τεῖχος ἔστησεν ἀτρεμεῖν, ὑπερορώντων αὐτοὺς ἐς πολὺ τῶν πολεμίων ὡς ὀλίγους τε καὶ οὐ τολμῶντας ἐς χεῖρας ἐλθεῖν. ὁ δ' ἀριστοποιου-

THE SYRIAN WARS

Cuma. Livius, fearing for his own ships, which he had left in Aeolis, returned to them in haste. Eumenes hurried to join him, and the Rhodians sent the Romans twenty new ships. In a short time they were all in good spirits again and sailed toward Ephesus prepared for another engagement. As no enemy appeared they divided their naval force into two parts, displaying one out at sea in a long line, while the other landed on the enemy's coast and ravaged it, until Nicander attacked them from the interior, took away their plunder, and drove them back to their ships. Then they withdrew to Samos, and Livius' term of office as admiral expired.

26. About this time Seleucus, the son of Antiochus, ravaged the territory of Eumenes and laid siege to Pergamus, shutting up the soldiers in it. On account of this Eumenes sailed with haste to Elaea, the naval station of his kingdom, and with him L. Aemilius Regillus, the successor of Livius as admiral. One thousand foot-soldiers and 100 picked horse had also been sent by the Achaeans as allies to Eumenes. When their commander, Diophanes, from the wall saw the soldiers of Seleucus sporting and drinking in a contemptuous way, he urged the Pergameans to join him in a sally against the enemy. As they would not agree to this he armed his 1000 foot and his 100 horse, led them out of the city under the wall, and stood there quietly. The enemy derided him for a long time on account of the smallness of his force and because he did not dare to fight, but he fell upon them while they were taking

CAP. V μένοις ἐπιδραμὼν ἐθορύβησέ τε καὶ ἐτρέψατο τοὺς προφύλακας, τῶν δ' ἄλλων ἐπὶ τὰ ὅπλα ἀναπηδώντων, καὶ τοὺς ἵππους περιχαλινούντων ἢ φεύγοντας διωκόντων ἢ δυσχερῶς ἀναβαινόντων οὐκ εὐσταθοῦντας, ἐκράτει πάνυ λαμπρῶς, ἐπιβοώντων ἄνωθεν ἀπὸ τοῦ τείχους τῶν Περγαμηνῶν, καὶ οὐδὲ τότε προελθεῖν ὑφισταμένων. κτείνας δ' ὅσους ἐδύνατο ὡς ἐν ἐπιδείξει ταχείᾳ, καί τινας αἰχμαλώτους ἑλὼν ἄνδρας τε καὶ ἵππους, ἐπανῄει κατὰ σπουδήν. καὶ τῆς ἐπιούσης αὖθις ἵστη τοὺς Ἀχαιοὺς ὑπὸ τὸ τεῖχος, οὐδὲ τότε τῶν Περγαμηνῶν αὐτῷ συνεξιόντων. Σέλευκος δ' ἱππεῦσι πολλοῖς αὐτῷ προσεπέλαζε προκαλούμενος. ὁ δὲ τότε μὲν οὐκ ἐπεξῄει, παρ' αὐτὸ τὸ τεῖχος ἑστώς, ἀλλ' ἐφυλάσσετο· ἐπεὶ δ' ὁ Σέλευκος παραμείνας ἐς μεσημβρίαν, καμνόντων οἱ ἤδη τῶν ἱππέων ἐπέστρεφε καὶ ἐπανῄει, τοῖς τελευταίοις αὐτοῦ ὁ Διοφάνης ἐπιθέμενος καὶ θορυβοποιήσας, καὶ βλάψας ὅσα καὶ τότε δυνατὸς ἦν, εὐθὺς ἐπανῄει πάλιν ὑπὸ τὸ τεῖχος. καὶ τόνδε τὸν τρόπον συνεχῶς ἔν τε χορτολογίαις καὶ ξυλείαις ἐνεδρεύων καὶ ἀεί τι ἐνοχλῶν ἀπό τε Περγάμου τὸν Σέλευκον ἀνέστησε καὶ ἀπὸ τῆς ἄλλης Εὐμένους χώρας ἐξήλασεν.

27. Πολυξενίδᾳ δὲ καὶ Ῥωμαίοις μετ' οὐ πολὺ γίγνεται ναυμαχία περὶ Μυόννησον, ἐς ἣν συνῄεσαν Πολυξενίδας μὲν ναυσὶν ἐνενήκοντα καταφράκτοις, Λεύκιος δ' ὁ Ῥωμαίων ναύαρχος ὀγδοήκοντα τρισί· τούτων ἦσαν ἐκ Ῥόδου πέντε καὶ εἴκοσιν. ὧν ὁ στρατηγὸς Εὔδωρος ἐτέτακτο μὲν ἐπὶ τοῦ λαιοῦ κέρως, ἰδὼν δὲ ἐπὶ θάτερα Πολυξενίδαν πολὺ προύχοντα Ῥωμαίων, ἔδεισέ τε μὴ

THE SYRIAN WARS

their dinner, threw them into confusion, and put their advance guard to flight. While the others sprang for their arms, and tried to bridle their horses or to catch those that ran away or to mount those that would not stand, Diophanes won a most glorious victory, the Pergameans cheering vociferously from the walls, but even then not venturing out. Having killed as many as he could in this hurried exploit and taken a certain number of prisoners with their horses, he quickly returned. The following day he again stationed the Achaeans under the wall, the Pergameans again not going out with him. Seleucus approached him with a large body of horse and challenged him to battle, but Diophanes did not as yet accept the challenge. He kept his station close under the wall and watched his opportunity. But when Seleucus, having remained till midday, turned and led his tired horsemen back, Diophanes fell upon his rear and threw it into confusion, and after again doing all the damage he could, returned forthwith to his place under the wall. By continually lying in wait for the enemy in this way whenever they were collecting forage or wood, and always harassing them in some way or other, he compelled Seleucus to move away from Pergamus, and finally drove him out of Eumenes' territory altogether.

27. Not long afterward Polyxenidas and the Romans had a naval engagement near Myonnesus, in which the former had ninety decked ships, and Regillus, the Roman admiral, eighty-three, of which twenty-five were from Rhodes. The Rhodian commander, Eudorus, was stationed on the left wing, but seeing Polyxenidas on the other wing extending his line much beyond that of the Romans, and fearing

Naval battle of Myonnesus

CAP. V κυκλωθεῖεν, καὶ περιπλεύσας ὀξέως ἅτε κούφαις ναυσὶ καὶ ἐρέταις ἐμπείροις θαλάσσης, τὰς ναῦς τὰς πυρφόρους τῷ Πολυξενίδᾳ πρώτας ἐπῆγε, λαμπομένας τῷ πυρὶ πάντοθεν. οἱ δ' ἐμβαλεῖν μὲν αὐταῖς οὐκ ἐτόλμων διὰ τὸ πῦρ, κύκλῳ δ' αὐτὰς περιπλέοντες ἐνέκλινόν τε καὶ θαλάσσης ἐπίμπλαντο καὶ ἐς τὰς ἐπωτίδας ἐτύπτοντο, μέχρι Ῥοδίας νεὼς ἐς Σιδονίαν ἐμβαλούσης, καὶ τῆς πληγῆς εὐτόνου γενομένης, ἄγκυρα ἐκπίπτουσα τῆς Σιδονίας ἐς τὴν Ῥοδίαν ἐπάγη τε καὶ συνέδησεν ἄμφω πρὸς ἀλλήλας, ὅθεν ἦν ὁ ἀγὼν ἀτρεμούντων τῶν σκαφῶν τοῖς ἐπιβάταις ὥσπερ ἐν γῇ. καὶ προσιουσῶν ἄλλων ἐς ἐπικουρίαν ἑκατέρᾳ πολλῶν, φιλονεικία τε παρ' ἀμφοῖν ἐγίγνετο λαμπρά, καὶ τὸ μέσον τῶν Ἀντιόχου νεῶν ἔρημον ἐκ τούτου γενόμενον αἱ Ῥωμαίων νῆες διέπλεον, καὶ τοὺς πολεμίους ἔτι ἀγνοοῦντας ἐκύκλουν, ὡς δ' ἔμαθόν ποτε, ἐγίγνετο φυγὴ καὶ τροπή, καὶ διεφθάρησαν Ἀντιόχου νῆες μιᾶς δέουσαι τριάκοντα, ὧν τρισκαίδεκα αὐτοῖς ἀνδράσιν ἐλήφθησαν. Ῥωμαίων δ' ἀπώλοντο μόναι δύο. καὶ ὁ Πολυξενίδας τὴν Ῥοδίαν ναῦν ἐπαγόμενος ἐς τὴν Ἔφεσον κατήχθη.

VI

CAP. VI 28. Τοῦτο μὲν δὴ τῇ ναυμαχίᾳ τῇ περὶ τὴν Μυόννησον ἦν τέλος· οὔπω δ' αὐτῆς ὁ Ἀντίοχος αἰσθόμενος Χερρόνησόν τε καὶ Λυσιμάχειαν ἐπι-

THE SYRIAN WARS

lest it should be surrounded, he sailed rapidly around there with his swift ships and experienced oarsmen, and first brought his fire-ships against Polyxenidas, scattering flames everywhere. The ships of the latter did not dare to ram their assailants on account of the fire, but, sailing round and round, tried to keep out of the way, shipped much water, and were constantly struck on their catheads.[1] Finally a Rhodian ship rammed a Sidonian, and the blow being severe the anchor of the latter was dislodged and stuck in the former, fastening them together. The two ships being immovable the contest between the crews became like a land fight. As many others hastened to the aid of each, the rivalry on both sides became spirited, and the Roman ships broke through the middle of Antiochus' line, which was weakened in this way, and surrounded the enemy before they knew it. When they discovered it there was a flight and a pursuit. Twenty-nine of Antiochus' ships were lost, thirteen of which were captured with their crews. The Romans lost only two vessels. Polyxenidas captured the Rhodian ship and brought it to Ephesus.

VI

28. SUCH was the result of the naval engagement at Myonnesus. Before Antiochus heard of it he was fortifying the Chersonesus and Lysimacheia with

[1] Beams running across the bows, and projecting on either side like ears; used originally for letting down the anchors, and occasionally strengthened against ramming. (Thucydides, vii. 34, 36.)

CAP. μελῶς ὠχύρου, μέγα, ὥσπερ ἦν, τὸ ἔργον ἡγούμενος ἐπὶ Ῥωμαίοις, ὅπου γε καὶ τὴν ἄλλην Θρᾴκην διελθεῖν στρατοπέδῳ δυσόδευτον αὐτοῖς ἂν ἐγένετο καὶ δύσβατον, εἰ μὴ Φίλιππος διέφερεν. ἀλλ' ὁ Ἀντίοχος ὢν καὶ τὰ ἄλλα κουφόνους ἀεὶ καὶ ταχὺς ἐς μεταβολήν, ἐπεὶ τῆς ἥσσης ἐπύθετο τῆς περὶ Μυόννησον, πάμπαν ἐξεπλάγη, νομίσας αὐτῷ τὸ δαιμόνιον ἐπιβουλεύειν· παρὰ γὰρ λόγον ἕκαστα χωρεῖν, Ῥωμαίων μὲν ἐν τῇ θαλάσσῃ κρατούντων, ἐν ᾗ πολὺ προύχειν αὐτὸς ἐνόμιζε, Ῥοδίων δ' Ἀννίβαν ἐς Παμφυλίαν κατακεκλεικότων, Φιλίππου δὲ Ῥωμαίους παραπέμποντος ἀβάτους ὁδούς, ὃν μάλιστα μνησικακήσειν αὐτοῖς ὧν ἔπαθεν ὑπελάμβανεν. ὑπὸ δὴ τῶνδε πάντων ἐκταρασσόμενός τε, καὶ θεοῦ βλάπτοντος ἤδη τοὺς λογισμούς, ὅπερ ἅπασι προσιόντων ἀτυχημάτων ἐπιγίγνεται, Χερρόνησον ἐξέλιπεν ἀλογίστως, πρὶν καὶ ἐς ὄψιν ἐλθεῖν τοῖς πολεμίοις, οὔτε μετενεγκὼν ὅσος ἦν ἐν αὐτῇ σῖτος σεσωρευμένος πολὺς ἢ ὅπλα ἢ χρήματα ἢ μηχαναί, οὔτε ἐμπρήσας, ἀλλ' ὑγιεῖς ἀφορμὰς τοσάσδε τοῖς πολεμίοις καταλιπών. Λυσιμαχέας τε αὐτῷ καθάπερ ἐκ πολιορκίας συμφεύγοντας μετ' οἰμωγῆς, ἅμα γυναιξὶ καὶ παιδίοις, ὑπερεώρα, μόνου τοῦ διάπλου τοῦ περὶ Ἄβυδον εἶρξαι τοὺς πολεμίους ἐπινοῶν, καὶ τὴν λοιπὴν ἔτι ἐλπίδα τοῦ πολέμου πᾶσαν ἐν τούτῳ τιθέμενος. οὐ μὴν οὔτε τὸν διάπλουν ἐφύλαξεν ὑπὸ θεοβλαβείας, ἀλλ' ἐς τὸ μεσόγειον ἠπείχθη ἐπανελθεῖν, φθάνων τοὺς πολεμίους, οὐδέ τινα φυλακὴν ἐν τῷ διάπλῳ κατέλιπεν.

29. Οἱ δὲ Σκιπίωνες ἐπεὶ τῆς ἀναχωρήσεως

THE SYRIAN WARS

the greatest care, thinking, as was the fact, that this was very important as a defence against the Romans, who would have found it very difficult to march through even the rest of Thrace, if Philip had not conducted them. But Antiochus, who was generally light minded and unstable, when he heard of his defeat at Myonnesus was completely panic-stricken, and thought that fate was conspiring against him. Everything had turned out contrary to his expectations. The Romans had beaten him on the sea, where he thought he was much superior; the Rhodians had shut Hannibal up in Pamphylia; Philip was helping the Romans over impassable roads, whereas Antiochus supposed that he would have a lively remembrance of what he had suffered from them. Everything unnerved him, and the deity began to destroy his reasoning powers (as is always the case when misfortunes multiply), so that he abandoned the Chersonesus without cause, even before the enemy came in sight, neither carrying away nor burning the great stores which he had collected there of grain, arms, money, and engines, but leaving all these sinews of war in good condition for the enemy. He paid no attention to the Lysimacheans who, as though after a siege, accompanied him in his flight with lamentations, together with their wives and children. He was intent only upon preventing the enemy from crossing at Abydus and rested his last hope of success wholly on that. Yet he was so infatuated by heaven that he did not even defend the crossing, but hastened to reach the interior in advance of the enemy, not even leaving a guard at the straits.

CHAP. VI

Consternation of Antiochus

29. When the Scipios learned of his retreat they

CAP. αὐτοῦ ἐπύθοντο, Λυσιμάχειάν τε δρόμῳ κατέ-
VI λαβον, καὶ τῶν ἐν Χερρονήσῳ θησαυρῶν τε καὶ
ὅπλων κρατήσαντες τὸν Ἑλλήσποντον ἔρημον
ὄντα φυλακῆς εὐθὺς ἐπέρων μετὰ σπουδῆς,
ἔφθασάν τε Ἀντίοχον ἔτι ἀγνοοῦντα ἐν Σάρδεσι
γενόμενοι. ὁ δ᾽ ἐκπλαγεὶς ἐβαρυθύμει, καὶ τὰ
ἴδια αὐτοῦ ἁμαρτήματα ἐς τὸ δαιμόνιον ἀνατιθεὶς
Ἡρακλείδην τὸν Βυζάντιον ἔπεμπεν ἐς τοὺς
Σκιπίωνας ἐπὶ διαλύσεσι τοῦ πολέμου, Σμύρναν
τε καὶ Ἀλεξάνδρειαν αὐτοῖς διδοὺς τὴν ἐπὶ Γρα-
νίκῳ καὶ Λάμψακον, δι᾽ ἃς ἦρξεν αὐτοῖς ὁ πόλε-
μος, καὶ τὸ ἥμισυ τῆς δαπάνης τοῦδε τοῦ πολέμου.
ἐνετέλλετο δέ, εἰ δέοι, καὶ τῶν Ἰάδων πόλεων
δοῦναι καὶ τῶν Αἰολίδων ὅσαι τὰ Ῥωμαίων ἐν
τῷδε τῷ ἀγῶνι εἵλοντο, καὶ εἴ τι ἄλλο αἰτοῖεν
οἱ Σκιπίωνες. ταῦτα μὲν εἶχεν ἐς τὸ φανερὸν
λέγειν ὁ Ἡρακλείδης, ἰδίᾳ δὲ πρὸς Πόπλιον
Σκιπίωνα ἔφερε παρ᾽ Ἀντιόχου χρημάτων τε
πολλῶν ὑποσχέσεις καὶ τοῦ παιδὸς ἀφέσεις.
ᾑρήκει γὰρ αὐτὸν ἐν τῇ Ἑλλάδι ὁ Ἀντίοχος, ἐς
Δηματριάδα ἐκ Χαλκίδος διαπλέοντα· καὶ ἦν ὁ
παῖς Σκιπίων ὁ Καρχηδόνα ὕστερον ἑλών τε καὶ
κατασκάψας, καὶ δεύτερος ἐπὶ τῷδε τῷ Σκιπίωνι
Ἀφρικανὸς ὀνομασθείς, Παύλου μὲν υἱὸς ὢν τοῦ
Περσέα τὸν Μακεδόνα ἑλόντος, Σκιπίωνος δὲ τῷ
γένει θυγατριδοῦς καὶ θέσει παῖς. κοινῇ μὲν οὖν
οἱ Σκιπίωνες τῷ Ἡρακλείδῃ τήνδε ἔδοσαν τὴν
ἀπόκρισιν, ἐὰν ὁ Ἀντίοχος εἰρήνης δέηται, μὴ
τῶν Ἰάδων μηδὲ τῶν Αἰολίδων αὐτὸν ἐκστῆναι
πόλεων, ἀλλὰ πάσης τῆς ἐπὶ τάδε Ταύρου, καὶ
τὴν δαπάνην τοῦ πολέμου πᾶσαν ἐσενεγκεῖν, δι᾽

THE SYRIAN WARS

took Lysimacheia at a single blow,[1] possessed themselves of the treasure and arms in the Chersonesus, crossed the unguarded Hellespont in haste and arrived at Sardis before Antiochus, who did not yet know that they had crossed. The panic-stricken and dispirited king, charging his own faults to the score of fortune, sent Heraclides the Byzantine to the Scipios to treat for peace. He offered to give them Smyrna, Alexandria on the Granicus, and Lampsacus, on account of which cities the war had been begun, and to pay them half the cost of the war. He was authorized if necessary to surrender the Ionian and Aeolian cities which had sided with the Romans in the fight and whatever else the Scipios might ask. These things Heraclides was to propose publicly. Privately he was authorized to promise Publius Scipio a large sum of money and the release of his son, whom the king had taken prisoner in Greece as he was sailing from Chalcis to Demetrias. This son was the Scipio who afterwards took and destroyed Carthage, and was the second to bear the name of Scipio Africanus. He was the son of Paulus, who conquered Perseus, king of Macedon, and of Scipio's daughter, and had been adopted by Scipio. The Scipios jointly gave this answer to Heraclides, "If Antiochus wishes peace he must surrender, not only the cities of Ionia and Aeolia, but all of Asia this side of Mount Taurus, and pay the whole cost of the war incurred

CHAP. VI

He sends proposals to the Scipios

[1] Literally "at a run."

CAP. VI αὐτὸν γενομένου. ἰδίᾳ δὲ ὁ Πόπλιος ἔφη τῷ Ἡρακλείδῃ Ῥωμαίους, εἰ μὲν ἔτι Χερρονήσου καὶ Λυσιμαχείας κρατῶν ὁ Ἀντίοχος ταῦτα προύτεινεν, ἀσμένως ἂν λαβεῖν· τάχα δ' εἰ καὶ μόνον ἔτι τοῦ Ἑλλησπόντου τὸν διάπλουν ἐφύλασσε· νῦν δ' αὐτοὺς ἤδη περάσαντάς τε καὶ ἐν ἀσφαλεῖ γενομένους, καὶ τὸν χαλινόν, φασίν, ἐνθέντας, καὶ ἐπὶ τῷ χαλινῷ τὸν ἵππον ἀναβάντας, οὐκ ἀνέξεσθαι διαλύσεων ἐπ' ὀλίγοις. αὐτὸς δὲ χάριν εἰδέναι τῷ βασιλεῖ τῆς προαιρέσεως, καὶ μᾶλλον εἴσεσθαι λαβὼν τὸν υἱόν· ἀμείβεσθαι δ' αὐτὸν ἤδη, καὶ συμβουλεύειν δέχεσθαι τὰ προτεινόμενα πρὶν ἐς πεῖραν ἐλθεῖν μειζόνων ἐπιταγμάτων.

30. Ὁ μὲν δὴ Πόπλιος ταῦτα εἰπὼν ἐς Ἐλαίαν νοσηλευόμενος ὑπεχώρει, σύμβουλον τῷ ἀδελφῷ Γναῖον Δομίτιον καταλιπών· ὁ δ' Ἀντίοχος, οἷόν τι καὶ Φίλιππος ὁ Μακέδων, οἰηθεὶς τῶνδε τῶν ἐπιταγμάτων πλέον οὐδὲν αὑτοῦ τὸν πόλεμον ἀφαιρήσεσθαι, συνέτασσε ἀπὸ τῶν πολεμίων, καὶ Σκιπίωνι τὸν υἱὸν ἀπέπεμπεν ἐς Ἐλαίαν. ὁ δὲ τοῖς ἄγουσι συνεβούλευε μὴ μάχεσθαι τὸν Ἀντίοχον ἕως αὐτὸς ἐπανέλθοι. καὶ τῷδε πεισθεὶς ὁ Ἀντίοχος μετεστρατοπέδευσεν ἀμφὶ τὸ ὄρος τὸ Σίπυλον, τεῖχός τε καρτερὸν τῷ στρατοπέδῳ περιετείχιζε, καὶ τὸν Φρύγιον ποταμὸν ἐν προβολῇ τοῖς πολεμίοις ἐτίθετο, ἵνα μηδ' ἄκων ἀναγκάζοιτο πολεμεῖν. Δομίτιος δὲ φιλοτιμούμενος τὸν πόλεμον ἐφ' ἑαυτοῦ κριθῆναι, τὸν ποταμὸν ἐπέρα μάλα θρασέως, καὶ σταδίους εἴκοσιν ἀπ' Ἀντιόχου διασχὼν ἐστρατοπέδευσεν. τέσσαρσί τε ἡμέραις ἐφεξῆς ἐξέτασσον ἑκάτεροι παρὰ τὸν χάρακα τὸν ἑαυτῶν, καὶ μάχης οὐ κατῆρχον. τῇ πέμπτῃ

THE SYRIAN WARS

on his account." Privately Publius said to Heraclides, "If Antiochus had offered these conditions while he still held the Chersonesus and Lysimacheia they would have been gladly accepted; possibly also if he were merely still guarding the passage of the Hellespont. But now that we have crossed in safety and have not merely bridled the horse (as the saying is), but mounted him, we cannot consent to such light conditions. Personally I am grateful to the king for his proposal and shall be still more so after receiving my son. I repay him now with advice, that he accept the terms offered instead of risking severer conditions."

30. After this conference Publius was taken sick and withdrew to Elaea, leaving Gnaeus Domitius as his brother's counsellor. Antiochus thinking, as Philip of Macedon did, that nothing worse than these terms could befall him if he were vanquished in war, drew his forces together near the plain of Thyatira not far from the enemy, and sent Scipio's son to him at Elaea. Scipio advised those who brought his son that Antiochus should not fight until he himself should return to the army. Antiochus, acting on this advice, transferred his camp to Mount Sipylus and fortified it with a strong wall. He also interposed the river Phrygius between himself and the enemy, so that he should not be compelled to fight against his will. Domitius, however, was ambitious to decide the war himself. So he boldly crossed the river and established a camp at a distance of twenty stades from Antiochus. Four days in succession they both drew up their forces in front of their own fortifications, but neither of them began a

APPIAN'S ROMAN HISTORY, BOOK XI

CAP. VI

δὲ ὁ Δομίτιος ἐξέτασσεν αὖθις καὶ ἐπέβαινε σοβαρῶς. οὐκ ἀντεπιόντος δὲ τοῦ Ἀντιόχου, τότε μὲν ἐγγυτέρω μετεστρατοπέδευσε, μίαν δὲ ἄλλην διαλιπὼν ἐκήρυσσεν ἐς ἐπήκοον τῶν πολεμίων ἐς αὔριον Ἀντιόχῳ καὶ ἄκοντι πολεμήσειν. ὁ δὲ συνταραχθεὶς αὖθις μεθίει τὰ δόξαντα, καὶ δυνηθεὶς ἂν ἑστάναι μόνον ὑπὸ τὸ τεῖχος ἢ καλῶς αὐτὸν ἀπὸ τοῦ τείχους ἀπομάχεσθαι μέχρι ῥαΐσειεν ὁ Πόπλιος, αἰσχρὸν ἡγεῖτο μετὰ πλειόνων φυγομαχεῖν· ὅθεν ἐς μάχην παρέτασσεν.

31. Καὶ ἐξῆγον ἔτι νυκτὸς ἄμφω περὶ ἐσχάτην φυλακήν, διεκόσμει δ᾽ αὐτῶν ἑκάτερος ὧδε. τὸ μὲν λαιὸν εἶχον ὁπλῖται Ῥωμαίων μύριοι, παρὰ τὸν ποταμὸν αὐτόν· καὶ μετ᾽ ἐκείνους ἦσαν Ἰταλῶν ἕτεροι μύριοι, τρεῖς ἑκατέρων τάξεις ἐπὶ βάθος. ἐπὶ δὲ τοῖς Ἰταλοῖς ὁ Εὐμένους στρατὸς ἐτάσσετο, καὶ Ἀχαιῶν πελτασταὶ περὶ τρισχιλίους. ὧδε μὲν εἶχε τὸ λαιόν, τὸ δεξιὸν δ᾽ ἦν ἱππεῖς, οἵ τε Ῥωμαίων καὶ Ἰταλῶν καὶ Εὐμένους, οὐ πλείους οὐδ᾽ οὗτοι τρισχιλίων. ἀνεμεμίχατο δ᾽ ἅπασι ψιλοί τε καὶ τοξόται πολλοί, καὶ ἀμφὶ τὸν Δομίτιον αὐτὸν ἦσαν ἱππέων ἶλαι τέσσαρες. οὕτω μὲν ἐγίγνοντο πάντες ἐς τρισμυρίους, ἐπεστάτει δὲ τοῦ μὲν δεξιοῦ Δομίτιος αὐτός, καὶ ἐς τὸ μέσον αὐτὸν ἵστη τὸν ὕπατον, τὸ δὲ λαιὸν ἔδωκεν Εὐμένει. τῶν δ᾽ ἐλεφάντων, οὓς εἶχεν ἐκ Λιβύης, οὐδένα νομίζων ἔσεσθαι χρήσιμον ὀλιγωτέρων τε ὄντων καὶ βραχυτέρων οἷα Λιβύων (δεδίασι δ᾽ οἱ σμικρότεροι τοὺς μείζονας), ἔστησεν ὀπίσω πάντας.

THE SYRIAN WARS

battle. On the fifth day Domitius did the same again and haughtily advanced. As Antiochus did not meet him he moved his camp nearer. After an interval of one day he announced by herald in the hearing of the enemy that he would fight Antiochus on the following day whether he was willing or not. The latter was perplexed and again changed his mind. Although he might have merely made a stand under the wall, or repelled the enemy from it with success, till Scipio should regain his health, he now thought that with superior numbers it would be disgraceful to decline an engagement. So he prepared for battle.

31. Both marched out about the last watch, just before daylight. The ordering of the troops on either side was as follows. The Roman legionaries, to the number of 10,000, formed the left wing resting on the river. Behind these were 10,000 Italian allies, and both these divisions were in triple line of battle. Behind the Italians came the army of Eumenes and about 3000 Achaean peltasts. This was the formation of the left, while on the right wing were the Roman and Italian cavalry and those of Eumenes, not more than 3000 in all. Mingled with all these were light-armed troops and bowmen, and around Domitius himself were four troops of horse. Altogether they were about 30,000 strong. Domitius took his station on the right wing and placed the consul himself in the centre. He gave the command of the left wing to Eumenes. Considering his African elephants of no use, being few in number and of small size, as those of Africa usually are (and the small ones are afraid of the larger), he placed them all in the rear. 32. Such was the Roman line of battle.

CAP VI 32. Ὧδε μὲν δὴ διετετάχατο Ῥωμαῖοι, Ἀντιόχῳ δ' ἦν μὲν ὁ στρατὸς ἅπας ἑπτακισμύριοι, καὶ τούτων τὸ κράτιστον ἦν ἡ φάλαγξ ἡ Μακεδόνων, ἄνδρες ἑξακισχίλιοι καὶ μύριοι, ἐς τὸν Ἀλεξάνδρου καὶ Φιλίππου τρόπον ἔτι κοσμούμενοι· ἵστη δ' αὐτοὺς ἐν μέσῳ, διελὼν ἀνὰ χιλίους καὶ ἑξακοσίους ἐς δέκα μέρη, καὶ τούτων ἑκάστου μέρους ἦσαν ἐπὶ μὲν τοῦ μετώπου πεντήκοντα ἄνδρες, ἐς δὲ τὸ βάθος δύο καὶ τριάκοντα, ἐς δὲ τὰ πλευρὰ ἑκάστου μέρους ἐλέφαντες δύο καὶ εἴκοσιν. ἡ δ' ὄψις ἦν τῆς μὲν φάλαγγος οἷα τείχους, τῶν δ' ἐλεφάντων οἷον πύργων. τοιοῦτον μὲν ἦν τὸ πεζὸν Ἀντιόχῳ, ἱππεῖς δ' ἑκατέρωθεν αὐτοῦ παρετετάχατο Γαλάται τε κατάφρακτοι καὶ τὸ λεγόμενον ἄγημα τῶν Μακεδόνων. εἰσὶ δὲ καὶ οἵδε ἱππεῖς ἐπίλεκτοι, καὶ παρ' αὐτὸ ἄγημα λέγεται. τάδε μὲν ἐξ ἴσου τῆς φάλαγγος ἦν ἑκατέρωθεν ἐπὶ δ' αὐτοῖς τὰ κέρατα κατεῖχον ἐν μὲν δεξιᾷ ψιλοί τέ τινες καὶ ἕτεροι ἱππεῖς ἀργυράσπιδες καὶ ἱπποτοξόται διακόσιοι, τὸ δὲ λαιὸν Γαλατῶν τ' ἔθνη, Τεκτοσάγαι τε καὶ Τρόκμοι καὶ Τολιστόβοιοι, καὶ Καππαδόκαι τινὲς οὓς ἔπεμψεν Ἀριαράθης, καὶ μιγάδες ἄλλοι ξένοι, κατάφρακτός τε ἵππος ἐπὶ τοῖσδε ἑτέρα, καὶ ἣν ἐκάλουν ἵππον ἑταιρικήν, ὡπλισμένη κούφως. ὧδε μὲν καὶ ὁ Ἀντίοχος ἐξέτασσεν. καὶ δοκεῖ τὴν ἐλπίδα λαβεῖν ἐν τοῖς ἱππεῦσιν, οὓς πολλοὺς ἔστησεν ἐπὶ τοῦ μετώπου, τὴν δὲ φάλαγγα πυκνὴν ἐς ὀλίγον συναγαγεῖν ἀπειροπολέμως, ᾗ δὴ καὶ μάλιστα ἔδει θαρρεῖν πάνυ ἠσκημένῃ. πολὺ δὲ καὶ ἄλλο πλῆθος ἦν λιθοβόλων τε καὶ τοξοτῶν καὶ ἀκον-

THE SYRIAN WARS

The total force of Antiochus was 70,000 and the strongest body of these was the Macedonian phalanx of 16,000 men, still arrayed after the fashion of Alexander and Philip. These were placed in the centre, divided into ten sections of 1600 men each, with fifty men in the front line of each section and thirty-two deep. On the flanks of each section were twenty-two elephants. The appearance of the phalanx was like that of a wall, of which the elephants were the towers. Such was the arrangement of the infantry of Antiochus. His horse were stationed on either wing, consisting of the mail-clad Galatians and the Macedonian corps called the Agema,[1] so named because they were picked horsemen. An equal number of these were stationed on either side of the phalanx. Besides these the right wing had certain light-armed troops, and other horsemen with silver shields, and 200 mounted archers. On the left were the Galatian bands of the Tectosagae, the Trocmi, the Tolistoboii, and certain Cappadocians furnished by King Ariarathes, and a mingling of other tribes. There was also another body of mailed horse, and a detachment known as the Companion cavalry, which was light-armed. In this way Antiochus drew up his forces. He seems to have placed most reliance on his cavalry, whom he stationed in large numbers on his front, while the phalanx, in which he should have placed most confidence on account of its high state of discipline, was crowded together unskilfully in a narrow space. Besides the forces enumerated there was a great multitude of stone-

[1] Appian seems to derive this word, probably wrongly, from ἀγητός, "admirable."

CAP.
VI
τιστῶν καὶ πελταστῶν, Φρυγῶν τε καὶ Λυκίων καὶ Παμφύλων καὶ Πισιδῶν Κρητῶν τε καὶ Τραλλιανῶν καὶ Κιλίκων ἐς τὸν Κρητῶν τρόπον ἐσκευασμένων. ἱπποτοξόται τε ἐπὶ τοῖσδε ἕτεροι, Δάαι καὶ Μυσοὶ καὶ Ἐλυμαῖοι καὶ Ἄραβες, οἳ καμήλους ὀξυτάτας ἐπικαθήμενοι τοξεύουσί τε εὐμαρῶς ἀφ' ὑψηλοῦ, καὶ μαχαίραις, ὅτε πλησιάζοιεν, ἐπιμήκεσι καὶ στεναῖς χρῶνται. δρεπανηφόρα τε ἅρματα ἐν τῷ μεταιχμίῳ, προπολεμεῖν τοῦ μετώπου, ἐτετάχατο· καὶ εἴρητο αὐτοῖς μετὰ τὴν πρώτην πεῖραν ὑποχωρεῖν.

33. Ὄψις τε ἦν ὥσπερ δύο στρατῶν, τοῦ μὲν ἀρχομένου πολεμεῖν, τοῦ δ' ἐφεδρεύοντος· ἑκάτερος δ' αὐτῶν ἐς κατάπληξιν ἐσκεύαστο δεινῶς πλήθει τε καὶ κόσμῳ. ἐφειστήκει δὲ τοῖς μὲν δεξιοῖς ἱππεῦσιν Ἀντίοχος αὐτός, τοῖς δ' ἐπὶ θάτερα Σέλευκος ὁ υἱὸς Ἀντιόχου, τῇ δὲ φάλαγγι Φίλιππος ὁ ἐλεφαντάρχης καὶ τοῖς προμάχοις Μύνδις τε καὶ Ζεῦξις. ἀχλυώδους δὲ καὶ ζοφερᾶς τῆς ἡμέρας γενομένης, ἥ τε ὄψις ἔσβεστο τῆς ἐπιδείξεως, καὶ τὰ τοξεύματα πάντα ἀμβλύτερα ἦν ὡς ἐν ἀέρι ὑγρῷ καὶ σκοτεινῷ. ὅπερ ἐπεὶ κατεῖδεν Εὐμένης, τῶν μὲν ἄλλων κατεφρόνησε, τὴν δὲ ῥύμην τῶν ἁρμάτων τεταγμένων ἐφ' ἑαυτὸν μάλιστα δείσας, ὅσοι ἦσαν αὐτῷ σφενδονῆται καὶ ἀκοντισταὶ καὶ ἕτεροι κοῦφοι, συναγαγὼν προσέταξε, τὰ ἅρματα περιθέοντας, ἐς τοὺς ἵππους ἀκοντίζειν ἀντὶ τῶν ἐπιβατῶν· ἵππου γὰρ ἐν ἅρματι ζυγομαχοῦντος ἀχρεῖον τὸ λοιπὸν ἅρμα γίγνεται, καὶ πολλὰ καὶ τῆς ἄλλης εὐταξίας παραλύεται, τὰ δρέπανα τῶν φιλίων δεδιότων. ὃ καὶ τότε συνηνέχθη γενέσθαι· πληγέντων γὰρ τῶν ἵππων ἀθρόως, καὶ τὰ

THE SYRIAN WARS

throwers, archers, javelin-throwers, and peltasts from Phrygia, Lycia, Pamphylia, Pisidia, Crete, Tralles, and Cilicia, armed after the Cretan fashion. There were also other mounted archers from the Dahae, Mysia, Elymaïs, and Arabia, who, riding on swift camels, shoot arrows with dexterity from their high position, and use very long thin knives when they come to close combat. Antiochus also placed scythe-bearing chariots in the space between the armies to begin the battle, with orders to retire after the first onset.

33. The appearance of his formation was like that of two armies, one to begin the fight, the other held in reserve. Each was arranged in a way to strike terror into the enemy both by numbers and equipment. Antiochus commanded the horse on the right wing in person; his son Seleucus commanded the left. Philip, the master of the elephants, commanded the phalanx, and Mendis and Zeuxis those who were to begin the battle. The day was dark and gloomy so that the sight of the display was obscured and the aim of the missiles of all kinds impaired by the misty and murky atmosphere. When Eumenes perceived this he disregarded the remainder of the enemy's force, and fearing only the onset of the scythe-bearing chariots, which were mostly ranged against him, he collected the slingers, archers, and other light-armed troops under his command, and ordered them to circle around the chariots and aim at the horses, instead of the drivers; for when a horse drawing a chariot becomes unmanageable, the chariot is of no more use, and also considerably impairs the order of the rest of the army, who are afraid of the scythes of their own side. So it turned out then. The horses being wounded in

CHAP. VI

B.C. 190 Battle of Magnesia

CAP. ἅρματα ἐς τοὺς φίλους περιφερόντων, αἵ τε
VI κάμηλοι πρῶται τῆς ἀταξίας ᾐσθάνοντο, πλησίον
τοῖς ἅρμασι παρατεταγμέναι, καὶ μετὰ ταύτας
ἡ κατάφρακτος ἵππος, οὐ ῥᾳδίως ὑπὸ τοῦ βάρους
τὰ δρέπανα ἐκφεύγειν δυναμένη. θόρυβός τε ἦν
ἤδη πολὺς καὶ τάραχος ποικίλος, ἀρξάμενος μὲν
ἀπὸ τῶνδε μάλιστα, χωρῶν δὲ ἐπὶ ὅλον τὸ μεταί-
χμιον, καὶ μείζων ὑπόνοια τοῦ ἀκριβοῦς· ὡς γὰρ
ἐν διαστήματι μακρῷ καὶ πλήθει πυκνῷ καὶ βοῇ
ποικίλῃ καὶ φόβῳ πολλῷ, τὸ μὲν ἀκριβὲς οὐδὲ
τοῖς ἀγχοῦ τῶν πασχόντων καταληπτὸν ἦν, τὴν
δὲ ὑπόνοιαν μειζόνως ἐς τοὺς ἑξῆς ἕκαστοι
μετέφερον.

34. Ὁ δ' Εὐμένης, ἐπεὶ τὰ πρῶτα καλῶς ἐπέ-
πρακτο αὐτῷ, καὶ τὸ μεταίχμιον, ὅσον αἵ τε
κάμηλοι καὶ τὰ ἅρματα ἐπεῖχεν, ἐγεγύμνωτο,
τοὺς ἰδίους ἱππέας, καὶ ὅσοι Ῥωμαίων αὐτῷ καὶ
Ἰταλῶν παρετετάχατο, ἐπῆγεν ἐπὶ τοὺς ἀντικρὺ
Γαλάτας τε καὶ Καππαδόκας καὶ τὴν ἄλλην
σύνοδον τῶν ξένων, μέγα κεκραγὼς καὶ παρακαλῶν
ἐπὶ ἄνδρας ἀπείρους τε μάχης καὶ γεγυμνωμένους
τῶν προπολεμούντων. οἱ δ' ἐπείθοντο, καὶ βαρείας
σφῶν τῆς ἐμβολῆς γενομένης τρέπονται τούτους
τε καὶ τοὺς παρεζευγμένους αὐτοῖς ἱππέας τε καὶ
καταφράκτους, ἐκ πολλοῦ ταρασσομένους διὰ τὰ
ἅρματα· οὓς δὴ καὶ μάλιστα, διὰ τὸ βάρος ὑπο-
φεύγειν ἢ ἀναστρέφειν εὐμαρῶς οὐ δυναμένους,
κατελάμβανόν τε καὶ συνέκοπτον. καὶ τάδε
μὲν ἦν περὶ τὸ λαιὸν τῆς φάλαγγος τῶν Μακε-
δόνων· ἐν δεξιᾷ δέ, ᾗπερ αὐτὸς ὁ Ἀντίοχος
ἐτέτακτο, διακόψας τὸ σύνταγμα τῆς Ῥωμαίων
φάλαγγος ἀπέσπασεν ἐπὶ πολὺ διώκων.

great numbers charged with their chariots upon their own ranks. The camels were thrown into disorder first as they were next in line to the chariots, and after them the mail-clad horse, who could not easily avoid the scythes on account of the weight of their armour. Great now was the tumult and various the disorder started chiefly by these runaways and spreading along the whole field, the apprehension being even worse than the fact. For on that extensive and crowded battlefield, in the midst of confused cries and utter panic, the truth was not clearly grasped even by those near the danger, and each transmitted the alarm constantly magnified to those next them.

34. Eumenes, having succeeded admirably in his first attempt and cleared the ground held by the camels and chariots, led his own horse and those of the Romans and Italians in his division against the Galatians, the Cappadocians, and the other contingent of mercenaries opposed to him, cheering loudly and exhorting them to have no fear of these inexperienced men who had been deprived of their advance supports. They obeyed him and made so heavy a charge that they put to flight not only those, but the adjoining squadrons and the mail-clad horse, who had long ago been thrown into disorder by the chariots. These horsemen especially, unable to turn and fly quickly, on account of the weight of their armour, were overtaken and killed. While this was the state of affairs on the left of the Macedonian phalanx, Antiochus, on the right, broke through the Roman line of battle, divided it, and pursued it for a long distance.

APPIAN'S ROMAN HISTORY, BOOK XI

CAP.
VI

35. Καὶ ἡ φάλαγξ ἡ τῶν Μακεδόνων, τεταγμένη μέν, ὡς μεθ' ἱππέων, ἐπὶ στενοῦ τε καὶ τετραγώνου, γεγυμνωμένη δὲ τῶν ἱππέων ἑκατέρωθεν, τοὺς μὲν ψιλοὺς τοὺς ἐπὶ τοῦ μετώπου σφῶν ἔτι προπολεμοῦντας διαστᾶσα ἐς αὑτὴν ἐδέξατο καὶ πάλιν συνῄει, Δομιτίου δ' αὐτὴν ἱππεῦσι πολλοῖς καὶ ψιλοῖς εὐμαρῶς, οἷα πλινθίον πυκνόν, κυκλώσαντος, οὔτ' ἐκδραμεῖν ἔτι ἔχουσα οὔτ' ἐξελίξαι βάθος οὕτω πολύ, μάλα καρτερῶς ἐκακοπάθει. καὶ ἠγανάκτουν αὐτοὶ μὲν ταῖς ἐμπειρίαις οὐδὲν ἔχοντες ἔτι χρῆσθαι, τοῖς δὲ πολεμίοις εὔβλητοι καὶ ἐπιτυχεῖς πανταχόθεν ὄντες. ὅμως δὲ τὰς σαρίσσας ἐκ τετραγώνου προβαλλόμενοι πυκνὰς προὐκαλοῦντο Ῥωμαίους ἐς χεῖρας ἐλθεῖν, καὶ δόξαν ἐπιβαινόντων ἀεὶ παρεῖχον. οὐ μήν τι προεπήδων, πεζοί τε καὶ βαρεῖς ὄντες ὑπὸ τῶν ὅπλων, καὶ τοὺς πολεμίους ἐπὶ ἵππων ὁρῶντες, μάλιστα δὲ ἵνα μὴ τὸ τῆς τάξεως πυκνὸν ἐκλύσειαν· μετατάξασθαι γὰρ ἑτέρως οὐκ ἔφθανον. Ῥωμαῖοι δ' αὐτοῖς οὐ προσεπέλαζον μέν, οὐδ' ἐς χεῖρας ᾖεσαν, δεδιότες ἀνδρῶν ἠσκημένων ἐμπειρίαν τε καὶ πυκνότητα καὶ ἀπόγνωσιν, περιθέοντες δὲ ἐσηκόντιζόν τε καὶ ἐσετόξευον. καὶ οὐδὲν ἦν ἀχρεῖον ὡς ἐν ὀλίγῳ πολλῶν συνεστώτων. οὐ γὰρ εἶχον οὔτε ἐκκλῖναι τὰ βαλλόμενα οὔτε φερομένοις διαστῆναι. ὅθεν ἤδη πολλὰ κάμνοντες ἐνεδίδοσαν ὑπὸ τῆς ἀπορίας, καὶ βάδην ὑπεχώρουν σὺν ἀπειλῇ, πάνυ εὐσταθῶς καὶ Ῥωμαίοις ἐπιφόβως· οὐδὲ γὰρ τότε προσπελάζειν αὐτοῖς ἐτόλμων, ἀλλὰ περιθέοντες ἔβλαπτον, μέχρι, τῶν ἐλεφάντων ἐν τῇ Μακεδόνων φάλαγγι συνταραχθέντων

THE SYRIAN WARS

35. The Macedonian phalanx had been drawn up in a close rectangle, as it was flanked by horse, but, when denuded of cavalry on either side, had opened to receive the light-armed troops, who had been skirmishing in front, and closed again. Thus crowded together in a rectangle, Domitius easily enclosed them with his numerous cavalry and light-armed troops. Having no longer opportunity either to charge or to deploy their dense mass they began to suffer severely; and they were indignant that they were themselves unable to adopt their accustomed tactics, while they were exposed on all sides to the weapons of the enemy. Nevertheless, they presented their thick-set pikes on all four sides. They challenged the Romans to close combat and preserved at all times the appearance of being about to charge. Yet they did not advance, because they were foot-soldiers and heavily armed, and saw that the enemy were mounted. Most of all they feared to relax their close formation, which they had not time to change. The Romans did not come to close quarters nor approach them because they feared the discipline, the solidity, and the desperation of this veteran corps; but circled around them and assailed them with javelins and arrows, none of which missed their mark in the dense mass, who could neither turn the missiles aside nor open ranks and avoid them. After suffering severely in this way they yielded to necessity, and fell back step by step, with threats, in perfect order and still formidable to the Romans, who even then did not venture to close with them, but continued to circle around and wound them, until the elephants inside the Mace-

CHAP. VI
The Macedonian phalanx broken

CAP. VI τε καὶ οὐχ ὑπακουόντων ἔτι τοῖς ἐπιβάταις, ὁ κόσμος ὁ τῆς φυγῆς συνεχεῖτο.

36. Καὶ ταύτῃ μὲν ὁ Δομίτιος ἐκράτει, καὶ ἐπὶ τὸ στρατόπεδον τοῦ Ἀντιόχου φθάσας ἐβιάζετο τοὺς ἐν αὐτῷ φυλάσσοντας· ὁ δὲ Ἀντίοχος ἐς πολὺ διώκων παρ' οὓς ἐκ τῆς Ῥωμαϊκῆς φάλαγγος ἐτέτακτο, οὐδενὸς οὐδ' ἐκείνοις ἱππέων ἢ ψιλοῦ παρόντος ἐς ἐπικουρίαν (οὐ γὰρ παρετετάχει Δομίτιος, ἡγούμενος οὐ δεήσεσθαι διὰ τὸν ποταμόν), μέχρι τοῦ Ῥωμαίων χάρακος ἦλθεν. ἐπεὶ δὲ αὐτὸν ὅ τε χιλίαρχος ὁ τοῦ χάρακος φύλαξ, ἀκμῆσι τοῖς φύλαξιν ὑπαντιάσας, ἐπέσχε τῆς ὁρμῆς καὶ οἱ φεύγοντες τοῖς ἀναμιχθεῖσι θαρροῦντες ἐπεστρέφοντο, ἐπανῄει σοβαρὸς ὁ Ἀντίοχος ὡς ἐπὶ νίκῃ, οὐδενὸς τῶν ἐπὶ θάτερα πεπυσμένος. Ἄτταλος δ' αὐτόν, ὁ Εὐμένους ἀδελφός, ἱππεῦσι πολλοῖς ὑπαντιάζει. καὶ τούσδε μὲν εὐμαρῶς ὁ Ἀντίοχος διακόψας διέδραμε, καὶ παρατρεχόντων ἔτι καὶ μικρὰ λυπούντων οὐκ ἐφρόντιζεν· ὡς δὲ κατεῖδε τὴν ἧτταν καὶ τὸ πεδίον ἅπαν νεκρῶν ἰδίων πλῆρες, ἀνδρῶν τε καὶ ἵππων καὶ ἐλεφάντων, τό τε στρατόπεδον εἰλημμένον ἤδη κατὰ κράτος, τότε δὴ καὶ ὁ Ἀντίοχος ἔφυγεν ἀμεταστρεπτί, καὶ μέχρι μέσων νυκτῶν ἐς Σάρδεις παρῆλθεν. παρῆλθε δὲ καὶ ἀπὸ Σάρδεων ἐς Κελαινάς, ἣν Ἀπάμειαν καλοῦσιν, οἷ τὸν υἱὸν ἐπυνθάνετο συμφυγεῖν. τῆς δ' ἐπιούσης ἐς Συρίαν ἐκ Κελαινῶν ἀνεζεύγνυ, τοὺς στρατηγοὺς ἐν Κελαιναῖς καταλιπὼν ὑποδέχεσθαί τε καὶ ἀθροίζειν τοὺς διαφυγόντας. περί τε καταλύσεως τοῦ πολέμου πρέσβεις ἔπεμπε πρὸς τὸν ὕπατον. ὁ δὲ τὰ οἰκεῖα ἔθαπτε, καὶ ἐσκύλευε τοὺς πολεμίους, καὶ τὰ αἰχμάλωτα συνῆγεν. ἐφάν-

donian phalanx became excited and unmanageable. Then the phalanx broke into disorderly flight.

36. After he had gained this success, Domitius hastened to the camp of Antiochus and overpowered the forces guarding it. In the meantime Antiochus, after pursuing for a long distance that part of the Roman legionaries opposed to him, who also were unsupported either by cavalry or by light-armed troops (for Domitius, thinking that the river afforded sufficient protection, had not provided any) came to the Roman camp. But a military tribune, the prefect of the camp, hastened to meet him with his fresh troops and checked his advance, and the fugitives took new courage from their comrades and rallied. The king returned proudly as one who had gained a victory, knowing nothing of what had taken place on the other wing. When Attalus, the brother of Eumenes, with a large body of horse, threw himself in his way, Antiochus easily cut through them, disregarding the enemy, who moved parallel to him and did a little damage. But when he discovered his defeat and saw the field of battle strewn with the bodies of his own men, horses, and elephants, and his camp already captured, he fled precipitately, arriving at Sardis about midnight. From Sardis he went to the town Celaenae, which they call Apamea, whither he had been informed that his son had fled. On the following day he retreated to Syria, leaving his officers in Celaenae to collect the remains of his army. He also sent ambassadors to the consul to treat for peace. The latter was engaged in burying his own dead, stripping those of the enemy, and collecting

CAP.
VI
ησαν δὲ νεκροὶ Ῥωμαίων μὲν τῶν ἐξ ἄστεος ἱππεῖς εἴκοσι καὶ τέσσαρες καὶ πεζοὶ τριακόσιοι μάλιστα, οὓς ὁ Ἀντίοχος ἔκτεινεν, Εὐμένους δὲ πεντεκαίδεκα ἱππεῖς μόνοι. Ἀντιόχου δέ, σὺν τοῖς αἰχμαλώτοις εἰκάζοντο ἀπολέσθαι περὶ πεντακισμυρίους· οὐ γὰρ εὐμαρὲς ἦν ἀριθμῆσαι διὰ τὸ πλῆθος. καὶ τῶν ἐλεφάντων οἱ μὲν ἀνῄρηντο, πεντεκαίδεκα δ' αἰχμάλωτοι ἐγεγένητο.

VII

CAP.
VII
37. Ὡς δ' ἐπὶ νίκῃ λαμπροτάτῃ καὶ παραλόγως τισὶ δοκούσῃ γενέσθαι (οὐ γὰρ εἰκὸς ἐνόμιζον ὀλιγωτέρους πολὺ πλειόνων ἐν ἀλλοτρίᾳ γῇ παρὰ τοσόνδε κρατῆσαι, καὶ μάλιστα φάλαγγος Μακεδόνων, εὖ γεγυμνασμένης καὶ εὐανδρούσης τότε μάλιστα, καὶ δόξαν ἄμαχόν τε καὶ φοβερὰν ἐχούσης), οἱ μὲν Ἀντιόχου φίλοι τὴν προπέτειαν αὐτοῦ τῆς ἐς Ῥωμαίους διαφορᾶς καὶ τὴν ἐξ ἀρχῆς ἀπειρίαν τε καὶ ἀβουλίαν ἐπεμέμφοντο, Χερρόνησόν τε καὶ Λυσιμάχειαν αὐτοῖς ὅπλοις καὶ τοσῇδε παρασκευῇ μεθέντος ἐκ χειρῶν πρὶν καὶ ἐς πεῖραν ἐλθεῖν τοῖς πολεμίοις, καὶ τὴν τοῦ Ἑλλησπόντου φυλακὴν ἐκλιπόντος, Ῥωμαίων οὐκ ἂν εὐμαρῶς ἐλπισάντων βιάσασθαι τὴν διάβασιν. κατεμέμφοντο δ' αὐτοῦ καὶ τὴν τελευταίαν ἀφροσύνην, ἀχρεῖον ἐν στενῷ τὸ κράτιστον τοῦ στρατοῦ πεποιηκότος, καὶ τὴν ἐλπίδα θεμένου ἐν πλήθει συγκλύδων ἀνδρῶν ἀρτιπολέμων μᾶλλον ἢ ἐν ἀνδράσι διὰ μελέτην καὶ χρόνον ἐργάταις τε οὖσι πολέμου καὶ ἐκ τοσῶνδε πολέμων τὸ φρόνημα ἐς εὐτολμίαν καὶ θάρσος ηὐξημένοις.

prisoners. Of the Roman dead there were found twenty-four horsemen and about 300 foot-soldiers from Rome, being mostly those whom Antiochus had slain. Eumenes lost only fifteen of his horse. The loss of Antiochus, including prisoners, was conjectured to be 50,000; for it was not easy to number them on account of their multitude. Some of his elephants were killed and fifteen were captured.

VII

37. AFTER this brilliant, and to many people surprising victory (for it did not seem at all likely that the smaller force, fighting in a strange land, would overcome a much larger one so completely, and especially the Macedonian phalanx which was then in a high state of discipline and valour, and had the reputation of being formidable and invincible), the friends of Antiochus began to blame him for his rashness in quarrelling with the Romans and for his want of skill and his bad judgment from the beginning. They blamed him for giving up the Chersonesus and Lysimacheia with their arms and war material without even coming to blows with the enemy, and for leaving the Hellespont unguarded, seeing that the Romans could not have hoped to force a passage easily. They accused him of his latest blunder in rendering the strongest part of his army useless by its cramped position, and for putting his reliance on a promiscuous multitude of raw recruits rather than on men who had become by long training professional fighters, and whose spirit had been hardened and emboldened by many wars.

CAP. VII τοιαῦτα μὲν ἦν τὰ περὶ Ἀντιόχου λογοποιούμενα, Ῥωμαίοις δ' ἐπῆρτο τὰ φρονήματα, καὶ οὐδὲν ἔτι σφίσιν ἡγοῦντο εἶναι δυσεργὲς ὑπό τε ἀρετῆς καὶ θεῶν ἐπικουρίας· καὶ γὰρ δὴ καὶ ἐς δόξαν εὐτυχίας ἔφερεν ὅτι οὕτω γε ὀλίγοι τε πολλῶν καὶ ἐξ ἐφόδου καὶ ἐν πρώτῃ μάχῃ καὶ ἐν ἀλλοτρίᾳ γῇ τοσῶνδε ἐθνῶν καὶ παρασκευῆς βασιλικῆς, καὶ μισθοφόρων ἀρετῆς, καὶ δόξης Μακεδόνων, καὶ βασιλέως αὐτοῦ μεγίστην τε ἀρχὴν κεκτημένου καὶ ἐπίκλησιν μεγάλου, κεκρατηκότες ἦσαν ἡμέρᾳ μιᾷ. πολύ τε σφίσιν ἦν τὸ ἔπος ἐν τοῖς λόγοις, "ἦν βασιλεὺς Ἀντίοχος ὁ μέγας."

38. Τοιάδε μὲν δὴ καὶ Ῥωμαῖοι περὶ σφῶν ἐμεγαλαύχουν· ὁ δὲ ὕπατος, ἐπεὶ αὐτῷ ῥαΐσας ὁ ἀδελφὸς Πόπλιος ἦλθεν ἀπὸ τῆς Ἐλαίας, ἐχρημάτιζε τοῖς Ἀντιόχου πρέσβεσιν. οἱ μὲν δὴ μαθεῖν ἠξίουν ὅ τι ποιῶν ὁ βασιλεὺς Ἀντίοχος ἔσται Ῥωμαίοις φίλος· ὁ δὲ Πόπλιος αὐτοῖς ὧδε ἀπεκρίνατο· "αἴτιος μὲν αὑτῷ διὰ πλεονεξίαν Ἀντίοχος καὶ τῶν νῦν καὶ τῶν πρότερον γεγονότων, ὃς ἀρχὴν μεγίστην ἔχων τε, καὶ Ῥωμαίων αὐτὸν ἐώντων ἔχειν, Πτολεμαίου συγγενοῦς ἰδίου καὶ Ῥωμαίοις φίλου Συρίαν τὴν κοίλην ἀφείλετο, καὶ ἐς τὴν Εὐρώπην οὐδὲν αὐτῷ προσήκουσαν ἐμβαλὼν Θρᾴκην κατεστρέφετο καὶ Χερρόνησον ὠχύρου καὶ Λυσιμάχειαν ἤγειρεν, ἔς τε τὴν Ἑλλάδα διελθὼν ἐδουλοῦτο τοὺς Ἕλληνας ὑπὸ Ῥωμαίων ἄρτι αὐτονόμους ἀφειμένους, μέχρι περὶ Θερμοπύλας ἡττήθη μάχῃ. καὶ φυγὼν οὐδ' ὣς ἔληξε τῆς πλεονεξίας, ἀλλὰ κἂν τῇ θαλάττῃ

THE SYRIAN WARS

While these discussions were going on among the friends of Antiochus, the Romans were in high spirits and considered no tasks now too hard for them, thanks to the favour of the gods and their own courage; for it brought them great confidence in their own good fortune that such a small number, in the first battle and at the first assault, in a foreign country, should have overcome a much greater number, composed of so many peoples, with all the royal resources, including valiant mercenaries and the renowned Macedonian phalanx, and the king himself, ruler of that vast empire and surnamed the Great,—all in a single day. It became a common saying among them, "There *was* a king—Antiochus the Great!"

38. While the Romans were thus boasting about their achievements, the consul, his brother, Publius, having recovered his health and returned from Elaea, gave audience to Antiochus' ambassadors. These wanted to know on what terms Antiochus could be a friend of the Roman people. To them Publius made the following reply: "The grasping nature of Antiochus has been the cause of his present and past misfortunes. While he was the possessor of a vast empire, to which the Romans did not object, he seized Coele-Syria, which belonged to Ptolemy, his own relative and our friend. Then he invaded Europe, which did not concern him, subjugated Thrace, fortified the Chersonesus, and rebuilt Lysimacheia. He passed thence into Greece and took away the liberty of the people whom the Romans had lately freed, and kept on his course till he was defeated in battle at Thermopylae, and put to flight. Even then he did not abandon

CAP. πολλάκις ἐλαττωθεὶς σπονδῶν μέν, ἄρτι τὸν
VII Ἑλλήσποντον ἡμῶν πεπερακότων, ἐδεήθη, διὰ δὲ
ὑπεροψίαν τὰ προτεινόμενα ὑπερεῖδε, καὶ στρά-
τευμα αὖθις πολὺ καὶ παρασκευὴν ἄπειρον ἐφ'
ἡμᾶς συναγαγὼν ἐπολέμει, βιαζόμενος ἐς πεῖραν
ἐλθεῖν τοῖς ἀμείνοσι, μέχρι συνηνέχθη μεγάλῳ
κακῷ. ἡμᾶς δὲ εἰκὸς μὲν ἦν αὐτῷ μείζονα τὴν
ζημίαν ἐπιθεῖναι, βιασαμένῳ πολλάκις Ῥωμαίοις
ἐς χεῖρας ἐλθεῖν· ἀλλ' οὐχ ὑβρίζομεν ταῖς
εὐπραξίαις, οὐδ' ἐπιβαροῦμεν τοῖς ἑτέρων ἀτυχή-
μασιν. δίδομεν δὲ ὅσα καὶ πρότερον αὐτῷ
προυτείνομεν, μικρὰ ἄττα προσθέντες, ὅσα καὶ
ἡμῖν ἔσται χρήσιμα καὶ αὐτῷ λυσιτελῆ πρὸς τὸ
μέλλον ἐς ἀσφάλειαν, ἀπέχεσθαι μὲν αὐτὸν τῆς
Εὐρώπης ὅλης καὶ Ἀσίας τῶν ἐπὶ τάδε τοῦ
Ταύρου (καὶ τούτοις ὅροι τεθήσονται), παραδοῦναι
δ' ἐλέφαντας ὅσους ἔχει καὶ ναῦς ὅσας ἂν ἐπιτά-
ξωμεν, ἔς τε λοιπὸν ἐλέφαντας μὲν οὐκ ἔχειν, ναῦς
δὲ ὅσας ἂν ὁρίσωμεν, δοῦναι δὲ καὶ εἴκοσιν
ὅμηρα, ἃ ἂν ὁ στρατηγὸς ἐπιγράψῃ, καὶ χρήματα
ἐς τὴν τοῦδε τοῦ πολέμου δαπάνην, δι' αὐτὸν
γενομένου, τάλαντα Εὐβοϊκὰ αὐτίκα μὲν ἤδη
πεντακόσια, καὶ ὅταν τάσδε τὰς σπονδὰς ἡ
σύγκλητος ἐπιψηφίσῃ, δισχίλια καὶ πεντακόσια,
δώδεκα δ' ἔτεσιν ἄλλοις ἕτερα μύρια καὶ δισχίλια,
τὸ μέρος ἑκάστου ἔτους ἀναφέροντα ἐς Ῥώμην·
ἀποδοῦναι δ' ἡμῖν αἰχμάλωτα καὶ αὐτόμολα
πάντα, καὶ Εὐμένει ὅσα λοιπὰ τῆς πρὸς Ἄτταλον
τὸν Εὐμένους πατέρα συνθήκης ἔχει. ταῦτα
Ἀντιόχῳ πράττοντι ἀδόλως δίδομεν εἰρήνην τε
καὶ φιλίαν, ὅταν ἡ σύγκλητος ἐπιψηφίσῃ."

39. Τοσάδε προύτεινεν ὁ Σκιπίων, καὶ πάντα

THE SYRIAN WARS

his grasping policy, for, although frequently beaten at sea, he did not seek peace until we had crossed the Hellespont. Then he scornfully rejected the conditions offered to him, and again collecting a vast army and countless supplies, he continued the war against us, determined to come to an engagement with his betters, until he met with this great calamity. We might properly impose a severer punishment on him for his obstinacy in fighting us so persistently: but we are not accustomed to abuse our own prosperity or to aggravate the misfortunes of others. We offer him the same conditions as before, making some small additions which will be advantageous to us and conducive to his own future security. He must abandon Europe altogether and all of Asia this side of the Taurus, the boundaries to be fixed hereafter; he shall surrender all the elephants he has, and such number of ships as we may prescribe, and for the future keep no elephants and only so many ships as we allow; he shall give twenty hostages, whom the consul will select, and pay for the cost of the present war, incurred on his account, 500 Euboïc talents down and 2500 more when the Senate ratifies the treaty; and 12,000 more during twelve years, each yearly instalment to be delivered in Rome. He shall also surrender to us all prisoners and deserters, and to Eumenes whatever remains of the possessions he acquired by his agreement with Attalus, the father of Eumenes. If Antiochus accepts these conditions without guile we offer him peace and friendship subject to the Senate's ratification."

39. All the terms offered by Scipio were accepted

CAP. ἐδέχοντο οἱ πρέσβεις. τὸ τε μέρος αὐτίκα τῶν
VII χρημάτων καὶ τὰ εἴκοσιν ὅμηρα ἐκομίζετο, καὶ ἦν
αὐτῶν Ἀντίοχος ὁ νεώτερος υἱὸς Ἀντιόχου. ἐς δὲ
τὴν Ῥώμην οἵ τε Σκιπίωνες καὶ ὁ Ἀντίοχος
πρέσβεις ἔπεμπον, καὶ ἡ βουλὴ τοῖς ἐγνωσμένοις
συνετίθεντο. καὶ ἐγράφοντο συνθῆκαι τοὺς
Σκιπίωνος λόγους βεβαιοῦσαί τε καὶ περὶ τῶν
ἀορίστων ἐπιλέγουσαι, καὶ βραχέα ἄττα προσ-
επιλαμβάνουσαι, ὅρον μὲν Ἀντιόχῳ τῆς ἀρχῆς
εἶναι δύο ἄκρας, Καλύκαδνόν τε καὶ Σαρπηδόνιον,
καὶ τάσδε μὴ παραπλεῖν Ἀντίοχον ἐπὶ πολέμῳ,
ναῦς δὲ καταφράκτους ἔχειν δώδεκα μόνας, αἷς ἐς
τοὺς ὑπηκόους πολέμου κατάρχειν· πολεμούμενον
δὲ καὶ πλέοσι χρῆσθαι· μηδένα δ' ἐκ τῆς Ῥωμαίων
ξενολογεῖν, μηδὲ φυγάδας ἐξ αὐτῆς ὑποδέχεσθαι,
καὶ τὰ ὅμηρα διὰ τριετίας ἐναλλάσσειν, χωρίς γε
τοῦ παιδὸς Ἀντιόχου. ταῦτα συγγραψάμενοί τε
καὶ ἐς τὸ Καπιτώλιον ἐς δέλτους χαλκᾶς ἀνα-
θέντες, οὗ καὶ τὰς ἄλλας συνθήκας ἀνατιθέασιν,
ἔπεμπον ἀντίγραφα Μαλλίῳ Οὐούλσωνι τῷ
διαδεδεγμένῳ τὴν Σκιπίωνος στρατηγίαν. ὁ δ'
ὤμνυ τοῖς Ἀντιόχου πρέσβεσι περὶ Ἀπάμειαν
τῆς Φρυγίας, καὶ ὁ Ἀντίοχος ἐπὶ τοῦτο πεμφθέντι
Θέρμῳ χιλιάρχῳ. τοῦτο μὲν δὴ Ἀντιόχῳ μεγάλῳ
τοῦ πρὸς Ῥωμαίους πολέμου τέλος ἦν. καὶ ἐδόκει
μέχρι τοῦδε προελθεῖν μόνου διὰ χάριν τὴν ἐς τὸν
παῖδα τὸν Σκιπίωνος Ἀντιόχῳ γενομένην·

40. Καί τινες τὸν Σκιπίωνα ἐπανελθόντα διέβαλ-
λον ἐπὶ τῷδε, καὶ δήμαρχοι δύο δωροδοκίας αὐτὸν
ἐγράψαντο καὶ προδοσίας. ὁ δὲ ἀδοξῶν καὶ ὑπερ-
ορῶν τοῦ ἐγκλήματος, ἐπεὶ συνῆλθε τὸ δικαστήριον

THE SYRIAN WARS

by the ambassadors. That part of the money which was to be paid down, and the twenty hostages, were furnished. Among the latter was Antiochus, the younger son of Antiochus. The Scipios and Antiochus both sent messengers to Rome. The Senate ratified their acts, and a treaty was written carrying out Scipio's views, detailing what had been left indefinite, and making certain slight additions. The boundaries of the dominions of Antiochus were to be the two promontories of Calycadnus and Sarpedonium, beyond which he should not sail for purposes of war. He should have only twelve decked ships with which to commence war against his subjects, but he might have more if he were attacked first. He should not recruit mercenaries from Roman territory nor entertain fugitives from the same, and the hostages should be changed every third year, except the son of Antiochus. This treaty was engraved on brazen tablets and deposited in the Capitol (where it is customary to deposit such treaties), and a copy of it was sent to Manlius Vulso, Scipio's successor in the command. He administered the oath to the ambassadors of Antiochus at Apamea in Phrygia, and Antiochus did the same to the tribune, Thermus, who was sent for this purpose. This was the end of the war between Antiochus the Great and the Romans, and some thought that it was by reason of the favour extended by Antiochus to Scipio's son that it went no farther.

40. When Scipio returned, some persons accused him of this, and two tribunes of the people brought a charge of corruption and treason against him. He made light of it and scorned the accusation, and as his trial was fixed for the day which happened to

APPIAN'S ROMAN HISTORY, BOOK XI

CAP.
VII

ἧς ἡμέρας ποτὲ Καρχηδόνα παρεστήσατο, θυσίαν προὔπεμψεν ἐς τὸ Καπιτώλιον, καὶ ἐς τὸ δικαστήριον αὐτὸς παρῆλθεν ἐπὶ λαμπροῦ σχήματος ἀντὶ οἰκτροῦ καὶ ταπεινοῦ τῶν ὑπευθύνων, ὡς εὐθὺς ἐπὶ τῷδε πάντας ἐκπλῆξαί τε καὶ ἐς εὔνοιαν, ὡς ἐπὶ χρηστῷ δὴ συνειδότι μεγαλοφρονούμενον, προσαγαγέσθαι. λέγειν δὲ ἀρξάμενος τῆς μὲν κατηγορίας οὐδ' ἐπεμνήσθη, τὸν δὲ βίον ἑαυτοῦ καὶ ἐπιτηδεύματα καὶ ἔργα πάντα ἐπεξῄει, καὶ πολέμους ὅσους ἐπολέμησεν ὑπὲρ τῆς πατρίδος, καὶ ἕκαστον αὐτῶν ὡς ἐπολέμησεν, ὁσάκις τε ἐνίκησεν, ὡς ἐγγενέσθαι τοῖς ἀκροωμένοις τι καὶ ἡδονῆς διὰ τὴν ἱστορίαν τῆς σεμνολογίας. ἐπεὶ δέ ποτε προῆλθεν ἐπὶ Καρχηδόνα, ἐξάρας ἐς φαντασίαν τάδε μάλιστα, καὶ ὁρμῆς αὐτός τε ἐμπλησθεὶς καὶ τὸ πλῆθος ἐμπλήσας, εἶπεν ὅτι τῆσδε τῆς ἡμέρας ἐγὼ τάδε ἐνίκων καὶ Καρχηδόνα ὑμῖν, ὦ πολῖται, περιεποίουν, τὴν τέως ὑμῖν ἐπιφοβωτάτην. ἄπειμι δὴ θύσων τῆς ἡμέρας ἐς τὸ Καπιτώλιον· καὶ ὑμῶν ὅσοι φιλοπόλιδες, τῆς θυσίας μοι, γιγνομένης ὑπὲρ ὑμῶν συνάψασθε. ταῦτα ἔφη, καὶ ἐς τὸ Καπιτώλιον ἔθει, μηδὲν τῆς δίκης φροντίσας. εἵπετο δ' αὐτῷ τὸ πλῆθος καὶ οἱ πλέονες τῶν δικαστῶν σὺν εὐφήμῳ βοῇ, καὶ θύοντι ὅμοια ἐπεφώνουν. οἱ κατήγοροι δὲ ἠποροῦντο, καὶ οὔτε αὐτῷ τὴν δίκην αὖθις ὡς ἀτέλεστον ἐτόλμησαν ἐπιγράψαι, οὔτε μέμψασθαι δημοκοπίας, δυνατώτερον αὐτοῦ τὸν βίον εἰδότες ὑπονοίας τε καὶ διαβολῆς.

THE SYRIAN WARS

be the anniversary of his victory over Carthage, he sent victims for sacrifice to the Capitol in advance of his coming, and then made his appearance in court clad in festive garments instead of the mournful and humble garb customary to those under accusation, whereby he at once made a profound impression on all and predisposed them favourably as to a high-minded citizen conscious of his own rectitude. When he began to speak he did not even mention the accusation against him, but detailed the events of his life, what he had done, the wars he had waged for his country, how he had carried on each, and how often he had been victorious. They listened with actual pleasure to this proud narration. When he came to the overthrow of Carthage he was roused to the highest pitch of eloquence and filled the multitude, as well as himself, with enthusiasm, saying, "On this very day, O citizens, I won the victory and laid at your feet Carthage, that had lately been such an object of terror to you. Now I am going up to the Capitol to offer the sacrifice appointed for the day. As many of you as love your country join me in the sacrifice, which is offered on your behalf." Having finished his speech he hastened to the Capitol, having ignored the charge against him. The crowd, including most of the judges, followed him, with joyful acclamations, which were continued while he was performing the sacrifice. The accusers were at a loss, and did not dare to call him to trial again, on the ground that the case had not been fully tried, or to charge him with demagogism, because they knew that his whole life was stronger than suspicion or calumny.

CAP. VII

41. Ὁ μὲν δὴ Σκιπίων ὧδε ἐγκλήματος ἀναξίου τῶν βεβιωμένων οἱ κατεφρόνησε, σοφώτερον, ἐμοὶ δοκεῖν, Ἀριστείδου περὶ κλοπῆς καὶ Σωκράτους περὶ ὧν ἐνεκαλεῖτο οὐδὲν εἰπόντων ὑπ' ἀδοξίας ὁμοίας, ἢ Σωκράτους εἰπόντος ἃ δοκεῖ Πλάτωνι, μεγαλοφρονέστερον δὲ ἄρα καὶ Ἐπαμεινώνδου, ὃς ἐβοιωτάρχει μὲν ἅμα Πελοπίδᾳ καὶ ἑτέρῳ, ἐξέπεμψαν δὲ αὐτοὺς οἱ Θηβαῖοι, στρατὸν ἑκάστῳ δόντες, ἐπικουρεῖν Ἀρκάσι καὶ Μεσσηνίοις πολεμουμένοις ὑπὸ Λακώνων, οὔπω δ' ὅσα ἐπενόουν ἐργασαμένους ἐπὶ διαβολῇ μετεκάλουν. οἱ δὲ τοῖς διαδόχοις σφῶν τὴν ἀρχὴν ἐπὶ μῆνας ἓξ οὐ μεθῆκαν, ἕως τὰ Λακεδαιμονίων φρούρια καθεῖλον καὶ ἐπέστησαν αὖθις ἕτερα τῶν Ἀρκάδων, Ἐπαμεινώνδου τοὺς συστρατήγους ἐς τοῦτο ἀναγκάζοντός τε, καὶ ὑποδεχομένου τὸ ἔργον αὐτοῖς ἀζήμιον ἔσεσθαι. ἐπεὶ δὲ αὐτοῖς ἐπανελθοῦσιν οἱ κατήγοροι, καθ' ἕνα διώκοντες, ἐτιμῶντο θανάτου (θανάτῳ γὰρ ὁ νόμος ἐζημίου τὸν ἐκ βίας ἀρχὴν ἄρξαντα ἀλλοτρίαν), οἱ μὲν ἕτεροι διέφυγον οἴκτῳ τε χρώμενοι καὶ λόγοις πλείοσι, καὶ τὴν αἰτίαν ἐς τὸν Ἐπαμεινώνδαν ἀναφέροντες, αὐτὸν οὕτω λέγειν ὑποθέμενον αὐτοῖς καὶ λέγουσιν ἐπιμαρτυροῦντα· ὁ δὲ κρινόμενος τελευταῖος "ὁμολογῶ," ἔφη, "παρανόμως ἄρξαι τόνδε τὸν χρόνον, καὶ οὓς ἀπελύσατε νῦν, ἐγὼ συναναγκάσαι. καὶ οὐ παραιτοῦμαι τὸν θάνατον παρανομήσας. αἰτῶ δ' ὑμᾶς ἀντὶ τῶν προβεβιωμένων μοι κατὰ τὸν τάφον ἐπιγράψαι· "οὗτός ἐστιν ὁ περὶ Λεῦκτρα νικήσας καὶ τὴν πατρίδα, τοὺς ἐχθροὺς οὐχ

THE SYRIAN WARS

41. In this way Scipio showed his contempt for an accusation unworthy of his career, acting more wisely, as I think, than Aristides when charged with theft, or Socrates when accused as he was; for each of these under a like calumny made no reply, unless Socrates said what Plato makes him say. He displayed too a loftier spirit than Epaminondas, when he held the office of Boeotarch with Pelopidas and one other. The Thebans gave each of them an army and sent them to assist the Arcadians and Messenians, in war against the Lacedaemonians, but recalled them on account of certain calumnies, before they had accomplished what they intended to do. Yet they did not hand over the command to their successors for six months, nor until they had driven out the Lacedaemonian garrisons and substituted Arcadians in their places. Epaminondas had compelled his colleagues to take this course and had undertaken that they should not be punished. When they returned home their accusers prosecuted them separately, assessing their penalty at death (for the law made it a capital offence to withhold by force a command which had been assigned to another), but the other two escaped punishment by exciting pity and by long speeches, putting the blame on Epaminondas, who had authorized them to say this and who testified to the truth of their words. He was tried last. "I acknowledge," he said, "that I retained the command beyond my time, contrary to law, and that I coerced those whom you have just acquitted. Nor do I deprecate the death penalty, since I have broken the law. I only ask, in return for my past services, that you inscribe on my tomb, 'Here lies the victor of Leuctra. Although his country had

CAP. VII ὑπομένουσαν, οὐδ᾽ εἴ τις ξένος ἔχοι Λακωνικὸν πῖλον, ἐπὶ τὴν Σπάρτην αὐτὴν προαγαγών. οὗτος ὑπὸ τῆς πατρίδος ἀνῄρηται, παρανομήσας ἐπὶ συμφέροντι τῆς πατρίδος." ταῦτ᾽ εἰπὼν κατέβη τε τοῦ βήματος, καὶ παρεδίδου τὸ σῶμα τοῖς ἐθέλουσιν ἀπαγαγεῖν. οἱ δικασταὶ δὲ τῷ τε ὀνείδει τοῦ λόγου καὶ θαύματι τῆς ἀπολογίας καὶ αἰδοῖ τοῦ ἀνδρὸς ἀπολογουμένου, τὰς ψήφους οὐχ ὑποστάντες λαβεῖν, ἐξέδραμον ἐκ τοῦ δικαστηρίου.

42. Τάδε μὲν δή τις, ὡς ἐθέλοι, συγκρίνειν ἔχει· Μάλλιος δὲ ὁ τοῦ Σκιπίωνος διάδοχος τὴν ἀφαιρεθεῖσαν Ἀντιόχου γῆν ἐπιὼν καθίστατο, καὶ Γαλατῶν τῶν Ἀντιόχῳ συμμαχησάντων Τολιστοβοίους, ἀναφυγόντας ἐς τὸν Μύσιον Ὄλυμπον, ἐπιμόχθως τοῦ ὄρους ἐπιβὰς ἐτρέπετο φεύγοντας, ἕως ἔκτεινε καὶ κατεκρήμνισεν ὅσους ἀριθμήσασθαι διὰ τὸ πλῆθος οὐκ ἐγένετο, αἰχμαλώτους δ᾽ ἔλαβεν ἐς τετρακισμυρίους, ὧν τὰ μὲν ὅπλα κατέκαυσε, τὰ δὲ σώματα, οὐ δυνάμενος τοσόνδε πλῆθος ἐν πολέμοις περιάγεσθαι, τοῖς ἐγγὺς βαρβάροις ἀπέδοτο. ἐν δὲ Τεκτοσάγαις τε καὶ Τρόκμοις ἐκινδύνευσε μὲν ἐξ ἐνέδρας, καὶ ἔφυγεν· ἐπανελθὼν δὲ ἐς αὐλιζομένους τε καὶ βεβυσμένους ὑπὸ πλήθους περιέστησε τοὺς ψιλοὺς αὐτοῖς, καὶ περιτρέχων ἐκέλευεν ἐσακοντίζειν μήτε προσπλεκομένους μήτε πλησιάζοντας. οὐδενὸς δὲ βέλους ἀτυχοῦντος διὰ τὴν πυκνότητα τῶν πολεμίων, ἔκτεινεν ἐς ὀκτακισχιλίους, καὶ ἐδίωξε τοὺς λοιποὺς ὑπὲρ Ἅλυν ποταμόν. Ἀριαράθου

THE SYRIAN WARS

not dared to face this enemy, or even a stranger that wore the Laconian cap, he led his fellow-citizens to the very doors of Sparta. His country put him to death for breaking the laws for his country's good.'" After saying this he stepped down from the rostrum and offered to surrender his person to anyone who wished to drag him to punishment. The judges, moved by the reproval in his words, by admiration for his defence, and by reverence for the man who uttered it, did not wait to take the vote, but ran out of the court-room. 42. The reader may compare these cases together as he likes.

Manlius, who succeeded Scipio as consul, went to the countries taken from Antiochus and regulated them. The Tolistoboii, one of the Galatian tribes in alliance with Antiochus, had taken refuge on Mount Olympus in Mysia. With great difficulty Manlius ascended the mountain and pursued them as they fled until he had killed and hurled over the rocks so large a number that it was impossible to count them. He took about 40,000 of them prisoners and burned their arms, and as it was impossible to take about with him so many captives while the war was continuing, he sold them to the neighbouring barbarians. Among the Tectosagi and the Trocmi he fell into danger by ambush and barely escaped. He came back against them, however, and finding them packed together in a great crowd in camp surrounded them with his light-armed troops and rode around ordering his men to shoot them at a distance, but not to come to close quarters with them. The crowd was so dense that no dart missed its mark. He killed about 8000 of them and pursued the remainder beyond the river Halys. Ariarathes, king

CAP. VII δὲ τοῦ Καππαδοκῶν βασιλέως, καὶ τοῦδε συμμάχους πέμψαντος Ἀντιόχῳ, δεδιότος τε καὶ δεομένου καὶ διακόσια τάλαντα πέμψαντος ἐπὶ τῇ δεήσει τὴν χώραν οὐκ ἐπέδραμεν, ἀλλ' ἐς τὸν Ἑλλήσποντον ἐπανῆλθε σὺν γάζῃ τε πολλῇ καὶ χρήμασιν ἀπείροις καὶ λείᾳ βαρυτάτῃ καὶ στρατῷ καταγόμῳ.

43. Τάδε μὲν καλῶς ἐπέπρακτο τῷ Μαλλίῳ· τὸ δ' ἐντεῦθεν ἀλόγως πάμπαν ὥρᾳ θέρους πλεῦσαι μὲν ὑπερεῖδεν, οὔτε τὸ βάρος ὧν ἐπήγετο ποιησάμενος ἐνθύμιον, οὔτ' ἐπειγόμενος διαπονεῖν ἢ γυμνάζειν ὁδοιπορίαις ἔτι στρατὸν οὐκ ἐς πόλεμον ὁρμῶντα ἀλλ' ἐς οἰκείαν μετὰ λαφύρων ἐπανιόντα, διὰ δὲ Θρᾴκης ᾤδευε, στενὴν καὶ μακρὰν καὶ δύσβατον ὁδόν, πνίγους ὥρᾳ, οὔτ' ἐς Μακεδονίαν Φιλίππῳ προεπιστείλας ἀπαντᾶν, ἵνα παραπέμψειεν αὐτόν, οὔτε τὸν στρατὸν ἐς μέρη πολλὰ διελών, ἵνα κουφότερον βαδίζοι καὶ τὰ χρήσιμα εὐμαρέστερα ἔχοι, οὔτε τὰ σκευοφόρα συντάξας ἐς λόχους ὀρθίους, ἵν' εὐφυλακτότερα ᾖ. ἀλλ' ἀθρόως ἦγεν ἅπαντας ἐπὶ μῆκος πολύ, καὶ τὰ σκευοφόρα εἶχεν ἐν μέσῳ, μήτε τῶν πρόσθεν αὐτοῖς δυναμένων ἐπικουρεῖν μήτε τῶν ὄπισθεν ὀξέως διὰ μῆκος ὁμοῦ καὶ στενότητα τῆς ὁδοῦ. ὅθεν αὐτῷ πανταχόθεν ἐς τὰ πλάγια τῶν Θρακῶν ἐπικειμένων, πολὺ μέρος ἀπώλεσε τῆς τε λείας καὶ τῶν δημοσίων χρημάτων καὶ αὐτοῦ δὴ τοῦ στρατοῦ. μετὰ δὲ τῶν ὑπολοίπων ἐς Μακεδονίαν διεσώθη. ᾧ δὴ καὶ μάλιστα ἐγένετο καταφανὲς ὅσον ὤνησε παραπέμπων τοὺς Σκιπίωνας ὁ Φίλιππος, καὶ ὅσον ἥμαρτεν Ἀντίοχος ἐκλιπὼν τὴν Χερρόνησον. ὁ δὲ Μάλλιος ἔκ τε Μακεδονίας

THE SYRIAN WARS

of Cappadocia, who also had sent military aid to Antiochus, became alarmed and sent entreaties, and 200 talents in money besides, by which means he kept Manlius out of his country. The latter returned to the Hellespont with much treasure, countless money, very heavy loot, and an overburdened army.

CHAP. VII

B.C. 188

43. Manlius had done well so far, but he afterwards foolishly neglected to take the precaution of returning home by water, as it was summer time, and making no account of the burden he was carrying, in spite of the fact that there was no longer any need to give hard work and marching exercise to his army, which was not going to war, but returning home with its spoils, he proceeded by a long, narrow, and difficult road through Thrace in a stifling heat. He neither sent word to Philip of Macedonia to meet and escort him, nor did he divide his army into parts, so that it might move more lightly and have what was needed more handy, nor did he station his baggage between the files, for greater security; but he led his army in a single long column, with the baggage in the centre, so that neither the vanguard nor the rear-guard could render assistance to it quickly by reason of the length of the column and the narrowness of the road. So, when the Thracians attacked him in flank from all directions, he lost a large part of the spoils, and of the public money, and of the army itself, but escaped into Macedonia with the remainder; and this disaster shewed how great a service Philip had rendered by escorting the Scipios and how Antiochus had blundered in abandoning the Chersonesus. Manlius passed from Macedonia into Thessaly, and

A disaster in Thrace

189

APPIAN'S ROMAN HISTORY, BOOK XI

CAP. VII Θεσσαλίαν διελθὼν καὶ ἐκ Θεσσαλίας Ἤπειρον ἐς Βρεντέσιον ἐπέρα, καὶ τὴν λοιπὴν στρατιὰν ἐς τὰ οἰκεῖα διαφεὶς ἐπανῆλθεν ἐς Ῥώμην.

44. Ῥόδιοι δὲ καὶ Εὐμένης ὁ Περγάμου βασιλεὺς μέγα φρονοῦντες ἐπὶ τῇ κατ' Ἀντιόχου συμμαχίᾳ, Εὐμένης μὲν αὐτὸς ἐς Ῥώμην ἐστέλλετο, Ῥόδιοι δὲ πρέσβεις ἔπεμπον. ἡ βουλὴ δὲ Ῥοδίοις μὲν ἔδωκε Λυκίους τε καὶ Κᾶρας, οὓς οὐ πολὺ ὕστερον ἀπέστησεν αὐτῶν ὡς Περσεῖ τῷ Μακεδόνι μᾶλλον ἢ σφίσι πολεμοῦσι τῷ Περσεῖ προθυμοτέρων γενομένων, Εὐμένει δὲ παρέσχον ὅσα λοιπὰ ἀφῄρηντο Ἀντίοχον, χωρὶς Ἑλλήνων τῶν ἐν αὐτοῖς. τούτων δὲ ὅσοι μὲν Ἀττάλῳ τῷ πατρὶ Εὐμένους ἐτέλουν φόρους, ἐκέλευσαν Εὐμένει συμφέρειν, ὅσοι δ' Ἀντιόχῳ πρῶτον ἐτέλουν, ἀπέλυσαν τῶν φόρων καὶ αὐτονόμους ἀφῆκαν.

VIII

CAP. VIII 45. Ὧδε μὲν Ῥωμαῖοι διέθεντο τὰ δορίκτητα, Ἀντιόχου δ' ὕστερον τοῦ μεγάλου βασιλέως τελευτήσαντος γίγνεται Σέλευκος ὁ υἱὸς διάδοχος· καὶ τὸν ἀδελφὸν ὅδε Ἀντίοχον ἐξέλυσε τῆς ὑπὸ Ῥωμαίοις ὁμηρείας, ἀντιδοὺς τὸν ἑαυτοῦ παῖδα Δημήτριον. Ἀντιόχου δ' ἐπανιόντος ἐκ τῆς ὁμηρείας καὶ ὄντος ἔτι περὶ Ἀθήνας, ὁ μὲν Σέλευκος ἐξ ἐπιβουλῆς Ἡλιοδώρου τινὸς τῶν περὶ τὴν αὐλὴν ἀποθνήσκει, τὸν δ' Ἡλιόδωρον Εὐμένης καὶ Ἄτταλος ἐς τὴν ἀρχὴν βιαζόμενον

THE SYRIAN WARS

thence into Epirus, crossed to Brundusium, dismissed what was left of his army to their homes, and returned to Rome.

44. The Rhodians and Eumenes, king of Pergamus, were very proud of their share in the alliance against Antiochus. Eumenes set out for Rome in person and the Rhodians sent envoys. The Senate gave to the Rhodians Lycia and Caria, which they took away from them soon afterward, because in the war between the Romans and Perseus, king of Macedonia, they showed themselves rather favourable to him. They bestowed upon Eumenes all the rest of the territory taken from Antiochus, except the Greek cities in Asia. Of the latter, those that were formerly tributary to Attalus, the father of Eumenes, were ordered to pay tribute to Eumenes, while those which formerly paid to Antiochus were released from tribute altogether and made independent. 45. In this way the Romans disposed of the lands they had gained in the war.

VIII

AFTERWARD, on the death of Antiochus the Great, his son Seleucus succeeded him, and gave his son Demetrius as a hostage to the Romans in place of his brother Antiochus. When the latter arrived at Athens on his way home, Seleucus was assassinated as the result of a conspiracy of a certain Heliodorus, one of the court officers; but when Heliodorus sought to possess himself of the government he was driven out by Eumenes and Attalus, who installed Antiochus

CAP. VIII ἐκβάλλουσι, καὶ τὸν Ἀντίοχον ἐς αὐτὴν κατάγουσιν, ἑταιριζόμενοι τὸν ἄνδρα· ἀπὸ γάρ τινων προσκρουμάτων ἤδη καὶ οἵδε Ῥωμαίους ὑπεβλέποντο. οὕτω μὲν Ἀντίοχος ὁ Ἀντιόχου τοῦ μεγάλου Συρίας ἐπεκράτησεν· ὅτῳ παρὰ τῶν Σύρων ἐπώνυμον ἦν ἐπιφανής, ὅτι τῆς ἀρχῆς ἁρπαζομένης ὑπὸ ἀλλοτρίων βασιλεὺς οἰκεῖος ὤφθη. συνθέμενος δὲ φιλίαν καὶ συμμαχίαν Εὐμένει, Συρίας καὶ τῶν περὶ αὐτὴν ἐθνῶν ἐγκρατῶς ἦρχε, σατράπην μὲν ἔχων ἐν Βαβυλῶνι Τίμαρχον, ἐπὶ δὲ ταῖς προσόδοις Ἡρακλείδην, ἀδελφὼ μὲν ἀλλήλοιν, ἄμφω δὲ αὐτοῦ γενομένω παιδικά. ἐστράτευσε δὲ καὶ ἐπὶ Ἀρταξίαν τὸν Ἀρμενίων βασιλέα.

46. Καὶ αὐτὸν ἑλὼν ἐτελεύτησεν, ἐννaετὲς παιδίον ἀπολιπών, Ἀντίοχον, ᾧ προσέθηκαν ὄνομα εὐπάτωρ οἱ Σύροι διὰ τὴν τοῦ πατρὸς ἀρετήν. καὶ τὸ παιδίον ἔτρεφε Λυσίας. ἡ δὲ σύγκλητος ἥσθη φανέντος ἐν ὀλίγῳ τοῦ Ἀντιόχου γεννικοῦ καὶ ταχέως ἀποθανόντος. Δημήτριόν τε τὸν Σελεύκου μὲν υἱὸν Ἀντιόχου δὲ τοῦ ἐπιφανοῦς ἀδελφιδοῦν, υἱωνὸν δὲ τοῦ μεγάλου Ἀντιόχου, ἀνεψιὸν ὄντα τῷδε τῷ παιδίῳ, ὁμηρεύοντα ἔτι ἐν Ῥώμῃ καὶ ἔτος ἄγοντα τρίτον ἐπὶ τοῖς εἴκοσιν, ἐς τὴν βασιλείαν καταχθῆναι παρακαλοῦντα ὡς αὐτῷ μᾶλλον προσήκουσαν, οὐ κατῆγον, οὐ συμφέρειν σφίσιν ἡγούμενοι τελεώτερον ἄρχειν Σύρων ἀντὶ παιδὸς ἀτελοῦς. πυνθανόμενοι δ' ἐν Συρίᾳ στρατόν τ' ἐλεφάντων εἶναι καὶ ναῦς πλείονας τῶν ὡρισμένων Ἀντιόχῳ, πρέσβεις ἔπεμπον, οἳ τοὺς ἐλέφαντας συγκόψειν ἔμελλον καὶ τὰς ναῦς διαπρήσειν. οἰκτρὰ δὲ ἡ ὄψις ἦν ἀναιρουμένων

therein in order to secure his good-will; for, by reason of certain bickerings, they also had already grown suspicious of the Romans. Thus Antiochus, the son of Antiochus the Great, ascended the throne of Syria. He was called Epiphanes (the Illustrious) by the Syrians, because when the government was seized by usurpers he showed himself to be a true king. Having cemented his friendship and alliance with Eumenes he governed Syria and the neighbouring nations with a firm hand. He appointed Timarchus a satrap of Babylon and Heraclides as treasurer, two brothers, both of whom had been his favourites. He also made an expedition against Artaxias, king of Armenia, and took him prisoner.

46. Epiphanes died, leaving a son, Antiochus, nine years of age, to whom the Syrians gave the name of Eupator, in commemoration of his father's bravery, and the boy was educated by Lysias. The Senate rejoiced at the premature death of Antiochus, who had given early proof of his spirited nature, and when Demetrius, the son of Seleucus and nephew of Antiochus Epiphanes (grandson of Antiochus the Great and first cousin of this boy), at this time a hostage at Rome, and twenty-two years old, asked that he should be installed in the kingdom as belonging to him rather than to the boy, the Senate would not allow it. They thought that it would be more for their advantage that Syria should be governed by an immature boy than by a full-grown man. Learning that there were many elephants in Syria and more ships than had been allowed to Antiochus in the treaty, they sent ambassadors thither, to kill the elephants and burn the ships. It was a pitiful sight,

CAP. θηρίων ἡμέρων τε καὶ σπανίων, καὶ νεῶν ἐμπιπρα-
VIII μένων· καί τις ἐν Λαοδικείᾳ Λεπτίιης τὴν ὄψιν
οὐκ ἐνεγκών, Γναῖον Ὀκτάουιον τὸν τῶνδε τῶν
πρέσβεων ἡγεμόνα, ἀλειφόμενον ἐν τῷ γυμνασίῳ,
διεχρήσατο.

Καὶ τὸν μὲν Ὀκτάουιον ἔθαπτεν ὁ Λυσίας,
47. Δημήτριος δὲ αὖθις ἐς τὴν σύγκλητον ἐσελ-
θὼν ἐδεῖτο τῆς γοῦν ὁμηρείας μόνης ἀπολυθῆ-
ναι, ὡς Ἀντιόχου μὲν ἀντιδοθείς, Ἀντιόχου δ᾽
ἀποθανόντος. ἐπεὶ δ᾽ οὐκ ἐτύγχανεν οὐδὲ τοῦδε,
λαθὼν ἐξέπλευσε, καὶ δεξαμένων αὐτὸν ἀσμένως
τῶν Σύρων ἦρχε, τόν τε Λυσίαν καὶ τὸ παιδίον ἐπ᾽
αὐτῷ διαφθείρας, καὶ Ἡρακλείδην ἐκβαλών, καὶ
Τίμαρχον ἐπανιστάμενον ἀνελών, καὶ τἆλλα
πονηρῶς τῆς Βαβυλῶνος ἡγούμενον· ἐφ᾽ ᾧ καὶ
σωτήρ, ἀρξαμένων τῶν Βαβυλωνίων, ὠνομάσθη.
κρατυνάμενος δὲ τὴν ἀρχὴν ὁ Δημήτριος στέφανόν
τε Ῥωμαίοις ἀπὸ χρυσῶν μυρίων, χαριστήριον
τῆς ποτὲ παρ᾽ αὐτοῖς ὁμηρείας, καὶ Λεπτίνην τὸν
ἀνδροφόνον Ὀκταουίου. οἱ δὲ τὸν μὲν στέφανον
ἐδέχοντο, Λεπτίνην δὲ οὐκ ἔλαβον, ὡς δή τι τοῦτ᾽
ἔγκλημα τοῖς Σύροις ταμιευόμενοι. Δημήτριος δὲ
καὶ ἐκ τῆς Καππαδοκῶν ἀρχῆς Ἀριαράθην
ἐκβαλών, Ὀλοφέρνην ἐπὶ χιλίοις ταλάντοις ἀντ᾽
αὐτοῦ κατήγαγεν, ἀδελφὸν εἶναι δοκοῦντα Ἀρια-
ράθου. καὶ Ῥωμαίοις ἐδόκει μέν, ὡς ἀδελφούς,
Ἀριαράθην καὶ Ὀλοφέρνην βασιλεύειν ὁμοῦ.

48. Ἐκπεσόντων δὲ καὶ τῶνδε καὶ Ἀριοβαρζάνου
μετ᾽ αὐτοὺς οὐ πολὺ ὕστερον ὑπὸ Μιθριδάτου τοῦ
Ποντικοῦ βασιλέως, ὁ Μιθριδάτειος πόλεμος ἐπὶ

THE SYRIAN WARS

the killing of these gentle and rare beasts and the burning of the ships, and a certain Leptines of Laodicea was so exasperated by the sight that he stabbed Gnaeus Octavius, the chief of this embassy, while he was anointing himself in the gymnasium, and Lysias buried him.

47. Demetrius came before the Senate again and asked at all events to be released from acting as a hostage, since he had been given as a substitute for Antiochus, who was now dead. When even this request was not granted he escaped secretly by boat. As the Syrians received him gladly, he ascended the throne after having put Lysias to death and the boy with him. He removed Heraclides from office and killed Timarchus, who rebelled and who had administered the government of Babylon badly in other respects. For this he received the surname of Soter (the Protector), which was first bestowed upon him by the Babylonians. When he was firmly established in the kingdom he sent a crown valued at 10,000 pieces of gold to the Romans as a gift of their former hostage, and also delivered up Leptines, the murderer of Octavius. They accepted the crown, but not Leptines, because they intended to hold the Syrians responsible for that crime. Demetrius further took the government of Cappadocia away from Ariarathes and gave it to Olophernes, who was supposed to be the brother of Ariarathes, receiving 1000 talents therefor. The Romans, however, decided that as brothers both Ariarathes and Olophernes should reign together.

48. These princes were deprived of the kingdom —and their successor, Ariobarzanes, also, a little later —by Mithridates, king of Pontus. The Mithridatic

CAP. VIII τῷδε καὶ ἐφ' ἑτέροις ἤρξατο συνίστασθαι, μέγιστός τε καὶ πολυτροπώτατος ἔθνεσι πολλοῖς γενόμενος, καὶ παρατείνας ἐς ἔτη μάλιστα τεσσαράκοντα, ἐν οἷς πολλαὶ μὲν ἀρχαὶ Σύροις ἐκ τοῦ βασιλείου γένους ὀλιγοχρόνιοι πάμπαν ἐγένοντο, πολλαὶ δὲ τροπαὶ καὶ ἐπαναστάσεις ἐπὶ τὰ βασίλεια. Παρθυαῖοί τε προαποστάντες ἀπὸ τῆς τῶν Σελευκιδῶν ἀρχῆς Μεσοποταμίαν ἐς ἑαυτοὺς περιέσπασαν, ἣ τοῖς Σελευκίδαις ὑπήκουεν. καὶ βασιλεὺς Ἀρμενίας Τιγράνης ὁ Τιγράνους ἔθνη πολλὰ τῶν περιοίκων ἰδίοις δυνάσταις χρώμενα ἑλών, βασιλεὺς ἀπὸ τοῦδε βασιλέων ἡγεῖτο εἶναι, καὶ τοῖς Σελευκίδαις ἐπεστράτευεν οὐκ ἐθέλουσιν ὑπακούειν. οὐχ ὑποστάντος δ' αὐτὸν Ἀντιόχου τοῦ εὐσεβοῦς, ὁ Τιγράνης ἦρχε Συρίας τῆς μετ' Εὐφράτην, ὅσα γένη Σύρων μέχρι Αἰγύπτου. ἦρχε δὲ ὁμοῦ καὶ Κιλικίας (καὶ γὰρ ἥδε τοῖς Σελευκίδαις ὑπήκουε), Μαγαδάτην στρατηγὸν ἐπιτάξας ἅπασιν, ἐπὶ ἔτη τεσσαρεσκαίδεκα.

49. Λευκόλλου δὲ τοῦ Ῥωμαίων στρατηγοῦ Μιθριδάτην διώκοντος ἐς τὸν Τιγράνην ὑποφεύγοντα, ὁ Μαγαδάτης ᾔει μετὰ τοῦ στρατοῦ Τιγράνῃ βοηθήσων, καὶ ἐν τῷδε παραδὺς ἐς τὴν Συρίαν Ἀντίοχος ὁ Ἀντιόχου τοῦ εὐσεβοῦς ἦρχε τῶν Σύρων ἑκόντων. καὶ αὐτῷ Λεύκολλος μέν, ὁ Τιγράνῃ πρῶτός τε πολεμήσας καὶ τῆς ἐπικτήτου γῆς αὐτὸν ἐξελάσας, οὐκ ἐφθόνησεν ἀρχῆς πατρῴας· Πομπήιος δέ, ὁ ἐπὶ Λευκόλλῳ Μιθριδάτην ἐξελών, Τιγράνῃ μὲν Ἀρμενίας συνεχώρησεν ἄρχειν, Ἀντίοχον δὲ ἐξέβαλε τῆς Σύρων ἀρχῆς, οὐδὲν ἐς Ῥωμαίους ἁμαρτόντα, ἔργῳ μὲν ὅτι ἦν

THE SYRIAN WARS

war grew out of this event, among others,—a very great war, full of vicissitudes to many nations and lasting nearly forty years. During this time Syria had many kings, succeeding each other at brief intervals, but all of the royal lineage, and there were many changes and revolts from the dynasty. The Parthians, who had previously revolted from the rule of the Seleucidae, seized Mesopotamia, which had been subject to that house. Tigranes, the son of Tigranes, king of Armenia, who had subdued many of the neighbouring nations which had kings of their own, and from these exploits had acquired the title of King of Kings, attacked the Seleucidae because they would not acknowledge his supremacy. Antiochus Pius was not able to withstand him, and Tigranes conquered all the Syrian peoples this side of the Euphrates as far as Egypt. He took Cilicia at the same time (for this was also subject to the Seleucidae) and put his general, Magadates, in command of all these conquests for fourteen years.

CHAP. VIII

Tigranes conquers Syria

B.C. 83

49. When the Roman general, Lucullus, was pursuing Mithridates, who had taken refuge in the territory of Tigranes, Magadates went with his army to Tigranes' assistance. Thereupon Antiochus, the son of Antiochus Pius, entered Syria clandestinely and assumed the government with the consent of the people. Nor did Lucullus, who first made war on Tigranes and wrested his newly acquired territory from him, object to Antiochus exercising his ancestral authority. But Pompey, the successor of Lucullus, when he had overthrown Mithridates, allowed Tigranes to reign in Armenia and expelled Antiochus from the government of Syria, although he had done the Romans no wrong. The real reason

B.C. 69

B.C. 66

Pompey seizes Syria for the Romans

197

CAP.
VIII
εὔκολον αὐτῷ, στρατιὰν ἔχοντι, πολλὴν ἀρχὴν ἄνοπλον ἀφελέσθαι, λόγῳ δὲ ὅτι τοὺς Σελευκίδας, ὑπὸ Τιγράνους ἐκπεσόντας, οὐκ εἰκὸς ἦν ἔτι Συρίας ἄρχειν μᾶλλον ἢ Ῥωμαίους Τιγράνην νενικηκότας.

50. Οὕτω μὲν δὴ Κιλικίας τε καὶ Συρίας τῆς τε μεσογείου καὶ κοίλης καὶ Φοινίκης καὶ Παλαιστίνης, καὶ ὅσα ἄλλα Συρίας ἀπὸ Εὐφράτου μέχρι Αἰγύπτου καὶ μέχρι θαλάσσης ὀνόματα, ἀμαχὶ Ῥωμαῖοι κατέσχον. ἓν δὲ γένος ἔτι τὸ Ἰουδαίων ἐνιστάμενον ὁ Πομπήιος ἐξεῖλε κατὰ κράτος, καὶ τὸν βασιλέα Ἀριστόβουλον ἔπεμψεν ἐς Ῥώμην, καὶ τὴν μεγίστην πόλιν Ἱεροσόλυμα καὶ ἁγιωτάτην αὐτοῖς κατέσκαψεν, ἣν δὴ καὶ Πτολεμαῖος ὁ πρῶτος Αἰγύπτου βασιλεὺς καθῃρήκει, καὶ Οὐεσπασιανὸς αὖθις οἰκισθεῖσαν κατέσκαψε, καὶ Ἀδριανὸς αὖθις ἐπ' ἐμοῦ. καὶ διὰ ταῦτ' ἐστὶν Ἰουδαίοις ἅπασιν ὁ φόρος τῶν σωμάτων βαρύτερος τῆς ἄλλης περιοικίας. ἔστι δὲ καὶ Σύροις καὶ Κίλιξιν ἐτήσιος, ἑκατοστὴ τοῦ τιμήματος ἑκάστῳ. Πομπήιος μὲν οὖν τῶνδε τῶν ὑπὸ τοῖς Σελευκίδαις γενομένων ἐθνῶν τοῖς μὲν . . . ἐπέστησεν οἰκείους βασιλέας ἢ δυνάστας, καθὰ καὶ Γαλατῶν τῶν ἐν Ἀσίᾳ τοῖς τέσσαρσι δυνάσταις ἐβεβαίωσε τὰς τετραδαρχίας, συμμαχήσασίν οἱ κατὰ Μιθριδάτου. καὶ οὐ πολὺ ὕστερον καὶ τάδε περιῆλθεν ἐς Ῥωμαίους, ἐπὶ Καίσαρος μάλιστα τοῦ Σεβαστοῦ, κατὰ μέρη.

51. Συρίας δ' εὐθὺς ὁ Πομπήιος Σκαῦρον τὸν ἐν τοῖς πολέμοις ἑαυτῷ γενόμενον ταμίαν ἔταξεν ἡγεῖσθαι, καὶ ἡ βουλὴ Φίλιππον ἐπὶ Σκαύρῳ τὸν Μάρκιον, καὶ Μαρκελλῖνον Λέντλον ἐπὶ τῷ Φιλίππῳ, ἄμφω στρατηγικοὺς κατ' ἀξίωσιν. ἀλλὰ τῶνδε μὲν ἑκατέρῳ διετὴς ἐτρίφθη χρόνος,

THE SYRIAN WARS

for this was that it was easy for Pompey, with an army under his command, to annex a large, defenceless empire, but the pretence was that it was unnatural for the Seleucidae, whom Tigranes had dethroned, to govern Syria, rather than the Romans who had conquered Tigranes.

50. In this way the Romans, without fighting, came into possession of Cilicia, inland Syria and Coele-Syria, Phoenicia, Palestine, and all the other countries bearing the Syrian name from the Euphrates to Egypt and the sea. The Jewish nation alone still resisted, and Pompey conquered them, sent their king, Aristobulus, to Rome, and destroyed their greatest, and to them holiest, city, Jerusalem, as Ptolemy, the first king of Egypt, had formerly done. It was afterward rebuilt and Vespasian destroyed it again, and Hadrian did the same in our time. On account of these rebellions the poll-tax imposed upon all Jews is heavier than that imposed upon the surrounding peoples. The Syrians and Cilicians also are subject to an annual tax of one hundredth of the assessed value of the property of each man. Pompey put some of the various nations that had become subject to the Seleucidae under kings or chiefs of their own. In like manner he confirmed the four chiefs of the Galatians in Asia, who had cooperated with him in the Mithridatic war, in their tetrarchies. Not long afterwards they too came gradually under the Roman rule, mostly in the time of Augustus.

51. Pompey now at once put Scaurus, who had been his quaestor in the war, in charge of Syria, and the Senate afterwards appointed Marcius Philippus as his successor and Lentulus Marcellinus as the successor of Philippus, both being of praetorian rank. Each of these spent the whole of his two years in

APPIAN'S ROMAN HISTORY, BOOK XI

CAP.
VIII

τοὺς γείτονας ἐνοχλοῦντας Ἄραβας ἀμυνομένῳ. καὶ τοῦδε χάριν ἐς τὸ ἔπειτα ἐγένοντο Συρίας στρατηγοὶ τῶν τὰ ἐπώνυμα ἀρξάντων ἐν ἄστει, ἵνα ἔχοιεν ἐξουσίαν καταλόγου τε στρατιᾶς καὶ πολέμου οἷα ὕπατοι. καὶ πρῶτος ἐκ τῶνδε ἐπέμφθη Γαβίνιος μετὰ στρατιᾶς. καὶ πολεμεῖν αὐτὸν ὁρμῶντα Μιθριδάτης μὲν ὁ Παρθυαίων βασιλεύς, ἐξελαυνόμενος τῆς ἀρχῆς ὑπ' Ὀρώδου τοῦ ἀδελφοῦ, μετῆγεν ἐξ Ἀράβων ἐπὶ Παρθυαίους, Πτολεμαῖος δὲ αὐτόν, ὁ ἑνδέκατος Αἰγύπτου βασιλεύς, ἐκπεσὼν καὶ ὅδε τῆς ἀρχῆς, μετέπεισε χρήμασι πολλοῖς ἀντὶ Παρθυαίων ἐπὶ Ἀλεξανδρέας ὁρμῆσαι. καὶ κατήγαγε μὲν τὸν Πτολεμαῖον ἐπὶ τὴν ἀρχὴν ὁ Γαβίνιος, Ἀλεξανδρεῦσι πολεμήσας, ὑπὸ δὲ τῆς Ῥωμαίων βουλῆς ἔφυγεν ἐπὶ τῷ ἄνευ ψηφίσματος ἐς Αἴγυπτον ἐμβαλεῖν, ἐπὶ πολέμῳ Ῥωμαίοις ἀπαισίῳ νομιζομένῳ· ἦν γάρ τι Σιβύλλειον αὐτοῖς ἀπαγορεῦον. ἐπὶ δὲ Γαβινίῳ μοι δοκεῖ Κράσσος ἄρξαι Σύρων, ὅτῳ πολεμοῦντι Παρθυαίοις ἡ μεγάλη συμφορὰ γίγνεται. καὶ ἐπὶ Λευκίου Βύβλου μετὰ Κράσσον στρατηγοῦντος Συρίας ἐς τὴν Συρίαν ἐσέβαλον οἱ Παρθυαῖοι. Σάξα δὲ μετὰ Βύβλον ἡγουμένου καὶ τὰ μέχρι Ἰωνίας ἐπέδραμον, ἀσχολουμένων Ῥωμαίων ἐς τὰ ἐπ' ἀλλήλους ἐμφύλια.

IX

CAP.
IX

52. Ἀλλὰ τάδε μὲν ἐντελῶς ἐν τῇ Παρθικῇ συγγραφῇ λέξω· τῆς δὲ βίβλου τῆσδε οὔσης Συριακῆς, ὅπως μὲν ἔσχον Συρίαν Ῥωμαῖοι καὶ

THE SYRIAN WARS

warding off the attacks of the neighbouring Arabs. It was on account of these events in Syria that Rome began to appoint for Syria proconsuls,[1] with power to levy troops and engage in war like consuls. The first of these sent out with an army was Gabinius, and as he was setting out for the war, Mithridates, king of the Parthians, who had been driven out of his kingdom by his brother, Orodes, persuaded him to turn his forces from the Arabs against the Parthians. Then Ptolemy XI., king of Egypt, who likewise had lost his throne, prevailed upon him by a large sum of money to turn his arms from the Parthians against Alexandria. Gabinius overcame the Alexandrians and restored Ptolemy to power, but was himself banished by the Senate for invading Egypt without their authority, and undertaking a war considered ill-omened by the Romans; for it was forbidden by the Sibylline books. I think that Crassus succeeded Gabinius in the government of Syria—the same who met with the great disaster when waging war against the Parthians. While Lucius Bibulus was in command of Syria after Crassus, the Parthians made an incursion into that country. While the government was in charge of Saxa, the successor of Bibulus, they even overran the country as far as Ionia, the Romans being then occupied by the civil wars.

IX

52. I SHALL deal with these events more particularly in my Parthian history, but as this book is concerned with Syrian affairs, now that I have described how

[1] Literally, "those who have held the office which gives its name to the year." "In the consulship of so-and-so" was the ordinary Roman way of expressing a date.

CAP. συνέστησαν ἐς τὰ νῦν ὄντα, εἴρηται, οὐκ ἀπεικὸς
IX δὲ τὰ Μακεδόνων ἐπιδραμεῖν. οἳ πρὸ Ῥωμαίων
Συρίας ἐβασίλευον.

Ἀλέξανδρος μὲν δὴ βασιλεὺς ἦν ἐπὶ Πέρσαις
Σύρων, ὁ καὶ πάντων βασιλεὺς ὅσων εἶδεν· Ἀλεξάνδρου δ' ἀποθανόντος ἐπὶ παισὶ τῷ μὲν βραχεῖ
πάνυ τῷ δὲ ἔτι κυϊσκομένῳ, οἱ μὲν Μακεδόνες,
πόθῳ τοῦ Φιλιππείου γένους, εἵλοντο σφῶν βασιλεύειν Ἀριδαῖον τὸν ἀδελφὸν Ἀλεξάνδρου, καίπερ
οὐκ ἔμφρονα νομιζόμενον εἶναι, μετονομάσαντες
δὴ Φίλιππον ἀντὶ Ἀριδαίου, τρεφομένων ἔτι τῶν
παίδων Ἀλεξάνδρου (ἐφύλαξαν γὰρ δὴ καὶ τὴν
κύουσαν), οἱ φίλοι δ' ἐς σατραπείας ἐνείμαντο
τὰ ἔθνη, Περδίκκου διανέμοντος αὐτοῖς ὑπὸ τῷ
βασιλεῖ Φιλίππῳ. καὶ οὐ πολὺ ὕστερον τῶν
βασιλέων ἀποθανόντων βασιλεῖς ἐγένοντο οἱ
σατράπαι. Σύρων δὴ πρῶτος γίγνεται σατράπης
Λαομέδων ὁ Μιτυληναῖος ἔκ τε Περδίκκου καὶ ἐξ
Ἀντιπάτρου τοῦ μετὰ τὸν Περδίκκαν προστατεύσαντος τῶν βασιλέων. Λαομέδοντα δ' ἐπιπλεύσας
Πτολεμαῖος ὁ τῆς Αἰγύπτου σατράπης ἔπειθ'
πολλοῖς χρήμασιν ἐγχειρίσαι οἱ τὴν Συρίαν,
προβολήν τε οὖσαν Αἰγύπτου καὶ ἐπιχείρημα
κατὰ Κύπρου. καὶ οὐ πειθόμενον συλλαμβάνει·
ὁ δὲ τοὺς φύλακας διαφθείρας πρὸς Ἀλκέταν
ἔφυγεν ἐς Καρίαν. καί τινα χρόνον ὁ Πτολεμαῖος
ἦρχε Συρίας, καὶ φρουρὰς ἐν ταῖς πόλεσι καταλιπὼν ἐς Αἴγυπτον ἀπέπλει.

53. Ἀντίγονος δ' ἦν Φρυγίας μὲν καὶ Λυκίας
καὶ Παμφυλίας σατράπης, ἐπίσκοπος δ' εἶναι τῆς
ὅλης Ἀσίας ἐξ Ἀντιπάτρου περῶντος ἐς τὴν
Εὐρώπην ἀπολελειμμένος Εὐμένη τὸν Καπ-

THE SYRIAN WARS

the Romans conquered Syria and brought it to its present condition, it is not inappropriate to give a brief account of the part played by the Macedonians, who reigned over Syria before the Romans.

After the Persians, Alexander became the sovereign of Syria as well as of all other peoples whom he saw. He died leaving one very young son and another yet unborn, and the Macedonians, who were loyal to the race of Philip, chose Aridaeus, the brother of Alexander, as king during the minority of Alexander's sons (for they even guarded the pregnant wife), although he was considered to be hardly of sound mind, and they changed his name from Aridaeus to Philip. Meanwhile Alexander's friends divided the nations into satrapies, which Perdiccas parcelled among them by the authority of King Philip. Not long afterward, when the true kings died, these satraps became kings. The first satrap of Syria was Laomedon of Mitylene, who derived his authority from Perdiccas and from Antipater, who succeeded the latter as guardian of the kings. To this Laomedon Ptolemy, the satrap of Egypt, came with a fleet and offered him a large sum of money if he would hand over Syria to him, because it was well situated for defending Egypt and for attacking Cyprus. When Laomedon refused Ptolemy seized him. Laomedon bribed his guards and escaped to Alcetas in Caria. Thus Ptolemy ruled Syria for a while, left a garrison in the cities, and returned to Egypt.

53. Antigonus was satrap of Phrygia, Lycia, and Pamphylia. Having been left as overseer of all Asia when Antipater went to Europe, he besieged Eumenes, the satrap of Cappadocia, who had been

CAP. IX
παδοκίας σατράπην, ψηφισαμένων εἶναι πολέμιον τῶν Μακεδόνων, ἐπολιόρκει. ὁ δὲ αὐτὸν ἐκφεύγει, καὶ τὴν Μηδικὴν ἐκρατύνετο ἑαυτῷ. ἀλλ' Εὐμένη μὲν κτείνει καταλαβὼν ὁ Ἀντίγονος, καὶ ἐπανιὼν ὑπεδέχθη λαμπρῶς ὑπὸ Σελεύκου σατραπεύοντος ἐν Βαβυλῶνι. ὑβρίσαντος δέ τινα τῶν ἡγεμόνων τοῦ Σελεύκου, καὶ οὐ κοινώσαντος Ἀντιγόνῳ παρόντι, χαλεπήνας ὁ Ἀντίγονος ᾔτει λογισμοὺς χρημάτων τε καὶ κτημάτων. ὁ δὲ ἀσθενέστερος ὢν Ἀντιγόνου πρὸς Πτολεμαῖον ἐς Αἴγυπτον ὑπεχώρει. καὶ ὁ Ἀντίγονος εὐθὺς ἐπὶ τῇ φυγῇ τοῦ Σελεύκου Βλιτορά τε, Μεσοποταμίας ἡγούμενον, παρέλυσε τῆς ἀρχῆς, ὅτι Σέλευκον μεθῆκεν ἀπιόντα, καὶ τὴν Βαβυλωνίαν καὶ τὴν Μεσοποταμίαν καὶ ὅσα ἄλλα ἐκ Μήδων ἐπὶ τὸν Ἑλλήσποντον ἔθνη, καθίστατο ἑαυτῷ, ἤδη καὶ Ἀντιπάτρου τεθνεῶτος. ἐπίφθονός τε εὐθὺς ἐκ τῶνδε τοῖς ἄλλοις σατράπαις ἐγίγνετο, γῆς ἄρχων τοσῆσδε. διὸ καὶ μάλιστα τῷ Σελεύκῳ παρακαλοῦντι συνέθεντο Πτολεμαῖός τε καὶ Λυσίμαχος ὁ Θρᾴκης σατράπης καὶ Κάσσανδρος ὁ Ἀντιπάτρου, Μακεδόνων ἐπὶ τῷ πατρὶ ἡγούμενος· καὶ ὁμοῦ πρεσβευσάμενοι τὸν Ἀντίγονον ἠξίουν τὴν ἐπίκτητον αὐτῷ γενομένην γῆν τε καὶ χρήματα πρός τε σφᾶς νείμασθαι καὶ πρὸς ἑτέρους Μακεδόνας, οἳ τῶν σατραπειῶν ἐξεπεπτώκεσαν. ἐπιχλευάσαντος δὲ αὐτοὺς τοῦ Ἀντιγόνου οἱ μὲν ἐς πόλεμον καθίσταντο κοινόν, ὁ δὲ ἀντιπαρεσκευάζετο, καὶ ἐξέβαλλε τὰς φρουρὰς ὅσαι ἔτι ἦσαν ἐν τῇ Συρίᾳ Πτολεμαίου, καὶ Φοινίκης τε καὶ τῆς λεγομένης κοίλης τὰ ἔτι ὑπήκοα τοῦ Πτολεμαίου πρὸς ἑαυτὸν ἀθρόως περιέσπα.

THE SYRIAN WARS

publicly declared an enemy of the Macedonians. Eumenes escaped and brought Media under his power, but was afterwards captured and killed by Antigonus, who on his return was received magnificently by Seleucus, the satrap of Babylon. One day Seleucus punished one of the governors without consulting Antigonus, who was present, and the latter became angry and demanded accounts of his money and possessions. As Seleucus was inferior to Antigonus in power he fled to Ptolemy in Egypt. Thereupon Antigonus removed Blitor, the governor of Mesopotamia, from office, because he allowed Seleucus to escape, and took upon himself the government of Babylon, Mesopotamia, and all the countries from Media to the Hellespont, Antipater having died in the meantime. The other satraps at once became envious of his possession of so large a share of territory; for which reason chiefly Ptolemy, Lysimachus, the satrap of Thrace, and Cassander, the son of Antipater and leader of the Macedonians after his father's death, entered into a league with Seleucus at his request. They sent a joint embassy to Antigonus and demanded that he should share with them and with the other Macedonians who had lost their satrapies his newly acquired lands and money. Antigonus treated their demand with scorn, and they jointly made war against him. He on the other hand prepared to meet them, and drove out all Ptolemy's remaining garrisons in Syria and stripped him of all the possessions that he still retained in Phoenicia and Coele-Syria.

CAP. IX 54. Χωρῶν δ' ὑπὲρ τὰς Κιλικίους πύλας, Δημήτριον τὸν υἱόν, ἀμφὶ δύο καὶ εἴκοσιν ἔτη γεγονότα, ἐν Γάζῃ μετὰ τοῦ στρατοῦ καταλείπει πρὸς τὰς ὁρμὰς Πτολεμαίου τὰς ἀπ' Αἰγύπτου. τοῦτον ὁ Πτολεμαῖος ἐνίκα περὶ τὴν Γάζαν μάχῃ λαμπρῶς, καὶ τὸ μειράκιον ἐς τὸν πατέρα ἐχώρει. Πτολεμαῖος δ' αὐτίκα τὸν Σέλευκον ἐς τὴν Βαβυλῶνα πέμπει, τὴν ἀρχὴν ἀναληψόμενον· καὶ πεζοὺς ἐς τοῦτο ἔδωκεν αὐτῷ χιλίους, καὶ τριακοσίους ἱππέας. καὶ σὺν οὕτως ὀλίγοις ὁ Σέλευκος τήν τε Βαβυλωνίαν, προθύμως αὐτὸν ἅμα τῶν ἀνδρῶν ἐκδεχομένων, ἀνέλαβε, καὶ τὴν ἀρχὴν μετ' οὐ πολὺ ἐς μέγα προήγαγεν. ὁ δ' Ἀντίγονος Πτολεμαῖον ἠμύνετο, καὶ ναυμαχίᾳ περὶ Κύπρον ἐνίκα περιφανεῖ, Δημητρίου τοῦ παιδὸς στρατηγοῦντος· ἐφ' ὅτῳ λαμπροτάτῳ γενομένῳ ὁ στρατὸς ἀνεῖπεν ἄμφω βασιλέας, Ἀντίγονόν τε καὶ Δημήτριον, ἤδη καὶ τῶν βασιλέων τεθνεώτων, Ἀριδαίου τε τοῦ Φιλίππου καὶ Ὀλυμπιάδος καὶ τῶν υἱῶν Ἀλεξάνδρου. ἀνεῖπε δὲ καὶ Πτολεμαῖον ὁ οἰκεῖος αὐτοῦ στρατὸς βασιλέα, ὡς μή τι διὰ τὴν ἧσσαν μειονεκτοίη τῶν νενικηκότων. τοῖσδε μὲν δὴ τυχεῖν ὁμοίων συνηνέχθη κατ' ἐναντίας αἰτίας, εἵποντο δ' εὐθὺς αὐτοῖς οἱ λοιποί, καὶ βασιλεῖς ἅπαντες ἐκ σατραπῶν ἐγίγνοντο.

55. Οὕτω δὴ καὶ ὁ Σέλευκος ἐβασίλευσε τῆς Βαβυλωνίας. ἐβασίλευσε δὲ καὶ Μηδίας, Νικάτορα κτείνας αὐτὸς ἐν τῇ μάχῃ, τὸν ὑπ' Ἀντιγόνου Μηδίας σατραπεύειν ἀπολελειμμένον. πολέμους δ' ἐπολέμησε πολλοὺς Μακεδόσι καὶ βαρβάροις, καὶ τούτων Μακεδόσι μὲν δύο μεγίστους, τὸν μὲν ὕστερον Λυσιμάχῳ βασιλεύοντι

THE SYRIAN WARS

54. Then he marched beyond the Cilician gates, leaving his son Demetrius, who was about twenty-two years of age, at Gaza with an army to meet Ptolemy, who was coming from Egypt, but the latter defeated the young man badly in a battle near Gaza and compelled him to fly to his father. Ptolemy immediately sent Seleucus to Babylon to resume the government and gave him 1000 foot-soldiers and 300 horse for the purpose. With this small force Seleucus recovered Babylon, the inhabitants receiving him with enthusiasm, and within a short time he augmented his power greatly. Nevertheless Antigonus warded off the attack of Ptolemy and gained a splendid naval victory over him near Cyprus, in which his son Demetrius was the commander. On account of this very notable exploit the army proclaimed both Antigonus and Demetrius kings, as their own kings (Aridaeus, the son of Philip and Olympias, and the two sons of Alexander) were now dead. Ptolemy's army also saluted him as king lest after his defeat he should be held inferior to the victors. Thus for these men similar consequences followed contrary events. All the others at once followed suit, and all the satraps became kings.

55. In this way Seleucus became king of Babylonia. He also acquired the kingdom of Media, slaying with his own hand in battle Nicator whom Antigonus had left as satrap of that country. He afterwards waged many wars with Macedonians and barbarians. The two principal ones were with Macedonians, the second with Lysimachus, king of Thrace, the first

CAP. IX Θράκης, τὸν δὲ πρότερον Ἀντιγόνῳ περὶ Ἴψον τῆς Φρυγίας, αὐτῷ στρατηγοῦντι καὶ αὐτῷ μαχομένῳ, καίπερ ὑπὲρ ὀγδοήκοντα ἔτη γεγονότι. πεσόντος δ᾽ Ἀντιγόνου κατὰ τὴν μάχην, ὅσοι βασιλεῖς τὸν Ἀντίγονον ἅμα τῷ Σελεύκῳ καθῃρήκεσαν, τὴν Ἀντιγόνου γῆν διενέμοντο. καὶ ὁ Σέλευκος τότε τῆς μετ᾽ Εὐφράτην Συρίας ἐπὶ θαλάσσῃ καὶ Φρυγίας τῆς ἀνὰ τὸ μεσόγειον ἄρχειν διέλαχεν. ἐφεδρεύων δὲ ἀεὶ τοῖς ἐγγὺς ἔθνεσι, καὶ δυνατὸς ὢν βιάσασθαι καὶ πιθανὸς προσαγαγέσθαι, ἦρξε Μεσοποταμίας καὶ Ἀρμενίας καὶ Καππαδοκίας τῆς Σελευκίδος λεγομένης καὶ Περσῶν καὶ Παρθυαίων καὶ Βακτρίων καὶ Ἀράβων καὶ Ταπύρων καὶ τῆς Σογδιανῆς καὶ Ἀραχωσίας καὶ Ὑρκανίας, καὶ ὅσα ἄλλα ὅμορα ἔθνη μέχρι Ἰνδοῦ ποταμοῦ Ἀλεξάνδρῳ ἐγεγένητο δορίληπτα, ὡς ὡρίσθαι τῷδε μάλιστα μετ᾽ Ἀλέξανδρον τῆς Ἀσίας τὸ πλέον· ἀπὸ γὰρ Φρυγίας ἐπὶ ποταμὸν Ἰνδὸν ἄνω πάντα Σελεύκῳ κατήκουεν. καὶ τὸν Ἰνδὸν περάσας ἐπολέμησεν Ἀνδροκόττῳ βασιλεῖ τῶν περὶ αὐτὸν Ἰνδῶν, μέχρι φιλίαν αὐτῷ καὶ κῆδος συνέθετο. καὶ τῶνδε τὰ μὲν πρὸ τῆς Ἀντιγόνου τελευτῆς, τὰ δὲ μετ᾽ Ἀντίγονον ἐποίησεν.

56. Λέγεται δ᾽ αὐτῷ, στρατιώτῃ τοῦ βασιλέως ἔτι ὄντι καὶ ἐπὶ Πέρσας ἑπομένῳ, χρησμὸν ἐν Διδυμέως γενέσθαι πυνθανομένῳ περὶ τῆς ἐς Μακεδονίαν ἐπανόδου, "μὴ σπεῦδ᾽ Εὐρώπηνδ᾽· Ἀσίη τοι πολλὸν ἀμείνων." καὶ ἐν Μακεδονίᾳ τὴν ἑστίαν αὐτῷ τὴν πατρῴαν, οὐδενὸς ἅψαντος, ἐκλάμψαι πῦρ μέγα. καὶ ὄναρ αὐτοῦ τὴν

THE SYRIAN WARS

with Antigonus at Ipsus in Phrygia, where Antigonus commanded in person and fought in person although he was above eighty years of age. Antigonus was killed in the battle, and then all the kings who had been in league with Seleucus against him divided his territory among themselves. At this division all Syria from the Euphrates to the sea, also inland Phrygia, fell to the lot of Seleucus. Always lying in wait for the neighbouring nations, strong in arms and persuasive in diplomacy, he acquired Mesopotamia, Armenia, the so-called Seleucid Cappadocia, the Persians, Parthians, Bactrians, Arabs, Tapyri, Sogdiani, Arachotes, Hyrcanians, and all the other adjacent peoples that had been subdued by Alexander, as far as the river Indus, so that he ruled over a wider empire in Asia than any of his predecessors except Alexander. For the whole region from Phrygia to the Indus was subject to Seleucus. He crossed the Indus and waged war with Androcottus, king of the Indians, who dwelt on the banks of that stream, until they came to an understanding with each other and contracted a marriage relationship. Some of these exploits were performed before the death of Antigonus and some afterward.

56. It is said that while he was still serving under Alexander and following him in the war against the Persians he consulted the Didymaean oracle to inquire about his return to Macedonia and that he received for answer:—

"Do not hurry back to Europe; Asia will be much better for you."

It was said also that in Macedonia a great fire burst forth on his ancestral hearth without anybody lighting it; also that his mother saw in a dream that

APPIAN'S ROMAN HISTORY, BOOK XI

CAP.
IX

μητέρα ἰδεῖν, ὃν ἂν εὕροι δακτύλιον, δοῦναι φόρημα Σελεύκῳ, τὸν δὲ βασιλεύσειν ἔνθα ἂν ὁ δακτύλιος ἐκπέσῃ. καὶ ἡ μὲν ηὗρεν ἄγκυραν ἐν σιδήρῳ κεχαραγμένην, ὁ δὲ τὴν σφραγῖδα τήνδε ἀπώλεσε κατὰ τὸν Εὐφράτην. λέγεται καὶ ἐς τὴν Βαβυλωνίαν ἀπιόντα ὕστερον προσκόψαι λίθῳ, καὶ τὸν λίθον ἀνασκαφέντα ἄγκυραν ὀφθῆναι. θορυβουμένων δὲ τῶν μάντεων ὡς ἐπὶ συμβόλῳ κατοχῆς, Πτολεμαῖον τὸν Λάγου παραπέμποντα εἰπεῖν ἀσφαλείας τὴν ἄγκυραν, οὐ κατοχῆς εἶναι σύμβολον. καὶ Σελεύκῳ μὲν διὰ τοῦτο ἄρα καὶ βασιλεύσαντι ἡ σφραγὶς ἄγκυρα ἦν, δοκεῖ δέ τισι καὶ περιόντος ἔτι Ἀλεξάνδρου καὶ ἐφορῶντος ἕτερον τῷ Σελεύκῳ σημεῖον περὶ τῆς ἀρχῆς τοιόνδε γενέσθαι. Ἀλεξάνδρῳ γὰρ ἐξ Ἰνδῶν ἐς Βαβυλῶνα ἐπανελθόντι, καὶ τὰς ἐν αὐτῇ τῇ Βαβυλωνίᾳ λίμνας ἐπὶ χρείᾳ τοῦ τὸν Εὐφράτην τὴν Ἀσσυρίδα γῆν ἀρδεύειν περιπλέοντι, ἄνεμος ἐμπεσὼν ἥρπασε τὸ διάδημα, καὶ φερόμενον ἐκρεμάσθη δόνακος ἐν τάφῳ τινὸς ἀρχαίου βασιλέως. καὶ ἐσήμαινε μὲν ἐς τὴν τελευτὴν τοῦ βασιλέως καὶ τόδε, ναύτην δέ φασιν ἐκκολυμβήσαντα περιθέσθαι τῇ κεφαλῇ τὸ διάδημα καὶ ἐνεγκεῖν ἄβροχον Ἀλεξάνδρῳ, καὶ λαβεῖν τῆς προθυμίας αὐτίκα δωρεὰν παρὰ τοῦ βασιλέως τάλαντον ἀργυρίου· τῶν δὲ μάντεων αὐτὸν ἀναιρεῖν κελευόντων οἱ μὲν πεισθῆναι τὸν Ἀλέξανδρον αὐτοῖς, οἱ δὲ ἀντειπεῖν. εἰσὶ δὲ οἳ τάδε πάντα ὑπερελθόντες, οὐ ναύτην ὅλως φασὶν ἀλλὰ Σέλευκον ἐπὶ τὸ διάδημα τοῦ βασιλέως ἐκκολυμβῆσαι, καὶ περιθέσθαι Σέλευκον αὐτὸ τῇ κεφαλῇ, ἵν᾽ ἄβροχον εἴη. καὶ τὰ σημεῖα ἐς τέλος ἀμφοῖν

THE SYRIAN WARS

whatever ring she found she should give him to wear, and that he should be king at the place where he should lose the ring. She did find an iron ring with an anchor engraved on it, and he lost it near the Euphrates. It is said also that at a later period, when he was setting out for Babylon, he stumbled against a stone which, when dug up, was seen to be an anchor. When the soothsayers were alarmed at this prodigy, thinking that it portended delay, Ptolemy, the son of Lagus, who accompanied the expedition, said that an anchor was a sign of safety, not of delay; and for this reason Seleucus, when he became king, used an engraved anchor for his signet-ring. Some say that while Alexander was still alive and looking on, another omen of the future power of Seleucus was made manifest in this wise. After Alexander had returned from India to Babylon and while he was sailing around the Babylonian lagoons with a view to the irrigation of the Assyrian fields from the Euphrates, a wind struck him and carried away his diadem and hung it on a bunch of reeds growing on the tomb of an ancient king. This of itself signified the death of Alexander; but they say that a sailor swam after it, put it on his own head, and, without wetting it, brought it to Alexander, who gave him at once a silver talent as a reward for his zealous loyalty. The soothsayers advised putting the man to death, and some say that Alexander followed their advice, but others that he refused. Some narrators, however, omit the whole of this story and say that it was no sailor at all, but Seleucus who swam after the king's diadem, and that he put it on his own head to avoid wetting it; and the signs turned out true as to both

CAP. ἀπαντῆσαι. Ἀλέξανδρόν τε γὰρ ἐν Βαβυλῶνι
IX μεταστῆναι τοῦ βίου, καὶ Σέλευκον τῆς Ἀλεξάνδρου
γῆς, ὅτι πλείστης μάλιστα τόνδε τῶν Ἀλεξάνδρου
διαδόχων, βασιλεῦσαι.

57. Τοσαῦτα μὲν δὴ περὶ τῶν Σελεύκῳ προμαντευθέντων
ἐπυθόμην· γίγνεται δ' εὐθὺς Ἀλεξάνδρου μεταστάντος ἡγεμὼν τῆς ἵππου τῆς ἑταιρικῆς
ἧς δὴ καὶ Ἡφαιστίων ἡγήσατο Ἀλεξάνδρῳ καὶ
ἐπὶ Ἡφαιστίωνι Περδίκκας, μετὰ δὲ τὴν ἵππον
σατράπης τε τῆς Βαβυλωνίας καὶ βασιλεὺς ἐπὶ
τῇ σατραπείᾳ. γενομένῳ δὲ αὐτῷ τὰ ἐς πολέμους
ἐπιτυχεστάτῳ Νικάτωρ ἐπώνυμον γίγνεται· τῷδε
γὰρ ἀρέσκομαι μᾶλλον τοῦ Νικάτορα κτεῖναι.
καὶ τὸ σῶμα ὄντι εὐρώστῳ τε καὶ μεγάλῳ, καὶ
ταῦρον ἄγριον ἐν Ἀλεξάνδρου θυσίᾳ ποτὲ ἐκθορόντα
τῶν δεσμῶν ὑποστάντι μόνῳ καὶ ταῖς χερσὶ
μόναις κατειργασμένῳ, προστιθέασιν ἐς τοὺς
ἀνδριάντας ἐπὶ τῷδε κέρατα. πόλεις δὲ ᾤκισεν
ἐπὶ τὸ μῆκος τῆς ἀρχῆς ὅλης ἑκκαίδεκα μὲν
Ἀντιοχείας ἐπὶ τῷ πατρί, πέντε δὲ ἐπὶ τῇ μητρὶ
Λαοδικείας, ἐννέα δ' ἐπωνύμους ἑαυτοῦ, τέσσαρας
δ' ἐπὶ ταῖς γυναιξί, τρεῖς Ἀπαμείας καὶ Στρατονίκειαν
μίαν. καὶ εἰσὶν αὐτῶν ἐπιφανέσταται καὶ
νῦν Σελεύκειαι μὲν ἥ τε ἐπὶ τῇ θαλάσσῃ καὶ ἡ
ἐπὶ τοῦ Τίγρητος ποταμοῦ, Λαοδίκεια δὲ ἡ ἐν τῇ
Φοινίκῃ καὶ Ἀντιόχεια ἡ ὑπὸ τῷ Λιβάνῳ ὄρει καὶ
ἡ τῆς Συρίας Ἀπάμεια. τὰς δὲ ἄλλας ἐκ τῆς
Ἑλλάδος ἢ Μακεδονίας ὠνόμαζεν, ἢ ἐπὶ ἔργοις
ἑαυτοῦ τισιν, ἢ ἐς τιμὴν Ἀλεξάνδρου τοῦ βασιλέως·
ὅθεν ἔστιν ἐν τῇ Συρίᾳ καὶ τοῖς ὑπὲρ αὐτὴν ἄνω
βαρβάροις πολλὰ μὲν Ἑλληνικῶν πολλὰ δὲ
Μακεδονικῶν πολισμάτων ὀνόματα, Βέρροια,

THE SYRIAN WARS

of them in the end, for Alexander departed from life in Babylon and Seleucus became the ruler of a larger part of his dominions than any other of Alexander's successors.

57. Such are the prophecies I have heard of concerning Seleucus. Directly after the death of Alexander he became the leader of the Companion cavalry, which Hephaestion, and afterwards Perdiccas, commanded during the life of Alexander. After commanding the cavalry he became satrap of Babylon, and after satrap, king. As he was very successful in war he acquired the surname of Nicator. At least that seems to me more probable than that he received it from the killing of Nicator. He was of such a large and powerful frame that once when a wild bull was brought for sacrifice to Alexander and broke loose from his ropes, Seleucus held him alone, with nothing but his hands, for which reason his statues are ornamented with horns. He built cities throughout the entire length of his dominions and named sixteen of them Antioch after his father, five Laodicea after his mother, nine after himself, and four after his wives, that is, three Apamea and one Stratonicea. Of these the two most renowned at the present time are the two Seleucias, one on the sea and the other on the river Tigris, Laodicea in Phoenicia, Antioch under Mount Lebanon, and Apamea in Syria. To the others he gave names from Greece or Macedonia, or from his own exploits, or in honour of Alexander; whence it comes to pass that in Syria and among the barbarous regions of upper Asia many of the towns bear Greek and Macedonian names, such as Berrhoea, Edessa,

CAP. Ἔδεσσα, Πέρινθος, Μαρώνεια, Καλλίπολις,
IX Ἀχαΐα, Πέλλα, Ὠρωπός, Ἀμφίπολις, Ἀρέθουσα,
Ἀστακός, Τεγέα, Χαλκίς, Λάρισα, Ἥραια, Ἀπολ-
λωνία, ἐν δὲ τῇ Παρθυηνῇ Σώτειρα, Καλλιόπη,
Χάρις, Ἑκατόμπυλος, Ἀχαΐα, ἐν δ᾽ Ἰνδοῖς
Ἀλεξανδρόπολις, ἐν δὲ Σκύθαις Ἀλεξανδρέσχατα.
καὶ ἐπὶ ταῖς αὐτοῦ Σελεύκου νίκαις ἔστι Νικηφό-
ριόν τε ἐν τῇ Μεσοποταμίᾳ καὶ Νικόπολις ἐν
Ἀρμενίᾳ τῇ ἀγχοτάτω μάλιστα Καππαδοκίας.

58. Φασὶ δὲ αὐτῷ τὰς Σελευκείας οἰκίζοντι,
τὴν μὲν ἐπὶ τῇ θαλάσσῃ, διοσημίαν ἡγήσασθαι
κεραυνοῦ, καὶ διὰ τοῦτο θεὸν αὐτοῖς κεραυνὸν
ἔθετο, καὶ θρησκεύουσι καὶ ὑμνοῦσι καὶ νῦν
κεραυνόν· ἐς δὲ τὴν ἐπὶ τοῦ Τίγρητος ἡμέραν
ἐπιλέξασθαι τοὺς μάγους κελευομένους, καὶ τῆς
ἡμέρας ὥραν, ᾗ τῶν θεμελίων ἄρξασθαι τῆς
ὀρυχῆς ἔδει, ψεύσασθαι τὴν ὥραν τοὺς μάγους,
οὐκ ἐθέλοντας ἐπιτείχισμα τοιόνδε σφίσι γενέ-
σθαι. καὶ Σέλευκος μὲν ἐν τῇ σκηνῇ τὴν δεδο-
μένην ὥραν ἀνέμενεν, ὁ δὲ στρατὸς ἐς τὸ ἔργον
ἕτοιμος, ἀτρεμῶν ἔστε σημήνειεν ὁ Σέλευκος,
ἄφνω κατὰ τὴν αἰσιωτέραν ὥραν δόξαντές τινα
κελεύειν ἐπὶ τὸ ἔργον ἀνεπήδησαν, ὡς μηδὲ τῶν
κηρύκων ἐρυκόντων ἔτι ἀνασχέσθαι. τὸ μὲν δὴ
ἔργον ἐξετετέλεστο, Σελεύκῳ δὲ ἀθύμως ἔχοντι,
καὶ τοὺς μάγους αὖθις ἀνακρίνοντι περὶ τῆς
πόλεως, ἄδειαν αἰτήσαντες ἔλεγον οἱ μάγοι· "τὴν
πεπρωμένην ὦ βασιλεῦ μοῖραν, χείρονά τε καὶ
κρείσσονα, οὐκ ἔστιν οὔτε ἀνδρὸς οὔτε πόλεως
ἐναλλάξαι. μοῖρα δέ τις καὶ πόλεών ἐστιν ὥσπερ
ἀνδρῶν. καὶ τήνδε χρονιωτάτην μὲν ἐδόκει τοῖς
θεοῖς γενέσθαι, ἀρχομένην ἐκ τῆσδε τῆς ὥρας ἧς

THE SYRIAN WARS

Perinthus, Maronea, Callipolis, Achaia, Pella, Oropus, Amphipolis, Arethusa, Astacus, Tegea, Chalcis, Larissa, Heraea, and Apollonia; in Parthia also Sotera, Calliope, Charis, Hecatompylos, Achaia; in India Alexandropolis; in Scythia Alexandreschata. From the victories of Seleucus come the names of Nicephorium in Mesopotamia and of Nicopolis in Armenia very near Cappadocia.

58. They say that when he was about to build the two Seleucias a portent of thunder preceded the foundation of the one by the sea, for which reason he consecrated thunder as a divinity of the place, and accordingly the inhabitants worship thunder and sing its praises to this day. They say, also, that when the Magi were ordered to indicate the propitious day and hour for beginning the foundations of Seleucia-on-the-Tigris they falsified the hour because they did not want to have such a stronghold built against themselves. While the king was waiting in his tent for the appointed hour, and the army, in readiness to begin the work, stood quietly till Seleucus should give the signal, suddenly, at the true hour of destiny, they seemed to hear a voice ordering them on. So they sprang to their work with such alacrity that the heralds who tried to stop them were not able to do so. When the work was brought to an end Seleucus, being troubled in his mind, again made inquiry of the Magi concerning his city, and they, having first secured a promise of impunity, replied, "That which is fated, O King, whether it be for better or worse, neither man nor city can change, for there is a fate for cities as well as for men. It pleases the gods that this city shall endure for ages, because it was begun on the hour

CAP. IX ἐγένετο· δειμαίνοντες δ' ἡμεῖς ὡς ἐπιτείχισμα ἡμῖν ἐσομένην, παρεφέρομεν τὸ πεπρωμένον. τὸ δὲ κρεῖσσον ἦν καὶ μάγων πανουργούντων καὶ βασιλέως ἀγνοοῦντος αὐτό. τοιγάρτοι τὸ δαιμόνιον τὰ αἰσιώτερα τῷ στρατῷ προσέταξεν. καὶ τοῦτό σοι καταμαθεῖν ὧδε, ἵνα μή τι καὶ νῦν ἡμᾶς ἔτι τεχνάζειν ὑπονοῇς. αὐτός τε γὰρ ὁ βασιλεὺς σὺ τῷ στρατῷ παρεκάθησο, καὶ τὸ κέλευσμα αὐτὸς ἐδεδώκεις ἀναμένειν· καὶ ὁ εὐπειθέστατος ὤν σοι πρὸς κινδύνους καὶ πόνους οὐκ ἠνέσχετο νῦν οὐδὲ ἀναπαύσεως ἐπιτάγματος, ἀλλ' ἀνέθορεν, οὐδὲ ἀνὰ μέρος ἀλλ' ἀθρόως, ἐπιστάταις αὐτοῖς, καὶ ἐνόμιζε κεκελεῦσθαι. καὶ ἐκεκέλευστο δή· διόπερ οὐδὲ σοῦ κατερύκοντος αὐτοὺς ἔτι ἐπείθοντο. τί ἂν οὖν βασιλέως ἐν ἀνθρώποις εἴη καρτερώτερον ἄλλο θεοῦ; ὃς τῆς σῆς γνώμης ἐπεκράτησε, καὶ ἡγεμόνευσέ σοι τῆς πόλεως ἀντὶ ἡμῶν, δυσμεναίνων ἡμῖν τε καὶ γένει παντὶ τῷ περιοίκῳ. ποῦ γὰρ ἔτι τὰ ἡμέτερα ἰσχύσει, δυνατωτέρου γένους παρῳκισμένου; ἡ μὲν δὴ πόλις σοι γέγονε σὺν τύχῃ καὶ μεγιστεύσει καὶ χρόνιος ἔσται· σὺ δὲ ἡμῖν, ἐξαμαρτοῦσιν ὑπὸ δέους οἰκείων ἀγαθῶν ἀφαιρέσεως, τὴν συγγνώμην βεβαίου." ταῦτα τῶν μάγων εἰπόντων ὁ βασιλεὺς ἥσθη καὶ συνέγνω.

X

CAP. X 59. Τοιάδε μὲν ἐπυθόμην περὶ Σελευκείας· ὁ δὲ Σέλευκος τὸν υἱὸν Ἀντίοχον, περιὼν ἔτι, τῆς ἄνω γῆς βασιλεύειν ἀπέφηνεν ἀνθ' ἑαυτοῦ. καὶ εἴ τῳ

on which it was begun. We feared lest it should be a stronghold against ourselves, and falsified the appointed time. But destiny was stronger than crafty Magi or an unsuspecting king. For that reason the deity announced the more propitious hour to the army. You may know this to be true, so that you need not still suspect us of deception, from the fact that you were presiding over the army yourself, as king, and you had yourself ordered them to wait; but the army, ever obedient to you in facing danger and toil, could not now be restrained, even when you gave them the order to stop, but sprang to their work, not a part of them merely, but all together, and their officers with them, thinking that the order had been given. In fact it had been given. That was the reason why not even you could hold them back. What can be stronger in human affairs than a king, unless it be a god, who overcame your intention and supplanted us in giving you directions about the city, being hostile to us and to all the people round about? What can our resources avail hereafter with a more powerful race settled along side of us? This city of yours has had a fortunate beginning, and it will be great and enduring. We beg that you will confirm your pardon of our fault which we committed from fear of the loss of our own prosperity." The king was pleased with what the Magi said and pardoned them. 59. This is what I have heard about Seleucia.

X

SELEUCUS, while still living, appointed his son, Antiochus, king of upper Asia in place of himself. If this seems noble and kingly on his part, even

CAP. μεγαλόφρον εἶναι τόδε φαίνεται καὶ βασιλικόν,
X μεγαλοφρονέστερον ἔτι καὶ σοφώτερον ἤνεγκε τὸν
ἔρωτα τοῦ παιδὸς καὶ τὴν ἐς τὸ πάθος αὐτοῦ
σωφροσύνην. ἤρα μὲν γὰρ ὁ Ἀντίοχος Στρατο-
νίκης τῆς αὐτοῦ Σελεύκου γυναικός, μητρυιᾶς οἱ
γενομένης καὶ παῖδα ἤδη τῷ Σελεύκῳ πεποιημένης,
συγγιγνώσκων δὲ τὴν ἀθεμιστίαν τοῦ πάθους
οὔτε ἐπεχείρει τῷ κακῷ οὔτε προύφερεν, ἀλλ'
ἐνόσει καὶ παρεῖτο καὶ ἑκὼν ἐς τὸν θάνατον συν-
ήργει. οὐδ' ὁ περιώνυμος ἰατρὸς Ἐρασίστρατος,
ἐπὶ μεγίσταις συντάξεσι Σελεύκῳ συνών, εἶχε
τεκμήρασθαι τοῦ πάθους, μέχρι φυλάξας καθαρὸν
ἐκ πάντων τὸ σῶμα, εἴκασεν εἶναι τῆς ψυχῆς τὴν
νόσον, ᾗ δὴ καὶ ἐρρωμένῃ καὶ νοσούσῃ τὸ σῶμα
συναίσθεται. λύπας μὲν οὖν καὶ ὀργὰς καὶ ἐπι-
θυμίας ἄλλας ὁμολογεῖσθαι, ἔρωτα δ' ἐπικρύπτε-
σθαι πρὸς τῶν σωφρόνων. οὐδὲν δὲ οὐδ' ὡς τοῦ
Ἀντιόχου φράζοντος αὐτῷ λιπαροῦντι μαθεῖν ἐν
ἀπορρήτῳ, παρεκαθέζετο καὶ ἐφύλασσε τὰς τοῦ
σώματος μεταβολάς, ὅπως ἔχοι πρὸς ἕκαστον τῶν
ἐσιόντων. ὡς δὲ ηὗρεν ἐπὶ μὲν τῶν ἄλλων
σβεννύμενον ἀεὶ τὸ σῶμα καὶ μαραινόμενον ὁμα-
λῶς, ὅτε δὲ ἡ Στρατονίκη παρίοι πρὸς αὐτὸν ἐπι-
σκεψομένη, τὴν μὲν γνώμην ὑπ' αἰδοῦς καὶ
συνειδότος τότε μάλιστα αὐτὸν ἐνοχλούμενον καὶ
σιωπῶντα, τὸ δὲ σῶμα καὶ ἄκοντος αὐτοῦ θαλε-
ρώτερόν τε γιγνόμενον αὐτῷ καὶ ζωτικώτερον, καὶ
αὖθις ἀπιούσης ἀσθενέστερον, ἔφη τῷ Σελεύκῳ
τὸν υἱὸν ἀνιάτως ἔχειν αὐτῷ. ὑπεραλγήσαντος
δὲ τοῦ βασιλέως καὶ ἐκβοήσαντος εἶπεν· "ἔρως
ἔστι τὸ πάθος, καὶ ἔρως γυναικός, ἀλλ' ἀδύ-
νατος."

nobler and wiser was his behaviour in reference to his son's falling in love, and the restraint which that son showed in regard to his passion; for Antiochus was in love with Stratonice, the wife of Seleucus, his own step-mother, who had already borne a child to Seleucus. Recognizing the wickedness of this passion, Antiochus did nothing wrong, nor did he show his feelings, but he fell sick, drooped, and strove his hardest to die. Nor could the celebrated physician, Erasistratus, who was serving Seleucus at a very high salary, form any diagnosis of his malady. At length, observing that his body was free from all the symptoms of disease, he conjectured that this was some condition of the mind, through which the body is often strengthened or weakened by sympathy; and he knew that, while grief, anger, and other passions disclose themselves, love alone is concealed by the modest. As even then Antiochus would confess nothing when the physican asked him earnestly and in confidence, he took a seat by his side and watched the changes of his body to see how he was affected by each person who entered his room. He found that when others came the patient was all the time weakening and wasting away at a uniform pace, but when Stratonice came to visit him his mind was greatly agitated by the struggles of modesty and conscience, and he remained silent. But his body in spite of himself became more vigorous and lively, and when she went away he became weaker again. So the physician told Seleucus that his son had an incurable disease. The king was overwhelmed with grief and cried aloud. Then the physician added, "His disease is love, love for a woman, but a hopeless love."

CAP.
X
60. Σελεύκου δὲ θαυμάσαντος εἴ τινα μὴ δύναιτο πεῖσαι Σέλευκος ὁ τῆς Ἀσίας βασιλεύς, ἐπὶ γάμῳ τοιοῦδε παιδός, ἱκεσίᾳ τε καὶ χρήμασι καὶ δωρεαῖς καὶ ὅλῃ τῇ τοσῇδε βασιλείᾳ, περιιούσῃ μὲν ἐς τόνδε τὸν κάμνοντα βασιλέα, δοθησομένῃ δὲ καὶ νῦν ἀντὶ τῆς σωτηρίας εἰ ἤδη τις ἐθέλοι, καὶ μόνον ἀξιοῦντος μαθεῖν τίς ἔστι τὸ γύναιον, ὁ Ἐρασίστρατος ἔφη· "τῆς ἐμῆς γυναικὸς ἐρᾷ." καὶ ὁ Σέλευκος, "εἶτ᾽ ὦ 'γαθέ," ἔφη, "φιλίας μὲν οὕτω καὶ χαρίτων ἔχων ἐφ᾽ ἡμῖν, ἀρετῆς δὲ καὶ σοφίας ἐν ὀλίγοις, οὐ σώσεις μοι νέον ἄνδρα καὶ βασιλικόν, φίλου καὶ βασιλέως υἱόν, ἀτυχοῦντα καὶ σωφρονοῦντα καὶ τὸ κακὸν ἐπικρύπτοντα καὶ προτιμώμενον αὐτῷ θανάτου, ἀλλ᾽ ὑπερόψει μὲν οὕτως Ἀντίοχον, ὑπερόψει δ᾽ ἐπ᾽ αὐτῷ καὶ Σέλευκον;" ὁ δ᾽ ἀπομαχόμενος εἶπε λόγον ὡς ἄφυκτον, ὅτι μηδ᾽ ἂν σύ, καίπερ ὢν πατήρ, τῆς σῆς Ἀντίοχος εἰ ἤρα γυναικός, μεθῆκας ἂν αὐτῷ τὴν γυναῖκα. ἔνθα δὴ πάντας ὤμνυ τοὺς βασιλείους θεοὺς ὁ Σέλευκος, ἦ μὴν ἑκὼν ἂν καὶ χαίρων μεθεῖναι καὶ διήγημα γενέσθαι καλὸν εὐνοίας ἀγαθοῦ πατρὸς ἐς παῖδα σώφρονα καὶ ἐγκρατῆ τοῦ κακοῦ καὶ ἀνάξιον τῆς συμφορᾶς. πολλά τε ὅμοια ἐπενεγκών, ἤρξατο ἄχθεσθαι ὅτι μὴ αὐτὸς αὑτῷ γίγνοιτο ἰατρὸς ἀτυχοῦντι, ἀλλὰ καὶ ἐς ταῦτα δέοιτο Ἐρασιστράτου.

61. Ὁ δ᾽ ἐπεὶ κατεῖδε τὴν ὁρμὴν τοῦ βασιλέως ἔργον ὑποφαίνουσαν, οὐχ ὑπόκρισιν, ἀνεκάλυπτε τὸ πάθος, καὶ ὅπως αὐτὸ εὕροι κρυπτόμενον

THE SYRIAN WARS

60. Seleucus was astonished that there could be any woman whom he, king of Asia, could not prevail upon to marry such a son as his, by entreaties, by gold, by gifts, by the whole of that great kingdom, the eventual inheritance of the sick prince, which the father would give to him even now, if he wished it, in order to save him. Desiring to learn only one thing more, he asked, "Who is this woman?" Erasistratus replied, "He is in love with my wife." "Well then, my good fellow," rejoined Seleucus, "since you are so bound to us by friendship and favours, and have few equals in goodness and wisdom, will you not save this princely young man for me, the son of your friend and king, unfortunate in love but virtuous, who has concealed his sinful passion and prefers to die rather than confess it? Do you so despise Antiochus? Do you despise his father also?" Erasistratus resisted, and said, as though putting forward an unanswerable argument, "Even you would not give Antiochus your wife if he were in love with her, although you are his father." Then Seleucus swore by all the gods of his royal house that he would willingly and cheerfully give her, and make himself an illustrious example of the kindness of a good father to a chaste son who controlled his passion and did not deserve such suffering. Much more he added of the same sort, and, finally, began to lament that he could not himself be physician to his unhappy boy, but must needs depend on Erasistratus in this matter also.

61. When Erasistratus saw by the king's earnestness that he was not pretending, he told the whole truth. He related how he had discovered the nature of the malady, and how he had detected the secret

CAP. X διηγεῖτο. Σελεύκῳ δὲ ἡσθέντι ἔργον μὲν ἐγένετο πεῖσαι τὸν υἱόν, ἔργον δ' ἐπ' ἐκείνῳ τὴν γυναῖκα· ὡς δ' ἔπεισε, τὴν στρατιὰν συναγαγών, αἰσθομένην ἴσως ἤδη τι τούτων, κατελογίζετο μὲν αὐτοῖς τὰ ἔργα τὰ ἑαυτοῦ καὶ τὴν ἀρχήν, ὅτι δὴ μάλιστα τῶν Ἀλεξάνδρου διαδόχων ἐπὶ μήκιστον προαγάγοι· διὸ καὶ γηρῶντι ἤδη δυσκράτητον εἶναι διὰ τὸ μέγεθος. "ἐθέλω δέ," ἔφη, "διελεῖν τὸ μέγεθος ἐς τὴν ὑμετέραν τοῦ μέλλοντος ἀμεριμνίαν, καὶ τὸ μέρος ἤδη δοῦναι τοῖς ἐμοῖς φιλτάτοις. δίκαιοι δ' ἐστέ μοι πάντες ἐς πάντα συνεργεῖν, οἳ ἐς τοσοῦτον ἀρχῆς καὶ δυνάμεως ηὐξήθητε ὑπ' ἐμοῦ μετ' Ἀλέξανδρον. φίλτατοι δ' εἰσί μοι καὶ ἀρχῆς ἄξιοι τῶν τε παίδων ὁ τέλειος ἤδη καὶ ἡ γυνή. ἤδη δ' αὐτοῖς καὶ παῖδες, ὡς νέοις, γένοιντο ταχέως, καὶ πλέονες φύλακες ὑμῖν τῆς ἡγεμονίας εἶεν. ἁρμόζω σφίσιν ἀλλήλους ἐφ' ὑμῶν, καὶ πέμπω βασιλέας εἶναι τῶν ἐθνῶν ἤδη τῶν ἄνω. καὶ οὐ Περσῶν ὑμῖν ἔθη καὶ ἑτέρων ἐθνῶν μᾶλλον ἢ τόνδε τὸν κοινὸν ἅπασιν ἐπιθήσω νόμον, ἀεὶ δίκαιον εἶναι τὸ πρὸς βασιλέως ὁριζόμενον." ὁ μὲν δὴ οὕτως εἶπεν, ἡ στρατιὰ δὲ ὡς βασιλέα τε τῶν ἐπὶ Ἀλεξάνδρῳ μέγιστον καὶ πατέρα ἄριστον ηὐφήμει· καὶ ὁ Σέλευκος Στρατονίκῃ καὶ τῷ παιδὶ τὰ αὐτὰ προστάξας ἐζεύγνυ τὸν γάμον, καὶ ἐπὶ τὴν βασιλείαν ἐξέπεμψεν, ἔργον ἀοίδιμον τόδε καὶ δυνατώτερον τῶν ἐν πολέμοις αὐτῷ γενομένων ἐργασάμενος.

62. Σατραπεῖαι δὲ ἦσαν ὑπ' αὐτῷ δύο καὶ ἑβδομήκοντα· τοσαύτης ἐβασίλευε γῆς. καὶ τὴν

passion. Seleucus was overjoyed, but it was a difficult matter to persuade his son and not less so to persuade his wife; but he succeeded finally. Then he assembled his army, which perhaps by now suspected something, and told them of his exploits and of the extent of his empire, showing that it surpassed that of any of the other successors of Alexander, and saying that as he was now growing old it was hard for him to govern it on account of its size. "I wish," he said, "to divide it, in the interests of your future safety, and to give a part of it now to those who are dearest to me. It is fitting that all of you, who have advanced to such greatness of dominion and power under me since the time of Alexander, should co-operate with me in everything. The dearest to me, and well worthy to reign, are my grown-up son and my wife. As they are young, I pray they may soon have children to aid in guarding the empire. I join them in marriage in your presence and send them to be sovereigns of the upper provinces now. The law which I shall impose upon you is not the customs of the Persians and other nations, but the law which is common to all, that what the king ordains is always right." When he had thus spoken the army shouted that he was the greatest king of all the successors of Alexander and the best father. Seleucus laid the same injunctions on Stratonice and his son, then joined them in marriage, and sent them to their kingdom, showing himself even stronger in this famous act than in his deeds of arms.

62. Seleucus had seventy-two satraps under him, so extensive was the territory over which he ruled. The greater part he had transferred to his son, but

CAP. πλείονα τῷ παιδὶ παραδούς, ἦρχε τῶν ἀπὸ θαλάσ-
X σης ἐπὶ Εὐφράτην μόνων. καὶ πόλεμον τελευ-
ταῖον Λυσιμάχῳ περὶ Φρυγίαν τὴν ἐφ' Ἑλλησ-
πόντῳ πολεμῶν, Λυσιμάχου μὲν ἐκράτει πε-
σόντος ἐν τῇ μάχῃ, αὐτὸς δὲ τὸν Ἑλλήσποντον
ἐπέρα. καὶ ἐς Λυσιμάχειαν ἀναβαίνων κτείνεται.
Πτολεμαῖος δ' αὐτὸν ἑπόμενος ἔκτεινεν, ὅτῳ
κεραυνὸς ἐπίκλησις. υἱὸς δ' ἦν ὁ κεραυνὸς ὅδε
Πτολεμαίου τοῦ σωτῆρος καὶ Εὐρυδίκης τῆς
Ἀντιπάτρου· καὶ αὐτὸν ἐκπεσόντα Αἰγύπτου
διὰ δέος, ὅτι νεωτάτῳ παιδὶ ὁ Πτολεμαῖος τὴν
ἀρχὴν ἐπενόει δοῦναι, ὁ Σέλευκος οἷα φίλου παῖδα
ἀτυχοῦντα ὑπεδέξατο, καὶ ἔφερβε καὶ ἐπήγετο
πάντῃ φονέα ἑαυτοῦ.

63. Καὶ Σέλευκος μὲν οὕτω τελευτᾷ, τρία καὶ
ἑβδομήκοντα ἔτη βιώσας, καὶ βασιλεύσας αὐτῶν
δύο καὶ τεσσαράκοντα. καί μοι δοκεῖ καὶ ἐς
τοῦτο αὐτῷ συνενεχθῆναι τὸ αὐτὸ λόγιον, "μὴ
σπεῦδ' Εὐρώπηνδ'· Ἀσίη τοι πολλὸν ἀμείνων."
ἡ γὰρ Λυσιμάχεια τῆς Εὐρώπης ἐστί, καὶ τότε
πρῶτον ἀπὸ τῆς Ἀλεξάνδρου στρατείας ἐς τὴν
Εὐρώπην διεπέρα. λέγεται δὲ καὶ περὶ αὐτοῦ
τοῦ θανάτου ποτὲ αὐτῷ χρωμένῳ λόγιον προαγο-
ρευθῆναι "Ἄργος ἀλευόμενος τὸ πεπρωμένον εἰς
ἔτος ἥξεις· εἰ δ' Ἄργει πελάσαις, τότε κεν παρὰ
μοῖραν ὄλοιο." ὁ μὲν δὴ Ἄργος τὸ Πελοπον-
νήσιον καὶ Ἄργος τὸ Ἀμφιλοχικὸν καὶ Ἄργος
τὸ ἐν Ὀρεστείᾳ (ὅθεν οἱ Ἀργεάδαι Μακεδόνες)
καὶ τὸ ἐν τῷ Ἰονίῳ λεγόμενον οἰκίσαι Διομήδην
ἀλώμενον, καὶ εἴ τί που γῆς ἄλλο Ἄργος ἐκα-

THE SYRIAN WARS

he continued to reign over the country which lies between the Euphrates and the sea. The last war that he waged was with Lysimachus, for the possession of Phrygia on the Hellespont. Lysimachus was defeated and slain in battle. Then Seleucus crossed the Hellespont in order to possess himself of Lysimacheia, but he was killed by Ptolemy Ceraunus who accompanied him. This Ceraunus was the son of Ptolemy Soter and Euridice, the daughter of Antipater. He had left Egypt from fear, because his father had decided to leave the kingdom to his youngest son. Seleucus had received him as the unfortunate son of his friend, and thus he supported, and took with him everywhere, his own murderer.

63. Thus Seleucus died at the age of seventy-three, having reigned forty-two years. It seems to me that the above-mentioned oracle hit the mark in this case too, when it said to him, "Do not hurry back to Europe; Asia will be much better for you," for Lysimacheia is in Europe, and he then crossed over to Europe for the first time after leaving it with the army of Alexander. It is said also that once when he specially consulted an oracle about his death he received this answer:—

"If you keep away from Argos you will reach your allotted year, but if you approach that place you will die before your time."

There is an Argos in Peloponnesus, another in Amphilochia, another in Orestea (whence come the Macedonian Argeadae), and the one on the Ionian sea, said to have been built by Diomedes during his wanderings,—all these, and every place named Argos in every other country, Seleucus inquired

CAP. λεῖτο, πάντα ἀνεζήτει καὶ ἐφυλάσσετο· ἀνα-
X βαίνοντι δ' ἐς τὴν Λυσιμάχειαν αὐτῷ ἀπὸ τοῦ
Ἑλλησπόντου βωμὸς ἦν ἐν ὄψει μέγας τε καὶ
περιφανής, καὶ πυθόμενος αὐτὸν ἢ τοὺς Ἀργο-
ναύτας στήσασθαι παραπλέοντας ἐς Κόλχους ἢ
τοὺς Ἀχαιοὺς ἐπὶ Ἴλιον στρατεύοντας, καὶ διὰ
τοῦτο ἔτι τὸν βωμὸν τοὺς περιχώρους Ἄργος
καλεῖν, ἢ διὰ τὴν ναῦν διαφθείροντας τὸ ὄνομα ἢ
διὰ τὴν πατρίδα τῶν Ἀτρειδῶν, κτείνεται, ταῦτα
ἔτι μανθάνων, ὑπὸ τοῦ Πτολεμαίου προσπεσόντος
ὄπισθεν. καὶ Σέλευκον μὲν ἔκαιε Φιλέταιρος ὁ
Περγάμου δυναστεύσας, πολλῶν χρημάτων τὸ
σῶμα τὸν κεραυνὸν αἰτήσας, καὶ τὰ λείψανα
ἔπεμπεν Ἀντιόχῳ τῷ παιδὶ αὐτοῦ. ὁ δ' ἐν Σε-
λευκείᾳ τῇ πρὸς θαλάσσῃ ἀπέθετο, καὶ νεὼν αὐτῷ
ἐπέστησε καὶ τέμενος περιέθηκε· καὶ τὸ τέμενος
Νικατόρειον ἐπικλήζεται.

64. Λυσίμαχον δὲ πυνθάνομαι, τῶν ὑπασπιστ-
τῶν ὄντα τῶν Ἀλεξάνδρου, παρατροχάσαι ποτὲ
ἐπὶ πλεῖστον αὐτῷ, καὶ καμόντα, τῆς οὐρᾶς τοῦ
βασιλέως ἵππου λαβόμενον, ἔτι συντρέχειν, πλη-
γέντα δὲ ἐς τὸ μέτωπον ἐπὶ τὴν φλέβα τῷ τέλει
τοῦ βασιλείου δόρατος αἱμορροεῖν· τὸν δὲ Ἀλέ-
ξανδρον, ἀπορίᾳ τελαμῶνος, τῷ διαδήματι αὐτοῦ
τὸ τραῦμα περιδῆσαι, καὶ ἐμπλησθῆναι μὲν
αἵματος τὸ διάδημα, τὸν δὲ Ἀλεξάνδρου μάντιν
Ἀρίστανδρον φερομένῳ τῷ Λυσιμάχῳ καὶ ὧδε
ἔχοντι ἐπειπεῖν ὅτι βασιλεύσει μὲν οὗτος ὁ ἀνήρ,
βασιλεύσει δ' ἐπιπόνως. ὁ μὲν δὴ καὶ ἐβασί-
λευσε τεσσαράκοντα ἔτη μάλιστα σὺν οἷς ἐσατ-

about and avoided. But while he was advancing from the Hellespont to Lysimacheia a great and splendid altar presented itself to his view, which he was told had been built either by the Argonauts on their way to Colchis, or by the Achaeans who besieged Troy, for which reason the people in the neighbourhood still called it Argos, either by a corruption of the name of the ship *Argo*, or from the native place of the sons of Atreus. As he was still listening to this story, he was killed by Ptolemy, who stabbed him in the back. Philetaerus, the prince of Pergamus, bought the body of Seleucus from Ceraunus for a large sum of money, burned it, and sent the ashes to his son Antiochus. The latter deposited them at Seleucia-by-the-Sea, where he erected a temple to his father, and made a precinct round it. The precinct is called Nicatoreum.

64. I have heard that Lysimachus, who was one of the armour-bearers of Alexander, was once running by his side for a long distance, and, being fatigued, took hold of the tail of the king's horse and continued to run; that he was struck in the forehead by the point of the king's spear, which opened one of his veins from which the blood flowed profusely; that Alexander, for want of a bandage, bound up the wound with his own diadem,[1] which was thus saturated with blood; and that Aristandrus, Alexander's soothsayer, when he saw Lysimachus carried away with the diadem on his forehead, said, "That man will be a king, but he will reign with toil and trouble." He reigned nearly forty years, counting those in which

[1] The blue band with white spots, worn round the tiara of the Persian kings, and adopted by Alexander.

CAP. ράπευσε, καὶ ἐπιπόνως ἐβασίλευσε, καὶ ἑβδομη-
X κοντούτης ὢν στρατευόμενος καὶ μαχόμενος
ἔπεσεν. εὐθὺς δ' ἐπαναιρεθέντος αὐτῷ τοῦ
Σελεύκου, κείμενον τὸ σῶμα τοῦ Λυσιμάχου κύων
οἰκεῖος, ἐς πολὺ ὑπερμαχῶν, ἀλύμαντον ἐξ ὀρνέων
καὶ θηρίων διεφύλασσε, μέχρι Θώραξ ὁ Φαρσά-
λιος εὑρὼν ἔθαψεν. οἱ δὲ Ἀλέξανδρόν φασι
θάψαι, τὸν αὐτοῦ Λυσιμάχου παῖδα, φυγόντα μὲν
ὑπὸ δέους πρὸς Σέλευκον ὅτε Λυσίμαχος Ἀγα-
θοκλέα τὸν ἕτερον αὐτοῦ παῖδα ἀνεῖλεν, ἐρευνη-
σάμενον δὲ ἐν τῷ τότε τὸ σῶμα, καὶ ἐκ τοῦ κυνὸς
μάλιστα ἀνευρόντα ἤδη διεφθαρμένον. τὰ δὲ
ὀστᾶ τοὺς Λυσιμαχέας ἐνθέσθαι τῷ σφετέρῳ
ἱερῷ, καὶ τὸ ἱερὸν Λυσιμάχειον προσαγορεῦσαι.

XI

CAP. Τοιόνδε μὲν δὴ τέλος ἑκατέρῳ τῶνδε τῶν βασι-
XI λέων συνηνέχθη, ἀνδρειοτάτων τε καὶ τὰ σώματα
μεγίστων γενομένων, τοῦ μὲν ἐς ἑβδομήκοντα ἔτη,
τοῦ δὲ ἐς πλέονα τούτων ἔτι ἄλλα τρία, μεμαχη-
μένων ἐκ χειρὸς οἰκείας ἀεὶ μέχρι τοῦ θανάτου.

65. Σελεύκου δ' ἀποθανόντος διάδοχοι, παῖς
παρὰ πατρὸς ἐκδεχόμενοι τὴν Σύρων ἀρχήν,
ἐγένοντο οἵδε, Ἀντίοχος μὲν πρῶτος ὅδε ὁ τῆς
μητρυιᾶς ἐρασθείς, ὃς καὶ σωτὴρ ἐπεκλήθη
Γαλάτας ἐκ τῆς Εὐρώπης ἐς τὴν Ἀσίαν ἐσβα-
λόντας, ἐξελάσας, δεύτερος δὲ Ἀντίοχος ἕτερος,
ἐκ τῶνδε τῶν γάμων γενόμενος, ὅτῳ θεὸς ἐπώνυ-
μον ὑπὸ Μιλησίων γίγνεται πρῶτον, ὅτι αὐτοῖς
Τίμαρχον τύραννον καθεῖλεν. ἀλλὰ τόνδε μὲν

he was satrap, and he did reign with toil and trouble. He fell in battle, while still commanding his army and fighting, at the age of seventy. Directly after his death Seleucus was killed, and Lysimachus' dog watched his master's body lying on the ground for a long time, and kept it from being harmed by birds or beasts until Thorax of Pharsalia found and buried it. Others say that he was buried by his own son, Alexander, who fled to Seleucus from fear when Lysimachus put to death his other son, Agathocles; that he searched for the body on that occasion and found it, mainly by the help of the dog, and that it was already partly decomposed. The Lysimacheians deposited the bones in their temple and named the temple itself the Lysimacheum.

XI

Thus did these two kings, the bravest and most renowned for bodily size, come to their end, one of them at the age of seventy, the other three years older, and both fighting with their own hands until the day of their death.

65. But after the death of Seleucus, the kingdom of Syria passed in regular succession from father to son as follows: the first was the same Antiochus who fell in love with his stepmother, to whom was given the surname of Soter (the Protector) for driving out the Gauls who had made an incursion into Asia from Europe. The second was another Antiochus, born of this marriage, who received the surname of Theos (the Divine) from the Milesians in the first instance, because he slew their tyrant, Timarchus. This

APPIAN'S ROMAN HISTORY, BOOK XI

CAP. XI τὸν θεὸν ἔκτεινεν ἡ γυνὴ φαρμάκῳ. δύο δὲ εἶχε, Λαοδίκην καὶ Βερενίκην, ἐξ ἔρωτός τε καὶ ἐγγύης, . . . Πτολεμαίου τοῦ φιλαδέλφου θυγατέρα· καὶ αὐτὸν ἔκτεινε Λαοδίκη, καὶ ἐπ' ἐκείνῳ Βερενίκην τε καὶ τὸ Βερενίκης βρέφος. καὶ Πτολεμαῖος ὁ τοῦ φιλαδέλφου, ταῦτα τινύμενος, Λαοδίκην τε ἔκτεινε καὶ ἐς Συρίαν ἐνέβαλε καὶ ἐς Βαβυλῶνα ἤλασεν. καὶ Παρθυαῖοι τῆς ἀποστάσεως τότε ἦρξαν ὡς τεταραγμένης τῆς τῶν Σελευκιδῶν ἀρχῆς.

66. Ἐπὶ δὲ τῷ θεῷ βασιλεὺς γίγνεται Συρίας Σέλευκος, υἱὸς τοῦ θεοῦ τε καὶ Λαοδίκης, ᾧ καλλίνικος ἐπώνυμον. ἐπὶ δὲ Σελεύκῳ δύο παῖδες αὐτοῦ Σελεύκου, καθ' ἡλικίαν ἑκάτερος αὐτῶν, Σέλευκός τε καὶ Ἀντίοχος. Σελεύκῳ μὲν δὴ ἀσθενεῖ τε ὄντι καὶ πενομένῳ καὶ δυσπειθῆ τὸν στρατὸν ἔχοντι ἐπεβούλευσαν οἱ φίλοι διὰ φαρμάκων, καὶ ἐς ἔτη δύο μόνα ἐβασίλευσεν· ὁ δὲ Ἀντίοχος ὅδε ἐστὶν ὁ μέγας ἐπίκλην, περὶ οὗ μοι πάλαι εἴρηται, Ῥωμαίοις πεπολεμηκότος. ἐβασίλευσε δὲ ἔτη ἑπτὰ καὶ τριάκοντα. καὶ αὐτοῦ περὶ τοῖν παίδοιν προεῖπον ἀμφοῖν βεβασιλευκότοιν, Σελεύκου τε καὶ Ἀντιόχου, Σελεύκου μὲν ἔτεσι δώδεκα, ἀπράκτως ἅμα καὶ ἀσθενῶς διὰ τὴν τοῦ πατρὸς συμφοράν, Ἀντιόχου δὲ δώδεκα οὐ πλήρεσιν, ἐν οἷς Ἀρταξίαν τὸν Ἀρμένιον εἷλε, καὶ ἐς Αἴγυπτον ἐστράτευσεν ἐπὶ ἕκτον Πτολεμαῖον, ὀρφανευόμενον μετ' ἀδελφοῦ. καὶ αὐτῷ στρατοπεδεύοντι περὶ τὴν Ἀλεξάνδρειαν Ποπίλιος παρὰ Ῥωμαίων πρεσβευτὴς ἧκε, φέρων δέλτον ἐν ᾗ τάδε ἐγέγραπτο, μὴ πολεμεῖν Πτολεμαίοις Ἀντίοχον.

THE SYRIAN WARS

Theos was poisoned by his wife. He had two wives, CHAP
Laodice and Berenice, the former a love-match, the XI
latter a daughter pledged to him by Ptolemy
Philadelphus. Laodice assassinated him and afterward Berenice and her child. Ptolemy, the son of
Philadelphus, avenged these crimes by killing
Laodice. He invaded Syria and advanced as far as
Babylon. The Parthians now began their revolt,
taking advantage of the confusion in the house of
the Seleucidae.

66. Seleucus, the son of Theos and Laodice, B.C. 246
surnamed Callinicus (the Triumphant), succeeded
Theos as king of Syria. After Seleucus his two sons, B.C. 226
Seleucus and Antiochus, succeeded in the order of
their age. As Seleucus was sickly and poor and
unable to command the obedience of the army, he
was poisoned by a court conspiracy after reigning
only two years. His brother was Antiochus the B.C. 224
Great, who went to war with the Romans, of whom
I have written above. He reigned thirty-seven B.C. 187
years. I have already spoken of his two sons,
Seleucus and Antiochus, both of whom ascended the
throne. The former reigned twelve years, but
feebly and without success by reason of his father's
misfortune. Antiochus (Epiphanes) reigned not B.C. 175
quite twelve years, in the course of which he
captured Artaxias the Armenian and made an expedition into Egypt against Ptolemy VI., who had been
left an orphan with one brother. While he was B.C 108
encamped near Alexandria, Popilius came to him as
Roman ambassador, bringing an order in writing that
he should not attack the Ptolemies. When he had

231

CAP. ἀναγνόντι δὲ αὐτῷ, καὶ λέγοντι βουλεύσεσθαι,
XI κύκλον τῇ ῥάβδῳ περιέγραψεν ὁ Ποπίλιος, καὶ
εἶπεν· "ἐνταῦθα βουλεύου." ὁ μὲν δὴ κατα-
πλαγεὶς ἀνέζευξε, καὶ τὸ τῆς Ἐλυμαίας Ἀφροδίτης
ἱερὸν ἐσύλησε, καὶ φθίνων ἐτελεύτησε, παιδίον
ἐννεατὲς ἀπολιπών, Ἀντίοχον τὸν εὐπάτορα, ὥς
μοι καὶ περὶ τοῦδε εἴρηται.

67. Εἴρηται δὲ καὶ περὶ Δημητρίου τοῦ μετ᾽
αὐτόν, ὃς ὡμήρευεν ἐν Ῥώμῃ καὶ τῆς ὁμηρείας
ἐκφυγὼν ἐβασίλευσε, σωτὴρ καὶ ὅδε πρὸς τῶν
Σύρων, δεύτερος ἐπὶ τῷ Σελεύκου τοῦ νικάτορος
παιδὶ ὀνομασθείς. ἐπανίσταται δὲ αὐτῷ τις
Ἀλέξανδρος, ψευδόμενος εἶναι τοῦ Σελευκείου
γένους· καὶ Πτολεμαῖος ὁ τῆς Αἰγύπτου βασιλεὺς
κατὰ μῖσος Δημητρίου συνελάμβανεν Ἀλεξάν-
δρῳ. καὶ Δημήτριος μὲν διὰ Πτολεμαῖον ἐξέπεσε
τῆς ἀρχῆς καὶ ἐτελεύτησε· τὸν δὲ Ἀλέξανδρον
ἐξέβαλε Δημήτριος ὁ Δημητρίου τοῦδε τοῦ σωτῆ-
ρος υἱός, καὶ ἐπὶ τῷδε, ὡς νόθον τοῦ γένους ἄνδρα
νικήσας, νικάτωρ ὑπὸ τῶν Σύρων ὠνομάσθη,
δεύτερος καὶ ὅδε μετὰ Σέλευκον. ἐπί τε Παρ-
θυαίους καὶ ὅδε μετὰ Σέλευκον ἐστράτευσε, καὶ
γενόμενος αἰχμάλωτος δίαιταν εἶχεν ἐν Φραάτου
βασιλέως, καὶ Ῥοδογούνην ἔζευξεν αὐτῷ τὴν
ἀδελφὴν ὁ βασιλεύς.

68. Παρὰ δὲ τὴν ἀναρχίαν τήνδε δοῦλος τῶν
βασιλέων Διόδοτος παιδίον Ἀλέξανδρον, ἐξ
Ἀλεξάνδρου τοῦ νόθου καὶ τῆς Πτολεμαίου
θυγατρός, ἐπὶ τὴν βασιλείαν ἤγαγεν. καὶ τὸ
παιδίον κτείνας αὐτὸς ἐπετόλμησε τῇ ἀρχῇ,
Τρύφων ἀφ᾽ ἑαυτοῦ μετονομασθείς. ἀλλ᾽ αὐτὸν
Ἀντίοχος ὁ ἀδελφὸς Δημητρίου τοῦ αἰχμαλώτου,

read it he replied that he would think about it. Popilius drew a circle around him with his staff and said, "Think about it here." He was terrified and withdrew from the country, and robbed the temple of Venus of Elymais; he then died of a wasting disease, leaving a son nine years of age, the Antiochus Eupator already mentioned.

CHAP. XI

B.C. 164

67. I have also spoken of Demetrius, his successor, who had been a hostage in Rome and who escaped and became king. He also was called Soter by the Syrians, being the second who bore that title after the son of Seleucus Nicator. Against him a certain Alexander took up arms, falsely pretending to be of the family of the Seleucidae, to whom Ptolemy, king of Egypt, gave aid because he hated Demetrius. The latter was deprived of his kingdom by this means and died. His son, Demetrius, drove out Alexander, and for his victory over this bastard of the family he was surnamed Nicator by the Syrians, the next who bore that title after Seleucus. Following the example of Seleucus he made an expedition against the Parthians. He was taken prisoner by them and lived in the palace of King Phraates, who gave him his sister, Rhodoguna, in marriage.

B.C. 162

Demetrius Soter

68. While the country was without a government Diodotus, a slave of the royal house, placed on the throne a young boy named Alexander, a son of Alexander the Bastard and of Ptolemy's daughter. Afterwards he put the boy to death and undertook the government himself and assumed the name of Trypho. But Antiochus, the brother of the captive Demetrius, learning in Rhodes of his capti-

Palace conspiracies

CAP. πυθόμενος ἐν Ῥόδῳ περὶ τῆς αἰχμαλωσίας, κτείνει
XI κατιὼν ἐς τὰ πατρῷα σὺν πόνῳ πολλῷ. καὶ
στρατεύει καὶ ὅδε ἐπὶ τὸν Φραάτην, τὸν ἀδελφὸν
αἰτῶν. ὁ μὲν δὴ Φραάτης αὐτὸν ἔδεισε καὶ τὸν
Δημήτριον ἐξέπεμψεν· ὁ δ' Ἀντίοχος καὶ ὡς
συνέβαλέ τε τοῖς Παρθυαίοις, καὶ ἡσσώμενος
ἑαυτὸν ἔκτεινεν. ἔκτεινε δὲ καὶ Δημήτριον ἐς τὴν
βασιλείαν ἐπανελθόντα ἡ γυνὴ Κλεοπάτρα, δολο-
φονήσασα διὰ ζῆλον τοῦ γάμου Ῥοδογούνης, δι'
ὃν δὴ καὶ Ἀντιόχῳ τῷ ἀδελφῷ τοῦ Δημητρίου
προὐγεγάμητο. καὶ παῖδες ἦσαν αὐτῇ δύο μὲν
ἐκ Δημητρίου, Σέλευκός τε καὶ Ἀντίοχος, ὅτῳ
γρυπὸς ἐπίκλησις, ἐκ δὲ Ἀντιόχου Ἀντίοχος, ὅτῳ
Κυζικηνὸς ἐπώνυμον. τούτων τὸν μὲν γρυπὸν ἐς
Ἀθήνας, τὸν δὲ Κυζικηνὸν ἐς Κύζικον ἐπεπόμφει
τρέφεσθαι.

69. Σέλευκον δ' εὐθὺς ἐπὶ τῷ πατρὶ Δημητρίῳ
τὸ διάδημα ἐπιθέμενον ἐπιτοξεύσασα ἔκτεινεν,
εἴτε δείσασα περὶ τῆς τοῦ πατρὸς δολοφονήσεως,
εἴτε καὶ μανιώδει πρὸς πάντας μίσει. μετὰ δὲ
Σέλευκον ὁ γρυπὸς ἐγένετο βασιλεύς, καὶ τὴν
μητέρα οἱ φάρμακον κεράσασαν πιεῖν ἠνάγκασεν.
ἡ μὲν δὴ δίκην ποτὲ ἔδωκεν, ἄξιος δὲ ἄρα τῆς
μητρὸς ἦν καὶ ὁ γρυπός· ἐπεβούλευε γὰρ τῷ
Κυζικηνῷ καίπερ ὄντι ὁμομητρίῳ. ὁ δὲ μαθὼν
ἐπολέμησέ τε αὐτῷ καὶ τῆς ἀρχῆς αὐτὸν ἐξήλασε,
καὶ βασιλεὺς ἀντ' ἐκείνου τοῖς Σύροις ἐγένετο.
ἀλλὰ καὶ τόνδε Σέλευκος ὁ Ἀντιόχου τοῦ γρυποῦ
παῖς, ἐπιστρατεύσας ὄντι περ θείῳ, παρείλετο
τὴν ἀρχήν. βίαιος δὲ καὶ τυραννικώτατος ὢν ἐν
Ἑστίᾳ Μόψου τῆς Κιλικίας κατεπρήσθη κατὰ
τὸ γυμνάσιον. καὶ αὐτὸν διεδέξατο Ἀντίοχος ὁ

THE SYRIAN WARS

vity, came home and, with great difficulty, put Trypho to death. Then he too marched with an army against Phraates and demanded his brother. Phraates was afraid of him and sent Demetrius back. Antiochus nevertheless fought with the Parthians, was beaten, and committed suicide. When Demetrius returned to his kingdom he, too, was killed by the craft of his wife, Cleopatra, who was jealous on account of his marriage with Rhodoguna, for which reason also she had previously married his brother Antiochus. She had borne two sons to Demetrius, named Seleucus and Antiochus Grypus (the Hooknosed); and to Antiochus one son, named Antiochus Cyzicenus. She had sent Grypus to Athens and Cyzicenus to Cyzicus to be educated.

69. As soon as Seleucus assumed the diadem after the death of his father Demetrius his mother shot him dead with an arrow, either fearing lest he should avenge his father's murder or moved by an insane hatred for everybody. After Seleucus, Grypus became king, and he compelled his mother to drink poison that she had mixed for himself. So justice evertook her at last; but Grypus himself proved to be worthy of such a mother. For he laid a plot against Cyzicenus, his half-brother, but the latter found it out, made war on him, drove him out of the kingdom, and became king of Syria in his stead. Then Seleucus, the son of Grypus, made war on his uncle and took the government away from him. The new sovereign was violent and tyrannical and was burned to death in the gymnasium at the city of Mopsuestia in Cilicia. Antiochus, the son of

CAP. υἱὸς τοῦ Κυζικηνοῦ· ὃν ἐπιβουλευόμενον ὑπὸ
XI Σελεύκου τοῦ ἀνεψιοῦ οἱ μὲν Σύροι νομίζουσι
περισωθῆναι δι' εὐσέβειαν, καὶ διὰ τοῦτο εὐσεβῆ
παρωνόμασαν (ἑταίρα δ' αὐτὸν ἔσωσεν, ἐρασθεῖσα
τοῦ κάλλους), ἐμοὶ δὲ δοκοῦσιν ἐπὶ γέλωτι αὐτῷ
ποιήσασθαι τὸ ὄνομα οἱ Σύροι· ἔγημε γὰρ οὗτος
ὁ εὐσεβὴς Σελήνην, ἣ καὶ τῷ πατρὶ αὐτοῦ ἐγε-
γάμητο τῷ Κυζικηνῷ καὶ τῷ γρυπῷ θείῳ γενο-
μένῳ. τοιγάρτοι αὐτὸν θεοῦ μετιόντος ἐξήλασε
τῆς ἀρχῆς Τιγράνης.

70. Καὶ τὸν υἱὸν ἐκείνου τὸν ἐκ τῆς Σελήνης
αὐτῷ γενόμενον, ἐν Ἀσίᾳ τε τραφέντα καὶ ἀπὸ
τοῦδε Ἀσιατικὸν ἐπίκλην, Πομπήιος ἀφείλετο
τὴν Σύρων ἀρχήν, ὥς μοι λέλεκται, ὄντα μὲν
ἑπτακαιδέκατον ἐκ Σελεύκου Σύρων βασιλέα
(ἐξαίρω γὰρ Ἀλέξανδρόν τε καὶ τὸν Ἀλεξάνδρου
παῖδα ὡς νόθους, καὶ τὸν δοῦλον αὐτῶν Διόδοτον),
βασιλεύσαντα δ' ἐν ταῖς ἀσχολίαις ταῖς Πομ-
πηίου ἐπὶ ἓν μόνον ἔτος. ἡ δὲ ἀρχὴ τῶν Σελευ-
κιδῶν ἐς τριάκοντα ἐπὶ διακοσίοις ἐνιαυτοὺς δι-
ίκετο· καὶ εἴ τις ἐπισκοποίη τὸν ἐς Ῥωμαίους
χρόνον ἀπ' Ἀλεξάνδρου, προσθετέον ἐπὶ τοῖς
διακοσίοις τριάκοντα ἔτεσι τὰ Τιγράνους τεσσα-
ρεσκαίδεκα.

Τοσάδε μὲν δὴ καὶ περὶ Μακεδόνων τῶν Συρίας
βεβασιλευκότων εἶχον εἰπεῖν ὡς ἐν ἀλλοτρίᾳ
συγγραφῇ.

THE SYRIAN WARS

Cyzicenus, succeeded him. The Syrians think that he escaped a plot of his cousin Seleucus on account of his piety, for which reason they gave him the name of Antiochus Pius. He was really saved by a prostitute who fell in love with him for his beauty. I think that the Syrians must have given him this title by way of a joke, for this Pius married Selene, who had been the wife of his father, Cyzicenus, and of his uncle, Grypus. For this reason the divine vengeance pursued him and he was expelled from his kingdom by Tigranes.

70. The son of Pius and Selene, who was brought up in Asia and was for that reason called Asiaticus, was deprived of the government of Syria by Pompey, as I have already mentioned. He was the seventeenth king of Syria, reckoning from Seleucus (for I leave out Alexander and his son as being illegitimate, and also their slave, Diodotus), and he reigned only one year, while Pompey was busy elsewhere. The dynasty of the Seleucidae lasted 230 years. To compute the time from Alexander the Great to the beginning of the Roman domination there must be added fourteen years of the rule of Tigranes.

So much, in the way of digression, concerning the Macedonian kings of Syria.

BOOK XII

THE MITHRIDATIC WARS

Μ΄

ΜΙΘΡΙΔΑΤΕΙΟΣ

I

CAP. I

1. Θρᾶκας Ἕλληνες ἡγοῦνται, τοὺς ἐς Ἴλιον μετὰ Ῥήσου στρατεύσαντας, Ῥήσου νυκτὸς ὑπὸ Διομήδους ἀναιρεθέντος ὃν τρόπον Ὅμηρος ἐν τοῖς ἔπεσι φράζει, φεύγοντας ἐπὶ τοῦ Πόντου τὸ στόμα, ᾗ στενώτατός ἐστιν ἐς Θρᾴκην ὁ διάπλους, οἱ μὲν οὐκ ἐπιτυχόντας πλοίων τῇδε καταμεῖναι καὶ τῆς γῆς κρατῆσαι Βεβρυκίας λεγομένης, οἱ δὲ περάσαντας ὑπὲρ τὸ Βυζάντιον ἐς τὴν Θρᾳκῶν τῶν Βιθυνῶν λεγομένων παρὰ Βιθύαν ποταμὸν οἰκῆσαι, καὶ λιμῷ πιεσθέντας ἐς Βεβρυκίαν αὖθις ἐπανελθεῖν, καὶ Βιθυνίαν ἀντὶ Βεβρυκίας, ἀπὸ τοῦ ποταμοῦ παρ' ὃν ᾤκουν, ὀνομάσαι, ἢ καὶ τὸ ὄνομα αὐτοῖς ἀλόγως σὺν χρόνῳ παρατραπῆναι, οὐκ ἐς πολὺ τῆς Βιθυνίας παρὰ τὴν Βεβρυκίαν διαφερούσης. ὧδε μὲν ἔνιοι νομίζουσιν, ἕτεροι δὲ Βίθυν ἄρξαι πρῶτον αὐτῶν, παῖδα Διός τε καὶ Θρᾴκης, οὓς ἐπωνύμους ἑκατέρᾳ γῇ γενέσθαι.

2. Τάδε μὲν οὖν μοι προλελέχθω περὶ Βιθυνίας· τῶν δὲ πρὸ Ῥωμαίων αὐτῆς βασιλέων, ἐννέα καὶ τεσσαράκοντα ἐφεξῆς γενομένων, ὅτου μοι μάλιστα μνημονεῦσαι προσήκει τὰ Ῥωμαίων

BOOK XII

THE MITHRIDATIC WARS

I

1. THE Greeks think that the Thracians who marched to the Trojan war with Rhesus, who was killed by Diomedes in the night-time in the manner described in Homer's poems,[1] fled to the outlet of the Euxine sea at the place where the crossing to Thrace is shortest. Some say that as they found no ships they remained there and possessed themselves of the country called Bebrycia. Others say that they crossed over to the country beyond Byzantium called Thracian Bithynia and settled along the river Bithya, but were forced by hunger to return to Bebrycia, to which they gave the name of Bithynia from the river where they had previously dwelt; or perhaps the name was changed by them insensibly with the lapse of time, as there is not much difference between Bithynia and Bebrycia. So some think. Others say that their first ruler was Bithys, the son of Zeus and Thrace, and that the two countries received their names from them.

2. So much by way of preface concerning Bithynia. Of the forty-nine kings who successively ruled the country before the Romans, the one most worthy of my mention, in writing Roman history, is Prusias,

[1] *Iliad* x. 482–497.

CAP. συγγράφοντι, Προυσίας ἦν ὁ κυνηγὸς ἐπίκλησιν,
I ᾧ Περσεὺς ὁ Μακεδόνων βασιλεὺς τὴν ἀδελφὴν
ἠγγύησεν. καὶ οὐ πολὺ ὕστερον Περσέως καὶ
Ῥωμαίων ἐς χεῖρας ἐπ' ἀλλήλους ἰόντων, ὁ
Προυσίας οὐδετέροις συνεμάχει. Περσέως δ' ἁλόν-
τος ἀπήντησε τοῖς Ῥωμαίων στρατηγοῖς εἷμά τε
Ῥωμαϊκὸν ἀμπεχόμενος, ὃ καλοῦσι τήβεννον, καὶ
ὑποδήματα ἔχων Ἰταλικά, τὴν κεφαλὴν ἐξυρη-
μένος καὶ πῖλον ἐπικείμενος, ᾧ τρόπῳ τινὲς προ-
ΐασι τῶν ἐν διαθήκαις ἐλευθερωθέντων, αἰσχρὸς
ὢν καὶ τἆλλα ὀφθῆναι καὶ βραχύς. ἐντυχὼν
δ' αὐτοῖς ἔφη ῥωμαϊστὶ τῷ ῥήματι "Ῥωμαίων
εἰμὶ λίβερτος," ὅπερ ἐστὶν ἀπελεύθερος. γέλωτα
δὲ παρασχὼν ἐς Ῥώμην ἐπέμφθη, καὶ φανεὶς
κἀνταῦθα γελοῖος ἔτυχε συγγνώμης.

3. Χρόνῳ δ' ὕστερον Ἀττάλῳ τι χαλεπήνας,
τῷ βασιλεῖ τῆς Ἀσίας τῆς περὶ τὸ Πέργαμον,
τὴν γῆν ἐδῄου τὴν Ἀσιάδα. μαθοῦσα δ' ἡ
Ῥωμαίων βουλὴ προσέπεμπε τῷ Προυσίᾳ μὴ
πολεμεῖν Ἀττάλῳ, φίλῳ Ῥωμαίων ὄντι καὶ συμ-
μάχῳ. καὶ δυσπειθῶς ἔτι ἔχοντι οἱ πρέσβεις
μετ' ἀνατάσεως προσέτασσον πείθεσθαι τοῖς ὑπὸ
τῆς συγκλήτου λεγομένοις, καὶ ἥκειν μετὰ χιλίων
ἱππέων ἔς τι μεθόριον ἐπὶ συνθήκαις, ἔνθα καὶ
τὸν Ἄτταλον ἔφασαν περιμένειν μετὰ τοσῶνδε
ἑτέρων. ὁ δ' ὡς ὀλίγων τῶν σὺν Ἀττάλῳ κατα-
φρονήσας, καὶ ἐλπίσας αὐτὸν ἐνεδρεύσειν, προὔ-
πεμπε τοὺς πρέσβεις ὡς μετὰ χιλίων ἑπόμενος,
πάντα δ' ἀναστήσας τὸν στρατὸν ἦγεν ὡς ἐς
μάχην. Ἀττάλου δὲ καὶ τῶν πρέσβεων αἰσθο-
μένων τε καὶ διαφυγόντων ᾗ δυνατὸς αὐτῶν

THE MITHRIDATIC WARS

surnamed the Hunter, to whom Perseus, king of Macedonia, gave his sister in marriage. When Perseus and the Romans, not long afterward, went to war with each other, Prusias did not take sides with either of them. When Perseus was taken prisoner Prusias went to meet the Roman generals, wearing a Roman garment, of the kind called *tebennus*,[1] and Italian shoes, with his head shaved and wearing on it a *pilleus*, as slaves sometimes do who have been made free in their masters' wills. He was, moreover, a small and ugly man. When he met them he said in the Latin tongue, "I am the *libertus* of the Romans," which means "freedman." They laughed at him and sent him to Rome, and as he appeared equally ridiculous there he obtained pardon.

CHAP. I
Prusias king of Bithynia

3. Some time later, being incensed against Attalus, king of the Asiatic country about Pergamus, Prusias ravaged his territory. When the Roman Senate learned of this they sent word to Prusias that he must not attack Attalus, who was their friend and ally. As he was slow in obeying, the ambassadors sternly commanded him to obey the orders of the Senate and to go with 1000 horse to a place on the frontier to negotiate a treaty with Attalus, who, they said, was awaiting him there with an equal number. Despising the handful of men with Attalus and hoping to ensnare him, Prusias sent the ambassadors in advance to say that he was following with 1000 men, but actually put his whole army in motion and advanced as if to battle. When Attalus and the ambassadors learned of this they took to promiscuous

B.C. 154
His attack upon Attalus

[1] Possibly equivalent to the *paludamentum*.

CAP. I ἐγίγνετο ἕκαστος, ὁ δὲ καὶ τῶν σκευοφόρων τῶν Ῥωμαϊκῶν ὑπολειφθέντων ἥπτετο, καὶ χωρίον τι Νικηφόριον ἐξελὼν κατέσκαπτε, καὶ τοὺς ἐν αὐτῷ νεὼς ἐνεπίμπρη, Ἄτταλόν τε ἐς τὸ Πέργαμον συμφυγόντα ἐπολιόρκει, μέχρι καὶ τῶνδε οἱ Ῥωμαῖοι πυθόμενοι πρέσβεις ἑτέρους ἔπεμπον, οἳ τὸν Προυσίαν ἐκέλευον Ἀττάλῳ τὰς βλάβας ἀποτῖσαι. τότε οὖν καταπλαγεὶς ὁ Προυσίας ὑπήκουσε καὶ ἀνεχώρει. ποινὴν δὲ τῶν πρέσβεων ὁρισάντων αὐτὸν ἐσενεγκεῖν Ἀττάλῳ ναῦς καταφράκτους εἴκοσιν αὐτίκα καὶ ἀργυρίου σὺν χρόνῳ τάλαντα πεντακόσια, τάς τε ναῦς ἔδωκε καὶ τὰ χρήματα ἐν τῷ χρόνῳ συνέφερεν.

4. Ὄντι δ᾽ αὐτῷ διὰ μίσους τοῖς ὑπηκόοις ἐπὶ ὠμότητι χαλεπῇ, Νικομήδης υἱὸς ἦν, πάνυ τοῖς Βιθυνοῖς ἀρέσκων· ὅπερ ὁ Προυσίας ὑφορώμενος ἐς Ῥώμην αὐτὸν βιοῦν μετεστήσατο. καὶ μαθὼν εὐδοκιμοῦντα κἀκεῖ, προσέταξε τῆς βουλῆς δεηθῆναι τῶν ἔτι ὀφειλομένων Ἀττάλῳ χρημάτων αὐτὸν ἀπολῦσαι. Μηνᾶν τε αὐτῷ συμπρεσβεύσοντα ἔπεμπε· καὶ εἴρητο τῷ Μηνᾷ, εἰ μὲν ἐπιτύχοι τῆς ἀφέσεως τῶν χρημάτων, ἔτι φείδεσθαι τοῦ Νικομήδους, εἰ δὲ ἀποτύχοι, κτείνειν αὐτὸν ἐν Ῥώμῃ. κερκούρους τέ τινας ἐς τοῦτο συνέπεμψεν αὐτῷ, καὶ δισχιλίους στρατιώτας. ὁ δὲ τῆς μὲν ζημίας οὐκ ἀφεθείσης τῷ Προυσίᾳ (Ἀνδρόνικος γὰρ ἐπιπεμφθεὶς ἐς ἀντιλογίαν ὑπὸ Ἀττάλου τὴν ζημίαν ἀπέφαινεν ἐλάττονα τῆς ἁρπαγῆς), τὸν δὲ Νικομήδη λόγου καὶ σπουδῆς ἄξιον ὁρῶν, ἠπόρητο, καὶ οὔτε κτείνειν αὐτὸν ὑφίστατο οὔτε αὐτὸς ἐς Βιθυνίαν ἐπανιέναι διὰ δέος. ὅμως δ᾽ αὐτῷ βραδύνοντι συνεὶς ὁ νεανί-

THE MITHRIDATIC WARS

flight. Prusias seized the beasts of burden belonging to the Romans that had been left behind, captured and destroyed the stronghold of Nicephorium, burned the temples in it, and besieged Attalus, who had fled to Pergamus. When these things became known in Rome a fresh embassy was sent, ordering Prusias to make compensation to Attalus for the damage done to him. Then Prusias became alarmed, obeyed the order, and retired. The ambassadors decided that as a penalty he must transfer to Attalus twenty decked ships at once, and pay him 500 talents of silver within a certain time. Accordingly he gave up the ships and began to make the payments at the prescribed time.

4. Prusias was hated by his subjects on account of his extreme cruelty, while his son, Nicomedes, was very popular among the Bithynians. Thus the latter fell under the suspicion of Prusias, who sent him to live in Rome. Learning that he was much esteemed there also, Prusias directed him to petition the Senate to release him from the payment of the money still due to Attalus. He sent Menas as his fellow-ambassador, and told him if he should secure a remission of the payments to spare Nicomedes, but if not, to kill him at Rome. For this purpose he sent a number of small boats with him and 2000 soldiers. As the fine imposed on Prusias was not remitted (for Andronicus, who had been sent by Attalus to argue on the other side, showed that it was less in amount than the plunder), Menas, seeing that Nicomedes was an estimable and attractive young man, was at a loss to know what to do. He could not bear to kill him and he feared to go back himself to Bithynia. However the young man noticed

CAP. σκος ἐς λόγους ἦλθεν, ἐθέλοντι κἀκείνῳ. συν-
I θέμενοι δ' ἐπιβουλεῦσαι τῷ Προυσίᾳ, τὸν Ἀττά-
λου πρεσβευτὴν Ἀνδρόνικον ἐς τὸ ἔργον προσ-
έλαβον, ἵνα τὸν Ἄτταλον πείσειε τὸν Νικομήδη
καταγαγεῖν ἐς Βιθυνίαν. ἀναμείναντες δ' ἀλλή-
λους ἐν τῇ Βερνίκῃ, πολισματίῳ τινὶ τῆς Ἠπεί-
ρου, νυκτὸς ἐσβάντες ἐς ναῦν ἅ τε δέοι ποιεῖν
συνετίθεντο, καὶ διελύθησαν ἔτι νυκτός.

5. Ἅμα δ' ἡμέρᾳ Νικομήδης μὲν ἐξέβαινε τῆς
νεὼς πορφύραν τε βασιλικὴν ἠμφιεσμένος καὶ
διάδημα ἐπικείμενος, Ἀνδρόνικος δ' αὐτὸν ὑπαν-
τιάσας τε καὶ βασιλέα προσειπὼν παρέπεμπε
μετὰ στρατιωτῶν ὧν εἶχε πεντακοσίων. Μηνᾶς
δὲ ὑποκρινόμενος τότε πρῶτον ᾐσθῆσθαι Νικο-
μήδους παρόντος, ἐς τοὺς δισχιλίους διαδραμὼν
ἐδυσφόρει. προϊὼν δὲ τῷ λόγῳ, " δύο," ἔφη,
" βασιλέοιν, τοῦ μὲν ὄντος ἐν τῇ χώρᾳ τοῦ δ'
ἐπιόντος, ἀναγκαῖον ἡμῖν τὸ σφέτερον εὖ δια-
τίθεσθαι καὶ τοῦ γενησομένου καλῶς τεκμαί-
ρεσθαι, ὡς ἐν τῷδε τῆς ἡμετέρας σωτηρίας
βεβαιουμένης, ἢν καλῶς προΐδωμεθα πότερος
αὐτῶν ἐπικρατήσει. ὁ μὲν δὴ γέρων ἐστίν, ὁ δὲ
νέος· καὶ Βιθυνοὶ τὸν μὲν ἀποστρέφονται, τὸν δὲ
αἱροῦνται. Ῥωμαίων τε οἱ δυνατοὶ τὸν νεανίαν
ἀγαπῶσι· καὶ Ἀνδρόνικος αὐτὸν ἤδη δορυφορῶν
ὑποδείκνυσι τὴν Ἀττάλου συμμαχίαν, ἀρχήν τε
μεγάλην ἔχοντος καὶ Βιθυνοῖς γειτονεύοντος καὶ
ἐκ πολλοῦ τῷ Προυσίᾳ πεπολεμωμένου." λέγων
δὲ ταῦθ' ἅμα καὶ τὴν ὠμότητα τοῦ Προυσίου
παρεγύμνου, καὶ ὅσα πονηρὰ πράξειεν ἐς ἅπαντας,
καὶ τὸ κοινὸν ἐπὶ τοῖσδε Βιθυνῶν ἐς αὐτὸν ἔχθος.
ὡς δὲ κἀκείνους εἶδε τὴν Προυσίου μοχθηρίαν

THE MITHRIDATIC WARS

his delay and sought a conference with him, which was just what he wanted. They formed a plot against Prusias and secured the co-operation of Andronicus, the legate of Attalus, that he should persuade Attalus to take back Nicomedes to Bithynia. They met by agreement at Bernice, a small town in Epirus, where they entered into a ship by night to confer as to what should be done, and separated before daylight.

CHAP. I
Conspiracy against Prusias

5. In the morning Nicomedes came out of the ship clad in the royal purple and wearing a diadem on his head. Andronicus met him, saluted him as king, and formed an escort for him with 500 soldiers that he had with him. Menas, pretending that he had then for the first time learned that Nicomedes was present, rushed to his 2000 men and spoke to them with assumed trepidation. "Since," he went on, "we have two kings, one in the country, and the other marching against it, we must look out for our own interests, and form a careful judgment of the future, because our safety lies in foreseeing correctly which of them will be the stronger. One of them is an old man, the other is young. The Bithynians are averse to Prusias; they are attached to Nicomedes. The leading Romans are fond of the young man, and Andronicus has already furnished him a guard, which suggests that Nicomedes is in alliance with Attalus, who rules an extensive dominion alongside the Bithynians and is an old enemy of Prusias." At the same time he exposed the cruelty of Prusias and his outrageous conduct toward everybody, and also the general hatred in which he was held by the Bithynians. When he saw that the soldiers also abhorred the wickedness of Prusias he led them forthwith to Nico-

CAP. ἀποστρεφομένους, ἦγεν αὐτοὺς ἐς τὸν Νικομήδην
I αὐτίκα, καὶ προσειπὼν καὶ ὅδε βασιλέα δεύτερος
ἐπὶ Ἀνδρονίκῳ μετὰ τῶν δισχιλίων ἐδορυφόρει.

6. Ἄτταλος τε τὸν νεανίαν προθύμως ὑπεδέ-
χετο, καὶ τὸν Προυσίαν ἐκέλευσε τῷ παιδὶ πόλεις
τέ τινας ἐς ἐνοίκησιν καὶ χώραν ἐς ἐφόδια δοῦναι.
ὁ δ' αὐτίκα δώσειν ἔφη τὴν Ἀττάλου βασιλείαν
ἅπασαν, ἣν δὴ καὶ πρότερον Νικομήδει περιποιῶν
ἐς Ἀσίαν ἐσβαλεῖν. ταῦτα δ' εἰπὼν ἔπεμπεν ἐς
Ῥώμην τοὺς Νικομήδους καὶ Ἀττάλου κατηγορή-
σοντάς τε καὶ προκαλεσομένους ἐς κρίσιν. οἱ δ'
ἀμφὶ τὸν Ἄτταλον εὐθὺς ἐχώρουν ἐς τὴν Βιθυνίαν,
καὶ προσιοῦσιν αὐτοῖς οἱ Βιθυνοὶ κατ' ὀλίγους
προσετίθεντο. Προυσίας δ' ἅπασιν ἀπιστῶν, καὶ
Ῥωμαίους ἐλπίζων αὐτὸν ἐξαιρήσεσθαι τῆς ἐπι-
βουλῆς, Διήγυλιν τὸν Θρᾷκα, κηδεστὴν ὄντα οἱ,
πεντακοσίους Θρᾷκας αἰτήσας καὶ λαβὼν τοῖσδε
μόνοις τὸ σῶμα ἐπέτρεψεν, ἐς τὴν ἀκρόπολιν τὴν
ἐν Νικαίᾳ καταφυγών· ὁ δὲ Ῥωμαίων στρατηγὸς
ἐν ἄστει οὔτε αὐτίκα ἐπῆγεν ἐπὶ τὴν βουλὴν τοὺς
τοῦ Προυσίου πρέσβεις, χαριζόμενος Ἀττάλῳ
ἐπαγαγών τέ ποτε, ψηφισαμένης τῆς βουλῆς τὸν
στρατηγὸν αὐτὸν ἑλέσθαι τε καὶ πέμψαι πρέσ-
βεις οἳ διαλύσουσι τὸν πόλεμον, εἴλετο τρεῖς
ἄνδρας, ὧν ὁ μὲν τὴν κεφαλήν ποτε λίθῳ πληγεὶς
ἀσχήμονας ἐπέκειτο ὠτειλάς, ὁ δὲ τοὺς πόδας
διέφθαρτο ὑπὸ ῥεύματος, ὁ δ' ἠλιθιώτατος ἐνομί-
ζετο εἶναι, ὥστε Κάτωνα τὴν πρεσβείαν ἐπι-
σκώπτοντα εἰπεῖν τὴν πρεσβείαν ταύτην μήτε νοῦν
ἔχειν μήτε πόδας μήτε κεφαλήν.

7. Οἱ μὲν δὴ πρέσβεις ἐς Βιθυνίαν ἀφίκοντο,
καὶ προσέτασσον αὐτοῖς τὸν πόλεμον ἐκλῦσαι,

THE MITHRIDATIC WARS

medes and saluted him as king, just as Andronicus had done before, and formed a guard for him with his 2000 men.

6. Attalus received the young man warmly and ordered Prusias to assign certain towns for his son's occupation, and territory to furnish him supplies. Prusias replied that he would presently give him the whole kingdom of Attalus, to win which for Nicomedes he had invaded Asia before. After giving this answer he made a formal accusation at Rome against Nicomedes and Attalus and cited them to trial. The forces of Attalus at once made an incursion into Bithynia, the inhabitants of which gradually took sides with the invaders. Prusias, distrusting everybody and hoping that the Romans would rescue him from the toils of the conspiracy, asked and obtained from his son-in-law, Diegylis, the Thracian, 500 men, and with these alone as a bodyguard he took refuge in the citadel of Nicaea. The urban praetor at Rome, in order to favour Attalus, delayed introducing the ambassadors of Prusias to the Senate. When finally he did introduce them, and the Senate voted that the praetor himself should choose legates and send them to settle the difficulty, he selected three men, one of whom had once been struck on the head with a stone, from which he was badly scarred; another was lame from gout, and the third was considered an utter fool; wherefore Cato made the sarcastic remark concerning this embassy, that it had no sense, no feet, and no head.

7. The legates proceeded to Bithynia and ordered that war be discontinued. Nicomedes and Attalus

CAP.
I   Νικομήδους δὲ καὶ Ἀττάλου συγχωρεῖν ὑποκρινομένων οἱ Βιθυνοὶ διδαχθέντες ἔλεγον οὐκ εἶναι δυνατοὶ φέρειν ἔτι τὴν ὠμότητα τὴν Προυσίου, φανεροὶ μάλιστα αὐτῷ γενόμενοι δυσχεραίνοντες. οἱ μὲν δὴ πρέσβεις, ὡς οὔπω Ῥωμαίων τάδε πυθομένων, ἐπανῄεσαν ἄπρακτοι· Προυσίας δ' ἐπεὶ καὶ τὰ Ῥωμαίων ἀπέγνω, οἷς μάλιστα πιστεύων οὐδενὸς ἐς ἄμυναν ἐπεφροντίκει, μετῆλθεν ἐς Νικομήδειαν ὡς κρατυνούμενος τὴν πόλιν καὶ τοῖς ἐπιοῦσι πολεμήσων. οἱ δὲ προδιδόντες αὐτὸν τὰς πύλας ἀνέῳξαν, καὶ ὁ μὲν Νικομήδης ἐσῄει μετὰ τοῦ στρατοῦ, τὸν δὲ Προυσίαν ἐς ἱερὸν Διὸς καταφυγόντα συνεκέντησάν τινες ἐπιπεμφθέντες ἐκ τοῦ Νικομήδους. οὕτω Νικομήδης ἀντὶ Προυσίου Βιθυνῶν ἐβασίλευε, καὶ αὐτὸν χρόνῳ τελευτήσαντα Νικομήδης ὁ υἱός, ᾧ φιλοπάτωρ ἐπίκλησις ἦν, διεδέξατο, Ῥωμαίων αὐτῷ τὴν ἀρχὴν ὡς πατρῴαν ψηφισαμένων.

Τὰ μὲν δὴ Βιθυνῶν ὧδε εἶχε· καὶ εἴ τῳ σπουδὴ πάντα προμαθεῖν, υἱωνὸς τοῦδε ἕτερος Νικομήδης Ῥωμαίοις τὴν ἀρχὴν ἐν διαθήκαις ἀπέλιπεν.

II

CAP.
II   8. Καππαδοκίας δὲ πρὸ μὲν Μακεδόνων οἵτινες ἦρχον, οὐκ ἔχω σαφῶς εἰπεῖν, εἴτε ἰδίαν ἀρχήν, εἴτε Δαρείου κατήκουον· Ἀλέξανδρος δέ μοι δοκεῖ τοὺς ἄρχοντας τῶνδε τῶν ἐθνῶν ἐπὶ φόρῳ καταλιπεῖν, ἐπειγόμενος ἐπὶ Δαρεῖον. φαίνεται γὰρ καὶ Ἀμισόν, ἐν Πόντῳ πόλιν Ἀττικοῦ γένους, ἐπὶ δημοκρατίαν ὡς πάτριόν σφισι πολιτείαν ἀναγα-

pretended to acquiesce, but the Bithynians said, as they had been instructed, that they could no longer endure the cruelty of Prusias, after they had so openly complained against him. On the ground, therefore, that these complaints were not yet known at Rome the legates returned, leaving the business unfinished. But Prusias, despairing of assistance even from the Romans (in reliance upon whom he had neglected to provide means for his own defence) retired to Nicomedia in order to strengthen the city and resist the invaders. The inhabitants, however, betrayed him and opened the gates, and Nicomedes entered with his army. Prusias fled to the temple of Zeus, where he was stabbed by some of the emissaries of Nicomedes. In this way Nicomedes succeeded Prusias as king of the Bithynians. At his death his son, Nicomedes, surnamed Philopator, succeeded him, the Senate confirming his ancestral authority.

Such was the course of events in Bithynia. To anticipate the sequel, another Nicomedes, grandson of this one, left the kingdom to the Romans in his will.

II

8. WHO were the rulers of Cappadocia before the Macedonians I am not able to say exactly—whether it had a government of its own or was subject to Darius. But I think that Alexander left the rulers whom he found there, on condition that they should pay tribute, because he was in a hurry to march against Darius. For he appears even to have restored to Amisus, a city of Pontus, of Attic origin, its original

CAP. γών. Ἱερώνυμος δὲ οὐδ' ἐπιψαῦσαι τῶν ἐθνῶν
II ὅλως, ἀλλ' ἀνὰ τὴν παράλιον τῆς Παμφυλίας καὶ
Κιλικίας ἑτέραν ὁδὸν ἐπὶ τὸν Δαρεῖον τραπέσθαι.
Περδίκκας δέ, ὃς ἐπὶ Ἀλεξάνδρῳ τῆς Μακεδόνων
ἦρχεν, Ἀριαράθην Καππαδοκίας ἡγούμενον, εἴτε
ἀφιστάμενον εἴτε τὴν ἀρχὴν αὐτοῦ περιποιούμενος
Μακεδόσιν, εἷλε καὶ ἐκρέμασε, καὶ ἐπέστησε τοῖς
ἔθνεσιν Εὐμένη τὸν Καρδιανόν. Εὐμένους δὲ ἀναι-
ρεθέντος ὅτε αὐτὸν οἱ Μακεδόνες εἵλοντο εἶναι
πολέμιον, Ἀντίπατρος ἐπὶ τῷ Περδίκκᾳ τῆς ὑπὸ
Ἀλεξάνδρῳ γενομένης γῆς ἐπιτροπεύων, Νικάνορα
ἔπεμψε Καππαδοκῶν σατραπεύειν.

9. Μακεδόνων δὲ οὐ πολὺ ὕστερον ἐς ἀλλήλους
στασιασάντων, Ἀντίγονος μὲν ἦρχε Συρίας Λαο-
μέδοντα ἐκβαλών, Μιθριδάτης δ' αὐτῷ συνῆν,
ἀνὴρ γένους βασιλείου Περσικοῦ. καὶ ὁ Ἀντί-
γονος ἐνύπνιον ἔδοξε πεδίον σπεῖραι χρυσίῳ, καὶ
τὸ χρυσίον ἐκθερίσαντα τὸν Μιθριδάτην ἐς τὸν
Πόντον οἴχεσθαι. καὶ ὁ μὲν αὐτὸν ἐπὶ τῷδε
συλλαβὼν ἐβούλετο ἀποκτεῖναι, ὁ δ' ἐξέφυγε σὺν
ἱππεῦσιν ἕξ, καὶ φραξάμενός τι χωρίον τῆς Καπ-
παδοκίας, πολλῶν οἱ προσιόντων ἐν τῇδε τῇ
Μακεδόνων ἀσχολίᾳ, Καππαδοκίας τε αὐτῆς καὶ
τῶν ὁμόρων περὶ τὸν Πόντον ἐθνῶν κατέσχεν,
ἐπί τε μέγα τὴν ἀρχὴν προαγαγὼν παισὶ παρ-
έδωκεν. οἱ δ' ἦρχον, ἕτερος μεθ' ἕτερον, ἕως ἐπὶ
τὸν ἕκτον ἀπὸ τοῦ πρώτου Μιθριδάτην, ὃς
Ῥωμαίοις ἐπολέμησεν. τούτου δὲ τοῦ γένους
ὄντες οἱ Καππαδοκίας τε καὶ Πόντου βασιλεῖς

THE MITHRIDATIC WARS

democratic form of government. Yet Hieronymus says that he never even came into contact with those nations at all, but that he went after Darius by another road, along the sea-coast of Pamphylia and Cilicia. But Perdiccas, who ruled the Macedonians after Alexander, captured and hanged Ariarathes, the governor of Cappadocia, either because he had revolted or in order to bring that country under Macedonian rule, and placed Eumenes of Cardia over these peoples. Eumenes was afterwards adjudged an enemy of Macedonia and put to death, and Antipater, who succeeded Perdiccas as overseer of the territory of Alexander, appointed Nicanor satrap of Cappadocia.

9. Not long afterwards dissensions broke out among the Macedonians, and Antigonus, having expelled Laomedon from Syria, assumed the government himself, having with him Mithridates, a scion of the royal house of Persia. Antigonus had a dream that he had sowed a field with gold, and that Mithridates reaped it and carried the crop off to Pontus. He accordingly arrested him, intending to put him to death, but Mithridates escaped with six horsemen, fortified himself in a stronghold of Cappadocia, where many joined him in consequence of the embarrassment of the Macedonian power, and possessed himself of the whole of Cappadocia and of the neighbouring countries along the Euxine. This great power, which he had built up, he left to his children. They reigned one after another until the sixth Mithridates in succession from the founder of the house, and he went to war with the Romans. Since the kings both of Cappadocia and of Pontus were of this line, I judge that at some time or other

CHAP. II

The first Mithridates B.C. 175-136

CAP. ἔσθ' ὅτε μοι δοκοῦσι διελεῖν τὴν ἀρχήν, καί οἱ
II μὲν τοῦ Πόντου κατασχεῖν οἱ δὲ Καππαδοκίας.

10. Ὁ γέ τοι Ῥωμαίοις πρῶτος ἐν φιλίᾳ γενόμενος καὶ ναῦς τινὰς ἐπὶ Καρχηδονίους καὶ συμμαχίαν ὀλίγην παρασχών, βασιλεὺς Πόντου, Μιθριδάτης ὁ εὐεργέτης ἐπίκλησιν, ὡς ἀλλοτρίαν τὴν Καππαδοκίαν ἐπέδραμεν. καὶ διαδέχεται Μιθριδάτης υἱός, ᾧ Διόνυσος καὶ εὐπάτωρ ἐπώνυμα ἦν. Ῥωμαῖοι δ' αὐτὸν ἐκστῆναι Καππαδοκίας ἐκέλευσαν Ἀριοβαρζάνῃ, καταφυγόντι τε ἐς αὐτοὺς καὶ δόξαντι ἄρα γνησιωτέρῳ τοῦ Μιθριδάτου πρὸς τὴν Καππαδοκῶν ἀρχήν, ἢ καὶ τὸ μέγεθος τῆς ἀρχῆς τοῦ Μιθριδάτου πολλῆς οὔσης ὑφορώμενοί τε καὶ ἐς πλέονα διαιροῦντες ἀφανῶς. ὁ δὲ τοῦτο μὲν ἤνεγκε, Νικομήδει δὲ τῷ Νικομήδους τοῦ Προυσίου, Βιθυνίας ὡς πατρῴας ὑπὸ Ῥωμαίων ἀποδειχθέντι βασιλεύειν, Σωκράτη τὸν ἀδελφὸν αὐτοῦ Νικομήδους, ὅτῳ χρηστὸς ἐπώνυμον ἦν, μετὰ στρατιᾶς ἐπέμψε· καὶ τὴν Βιθυνῶν ἀρχὴν ὁ Σωκράτης ἐς αὑτὸν περιέσπασεν. τοῦ δ' αὐτοῦ χρόνου Μιθραᾶς καὶ Βαγώας Ἀριοβαρζάνη τόνδε τὸν ὑπὸ Ῥωμαίων κατηγμένον ἐς τὴν Καππαδοκίαν ἐκβαλόντες, Ἀριαράθην κατήγαγον ἐς αὐτήν.

11. Ῥωμαῖοι δὲ Νικομήδην ὁμοῦ καὶ Ἀριοβαρζάνην ἐπανῆγον ἐς τὴν οἰκείαν ἑκάτερον, πρέσβεις τέ τινας αὑτοῖς ἐς τοῦτο συνέπεμψαν, ὧν Μάνιος Ἀκύλιος ἡγεῖτο· καὶ συλλαβεῖν ἐς τὴν κάθοδον ἐπέστειλαν Λευκίῳ τε Κασσίῳ, τῆς περὶ τὸ Πέργαμον Ἀσίας ἡγουμένῳ, στρατιὰν ἔχοντι ὀλίγην, καὶ τῷδε τῷ εὐπάτορι Μιθριδάτῃ. ἀλλ' ὁ

THE MITHRIDATIC WARS

they divided the government, some ruling one country and some the other.

10. At any rate a king of Pontus, the Mithridates surnamed Euergetes (the Benefactor), who was the first of them to be a friend of the Roman people, and who sent some ships and a small force of auxiliaries to aid them against the Carthaginians, invaded Cappadocia as though it were a foreign country. He was succeeded by his son, Mithridates, surnamed Dionysus, and also Eupator. The Romans ordered him to restore Cappadocia to Ariobarzanes, who had fled to them and who seemed to have a better title to the government of that country than Mithridates; or perhaps they distrusted the great empire of Mithridates, and sought covertly to divide it into several parts. Mithridates obeyed the order, but he sent against Nicomedes (the son of Nicomedes, son of Prusias), whom the Romans had declared king of Bithynia, as his ancestral realm, Socrates, surnamed Chrestus (the Good), Nicomedes' own brother, with an army. Socrates annexed the kingdom of Bithynia. Simultaneously Mithraas and Bagoas drove out this Ariobarzanes, whom the Romans had confirmed as king of Cappadocia, and installed Ariarathes in his place.

11. The Romans decided to restore Nicomedes and Ariobarzanes at the same time, each to his own kingdom, and sent thither for this purpose an embassy, of which Manius Aquilius was the chief, and ordered Lucius Cassius, who was in charge of the Asiatic country around Pergamus and had a small army under his command, to co-operate in their mission. Similar orders were sent to Mithridates Eupator himself. But the latter, being angry with

CHAP. II

Mithridates Euergetes B.C. 156-120

Mithridates Eupator B.C. 120-63

B.C. 92

B.C. 90

His first difficulty with the Romans

255

CAP. II μὲν αὐτῆς τε Καππαδοκίας ἕνεκα Ῥωμαίοις ἐπιμεμφόμενος, καὶ Φρυγίαν ἔναγχος ὑπ' αὐτῶν ἀφῃρημένος, ὡς διὰ τῆς Ἑλληνικῆς γραφῆς δεδήλωται, οὐ συνέπραττε· Κάσσιος δὲ καὶ Μάνιος τῷ τε Κασσίου στρατῷ, καὶ πολὺν ἄλλον ἀγείραντες Γαλατῶν καὶ Φρυγῶν, Νικομήδη τε κατήγαγον ἐς Βιθυνίαν καὶ Ἀριοβαρζάνην ἐς Καππαδοκίαν. εὐθύς τε ἀνέπειθον ἄμφω, γείτονας ὄντας Μιθριδάτου, τὴν γῆν τὴν Μιθριδάτου καταστρέχειν καὶ ἐς πόλεμον ἐρεθίζειν, ὡς Ῥωμαίων αὐτοῖς πολεμοῦσι συμμαχησόντων. οἱ δὲ ὤκνουν μὲν ὁμοίως ἑκάτερος γείτονος πολέμου τοσοῦδε κατάρξαι, τὴν Μιθριδάτου δύναμιν δεδιότες· ἐγκειμένων δὲ τῶν πρέσβεων, ὁ Νικομήδης πολλὰ μὲν ὑπὲρ τῆς ἐπικουρίας τοῖς στρατηγοῖς καὶ τοῖς πρέσβεσιν ὡμολογηκὼς χρήματα δώσειν καὶ ἔτι ὀφείλων, πολλὰ δ' ἄλλα παρὰ τῶν ἑπομένων Ῥωμαίων δεδανεισμένος καὶ ὀχλούμενος, ἄκων ἐσέβαλεν ἐς τὴν Μιθριδάτου γῆν καὶ ἐλεηλάτησεν ἐπὶ πόλιν Ἄμαστριν, οὐδενὸς οὔτε κωλύοντος αὐτὸν οὔτε ἀπαντῶντος. ὁ γάρ τοι Μιθριδάτης ἑτοίμην ἔχων δύναμιν ὅμως ὑπεχώρει, πολλὰ καὶ δίκαια διδοὺς ἐγκλήματα τῷ πολέμῳ γενέσθαι.

12. Ἀναζεύξαντος δὲ τοῦ Νικομήδους μετὰ πολλῶν λαφύρων, Πελοπίδαν ὁ Μιθριδάτης ἔπεμπεν ἐς τοὺς Ῥωμαίων στρατηγούς τε καὶ πρέσβεις, οὐκ ἀγνοῶν μὲν αὐτοὺς πολεμησείοντας αὐτῷ καὶ τῆσδε τῆς ἐσβολῆς αἰτίους γεγονότας, ὑποκρινόμενος δέ, καὶ πλείονας ὁμοῦ καὶ εὐπρεπεστέρας αἰτίας τοῦ γενησομένου πολέμου πορίζων, ἀνεμίμνησκε φιλίας καὶ συμμαχίας ἰδίας τε καὶ πατρῴας. ἀνθ' ὧν αὐτὸν ὁ Πελοπίδας ἔφη Φρυ-

THE MITHRIDATIC WARS

the Romans on account of their interference in Cappadocia itself, and having been recently despoiled of Phrygia by them (as related in my Hellenic history), did not co-operate. Nevertheless Cassius and Manius, with the army of the former, and a large force collected from the Galatians and Phrygians, restored Nicomedes to Bithynia and Ariobarzanes to Cappadocia. They urged them at the same time, as they were neighbours of Mithridates, to make incursions into his territory and stir up a war, promising them the assistance of the Romans. Both of them hesitated to begin so important a war on their own border, because they feared the power of Mithridates. When the ambassadors insisted, Nicomedes, who had agreed to pay a large sum of money to the generals and ambassadors for restoring him to power, which he still owed, together with other large sums which he had borrowed on interest from the Romans in their suites, and for which they were dunning him, reluctantly made an attack on the territory of Mithridates and plundered it as far as the city of Amastris, meeting no resistance. For Mithridates, although he had his forces in readiness, retreated because he wanted to have good and sufficient cause for war.

12. Nicomedes returned with large booty and Mithridates sent Pelopidas to the Roman generals and ambassadors. He was not ignorant that they wanted to bring on a war, and that they had incited this attack upon him, but he dissembled in order to procure more and clearer causes for the coming war; for which reason he reminded them of his own and his father's friendship and alliance. "In return for this," said Pelopidas, " Phrygia and Cappadocia have

γίαν ἀφῃρῆσθαι καὶ Καππαδοκίαν, τὴν μὲν ἀεὶ τῶν προγόνων αὐτοῦ γενομένην καὶ ὑπὸ τοῦ πατρὸς ἀναληφθεῖσαν, Φρυγίαν δὲ ἐπινίκιον ἐπὶ Ἀριστονίκῳ παρὰ τοῦ ὑμετέρου στρατηγοῦ δοθεῖσάν τε καὶ οὐχ ἧσσον παρὰ τοῦ αὐτοῦ στρατηγοῦ πολλῶν χρημάτων ἐωνημένην. "νῦν δ'," ἔφη, "καὶ Νικομήδη τὸ στόμα τοῦ Πόντου διακλείοντα περιορᾶτε, καὶ τὴν γῆν μέχρι Ἀμάστριδος ἐπιτρέχοντα, καὶ λείαν ἄγοντα ὅσην ἴστε ἀκριβῶς, οὐκ ἀσθενῶς οὐδὲ ἀνετοίμως ἔχοντος πρὸς ἄμυναν τοῦ ἐμοῦ βασιλέως, ἀλλ' ἀναμένοντος ὑμᾶς ἐν ὄψει μάρτυρας τῶν γιγνομένων γενέσθαι. ἐπειδὴ δὲ ἐγένεσθέ τε καὶ εἴδετε, παρακαλεῖ Μιθριδάτης, φίλος ὢν ὑμῖν καὶ σύμμαχος, φίλους ὄντας ὑμᾶς καὶ συμμάχους (ὧδε γὰρ αἱ συνθῆκαι λέγουσιν), ἐπικουρεῖν ἡμῖν ἀδικουμένοις ὑπὸ Νικομήδους, ἢ κωλύειν αὐτὸν ἀδικοῦντα."

13. Ὁ μὲν τοιαῦτα εἶπε, Νικομήδους δὲ πρέσβεις ἐς ἀντιλογίαν αὐτῷ παρόντες ἔφασαν· "Νικομήδει μὲν ἐκ πολλοῦ Μιθριδάτης ἐπιβουλεύων Σωκράτη μετὰ στρατιᾶς ἐπὶ τὴν βασιλείαν ἐπῆγεν, ἡσυχάζοντα καὶ δικαιοῦντα τὸν πρεσβύτερον ἄρχειν. καὶ ὧδε Μιθριδάτης ἐς Νικομήδην ἔπραξεν, ὃν ὑμεῖς, ὦ Ῥωμαῖοι, Βιθυνῶν ἐστήσασθε βασιλεύειν· ὃ καὶ δῆλόν ἐστιν οὐκ ἐς ἡμᾶς μᾶλλον ἢ ἐς ὑμᾶς γεγονέναι. τῷ δ' αὐτῷ λόγῳ κεκελευκότων ὑμῶν τοῖς ἐν Ἀσίᾳ βασιλεῦσι τῆς Εὐρώπης μηδὲ ἐπιβαίνειν, τὰ πολλὰ Χερρονήσου περιέσπασεν. καὶ τάδε μὲν ἔστω τῆς ἐς ὑμᾶς ὕβρεώς τε καὶ δυσμενείας αὐτοῦ καὶ ἀπειθείας ἔργα· ἡ παρασκευὴ δὲ ὅση, καὶ πᾶσα ἑτοίμως ὡς ἐπὶ μέγαν δὴ καὶ ἐγνωσμένον πόλεμον ἤδη, τοῦ τε ἰδίου

THE MITHRIDATIC WARS

been wrested from him. Of these Cappadocia always belonged to his ancestors and was recovered by his own father, while Phrygia was given to him by your own general as a reward for his victory over Aristonicus; nevertheless he paid a large sum of money to that same general for it. But now you allow Nicomedes even to close the mouth of the Euxine, to overrun the country as far as Amastris, and to carry off plunder in quantities of which you are well aware. My king was not weak, he was not unprepared to defend himself, but he waited in order that you might be eye-witnesses of these transactions. Since you have seen all this, Mithridates, who is your friend and ally, calls upon you as friends and allies (for so the treaty reads) to defend us against the aggression of Nicomedes, or to restrain the aggressor."

13. When Pelopidas had finished speaking the ambassadors of Nicomedes, who were there to answer him, said: "Mithridates plotted against Nicomedes long ago and put Socrates on the throne by force and arms, though Socrates was of a quiet disposition and thought it right that his elder brother should reign. This was the act of Mithridates to Nicomedes, whom you, Romans, had established on the throne of Bithynia—a blow that was evidently aimed as much at you as at us. In like manner after you had forbidden the Asiatic kings even to set foot in Europe, he seized the greater part of Chersonesus. Let these acts stand as examples of his arrogance, his hostility, his disobedience towards yourselves. Look at his great preparations. He stands in complete readiness, as for a great and predetermined war, not merely with his own army, but also with a

His dispute with Nicomedes

CAP. II στρατοῦ καὶ συμμάχων Θρακῶν καὶ Σκυθῶν, ὅσα τε ἄλλα πλησίον ἔθνη. ἐς δὲ τὸν Ἀρμένιον αὐτῷ καὶ ἐπιγαμία γέγονε, καὶ ἐς Αἴγυπτον καὶ Συρίαν περιπέμπει προσεταιριζόμενος τοὺς βασιλέας. νῆές τε εἰσὶν αὐτῷ κατάφρακτοι τριακόσιαι, καὶ ἑτέρας προσαπεργάζεται· ἐπί τε πρῳρέας καὶ κυβερνήτας ἐς Φοινίκην καὶ ἐς Αἴγυπτον περιέπεμψεν. ἅπερ οὐκ ἐπὶ Νικομήδει που, τοσάδε ὄντα, ἀλλ᾽ ἐφ᾽ ὑμῖν, ὦ Ῥωμαῖοι, Μιθριδάτης, ἐργάζεται, δυσμεναίνων μὲν ἐξ οὗ Φρυγίαν αὐτὸν πανούργως πριάμενον, καὶ δεκάσαντα τῶν ὑμετέρων τινὰ στρατηγῶν, ἀποθέσθαι προσετάξατε, τῆς οὐ δικαίας κτήσεως καταγνόντες, χαλεπαίνων δ᾽ ἐπὶ Καππαδοκίᾳ, δεδομένῃ καὶ τῇδε πρὸς ὑμῶν Ἀριοβαρζάνῃ, δεδιὼς δ᾽ αὐξομένους ὑμᾶς, καὶ παρασκευαζόμενος ἐν τῇ καθ᾽ ἡμᾶς προφάσει καὶ ὑμῖν, εἰ δύναιτο, ἐπιθέσθαι. σωφρόνων δ᾽ ἐστὶ μὴ περιμένειν ὅτε πολεμεῖν ὑμῖν ὁμολογήσει, ἀλλ᾽ ἐς τὰ ἔργα αὐτοῦ μᾶλλον ἢ τοὺς λόγους ἀφορᾶν μηδὲ φιλίας ὄνομα ἐπίπλαστον ὑποκρινομένῳ τοὺς ἀληθεῖς καὶ βεβαίους ἐκδοῦναι φίλους, μηδὲ τὴν σφετέραν περὶ τῆς ἡμετέρας βασιλείας κρίσιν ὑπεριδεῖν ἀκυρουμένην ὑπ᾽ ἀνδρὸς ὁμοίως ἡμῖν τε καὶ ὑμῖν ἐχθροῦ."

14. Ὧδε μὲν καὶ οἱ Νικομήδους ἔλεξαν· ἐπελθὼν δὲ αὖθις ὁ Πελοπίδας ἐς τὸ τῶν Ῥωμαίων συνέδριον περὶ μὲν τῶν πάλαι γεγονότων, εἴ τι Νικομήδης ἐπιμέμφοιτο, δικάσαι Ῥωμαίους ἠξίου, τὰ δὲ νῦν (ἐν ὄψει γὰρ ὑμῶν γέγονε, τῆς τε γῆς τῆς Μιθριδάτου δῃουμένης καὶ τῆς θαλάττης ἀποκεκλεισμένης καὶ λείας τοσῆσδε ἐλαυνομένης) οὐ λόγων ἔφη χρῄζειν οὐδὲ κρίσεως, "ἀλλ᾽ αὖθις

THE MITHRIDATIC WARS

great force of allies, Thracians, Scythians, and all the other neighbouring peoples. He has even formed a marriage alliance with Armenia, and is sending to Egypt and Syria to make friends with the kings of those countries. He has 300 decked ships of war and is still adding to the number. He has sent to Phoenicia and Egypt for look-out men and steersmen. These things, that Mithridates is collecting in such quantities, are not, we think, designed against Nicomedes, Romans, but against you. He is angry with you because, when he had bought Phrygia by a corrupt bargain from one of your generals, you ordered him to give up his ill-gotten gains. He is angry on account of Cappadocia, which was given by you to Ariobarzanes. He fears your increasing power. He is making preparations under pretence that they are intended for us, but he means to attack you if he can. If you are wise, you will not wait till he declares war against you, but will look at his deeds rather than his words, and not give up true and tried friends to a hypocrite who offers you the fictitious name of friendship, nor allow your decision concerning our kingdom to be annulled by one who is equally the foe of both of us."

CHAP. II

14. After the ambassadors of Nicomedes had thus spoken Pelopidas again addressed the Roman assembly, saying that if Nicomedes was complaining of bygones, he accepted the decision of the Romans, but as to the present matters which had transpired under their eyes, the ravaging of Mithridates' territory, the closing of the sea, and the carrying away of such vast plunder, there was no need of discussion or adjudication. "We call upon you,

Duplicity of the Roman Legates

CAP. ὑμᾶς παρακαλοῦμεν ἢ κωλύειν τὰ γιγνόμενα ἢ
II Μιθριδάτῃ συμμαχεῖν ἀδικουμένῳ, ἢ τελευταῖον,
ὦ ἄνδρες Ῥωμαῖοι, μηδὲ κωλύειν ἀμυνόμενον, ἀλλ'
ἀμφοῖν ἐκστῆναι τοῦ πόνου." τοσαῦτα τοῦ Πελο-
πίδου παλιλλογήσαντος, ἔγνωστο μὲν ἐκ πολλοῦ
τοῖς Ῥωμαίων στρατηγοῖς ἐπικουρεῖν Νικομήδει,
καὶ ἐς ὑπόκρισιν τῆς ἀντιλογίας ἠκροῶντο· τὰ δὲ
εἰρημένα ὅμως ὑπὸ τοῦ Πελοπίδου, καὶ τὴν τοῦ
Μιθριδάτου φιλίαν ἐνσύνθηκον ἔτι οὖσαν, αἰδού-
μενοι ἠπόρουν ἀποκρίσεως ἐπὶ πολύ, μέχρι ἐπιστή-
σαντες μετὰ σοφίας ὧδε ἀπεκρίναντο. "οὔτε
Μιθριδάτην ἄν τι βουλοίμεθα πάσχειν ἄχαρι
πρὸς Νικομήδους, οὔτε Νικομήδους ἀνεξόμεθα
πολεμουμένου· οὐ γὰρ ἡγούμεθα Ῥωμαίοις συμ-
φέρειν βλάπτεσθαι Νικομήδη." ταῦτα δ' εἰπόντες
τὸν Πελοπίδαν, βουλόμενον διελέγχειν τῆς ἀπο-
κρίσεως τὴν ἀπορίαν, ἀπέπεμψαν ἐκ τοῦ συνε-
δρίου.

III

CAP. 15. Μιθριδάτης μὲν οὖν, ὡς ἐμφανῶς ἤδη πρὸς
III Ῥωμαίων ἀδικούμενος, ἔπεμπε σὺν πολλῇ χειρὶ
τὸν υἱὸν Ἀριαράθην βασιλεύειν Καππαδοκίας.
καὶ εὐθὺς ἦρχεν αὐτῆς ὁ Ἀριαράθης, Ἀριοβαρ-
ζάνην ἐκβαλών. Πελοπίδας δὲ ἐς τοὺς Ῥωμαίων
στρατηγοὺς αὖθις ἐλθὼν ἔλεγεν ὧδε. "ἃ μὲν
ἠδικημένος πρὸς ὑμῶν, ὦ Ῥωμαῖοι, βασιλεὺς
Μιθριδάτης ἔφερε, Φρυγίαν τε καὶ Καππαδοκίαν
ἀφῃρημένος ἔναγχος, ἠκούσατε· ἃ δὲ Νικομήδης
αὐτὸν ἔβλαπτεν, ὁρῶντες ὑπερείδετε. φιλίαν τε
καὶ συμμαχίαν ἡμῖν προφέρουσιν, ὥσπερ οὐκ

THE MITHRIDATIC WARS

Romans, again," he said, "either to prevent such outrages, or to assist Mithridates, who is their victim, or at all events to stand aside, allow him to defend himself, and not help either party." While Pelopidas was repeating his demand, though it had been determined by the Roman generals long before to help Nicomedes, they made a pretence of listening to the argument on the other side. Yet the words of Pelopidas and the alliance with Mithridates, which was still in force, put them to shame, and they were at a loss for some time what answer to make. Finally, after a pause, they made this artful reply, "We would not wish that Mithridates suffer harm at the hands of Nicomedes, nor can we allow war to be made against Nicomedes, because we do not think that it would be for the interest of Rome that he should be weakened." Having delivered this response they dismissed Pelopidas from the assembly, although he wanted to show the insufficiency of their answer.

III

15. MITHRIDATES, having been denied justice by the Romans in this public manner, sent his son Ariarathes with a large force to seize the kingdom of Cappadocia. Ariarathes speedily overpowered it and drove out Ariobarzanes. Then Pelopidas returned to the Roman generals and said: "How patiently King Mithridates bore injury from you when he was deprived of Phrygia and Cappadocia not long ago you have been told already, O Romans. What injuries Nicomedes inflicted upon him you have seen — and have not heeded. And when we appealed to your friendship and alliance you answered as though

CHAP. II

CHAP. III

Mithridates seizes Cappadocia

He sends another embassy

CAP. ἐγκαλοῦσιν ἀλλ' ἐγκαλουμένοις ἀπεκρίνασθε μὴ
III νομίζειν συμφέρειν τοῖς Ῥωμαίων πράγμασι
βλάπτεσθαι Νικομήδη οἷά περ αὐτὸν ἀδικούμενον.
ὑμεῖς οὖν αἴτιοι τῷ κοινῷ Ῥωμαίων τοῦδε τοῦ
περὶ Καππαδοκίαν γεγονότος· διὰ γὰρ ὑμᾶς, ὧδε
μὲν ἡμᾶς ὑπερορῶντας ὧδε δὲ σοφίζοντας ἐν ταῖς
ἀποκρίσεσιν, οὕτως ἔπραξεν ὁ Μιθριδάτης. καὶ
πρεσβεύσεται καθ' ὑμῶν ἐς τὴν ὑμετέραν βουλήν,
ἐφ' ἣν ὑμῖν ἀπολογησομένοις ἐπαγγέλλει παρεῖναι,
φθάνειν δὲ μηδέν, μηδ' ἐξάρχειν ἄνευ τοῦ κοινοῦ
τῶν Ῥωμαίων τοσοῦδε πολέμου, ἐνθυμουμένους
ὅτι Μιθριδάτης βασιλεύει μὲν τῆς πατρῴας ἀρχῆς,
ἣ δισμυρίων ἐστὶ σταδίων τὸ μῆκος, προσκέκτη-
ται δὲ πολλὰ περίχωρα, καὶ Κόλχους, ἔθνος
ἀρειμανές, Ἑλλήνων τε τοὺς ἐπὶ τοῦ Πόντου
κατῳκισμένους, καὶ βαρβάρων τοὺς ὄντας ὑπὲρ
αὐτούς. φίλοις δ' ἐς πᾶν τὸ κελευόμενον ἑτοίμοις
χρῆται Σκύθαις τε καὶ Ταύροις καὶ Βαστέρναις
καὶ Θρᾳξὶ καὶ Σαρμάταις καὶ πᾶσι τοῖς ἀμφὶ
Τάναϊν τε καὶ Ἴστρον καὶ τὴν λίμνην ἔτι τὴν
Μαιώτιδα. Τιγράνης δ' ὁ Ἀρμένιος αὐτῷ κηδεστής
ἐστι, καὶ Ἀρσάκης ὁ Παρθυαῖος φίλος. νεῶν
τε πλῆθος ἔχει, τὸ μὲν ἕτοιμον τὸ δὲ γιγνόμενον
ἔτι, καὶ παρασκευὴν ἐς πάντα ἀξιόλογον.

16. Οὐκ ἐψεύσαντο δ' ὑμῖν ἔναγχος οἱ Βιθυνοὶ
καὶ περὶ τῶν ἐν Αἰγύπτῳ καὶ Συρίᾳ βασιλέων· οὓς
οὐ μόνον εἰκός ἐστιν ἡμῖν, εἰ πόλεμος γένοιτο,
προσθήσεσθαι, ἀλλὰ καὶ τὴν νεόκτητον ὑμῖν
Ἀσίαν καὶ Ἑλλάδα καὶ Λιβύην καὶ πολλὰ καὶ
αὐτῆς Ἰταλίας, ὅσα τὴν ὑμετέραν πλεονεξίαν οὐ
φέροντα πολεμεῖ νῦν ὑμῖν πόλεμον ἄσπειστον.
ὃν οὔπω διαθέσθαι δυνηθέντες ἐπιχειρεῖτε Μιθρι-

we were not the accusers but the accused, saying that you did not consider it to your interest that harm should come to Nicomedes, as though he were the injured one. You therefore are accountable to the Roman republic for what has taken place in Cappadocia. Mithridates has done what he has done because you disdained us and answered us with quibbles. He intends to send an embassy to your Senate to complain of you. He summons you to defend yourselves there in person, and before that to do nothing, and not to begin a war of such magnitude without the decree of Rome itself. You should bear in mind that Mithridates is ruling his ancestral domain, which is 20,000 stades long, and that he has acquired many neighbouring nations, the Colchians, a very warlike people, the Greeks bordering on the Euxine, and the barbarian tribes beyond them He has allies also ready to obey his every command, Scythians, Taurians, Bastarnae, Thracians, Sarmatians, and all those who dwell in the region of the Don and Danube and the sea of Azof. Tigranes of Armenia is his son-in-law and Arsaces of Parthia his ally. He has a large number of ships, some in readiness and others building, and war material of all kinds in abundance.

16. "The Bithynians were not wrong in what they told you lately about the kings of Egypt and Syria. Not only are these likely to help us if war breaks out, but also your newly acquired provinces of Asia, and Greece, and Africa, and a considerable part of Italy itself, which even now wages implacable war against you because it cannot endure your greed. And although you are not yet able to bring that war to an end,

CAP.
III

δάτῃ, Νικομήδην αὐτῷ καὶ Ἀριοβαρζάνην παρὰ μέρος ἐπιπέμποντες· καὶ φατὲ μὲν εἶναι φίλοι καὶ σύμμαχοι, καὶ ὑποκρίνεσθε οὕτω, χρῆσθε δὲ ὡς πολεμίῳ. φέρετε οὖν, καὶ νῦν, εἴ τι πρὸς τῶν γεγονότων ἐς μετάνοιαν ἠρέθισθε, ἢ Νικομήδη κωλύσατε τοὺς ὑμετέρους ἀδικεῖν φίλους (καὶ τάδε πράξασιν ὑμῖν ὑπέχομαι συμμαχήσειν ἐπὶ τοὺς Ἰταλοὺς βασιλέα Μιθριδάτην), ἢ τὴν δοκοῦσαν ἐς ἡμᾶς φιλίαν λύσατε, ἢ ἐς Ῥώμην ἐπὶ κρίσιν ἴωμεν."

Ὁ μὲν δὴ Πελοπίδας ὧδε ἔλεξεν, οἱ δὲ φορτικώτερον αὐτὸν εἰπεῖν ἡγούμενοι, Μιθριδάτην μὲν ἐκέλευον ἀπέχεσθαι Νικομήδους καὶ Καππαδοκίας (αὐτοὶ γὰρ αὖθις Ἀριοβαρζάνην ἐς αὐτὴν κατάξειν), Πελοπίδαν δ' εὐθὺς ἐξιέναι τοῦ στρατοπέδου, καὶ μηκέτι πρεσβεύειν ἐς αὐτούς, εἰ μὴ τοῖς κελευομένοις ὁ βασιλεὺς ἐμμένοι. οὕτω μὲν ἀπεκρίναντο, καὶ ἀπιόντι φυλακὴν συνέπεμψαν, ἵνα μή τινας ἐπιτρίψειε παροδεύων.

17. Ταῦτα δὲ εἰπόντες, οὐκ ἀναμείναντες περὶ τοσοῦδε πολέμου τὴν βουλὴν ἢ τὸν δῆμον ἐπιγνώμονα γενέσθαι, στρατιὰν ἤγειρον ἔκ τε Βιθυνίας καὶ Καππαδοκίας καὶ Παφλαγονίας καὶ Γαλατῶν τῶν ἐν Ἀσίᾳ. ὡς δὲ αὐτοῖς ὅ τε ἴδιος στρατός, ὅσον εἶχε Λεύκιος Κάσσιος ὁ τῆς Ἀσίας ἡγούμενος, ἕτοιμος ἦν ἤδη, καὶ τὰ συμμαχικὰ πάντα συνεληλύθει, διελόμενοι τὸ πλῆθος ἐστρατοπέδευον, Κάσσιος μὲν ἐν μέσῳ Βιθυνίας τε καὶ Γαλατίας, Μάνιος δὲ ᾗ διαβατὸν ἦν ἐς Βιθυνίαν τῷ Μιθριδάτῃ, Ὄππιος δὲ ἕτερος στρατηγὸς ἐπὶ τῶν ὁρῶν τῶν Καππαδοκίας, ἱππέας ἔχων ἕκαστος αὐτῶν καὶ πεζοὺς ἀμφὶ τοὺς τετρακισμυρίους.

THE MITHRIDATIC WARS

you attack Mithridates and set Nicomedes and Ariobarzanes on him by turns, and you say, forsooth, that you are his friends and allies. You pretend to be so, and yet you treat him as an enemy. Come now, if at last the consequences of your acts have put you in a better frame of mind, either restrain Nicomedes from injuring your friends (in which case I promise that King Mithridates shall help you to put down the rebellion in Italy), or throw off the mask of friendship for us, or let us go to Rome and settle the dispute there."

So spake Pelopidas. The Romans considered his speech insolent and ordered Mithridates to let Nicomedes and Cappadocia alone (saying that they intended to restore Ariobarzanes to the latter). They also ordered Pelopidas to leave their camp immediately, and not to return unless the king obeyed their commands. Having given this answer they sent him away under guard lest he should inveigle some persons on the road.

17. After they had finished speaking they did not wait to hear what the Senate and people of Rome would decide about such a great war, but began to collect forces from Bithynia, Cappadocia, Paphlagonia, and the Galatians of Asia. As soon as Lucius Cassius, the Governor of Asia, had his own army in readiness and all the allied forces were assembled, they took the field in three divisions, Cassius on the boundary of Bithynia and Galatia, Manius on Mithridates' line of march to Bithynia, and Oppius, the third general, among the mountains of Cappadocia. Each of these had about 40,000 men, horse

CAP. ἦν δὲ καὶ νεῶν στόλος αὐτοῖς, οὗ περὶ Βυζάντιον
III Μινούκιός τε Ῥοῦφος καὶ Γάιος Ποπίλιος ἡγοῦντο,
τὸ στόμα τοῦ Πόντου φυλάσσοντες. παρῆν δὲ
αὐτοῖς καὶ Νικομήδης, ἄρχων ἑτέρων πεντακισ-
μυρίων πεζῶν καὶ ἱππέων ἑξακισχιλίων. τοσόσ-
δε μὲν αὐτοῖς ἀθρόως στρατὸς ἀγήγερτο· Μιθρι-
δάτῃ δὲ τὸ μὲν οἰκεῖον ἦν μυριάδες πεζῶν πέντε
καὶ εἴκοσι καὶ ἱππεῖς τετρακισμύριοι, καὶ νῆες
κατάφρακτοι τριακόσιαι, δίκροτα δὲ ἑκατόν, καὶ
ἡ ἄλλη παρασκευὴ τούτων κατὰ λόγον, στρατη-
γοὶ δὲ Νεοπτόλεμός τε καὶ Ἀρχέλαος, ἀλλήλων
ἀδελφώ, καὶ τοῖς πλείστοις αὐτὸς παρεγίγνετο.
συμμαχικὰ δὲ ἦγον αὐτῷ Ἀρκαθίας μέν, αὐτοῦ
Μιθριδάτου παῖς, ἐκ τῆς βραχυτέρας Ἀρμενίας
μυρίους ἱππέας, καὶ Δορύλαος . . . ἐν φάλαγγι
ταττομένους, Κρατερὸς δ᾽ ἑκατὸν καὶ τριάκοντα
ἅρματα. τοσαύτη μὲν ἦν ἑκατέροις ἡ παρασκευή,
ὅτε πρῶτον ᾔεσαν ἐς ἀλλήλους Ῥωμαῖοί τε καὶ
Μιθριδάτης, ἀμφὶ τὰς ἑκατὸν καὶ ἑβδομήκοντα
τρεῖς ὀλυμπιάδας.

18. Ἐν δὲ πεδίῳ πλατεῖ παρὰ τὸν Ἀμνειον
ποταμὸν κατιδόντες ἀλλήλους ὅ τε Νικομήδης
καὶ οἱ τοῦ Μιθριδάτου στρατηγοὶ παρέταττον
ἐς μάχην, Νικομήδης μὲν ἅπαντας τοὺς ἑαυτοῦ,
Νεοπτόλεμος δὲ καὶ Ἀρχέλαος τοὺς εὐζώνους
μόνους, καὶ οὓς Ἀρκαθίας εἶχεν ἱππέας καί
τινα τῶν ἁρμάτων· ἡ γὰρ φάλαγξ ἔτι προσῄει.
ἐς δέ τινα γήλοφον τοῦ πεδίου πετρώδη προλα-
βόντες ἀνέπεμψαν ὀλίγους, ἵνα μὴ κυκλωθεῖεν
ὑπὸ τῶν Βιθυνῶν πολὺ πλειόνων ὄντων. ὡς δὲ
ἐξωθουμένους εἶδον αὐτοὺς ἐκ τοῦ γηλόφου, δείσας
ὁ Νεοπτόλεμος περὶ τῇ κυκλώσει προσεβοήθει

THE MITHRIDATIC WARS

and foot together. They had also a fleet under command of Minucius Rufus and Gaius Popilius at Byzantium, guarding the mouth of the Euxine. Nicomedes too was present with another 50,000 foot and 6000 horse under his command. Such was the total strength of the forces brought together. Mithridates had in his own army 250,000 foot and 40,000 horse, 300 ships with decks, 100 with two banks of oars each, and other equipment in proportion. He had for generals Neoptolemus and Archelaus, two brothers, and the king took charge of the greater number in person. Of the allied forces Arcathias, the son of Mithridates, led 10,000 horse from Armenia Minor, and Dorylaus commanded the phalanx. Craterus had charge of 130 war chariots. So great were the preparations on either side when the Romans and Mithridates first came in conflict with each other, about the 173d Olympiad.

CHAP. III

B.C. 88

18. When Nicomedes and the generals of Mithridates came in sight of each other in a wide plain bordered by the river Amnias they drew up their forces for battle. Nicomedes had his entire army with him; Neoptolemus and Archelaus had only their light infantry and the cavalry of Arcathias and a few chariots; for the phalanx had not yet come up. They sent forward a small force to seize a rocky hill in the plain lest they should be surrounded by the Bithynians, who were much more numerous. But when they saw these men driven from the hill Neoptolemus, in fear of being surrounded, advanced with haste to their assistance, at the same time calling on Arcathias for help. When Nicomedes perceived the movement he sought to meet it by a

269

CAP. III μετὰ σπουδῆς, καλῶν ἅμα καὶ τὸν Ἀρκαθίαν. Νικομήδης δ' ὁρῶν ἀντιπαρῄει· καὶ γίγνεται πολὺς ἐνταῦθα ἀγὼν καὶ φόνος. βιασαμένου δὲ τοῦ Νικομήδους ἔφευγον οἱ Μιθριδάτειοι, ἕως ὁ Ἀρχέλαος ἀπὸ τοῦ δεξιοῦ μετελθὼν ἐνέβαλεν ἐς τοὺς διώκοντας. οἱ δ' ἐς αὐτὸν ἐπεστράφησαν. ὁ δ' ὑπεχώρει κατ' ὀλίγον, ἵν' ἔχοιεν ἐκ τῆς φυγῆς ἐπανελθεῖν οἱ περὶ Νεοπτόλεμον. ὡς δὲ εἴκασεν αὐτάρκως ἔχειν, ἐπέστρεφε, καὶ τοῖς Βιθυνοῖς τὰ δρεπανηφόρα ἅρματα ἐμπίπτοντα μετὰ ῥύμης διέκοπτε καὶ διέτεμνε τοὺς μὲν ἀθρόως ἐς δύο τοὺς δ' ἐς μέρη πολλά. τό τε γιγνόμενον ἐξέπληττε τὴν στρατιὰν τοῦ Νικομήδους, ὅτε ἴδοιεν ἡμιτόμους ἄνδρας ἔτι ἐμπνους, ἢ ἐς πολλὰ διερριμμένους, ἢ τῶν δρεπάνων ἀπηρτημένους. ἀηδίᾳ τε μᾶλλον ὄψεως ἢ μάχης ἥσσῃ τὴν τάξιν ὑπὸ φόβου συνέχεαν. ταραχθεῖσι δ' αὐτοῖς ὁ μὲν Ἀρχέλαος ἐκ τοῦ μετώπου, Νεοπτόλεμος δὲ καὶ Ἀρκαθίας ἐκ τῆς φυγῆς ἀναστρέφοντες ἐπέκειντο ὄπισθεν. οἱ δ' ἐπὶ πολὺ μὲν ἠμύνοντο, ἐς ἑκατέρους ἐπιστρεφόμενοι· ὡς δὲ τὸ πλεῖστον ἐπεπτώκει, Νικομήδης μὲν ἔφευγε μετὰ τῶν ὑπολοίπων ἐς Παφλαγονίαν, οὐδ' ἐς χεῖρας ἐλθούσης πω τῆς Μιθριδατείου φάλαγγος, ἑάλω δ' αὐτοῦ τὸ χαράκωμα καὶ τὰ χρήματα πολλὰ ὄντα καὶ πλῆθος αἰχμαλώτων. οὓς πάντας ὁ Μιθριδάτης φιλανθρωπευσάμενός τε καὶ ἐφόδια δοὺς ἀπέλυσεν ἐς τὰ οἰκεῖα ἀπιέναι, δόξαν ἐμποιῶν τοῖς πολεμίοις φιλανθρωπίας.

19. Ἔργον δὴ τόδε πρῶτον τοῦ Μιθριδατείου πολέμου καὶ οἱ στρατηγοὶ τῶν Ῥωμαίων κατεπεπλήγεσαν, ὡς οὐκ εὐβουλίᾳ μᾶλλον ἢ προπε-

THE MITHRIDATIC WARS

similar one. Thereupon a severe and bloody struggle ensued. Nicomedes prevailed, and Mithridates' troops fled until Archelaus, coming across from the right flank, fell upon the pursuers, who were compelled to turn their attention to him. He yielded little by little in order that the forces of Neoptolemus might have a chance to rally. When he judged that they had done so sufficiently he advanced again. At the same time the scythe-bearing chariots were driven at great speed against the Bithynians, cutting some of them in two instantaneously, and tearing others to pieces. The army of Nicomedes was terrified at seeing men cut in halves and still breathing, or mangled in fragments, or hanging on the scythes. Overcome rather by the hideousness of the spectacle than by loss of the fight, fear disordered their ranks. While they were thus thrown into confusion Archelaus attacked them in front, and Neoptolemus and Arcathias, who had turned about, assailed them in the rear. They fought a long time facing both ways. But after the greater part of his men had fallen, Nicomedes fled with the remainder into Paphlagonia, although the phalanx of Mithridates had not come into the engagement at all. His camp was captured, together with his money, of which there was a considerable amount, and many prisoners. All these Mithridates treated kindly and sent to their homes with supplies for the journey, thus gaining a reputation for clemency among his enemies.

CHAP. III

The Romans badly defeated

19. This first engagement of the Mithridatic war alarmed even the Roman generals, because they had kindled so great a strife precipitately, without good

Retreat of the Roman army

CAP. III τῶς, ἄνευ τοῦ κοινοῦ, τοσόνδε πόλεμον ἄψαντες. ὀλίγοι τε γὰρ πολὺ πλειόνων ἐκεκρατήκεσαν, καὶ οὐδεμιᾷ συντυχίᾳ χωρίων ἢ πολεμίου σφάλματος, ἀλλ᾽ ἀρετῇ στρατηγῶν καὶ ἀνδρείᾳ στρατοῦ. Νικομήδης μὲν οὖν Μανίῳ παρεστρατοπέδευε, Μιθριδάτης δ᾽ ἐπὶ τὸ Σκορόβαν ὄρος ἀνῄει, ὃ τέλος ἐστὶ Βιθυνῶν καὶ τῆς Ποντικῆς χώρας. πρόδρομοί τε αὐτοῦ, Σαυροματῶν ἑκατὸν ἱππεῖς, ὀκτακοσίοις ἱππεῦσι τοῦ Νικομήδους ἐντυχόντες αἱροῦσι καὶ τούτων τινάς· οὓς πάλιν ὁ Μιθριδάτης σὺν ἐφοδίοις μεθῆκεν ἐς τὰς πατρίδας ἀπιέναι. Μάνιον δ᾽ ὑποφεύγοντα Νεοπτόλεμός τε καὶ Νεμάνης ὁ Ἀρμένιος ἀμφὶ τὸ πρῶτον Πάχιον χωρίον ἑβδόμης ὥρας καταλαβόντες, οἰχομένου πρὸς Κάσσιον Νικομήδους, ἠνάγκασαν ἐς μάχην ἱππέας ἔχοντα τετρακισχιλίους καὶ πεζοὺς ἔτι τούτων δεκαπλασίονας. κτείναντες δ᾽ αὐτοῦ περὶ μυρίους, ἐζώγρησαν ἐς τριακοσίους· οὓς ὁμοίως ὁ Μιθριδάτης ἐς αὐτὸν ἀναχθέντας ἀπέλυσε, καταδημοκοπῶν τοὺς πολεμίους. Μανίου δ᾽ ἐλήφθη καὶ τὸ στρατόπεδον, καὶ φεύγων αὐτὸς ἐπὶ τὸν Σαγγάριον ποταμὸν νυκτὸς γενομένης ἐπέρασέ τε καὶ ἐς Πέργαμον ἐσώθη. Κάσσιος δὲ καὶ Νικομήδης, καὶ ὅσοι ἄλλοι Ῥωμαίων πρέσβεις παρῆσαν, ἐς Λεόντων κεφαλήν, ὃ τῆς Φρυγίας ἐστὶν ὀχυρώτατον χωρίον, μετεστρατοπέδευον· καὶ τὸ πλῆθος ὅσον εἶχον, οὐ πάλαι συνειλεγμένον, χειροτεχνῶν ἢ γεωργῶν ἢ ἰδιωτῶν, ἐγύμναζον, καὶ τοὺς Φρύγας αὐτοῖς προσκατέλεγον. ὀκνούντων δὲ ἑκατέρων ἀπέγνωσαν πολεμεῖν ἀνδράσιν ἀπολέμοις, καὶ διαλύσαντες αὐτοὺς ἀνεχώρουν, Κάσσιος μὲν ἐς Ἀπάμειαν σὺν τῷ

THE MITHRIDATIC WARS

judgment, and without any public decree. A small number of soldiers had overcome a much larger one, not by having a better position, or through any blunder of the enemy, but by good generalship and the bravery of the rank and file. Nicomedes now encamped alongside of Manius. Mithridates ascended Mount Scoroba, which lies on the boundary between Bithynia and Pontus. A hundred Sarmatian horse of his advance-guard came upon 800 of the Nicomedean cavalry and took some of them prisoners. Mithridates dismissed these also to their homes and furnished them with supplies. Neoptolemus, and Nemanes the Armenian, overtook Manius on his retreat at the stronghold of Protopachium about the seventh hour, Nicomedes having gone away to join Cassius, and compelled him to fight. He had 4000 horse and ten times that number of foot. They killed 10,000 of his men and took about 300 prisoners. When they were brought to Mithridates he released them in like manner, thus making himself popular among his enemies. The camp of Manius was also captured, and he himself fled to the river Sangarius, crossed it by night, and escaped to Pergamus. Cassius and Nicomedes and all the Roman ambassadors who were with the army decamped to a place called the Lion's Head, a very powerful stronghold in Phrygia, where they began to drill their newly collected mob of artisans, rustics, and other raw recruits, and made new levies among the Phrygians. Finding both alike inefficient they abandoned the idea of fighting with such unwarlike men, dismissed them and retreated; Cassius with his own army to Apamea, Nicomedes to

CAP.
III
ἑαυτοῦ στρατῷ, Νικομήδης δὲ ἐς Πέργαμον, Μάνιος δὲ ἐπὶ Ῥόδου. ὧν, ὅσοι τὸ στόμα τοῦ Πόντου κατεῖχον, πυθόμενοι διελύθησαν, καὶ τάς τε κλεῖς τοῦ Πόντου, καὶ ναῦς ὅσας εἶχον, τῷ Μιθριδάτῃ παρέδοσαν.

20. Ὁ δὲ ὁρμῇ τῇδε μιᾷ τὴν ἀρχὴν ὅλην τοῦ Νικομήδους ὑπολαβὼν ἐπῄει, καὶ καθίστατο τὰς πόλεις. ἐμβαλὼν δὲ καὶ ἐς Φρυγίαν, ἐς τὸ τοῦ Ἀλεξάνδρου πανδοκεῖον κατέλυσεν, αἰσιούμενος ἄρα, ἔνθαπερ Ἀλέξανδρος ἀνεπαύσατο, καὶ Μιθριδάτην σταθμεῦσαι. ὁ μὲν δὴ καὶ Φρυγίας τὰ λοιπὰ καὶ Μυσίαν καὶ Ἀσίαν, ἃ Ῥωμαίοις νεόκτητα ἦν, ἐπέτρεχε, καὶ ἐς τὰ περίοικα περιπέμπων ὑπηγάγετο Λυκίαν τε καὶ Παμφυλίαν καὶ τὰ μέχρι Ἰωνίας. Λαοδικεῦσι δὲ ἔτι ἀντέχουσι, τοῖς περὶ τὸν Λύκον ποταμόν (Ῥωμαίων γάρ τις στρατηγὸς Κόιντος Ὄππιος, ἱππέας ἔχων καὶ μισθοφόρους τινάς, ἐς τὴν πόλιν ἐσδραμὼν ἐφύλαττεν αὐτήν), κήρυκα ἐπιπέμψας ἐπὶ τὰ τείχη λέγειν ἐκέλευσεν ὅτι βασιλεὺς Μιθριδάτης ὑπέχεται Λαοδικεῦσιν ἄδειαν, εἰ τὸν Ὄππιον αὐτῷ προσαγάγοιεν. οἱ δ᾽ ἐπὶ τῷ κηρύγματι τοὺς μὲν μισθοφόρους Ὀππίου μεθῆκαν ἀπαθεῖς ἀπιέναι, αὐτὸν δ᾽ ἤγαγον τῷ Μιθριδάτῃ τὸν Ὄππιον, ἡγουμένων αὐτῷ τῶν ῥαβδοφόρων ἐπὶ γέλωτι. καὶ αὐτὸν ὁ Μιθριδάτης οὐδὲν διαθεὶς ἐπήγετο πανταχοῦ λελυμένον, ἐπιδεικνύμενος ἄρα Ῥωμαίων αἰχμάλωτον στρατηγόν.

21. Μετ᾽ οὐ πολὺ δὲ καὶ Μάνιον Ἀκύλιον, τὸν τῆσδε τῆς πρεσβείας καὶ τοῦδε τοῦ πολέμου μάλιστα αἴτιον, ἑλὼν δεδεμένον ἐπὶ ὄνου περιήγετο, κηρύσσοντα τοῖς ὁρῶσιν ὅτι Μάνιος

Pergamus, and Manius toward Rhodes. When those who were guarding the mouth of the Euxine learned these facts they also scattered and delivered the straits and all the ships they had to Mithridates.

20. Having thus subverted the whole dominion of Nicomedes at one blow, Mithridates took possession of it and put the cities in order. Then he invaded Phrygia and lodged at an inn which had been occupied by Alexander the Great, thinking it a happy omen that, where Alexander had once stopped, there Mithridates too should pitch his camp. He overran the rest of Phrygia, together with Mysia and those parts of Asia which had been lately acquired by the Romans. Then he sent his officers to the adjoining provinces and subjugated Lycia, Pamphylia, and the adjoining country as far as Ionia. To the Laodiceans on the river Lycus, who were still resisting (for the Roman general, Quintus Oppius, had got through with his cavalry and certain mercenaries to the town and was defending it), he made this proclamation by herald before the walls, "King Mithridates promises that the Laodiceans shall suffer no injury if they will deliver Oppius to him." Upon this announcement they dismissed the mercenaries unharmed, but led Oppius himself to Mithridates with his lictors marching in front of him by way of ridicule. Mithridates did him no harm, but took him around with him unbound exhibiting a Roman general as his prisoner.

21. Not long afterward he captured Manius Aquilius, the prime instigator of this embassy and this war. Mithridates led him around, bound on an ass, and proclaiming himself as Manius to all who saw

CAP. III εἴη, μέχρι ἐν Περγάμῳ τοῦ στόματος αὐτοῦ κατεχώνευσε χρυσίον, δωροδοκίαν ἄρα Ῥωμαίοις ὀνειδίζων. σατράπας δὲ τοῖς ἔθνεσιν ἐπιστήσας, ἐς Μαγνησίαν καὶ Ἔφεσον καὶ Μιτυλήνην παρῆλθεν, ἀσμένως αὐτὸν ἁπάντων δεχομένων, Ἐφεσίων δὲ καὶ τὰς Ῥωμαίων εἰκόνας τὰς παρὰ σφίσι καθαιρούντων, ἐφ' ᾧ δίκην ἔδοσαν οὐ πολὺ ὕστερον. ἐπανιὼν δὲ ἐκ τῆς Ἰωνίας Στρατονίκειαν εἷλε καὶ ἐζημίωσε χρήμασι, καὶ φρουρὰν ἐς τὴν πόλιν ἐσήγαγεν. παρθένον τε εὔμορφον ἰδὼν ἐς τὰς γυναῖκας ἀνεδέξατο· καὶ εἴ τῳ σπουδὴ καὶ τὸ ὄνομα πυθέσθαι, Μονίμη Φιλοποίμενος ἦν. Μάγνησι δὲ καὶ Παφλαγόσι καὶ Λυκίοις ἔτι ἀντέχουσι διὰ τῶν στρατηγῶν ἐπολέμει.

IV

CAP. IV 22. Καὶ τάδε μὲν ἦν ἀμφὶ τὸν Μιθριδάτην· Ῥωμαῖοι δ' ἐξ οὗ τῆς πρώτης αὐτοῦ ὁρμῆς τε καὶ ἐς τὴν Ἀσίαν ἐσβολῆς ἐπύθοντο, στρατεύειν ἐπ' αὐτὸν ἐψηφίσαντο, καίπερ ἀσχολούμενοι στάσεσιν ἀτρύτοις ἐν τῇ πόλει καὶ οἰκείῳ πολέμῳ χαλεπῷ, τῆς Ἰταλίας ἀφισταμένης σχεδὸν ἁπάσης ἀνὰ μέρος. κληρουμένων δὲ τῶν ὑπάτων, ἔλαχε μὲν Κορνήλιος Σύλλας ἄρχειν τῆς Ἀσίας καὶ πολεμεῖν τῷ Μιθριδάτῃ, χρήματα δ' οὐκ ἔχοντες αὐτῷ ἐσενεγκεῖν, ἐψηφίσαντο πραθῆναι ὅσα Νουμᾶς Πομπίλιος βασιλεὺς ἐς θυσίας θεῶν διετέτακτο. τοσήδε μὲν ἦν τότε πάντων ἀπορία καὶ ἐς πάντα φιλοτιμία. καί τινα αὐτῶν ἔφθασε

THE MITHRIDATIC WARS

him. Finally, at Pergamus, Mithridates poured molten gold down his throat, thus rebuking the Romans for their bribe-taking. After appointing satraps over the various nations he proceeded to Magnesia, Ephesus, and Mitylene, all of which received him gladly. The Ephesians even overthrew the Roman statues which had been erected in their cities—for which they paid the penalty not long afterward. On his return from Ionia Mithridates took the city of Stratonicea, imposed a fine on it, and placed a garrison in it. Seeing a pretty girl there he added her to his list of wives. Her name, if anybody wishes to know it, was Monima, the daughter of Philopoemen. Against those Magnesians, Paphlagonians, and Lycians who still opposed him he directed his generals to make war.

IV

22. Such was the state of affairs with Mithridates. As soon as his outbreak and invasion of Asia were known at Rome they declared war against him, although they were occupied with endless dissensions in the city and a formidable internal war, almost all parts of Italy having seceded one after another. When the consuls cast lots, the government of Asia and the Mithridatic war fell to Cornelius Sulla. As they had no money to defray his expenses they voted to sell the treasures that King Numa Pompilius had set apart for sacrifices to the gods; so limited were their means at that time, and so unlimited their ambition. A part of these treasures, sold hastily,

CAP. IV πραθῆναι καὶ συνενεγκεῖν χρυσίου λίτρας[1] ἐνακισχιλίας, ἃς μόνας ἐς τηλικοῦτον πόλεμον ἔδοσαν.

Σύλλαν μὲν οὖν ἐς πολὺ αἱ στάσεις κατέσχον, ὡς ἐν τοῖς ἐμφυλίοις συγγέγραπται· ἐν τούτῳ δ' ὁ Μιθριδάτης ἐπί τε Ῥοδίους ναῦς πλείονας συνεπήγνυτο, καὶ σατράπαις ἅπασι καὶ πόλεων ἄρχουσι δι' ἀπορρήτων ἔγραφε, τριακοστὴν ἡμέραν φυλάξαντας ὁμοῦ πάντας ἐπιθέσθαι τοῖς παρὰ σφίσι Ῥωμαίοις καὶ Ἰταλοῖς, αὐτοῖς τε καὶ γυναιξὶν αὐτῶν καὶ παισὶ καὶ ἀπελευθέροις ὅσοι γένους Ἰταλικοῦ, κτείναντάς τε ἀτάφους ἀπορρῖψαι, καὶ τὰ ὄντα αὐτοῖς μερίσασθαι πρὸς βασιλέα Μιθριδάτην. ἐπεκήρυξε δὲ καὶ ζημίαν τοῖς καταθάπτουσιν αὐτοὺς ἢ ἐπικρύπτουσι, καὶ μήνυτρα τοῖς ἐλέγχουσιν ἢ τοὺς κρυπτομένους ἀναιροῦσι, θεράπουσι μὲν ἐπὶ δεσπότας ἐλευθερίαν, χρήσταις δ' ἐπὶ δανειστὰς ἥμισυ τοῦ χρέους. τάδε μὲν δὴ δι' ἀπορρήτων ὁ Μιθριδάτης ἐπέστελλεν ἅπασιν ὁμοῦ, καὶ τῆς ἡμέρας ἐπελθούσης συμφορῶν ἰδέαι ποικίλαι κατὰ τὴν Ἀσίαν ἦσαν, ὧν ἔνια τοιάδε ἦν.

23. Ἐφέσιοι τοὺς ἐς τὸ Ἀρτεμίσιον καταφυγόντας, συμπλεκομένους τοῖς ἀγάλμασιν, ἐξέλκοντες ἔκτεινον. Περγαμηνοὶ τοὺς ἐς τὸ Ἀσκληπιεῖον συμφυγόντας, οὐκ ἀφισταμένους, ἐτόξευον τοῖς ξοάνοις συμπλεκομένους. Ἀδραμυττηνοὶ τοὺς ἐκνέοντας ἐσβαίνοντες ἐς τὴν θάλασσαν ἀνῄρουν, καὶ τὰ βρέφη κατεπόντουν. Καύνιοι Ῥοδίοις ὑποτελεῖς ἐπὶ τῷ Ἀντιόχου πολέμῳ

[1] Here probably equivalent to the Roman libra (nearly 12 oz. avoirdupois).

THE MITHRIDATIC WARS

brought 9000 pounds' weight of gold, and this was all they had to spend on so great a war.

Sulla was detained a long time by the civil wars, as I have stated in my history of the same. In the meantime Mithridates built a large number of ships for an attack on Rhodes, and wrote secretly to all his satraps and city governors that on the thirtieth day thereafter they should set upon all Romans and Italians in their towns, and upon their wives and children and their freedmen of Italian birth, kill them and throw their bodies out unburied, and share their goods with King Mithridates. He threatened to punish any who should bury the dead or conceal the living, and proclaimed rewards to informers and to those who should kill persons in hiding. To slaves, who killed or betrayed their masters he offered freedom, to debtors, who did the same to their creditors, the remission of half of their debt. These secret orders Mithridates sent to all the cities at the same time. When the appointed day came disasters of the most varied kinds occurred throughout Asia, among which were the following:

23. The Ephesians tore away the fugitives, who had taken refuge in the temple of Artemis, and were clasping the images of the goddess, and slew them. The Pergameans shot with arrows those who had fled to the temple of Aesculapius, while they were still clinging to his statues. The people of Adramyttium followed into the sea those who sought to escape by swimming, and killed them and drowned their children. The Caunii, who had been made subject to Rhodes after the war against Antiochus and had been lately

CAP.
IV γενόμενοι, καὶ ὑπὸ Ῥωμαίων ἀφεθέντες οὐ πρὸ πολλοῦ, τοὺς Ἰταλοὺς ἐς τὴν βουλαίαν Ἑστίαν καταφυγόντας ἕλκοντες ἀπὸ τῆς Ἑστίας, τὰ βρέφη σφῶν πρῶτα ἔκτεινον ἐν ὄψει τῶν μητέρων, αὐτὰς δὲ καὶ τοὺς ἄνδρας ἐπ' ἐκείνοις. Τραλλιανοὶ δ' αὐθένται τοῦ κακοῦ φυλαξάμενοι γενέσθαι, Παφλαγόνα Θεόφιλον, ἄγριον ἄνδρα, ἐς τὸ ἔργον ἐμισθώσαντο, καὶ ὁ Θεόφιλος αὐτοὺς συναγαγὼν ἐπὶ τὸν τῆς ὁμονοίας νεὼν ἥπτετο τοῦ φόνου, καὶ τινῶν τοῖς ἀγάλμασι συμπλεκομένων τὰς χεῖρας ἀπέκοπτεν. τοιαύταις μὲν τύχαις οἱ περὶ τὴν Ἀσίαν ὄντες Ἰταλοὶ καὶ Ῥωμαῖοι συνεφέροντο, ἄνδρες τε ὁμοῦ καὶ βρέφη καὶ γυναῖκες, καὶ ἐξελεύθεροι καὶ θεράποντες αὐτῶν, ὅσοι γένους Ἰταλικοῦ. ᾧ καὶ μάλιστα δῆλον ἐγένετο τὴν Ἀσίαν οὐ φόβῳ Μιθριδάτου μᾶλλον ἢ μίσει Ῥωμαίων τοιάδε ἐς αὐτοὺς ἐργάσασθαι. ἀλλ' οὗτοι μὲν δίκην ἔδοσαν διπλῆν, αὐτοῦ τε Μιθριδάτου μετ' ὀλίγον ἀπίστως ἐξυβρίσαντος ἐς αὐτούς, καὶ ὕστερον Κορνηλίῳ Σύλλᾳ· Μιθριδάτης δὲ ἐς μὲν Κῶ κατέπλευσε, Κῴων αὐτὸν ἀσμένως δεχομένων, καὶ τὸν Ἀλεξάνδρου παῖδα τοῦ βασιλεύοντος Αἰγύπτου, σὺν χρήμασι πολλοῖς ὑπὸ τῆς μάμμης Κλεοπάτρας ἐν Κῷ καταλελειμμένον, παραλαβὼν ἔτρεφε βασιλικῶς, ἔκ τε τῶν Κλεοπάτρας θησαυρῶν γάζαν πολλὴν καὶ τέχνην καὶ λίθους καὶ κόσμους γυναικείους καὶ χρήματα πολλὰ ἐς τὸν Πόντον ἔπεμψεν.

24. Ἐν δὲ τούτῳ Ῥόδιοι τά τε τείχη σφῶν καὶ τοὺς λιμένας ἐκρατύναντο, καὶ μηχανὰς ἅπασιν ἐφίστανον· καί τινες αὐτοῖς Τελμισέων τε καὶ Λυκίων συνεμάχουν. ὅσοι τε ἐξ Ἀσίας Ἰταλοὶ

THE MITHRIDATIC WARS

liberated by the Romans, pursued the Italians who had taken refuge about the statue of Vesta in the senate-house, tore them from the shrine, first killed the children before their mothers' eyes, and then killed the mothers themselves and their husbands after them. The citizens of Tralles, in order to avoid the appearance of blood-guiltiness, hired a savage monster named Theophilus, of Paphlagonia, to do the work. He conducted the victims to the temple of Concord, and there murdered them, chopping off the hands of some who were embracing the sacred images. Such was the awful fate that befell the Romans and Italians in Asia, men, women, and children, their freedmen and slaves, all who were of Italian blood; by which it was made very plain that it was quite as much hatred of the Romans as fear of Mithridates that impelled the Asiatics to commit these atrocities. But they paid a double penalty for their crime—one at the hands of Mithridates himself, who ill-treated them perfidiously not long afterward, and the other at the hands of Cornelius Sulla. In the meantime Mithridates crossed over to the island of Cos, where he was welcomed by the inhabitants and where he received, and afterwards brought up in a royal way, a son of Alexander, the reigning sovereign of Egypt, who had been left there by his grandmother, Cleopatra, together with a large sum of money. From the treasures of Cleopatra he sent vast wealth, works of art, precious stones, women's ornaments, and a great deal of money to Pontus.

24. While these things were going on the Rhodians strengthened their walls and their harbours and erected engines of war everywhere, being joined by some recruits from Telmessus and Lycia. All the

CAP. IV διεπεφεύγεσαν, ἐς Ῥόδον ἅπαντες ἐχώρουν, καὶ σὺν αὐτοῖς Λεύκιος Κάσσιος ὁ τῆς Ἀσίας ἀνθύπατος. ἐπιπλέοντος δὲ τοῦ Μιθριδάτου τὰ προάστεια καθῄρουν, ἵνα μηδὲν εἴη χρήσιμα τοῖς πολεμίοις, καὶ ἐπὶ ναυμαχίαν ἀνήγοντο, ταῖς μὲν ἐκ μετώπου ταῖς δὲ πλαγίοις. ὁ δὲ βασιλεὺς ἐπὶ πεντήρους περιπλέων ἐκέλευε τοὺς ἰδίους ἐς τὸ πέλαγος ἀνάγειν ἐπὶ κέρως, καὶ τὴν εἰρεσίαν ἐπιταχύναντας περικυκλοῦσθαι τοὺς πολεμίους ὀλιγωτέρους ὄντας, μέχρι δείσαντες οἱ Ῥόδιοι περὶ τῇ κυκλώσει ὑπεχώρουν κατ' ὀλίγον· εἶτ' ἐπιστρέψαντες ἐς τὸν λιμένα κατέφυγον, καὶ κλείθροις αὐτὸν διαλαβόντες ἀπὸ τῶν τειχῶν τὸν Μιθριδάτην ἀπεμάχοντο. ὁ δὲ τῇ πόλει παραστρατοπεδεύων καὶ συνεχῶς τῶν λιμένων πειρώμενος καὶ ἀποτυγχάνων, ἀνέμενε τὸ πεζὸν ἐκ τῆς Ἀσίας οἱ παραγενέσθαι. κἂν τούτῳ βραχεῖαι καὶ συνεχεῖς ἐγίγνοντο ἀψιμαχίαι τῶν ἐφεδρευόντων τοῖς τείχεσιν, ἐν αἷς οἱ Ῥόδιοι πλεονεκτοῦντες ἀνεθάρσουν κατ' ὀλίγον, καὶ τὰς ναῦς διὰ χειρὸς εἶχον ὡς, εἴ πῃ καιρὸν εὕροιεν, ἐπιθησόμενοι τοῖς πολεμίοις.

25. Ὁλκάδος δὲ βασιλικῆς ἱστίῳ παραπλεούσης, Ῥοδία δίκροτος ἐπ' αὐτὴν ἀνήχθη· καὶ ταῖσδε κατὰ σπουδὴν ἑκατέρων ἐπιβοηθούντων ναυμαχία γίγνεται καρτερά, Μιθριδάτου μὲν ἐπιβαρύνοντος ὀργῇ καὶ πλήθεσι νεῶν, Ῥοδίων δ' αὐτοῦ τὰ σκάφη σὺν ἐμπειρίᾳ περιπλεόντων τε καὶ ἀνατιτρώντων, ὥστε καὶ τριήρη αὐτοῖς ἀνδράσιν ἀναδησάμενοι καὶ ἀκροστόλια πολλὰ καὶ σκῦλα ἐς τὸν λιμένα

THE MITHRIDATIC WARS

Italians who escaped from Asia collected at Rhodes, among them Lucius Cassius, the pro-consul of the province. When Mithridates approached with his fleet, the inhabitants destroyed the suburbs in order that they might not be of service to the enemy. Then they put to sea for a naval engagement with some of their ships ranged for an attack in front and some on the flank. Mithridates, who was sailing round in a quinquereme, ordered his ships to extend their wing out to sea and to quicken the rowing in order to surround the enemy, for they were fewer in number. The Rhodians were apprehensive of being surrounded and retired slowly. Finally they turned about and took refuge in the harbour, closed the gates, and fought Mithridates from the walls. He encamped near the city and continually tried to gain entrance to the harbour, but failing to do so he waited for the arrival of his infantry from Asia. In the meantime there was continual skirmishing going on with the soldiers on the walls. As the Rhodians had the best of it in these affairs, they gradually plucked up courage and kept their ships in readiness, in order to attack the enemy whenever they should discover an opportunity.

25. As one of the king's merchantmen was moving near them under sail a Rhodian two-bank ship advanced against it. Many on both sides hastened to the rescue and a severe naval engagement took place. Mithridates outweighed his antagonists both in fury and in the multitude of his fleet, but the Rhodians circled around and rammed his ships with such skill that they took one of his triremes in tow with its crew and returned to the harbour with a large number of figure-heads and spoils. Another time,

CAP. φέροντες ἐπανελθεῖν. πεντήρους δὲ σφῶν εἰλημ-
IV μένης ὑπὸ τῶν πολεμίων, ἀγνοοῦντες οἱ Ῥόδιοι
ἐπὶ ζήτησιν αὐτῆς ἐξ ταῖς μάλιστα ταχυναυ-
τούσαις ἀνέπλεον, καὶ Δαμαγόρας ἐπ᾿ αὐτῶν ὁ
ναύαρχος ἐπέπλει. πέντε δ᾿ αὐτῷ καὶ εἴκοσιν
ἐπιπέμψαντος τοῦ Μιθριδάτου, μέχρι μὲν ἐς δύσιν
ὁ Δαμαγόρας ὑπεχώρει, συσκοτάζοντος δ᾿ ἤδη
ταῖς βασιλικαῖς ἐς ἀπόπλουν ἐπιστρεφομέναις
ἐμβαλὼν δύο κατεπόντωσε, δύο δ᾿ ἄλλας ἐς Λυκίαν
συνεδίωξε, καὶ τὴν νύκτα πελαγίσας ἐπανῆλθεν.
τοῦτο Ῥοδίοις καὶ Μιθριδάτῃ τέλος ἦν τῆς
ναυμαχίας, παρὰ δόξαν Ῥοδίοις τε διὰ τὴν
ὀλιγότητα καὶ Μιθριδάτῃ διὰ τὸ πλῆθος γενό-
μενον. ἐν δὲ τῷ ἔργῳ περιπλέοντι τῷ βασιλεῖ,
καὶ τοὺς οἰκείους ἐπισπέρχοντι, Χία συμμαχὶς
ἐμβαλοῦσα ἐκ θορύβου κατέσεισε· καὶ ὁ βασι-
λεύς, οὐδὲν τότε φροντίζειν ὑποκρινάμενος, τὸν
κυβερνήτην ὕστερον ἐκόλασε καὶ τὸν πρῳρέα, καὶ
Χίοις ἐμήνισε πᾶσιν.

26. Τῶν δ᾿ αὐτῶν ἡμερῶν τοῦ πεζοῦ τῷ Μιθρι-
δάτῃ παραπλέοντος ἐπὶ ὁλκάδων καὶ τριήρων,
πνεῦμα Καυνικὸν ἐμπεσὸν ἐς αὐτὰς ἐς Ῥόδον
παρήνεγκε· καὶ οἱ Ῥόδιοι τάχιστα ἐπαναχθέντες,
ἐνοχλουμέναις ὑπὸ τοῦ κλύδωνος ἔτι καὶ διε-
σπαρμέναις ἐμβαλόντες, ἀνεδήσαντό τινας καὶ
διέτρησαν ἑτέρας καὶ ἐνέπρησαν ἄλλας, καὶ
ἄνδρας αἰχμαλώτους εἷλον ἐς τετρακοσίους. ἐφ᾿
οἷς ὁ Μιθριδάτης ἐς ἑτέραν ναυμαχίαν ὁμοῦ καὶ
πολιορκίαν ἡτοιμάζετο, σαμβύκην δέ τινα, μηχά-
νημα μέγιστον, ἐπὶ δύο νεῶν φερόμενον ἐποίει.

THE MITHRIDATIC WARS

when one of their quinqueremes had been taken by the enemy, the Rhodians, not knowing this fact, sent out six of their swiftest ships to look for it, under command of their admiral, Damagoras. Mithridates despatched twenty-five of his against them, and Damagoras retired before them until sunset. When it began to grow dark and the king's ships turned round to sail back, Damagoras fell upon them, sank two, drove two others to Lycia, and having passed the night out at sea returned home. This was the result of the naval engagement, as unexpected to the Rhodians on account of the smallness of their force as to Mithridates on account of the largeness of his. In this engagement, while the king was sailing about in his ship and urging on his men, an allied ship from Chios ran against his in the confusion with a severe shock. The king pretended not to mind it at the time, but later he punished the pilot and the look-out man, and conceived a hatred for all Chians.

26. About the same time the land forces of Mithridates set sail in merchant vessels and triremes, and a storm, blowing from Caunus, drove them towards Rhodes. The Rhodians promptly sailed out to meet them, fell upon them while they were still scattered and suffering from the effects of the tempest, captured some, rammed others, and burned others, and took about 400 prisoners. Thereupon Mithridates prepared for another naval engagement and siege at the same time. He built a *sambuca*,[1] an immense machine for scaling walls, and mounted it on two

[1] A kind of bridge, used for crossing from either the ships or the towers of the besiegers on to the enemy's walls.

CAP.
IV
αὐτομόλων δ' αὐτῷ λόφον ὑποδειξάντων ἐπιβατόν, ᾗ Ἀταβυρίου Διὸς ἱερὸν ἦν καὶ κολοβὸν τειχίον ἐπ' αὐτοῦ, τὴν στρατιὰν ἐς τὰς ναῦς νυκτὸς ἐπέβησε, καὶ ἑτέροις ἀναδοὺς κλίμακας ἐκέλευσε χωρεῖν ἑκατέρους μετὰ σιωπῆς, μέχρι τινὲς αὐτοῖς πυρσεύσειαν ἐκ τοῦ Ἀταβυρίου, καὶ τότε ἀθρόως, μετὰ βοῆς ὅτι μάλιστα μεγάλης, τοὺς μὲν τοῖς λιμέσιν ἐμπίπτειν, τοὺς δὲ τὰ τείχη βιάζεσθαι. οἱ μὲν δὴ μετὰ σιγῆς βαθείας προσεπέλαζον, Ῥοδίων δ' οἱ προφύλακες αἰσθόμενοι τῶν γιγνομένων ἐπύρσευσαν, καὶ ἡ στρατιὰ τοῦ Μιθριδάτου, νομίσασα τοῦτο εἶναι τὸν ἐκ τοῦ Ἀταβυρίου πυρσόν, ἐκ βαθείας σιωπῆς ἠλάλαξαν ὁμοῦ πάντες, οἵ τε κλιμακοφόροι καὶ ὁ στόλος ὁ νηΐτης. Ῥοδίων δ' αὐτοῖς ἀκαταπλήκτως ἀντανακραγόντων, καὶ ἀθρόως ἀναδραμόντων ἐς τὰ τείχη, οἱ βασιλικοὶ νυκτὸς μὲν οὐδ' ἐπεχείρουν, ἡμέρας δ' ἀπεκρούσθησαν.

27. Ἡ σαμβύκη δ' ἐπαχθεῖσα τοῦ τείχους ᾗ τὸ τῆς Ἴσιδος ἱερόν ἐστιν, ἐφόβει μάλιστα, βέλη τε πολλὰ ὁμοῦ καὶ κριοὺς καὶ ἀκόντια ἀφιεῖσα. στρατιῶταί τε σκάφεσι πολλοῖς αὐτῇ μετὰ κλιμάκων παρέθεον ὡς ἀναβησόμενοι δι' αὐτῆς ἐπὶ τὰ τείχη. οἱ δὲ Ῥόδιοι καὶ τάδε εὐσταθῶς ὑπέμενον, ἕως τό τε μηχάνημα ὑπὸ βάρους ἐνεδίδου, καὶ φάσμα τῆς Ἴσιδος ἔδοξε πῦρ ἀφιέναι πολὺ κατ' αὐτοῦ. καὶ ὁ Μιθριδάτης ἀπογνοὺς καὶ τῆσδε τῆς πείρας ἀνεζεύγνυεν ἐκ τῆς Ῥόδου, Πατάροις δὲ τὴν στρατιὰν περιστήσας ἔκοπτε Λητοῦς ἄλσος ἱερὸν ἐς μηχανάς, μέχρι φοβήσαντος αὐτὸν ἐνυπνίου τῆς τε ὕλης ἐφείσατο, καὶ

THE MITHRIDATIC WARS

ships. Some deserters showed him a hill that was easy to climb, where the temple of Zeus Atabyrius was situated, surrounded by a low wall. He placed a part of his army in ships by night, distributed scaling ladders to others, and commanded both parties to move silently until they should see a fire signal given from Mount Atabyrius; and then to make the greatest possible uproar, and some to attack the harbour and others the wall. Accordingly they approached in profound silence. The Rhodian sentries detected what was going on and lighted a fire. The army of Mithridates, thinking that this was the fire signal from Atabyrius, broke the silence with a loud shout, the scaling party and the naval contingent shouting all together. The Rhodians, not at all dismayed, answered the shout and rushed to the walls in crowds. The king's forces did not even attack that night, and the next day they were beaten off.

27. The Rhodians were most dismayed by the *sambuca*, which was moved against the wall where the temple of Isis stands. It was operating simultaneously with weapons of various kinds, both rams and projectiles. Soldiers with ladders in numerous small boats passed alongside of it, ready to mount the wall by its help. Nevertheless the Rhodians awaited its attack with firmness, until the *sambuca* began to collapse of its own weight, and an apparition of Isis was seen hurling a great mass of fire down upon it. Mithridates despaired of this undertaking too and retired from Rhodes. He then laid siege to Patara and began to cut down a grove dedicated to Latona, to get material for his machines, until he was warned in a dream to spare the sacred trees. Leaving Pelop-

CAP. Πελοπίδαν Λυκίοις πολεμεῖν ἐπιστήσας, Ἀρχέ-
IV λαον ἐς τὴν Ἑλλάδα ἔπεμπε, προσεταιριούμενον
ἢ βιασόμενον αὐτῆς ὅσα δύναιτο. αὐτὸς δ' ἀπὸ
τοῦδε τοῖς στρατηγοῖς τὰ πολλὰ μεθεὶς ἐστρατο-
λόγει καὶ ὡπλοποίει, καὶ τῇ Στρατονικίδι γυναικὶ
διετέρπετο, καὶ δίκας ἐδίκαζε τοῖς ἐπιβουλεύειν ἐς
τὸ σῶμα αὐτοῦ λεγομένοις ἢ νεωτερίζουσιν ἢ ὅλως
ρωμαΐζουσιν.

V

CAP. 28. Καὶ ὁ μὲν ἐπὶ τοῖσδε ἦν, κατὰ δὲ τὴν
V Ἑλλάδα τοιάδε ἐγίγνετο. Ἀρχέλαος ἐπιπλεύσας
καὶ σίτῳ καὶ στόλῳ πολλῷ, Δῆλόν τε ἀφισταμένην
ἀπὸ Ἀθηναίων καὶ ἄλλα χωρία ἐχειρώσατο βίᾳ
καὶ κράτει. κτείνας δ' ἐν αὐτοῖς δισμυρίους ἄνδρας,
ὧν οἱ πλέονες ἦσαν Ἰταλοί, τὰ χωρία προσε-
ποιεῖτο τοῖς Ἀθηναίοις· καὶ ἀπὸ τοῦδε αὐτούς,
καὶ τὰ ἄλλα κομπάζων περὶ τοῦ Μιθριδάτου
καὶ ἐς μέγα ἐπαίρων, ἐς φιλίαν ὑπηγάγετο·
τά τε χρήματα αὐτοῖς τὰ ἱερὰ ἔπεμπεν ἐκ
Δήλου δι' Ἀριστίωνος ἀνδρὸς Ἀθηναίου, συμ-
πέμψας φυλακὴν τῶν χρημάτων ἐς δισχιλίους
ἄνδρας, οἷς ὁ Ἀριστίων συγχρώμενος ἐτυράννησε
τῆς πατρίδος, καὶ τῶν Ἀθηναίων τοὺς μὲν εὐθὺς
ἔκτεινεν ὡς ρωμαΐζοντας, τοὺς δ' ἀνέπεμψεν ἐς
Μιθριδάτην, καὶ ταῦτα μέντοι σοφίαν τὴν Ἐπι-
κούρειον ἠσκηκώς. ἀλλὰ γὰρ οὐχ ὅδε μόνος
Ἀθήνησιν, οὐδὲ Κριτίας ἔτι πρὸ τούτου, καὶ

THE MITHRIDATIC WARS

idas to continue the war against the Lycians he sent Archelaus to Greece to gain allies by persuasion or force according as he could. After this Mithridates committed most of his tasks to his generals, and applied himself to raising troops, making arms, and enjoying himself with his wife from Stratoniceia. He also held a court to try those who were accused of conspiring against him, or of inciting revolution, or of favouring the Romans in any way.

V

28. WHILE Mithridates was thus occupied the following events took place in Greece. Archelaus, sailing thither with abundant supplies and a large fleet, conquered by force of arms Delos and other strongholds which had revolted from the Athenians. He slew 20,000 men in these places, most of whom were Italians, and handed the strongholds over to the Athenians. In this way, and by boasting generally about Mithridates and extravagantly praising him, he brought the Athenians into alliance with him. Archelaus also sent them the sacred treasure of Delos by the hands of Aristion, an Athenian citizen, attended by about 2000 soldiers to guard the money. These soldiers Aristion made use of to make himself master of his fatherland, putting some to death immediately on the charge of favouring the Romans and sending others to Mithridates. And these things he did although he had studied Epicurean philosophy. Nor was he alone in this, for not only at Athens Critias[1] before him and those

[1] One of the most extreme of the so-called Thirty Tyrants, who ruled Athens from September 404 to May 403 B.C. He was a friend and pupil of Socrates.

CAP. V ὅσοι τῷ Κριτίᾳ συμφιλοσοφοῦντες ἐτυράννησαν, ἀλλὰ καὶ ἐν Ἰταλίᾳ τῶν πυθαγορισάντων καὶ ἐν τῇ ἄλλῃ Ἑλλάδι τῶν ἑπτὰ σοφῶν λεγομένων ὅσοι πραγμάτων ἐλάβοντο, ἐδυνάστευσάν τε καὶ ἐτυράννησαν ὠμότερον τῶν ἰδιωτικῶν τυράννων, ὥστε καὶ περὶ τῶν ἄλλων φιλοσόφων ἄπορον ποιῆσαι καὶ ὕποπτον, εἴτε δι' ἀρετήν, εἴτε πενίας καὶ ἀπραξίας τὴν σοφίαν ἔθεντο παραμύθιον, ὧν γε καὶ νῦν πολλοὶ ἰδιωτεύοντες καὶ πενόμενοι, καὶ τὴν ἀναγκαίαν ἐκ τῶνδε σοφίαν περικείμενοι, τοῖς πλουτοῦσιν ἢ ἄρχουσι λοιδοροῦνται πικρῶς, οὐχ ὑπεροψίας πλούτου καὶ ἀρχῆς δόξαν σφίσι μᾶλλον ἢ ζηλοτυπίας ἐς αὐτὰ προφέροντες. ὑπερορῶσι δ' αὐτῶν οἱ βλασφημούμενοι πολὺ σοφώτερον. ταῦτα μὲν οὖν ἡγήσαιτο ἄν τις ἐς Ἀριστίωνα τὸν φιλόσοφον εἰρημένα, αὐτὸν αἴτιον τῆς ἐκβολῆς τῷ λόγῳ γενόμενον·

29. Ἀρχελάῳ δ' Ἀχαιοὶ καὶ Λάκωνες προσετίθεντο, καὶ Βοιωτία πᾶσα χωρίς γε Θεσπιέων, οὓς περικαθήμενος ἐπολιόρκει. τοῦ δ' αὐτοῦ χρόνου Μητροφάνης ἐπιπεμφθεὶς ὑπὸ Μιθριδάτου μεθ' ἑτέρας στρατιᾶς Εὔβοιαν καὶ Δημητριάδα καὶ Μαγνησίαν, οὐκ ἐνδεχομένας τὰ Μιθριδάτεια, ἐλεηλάτει. καὶ Βρύττιος ἐκ Μακεδονίας ἐπελθὼν σὺν ὀλίγῳ στρατῷ διεναυμάχησέ τε αὐτῷ, καὶ καταποντώσας τι πλοῖον καὶ ἡμιολίαν ἔκτεινε πάντας τοὺς ἐν αὐτοῖς, ἐφορῶντος τοῦ Μητροφάνους. ὁ δὲ καταπλαγεὶς ἔφευγεν. καὶ αὐτὸν αἰσίῳ ἀνέμῳ χρώμενον ὁ Βρέττιος οὐ καταλαβὼν Σκίαθον ἐξεῖλεν, ἣ τῆς λείας τοῖς βαρβάροις ταμιεῖον ἦν, καὶ δούλους τινὰς αὐτῶν ἐκρέμασε,

of his fellow-philosophers who set up a tyranny, but also in Italy, some of the Pythagoreans, and in other parts of the Grecian world some of those known as the Seven Wise Men, who undertook to manage public affairs, governed more cruelly, and made themselves greater tyrants than ordinary despots; whence arose doubt and suspicion concerning other philosophers, whether they were attracted to philosophy by virtue, or adopted it as a consolation for poverty or lack of occupation. For we see many of them now, obscure and poverty-stricken, wearing the garb of philosophy as a matter of necessity, and railing bitterly at the rich and powerful, thus winning themselves a reputation, not for despising riches and power, but for envying them. Those whom they speak ill of shew far greater wisdom in despising such men. These things the reader should consider as spoken against the philosopher Aristion, who is the cause of this digression.

29. Archelaus brought over to the side of Mithridates the Achaeans, the Lacedaemonians, and all of Boeotia except Thespiae, to which he laid close siege. At the same time Metrophanes, who had been sent by Mithridates with another army, ravaged Euboea and the territory of Demetrias and Magnesia, which states refused to espouse his cause. Bruttius advanced against him with a small force from Macedonia, had a naval fight with him, sank one small ship and one hemiolia, and killed all who were in them while Metrophanes was looking on. The latter fled in terror and, as he had a favourable wind, Bruttius could not overtake him, but stormed Sciathos, which was a storehouse of plunder for the barbarians, crucified some of them who were

CAP. καὶ ἐλευθέρων ἀπέτεμε τὰς χεῖρας. ἐπί τε Βοιω-
V τίαν τραπείς, ἑτέρων οἱ χιλίων ἱππέων καὶ πεζῶν
ἐκ Μακεδονίας ἐπελθόντων, ἀμφὶ Χαιρώνειαν
Ἀρχελάῳ καὶ Ἀριστίωνι τρισὶν ἡμέραις συν-
επλέκετο, ἴσου καὶ ἀγχωμάλου παρ' ὅλον τὸν
ἀγῶνα τοῦ ἔργου γιγνομένου. Λακώνων δὲ καὶ
Ἀχαιῶν ἐς συμμαχίαν Ἀρχελάῳ καὶ Ἀριστίωνι
προσιόντων, ὁ Βρύττιος ἅπασιν ὁμοῦ γενομένοις
οὐχ ἡγούμενος ἀξιόμαχος ἔτι ἔσεσθαι ἀνεζεύγνυεν
ἐς τὸν Πειραιᾶ, μέχρι καὶ τοῦδε Ἀρχέλαος ἐπι-
πλεύσας κατέσχεν.

30. Σύλλας δ' ὁ τοῦ Μιθριδατείου πολέμου
στρατηγὸς ὑπὸ Ῥωμαίων αἱρεθεὶς εἶναι, τότε
πρῶτον ἐξ Ἰταλίας σὺν τέλεσι πέντε καὶ σπείραις
τισὶ καὶ ἴλαις ἐς τὴν Ἑλλάδα περαιωθεὶς χρή-
ματα μὲν αὐτίκα καὶ συμμάχους καὶ ἀγορὰν ἔκ τε
Αἰτωλίας καὶ Θεσσαλίας συνέλεγεν, ὡς δ' ἀπο-
χρώντως ἔχειν ἐδόκει, διέβαινεν ἐς τὴν Ἀττικὴν
ἐπὶ τὸν Ἀρχέλαον. παροδεύοντι δ' αὐτῷ Βοιωτία
τε ἀθρόως μετεχώρει, χωρὶς ὀλίγων, καὶ τὸ μέγα
ἄστυ αἱ Θῆβαι, μάλα κουφόνως ἀντὶ Ῥωμαίων
ἑλόμενοι τὰ Μιθριδάτεια, ὀξύτερον ἔτι, πρὶν ἐς
πεῖραν ἐλθεῖν, ἀπὸ Ἀρχελάου πρὸς Σύλλαν μετε-
τίθεντο. ὁ δ' ἐπὶ τὴν Ἀττικὴν ἐχώρει, καὶ μέρος
τι στρατοῦ ἐς τὸ ἄστυ περιπέμψας Ἀριστίωνα
πολιορκεῖν, αὐτός, ἔνθαπερ ἦν Ἀρχέλαος, ἐπὶ τὸν
Πειραιᾶ κατῆλθε, κατακεκλεισμένων ἐς τὰ τείχη
τῶν πολεμίων. ὕψος δ' ἦν τὰ τείχη πήχεων τεσ-
σαράκοντα μάλιστα, καὶ εἴργαστο ἐκ λίθου
μεγάλου τε καὶ τετραγώνου, Περίκλειον ἔργον, ὅτε
τοῖς Ἀθηναίοις ἐπὶ Πελοποννησίους στρατηγῶν,
καὶ τὴν ἐλπίδα τῆς νίκης ἐν τῷ Πειραιεῖ τιθέ-

THE MITHRIDATIC WARS

slaves, and cut off the hands of the freemen. Then he turned against Boeotia, having received reinforcements of 1000 horse and foot from Macedonia. Near Chaeronea he was engaged in a fight of three days' duration with Archelaus and Aristion, the battle being evenly contested throughout. But when the Lacedaemonians and Achaeans came to the aid of Archelaus and Aristion, Bruttius thought that he was not a match for all of them together and withdrew to the Piraeus, until Archelaus came up with his fleet and seized that place also.

30. Sulla, who had been appointed general of the Mithridatic war by the Romans, now for the first time passed over to Greece with five legions and a few cohorts and troops of horse and straightway called for money, reinforcements and provisions from Aetolia and Thessaly. As soon as he considered himself strong enough he crossed over to Attica to attack Archelaus. As he was passing through the country all Boeotia joined him except a few, and among others the great city of Thebes, which had very lightly taken sides with Mithridates against the Romans, but now even more nimbly changed from Archelaus to Sulla before coming to a trial of strength. When Sulla reached Attica he detached part of his army to lay siege to Aristion in Athens, and himself went down to attack the Piraeus, where the enemy, under Archelaus, were shut up within the walls. The height of the walls was about forty cubits and they were built of large square stones. They were the work of Pericles in the time of the Peloponnesian war, and as he rested his hope of victory on the Piraeus he made them as strong as

CAP. μενος, μᾶλλον αὐτὸν ἐκρατύνατο. Σύλλας δὲ καὶ
V τοιοῖσδε οὖσι τοῖς τείχεσιν εὐθὺς ἐπῆγε τὰς
κλίμακας, καὶ πολλὰ μὲν ἔδρα πολλὰ δ' ἀντέ-
πασχεν, ἰσχυρῶς τῶν Καππαδοκῶν αὐτὸν ἀμυνο-
μένων, ἔστε κάμνων ἐς Ἐλευσῖνα καὶ Μέγαρα
ἀνεχώρει, καὶ μηχανὰς ἐπὶ τὸν Πειραιᾶ συνεπή-
γνυτο, καὶ χῶμα αὐτῷ προσχοῦν ἐπενόει. τέχναι
μὲν δὴ καὶ παρασκευὴ πᾶσα αὐτῷ καὶ σίδηρος καὶ
καταπέλται, καὶ εἴ τι τοιουτότροπον ἄλλο, ἐκ
Θηβῶν ἐκομίζετο, ὕλην δὲ τῆς Ἀκαδημείας
ἔκοπτε, καὶ μηχανὰς εἰργάζετο μεγίστας. τά τε
μακρὰ σκέλη καθῄρει, λίθους καὶ ξύλα καὶ γῆν
ἐς τὸ χῶμα μεταβάλλων.

31. Δύο δ' ἐκ τοῦ Πειραιῶς Ἀττικοὶ θερά-
ποντες, αἱρούμενοι τὰ Ῥωμαίων, ἢ σφίσιν αὐτοῖς
καταφυγήν, εἴ τι γίγνοιτο, προορώμενοι, πεσσοῖς
ἐκ μολύβδου πεποιημένοις ἐγγράφοντες ἀεὶ τὸ
γιγνόμενον ἐς τοὺς Ῥωμαίους ἠφίεσαν ἀπὸ σφεν-
δόνης. καὶ τοῦδε γιγνομένου τε συνεχῶς καὶ ἐς
γνῶσιν ἐλθόντος, Σύλλας τοῖς ἐσφενδονημένοις
προσέχων ηὗρε γεγραμμένον ὅτι τῆς ἐπιούσης ἐκ
μετώπου πεζοὶ κατὰ τοὺς ἐργαζομένους ἐκδρα-
μοῦνται καὶ ἱππεῖς ἑκατέρωθεν ἐς τὰ πλάγια
Ῥωμαίων ἐμβαλοῦσιν. κρύψας οὖν τινὰ στρατιὰν
ἀποχρῶσαν, ὡς ἐγένετο τῶν πολεμίων ἡ ἐκδρομή,
δόξασα δὴ μάλιστα αἰφνίδιος εἶναι, ὁ δὲ αἰφνι-
διώτερον αὐτοῖς τοὺς κεκρυμμένους ἐπαφεὶς
ἔκτεινε πολλοὺς καὶ ἐς τὴν θάλασσαν ἑτέρους
περιέωσεν. καὶ τοῦτο μὲν τῆς πείρας ἐκείνης
τέλος ἦν· αἱρομένοις δὲ ἐπὶ μέγα ἄνω τοῖς χώμασι
πύργους ὁ Ἀρχέλαος ἀντεμηχανᾶτο, καὶ πλεῖστα
ἐπ' αὐτοῖς ὄργανα ἐτίθει, τάς τε δυνάμεις ἐκ

THE MITHRIDATIC WARS

possible. Notwithstanding the height of the walls Sulla planted his ladders against them at once. After inflicting and receiving much damage (for the Cappadocians bravely repelled his attack), he retired exhausted to Eleusis and Megara, where he built engines for a new attack upon the Piraeus and formed a plan for besieging it with a mound. Appliances and apparatus of all kinds, iron, catapults, and everything of that sort were supplied by Thebes. His wood he cut in the grove of the Academy, where he constructed enormous engines. He also demolished the Long Walls, and used the stones, timber, and earth for building the mound.

31. Two Athenian slaves in the Piraeus—either because they favoured the Romans or were looking out for their own safety in an emergency—wrote down everything that took place there, inscribed on leaden balls, and shot them at the Romans with slings. After being done continually this was observed, and Sulla, who gave his attention to the missives, found one which said, "To-morrow the infantry will make a sally in front upon your workers, and the cavalry will attack the Roman army on both flanks." Sulla placed an adequate force in ambush and when the enemy dashed out with the thought that their movement would completely surprise him he gave them a greater surprise with his concealed force, killing many and driving others into the sea. This was the end of that enterprise; but when the mounds began to rise Archelaus erected opposing towers and placed a great number of engines on them.

APPIAN'S ROMAN HISTORY, BOOK XII

CAP. V Χαλκίδος καὶ τῶν ἄλλων νήσων μετεπέμπετο, καὶ τοὺς ἐρέτας καθώπλιζεν, ὡς ὄντος οἱ τοῦ κινδύνου περὶ τῶν ὅλων. ἐγίγνετο μὲν δὴ πλείων οὖσα τῆς Σύλλα στρατιᾶς ἡ Ἀρχελάου καὶ ἐκ τῶνδε πολὺ πλείων, νυκτὸς δὲ μέσης ὁ μὲν Ἀρχέλαος ἐκθορὼν μετὰ λαμπτήρων ἐνέπρησε τὴν ἑτέραν τῶν χελωνῶν καὶ τὰ ἐπ' αὐτῇ μηχανήματα, ἡμέραις δὲ δέκα μάλιστα ἄλλα ὁ Σύλλας ἐργασάμενος ἐπέστησεν αὖθις ἔνθα καὶ τὰ πρότερα ἦν. καὶ τούτοις ὁ Ἀρχέλαος πύργον ἀνθίστη κατὰ τὸ τεῖχος.

32. Καταπλευσάσης δ' αὐτῷ παρὰ Μιθριδάτου στρατιᾶς ἑτέρας, ἧς ἡγεῖτο Δρομιχαίτης, ἐξῆγεν ἅπαντας ἐς μάχην. ἀναμίξας δ' αὐτοῖς σφενδονήτας καὶ τοξότας ὑπὸ τὸ τεῖχος αὐτὸ παρέταττεν, ἵνα καὶ οἱ τειχοφύλακες ἐφικνοῖντο τῶν πολεμίων· ἕτεροι δ' ὑπὸ ταῖς πύλαις αὐτῷ πυρφόροι καιρὸν ἐκδρομῆς ἐπετήρουν. ἀγχωμάλου δ' ἐς πολὺ τῆς μάχης οὔσης ἐνέκλινον ἑκάτεροι παρὰ μέρος, πρῶτον μὲν οἱ βάρβαροι, μέχρι Ἀρχέλαος αὐτοὺς ἐπισχὼν ἐπανήγαγεν ἐς τὴν μάχην. ᾧ δὴ καὶ μάλιστα καταπλαγέντες οἱ Ῥωμαῖοι μετ' αὐτοὺς ἔφευγον, ἔστε καὶ τούσδε Μουρήνας ὑπαντήσας ἐπέστρεφεν. ἄλλο δ' ἀπὸ ξυλείας τέλος ἐπανιόν, καὶ σὺν αὐτοῖς οἱ ἄτιμοι, σπουδῇ τὸν ἀγῶνα εὑρόντες ἐπέπιπτον τοῖς Μιθριδατείοις πάνυ καρτερῶς, μέχρι κτεῖναι μὲν αὐτῶν ἐς δισχιλίους, τοὺς δὲ λοιποὺς ἐς τὰ τείχη συνελάσαι. Ἀρχέλαος δ' αὐτοὺς ἐπιστρέφων αὖθις, καὶ τῷ ἀγῶνι διὰ τὴν προθυμίαν ἐς πολὺ παραμένων, καὶ ἀποκλεισθεὶς ἀνιμήθη διὰ καλῳδίων. ὁ δὲ Σύλλας τοὺς μὲν

THE MITHRIDATIC WARS

He also sent for reinforcements from Chalcis and the other islands and armed his oarsmen, knowing that everything was at stake. And so his army, which was superior in number to that of Sulla before, now became much more so by these reinforcements, and at midnight he made a sally with torches and burned one of the pent-houses and the machines as well; but Sulla made new ones in about ten days' time and put them in the places of the former ones. Against these Archelaus established a tower on that part of the wall.

32. Having received from Mithridates by sea a new army under command of Dromichaetes, Archelaus led all his troops out to battle. He distributed archers and slingers among them and ranged them close under the walls so that the defenders of the walls could reach the enemy with their missiles. Others were stationed around the gates with torches[1] to watch their opportunity to make a sally. The battle remained doubtful a long time and each side yielded in turn, the barbarians first, until Archelaus rallied them and led them back. The Romans were so dismayed by this that they were put to flight next, until Murena ran up and rallied them. Just then another legion, which had returned from gathering wood, together with the soldiers who had been disgraced, finding a hot fight in progress, made a powerful charge on Mithridates' troops, killed about 2000 of them and drove the rest inside the walls. Archelaus tried to rally them again and stood his ground so long that he was shut out and had to be pulled up by ropes. In consideration of their splendid behaviour Sulla removed the stigma

CHAP. V

Archelaus makes a sally

[1] For the intention, see chapter 35.

CAP. ἀτίμους περιφανῶς ἀγωνισαμένους ἐξέλυσε τῆς
V ἀτιμίας, τοὺς δ' ἄλλους ἐδωρήσατο πολλοῖς.
33. Καὶ χειμῶνος ἐπιόντος ἤδη στρατόπεδον ἐν
Ἐλευσῖνι θέμενος, τάφρον ἄνωθεν ἐπὶ θάλατταν
ἔτεμνε βαθεῖαν τοῦ μὴ τοὺς πολεμίους ἱππέας
εὐμαρῶς ἐπιτρέχειν οἱ. καὶ τάδε αὐτῷ πονουμένῳ
καθ' ἑκάστην ἡμέραν ἐγίγνοντό τινες ἀγῶνες, οἱ
μὲν ἀμφὶ τὴν τάφρον οἱ δὲ παρὰ τοῖς τείχεσιν,
ἐπεξιόντων θαμινὰ τῶν πολεμίων, καὶ λίθοις καὶ
βέλεσι καὶ μολυβδαίναις χρωμένων. ὁ δὲ Σύλλας
νεῶν δεόμενος μετεπέμψατο μὲν ἐκ Ῥόδου. καὶ
Ῥοδίων οὐ δυνηθέντων διαπλεῦσαι θαλασσο-
κρατοῦντος τοῦ Μιθριδάτου, Λεύκολλον, ἄνδρα
Ῥωμαῖον περιφανῆ καὶ τοῦδε τοῦ πολέμου
στρατηγὸν ἐπὶ Σύλλᾳ γενόμενον, ἐκέλευεν ἐς
Ἀλεξάνδρειαν καὶ Συρίαν λαθόντα διαπλεῦσαι,
παρά τε τῶν βασιλέων καὶ πόλεων, ὅσαι ναυτικαί,
στόλον τινὰ ἀγείραντα τὸ Ῥοδίων ναυτικὸν παρα-
πέμψαι. ὁ μὲν δὴ πολεμίας οὔσης τῆς θαλάσσης,
οὐδὲν ἐνδοιάσας, ἐς κελήτιον ἐνέβη, καὶ ναῦν ἐκ
νεώς, ἵνα λάθοι, διαμείβων ἐπ' Ἀλεξανδρείας
ἐφέρετο·
34. Οἱ δὲ προδιδόντες ἀπὸ τῶν τειχῶν, πεσ-
σοῖς πάλιν ἐγγράψαντες ὅτι πέμψοι τῆσδε τῆς
νυκτὸς Ἀρχέλαος ἐς τὸ τῶν Ἀθηναίων ἄστυ
λιμῷ πιεζόμενον πυροὺς ὑπὸ στρατιωτῶν φερο-
μένους, ἐσφενδόνησαν, καὶ ὁ Σύλλας ἐνεδρεύσας
ἐκράτησε τοῦ τε σίτου καὶ τῶν φερόντων. τῆς δ'
αὐτῆς ἡμέρας αὐτῷ καὶ Μουνάτιος περὶ Χαλκίδα
Νεοπτόλεμον ἕτερον στρατηγὸν καταρώσας, ἔκ-
τεινε μὲν ἐς χιλίους καὶ πεντακοσίους, ἔλαβε δὲ
αἰχμαλώτους ἔτι πλείονας. οὐ πολὺ δὲ ὕστερον

THE MITHRIDATIC WARS

from those who had been disgraced and gave large CHAP.
rewards to the others. V

33. Now winter came on and Sulla established his camp at Eleusis and protected it by a deep ditch, extending from the high ground to the sea, so that the enemy's horse could not readily reach him. While he was prosecuting this work fighting took place daily, now at the ditch, now at the walls of the enemy, who frequently came out and assailed the Romans with stones, javelins, and leaden balls. Sulla, being in need of ships, sent to Rhodes to obtain them, but the Rhodians were not able to send them because Mithridates controlled the sea. He Sulla sends then ordered Lucullus, a distinguished Roman who Lucullus later succeeded Sulla as commander in this war, to ships proceed secretly to Alexandria and Syria, and procure a fleet from those kings and cities that were skilled in nautical affairs, and to escort with it the Rhodian naval contingent also. Lucullus did not hesitate, although the enemy were in possession of the sea. He embarked in a fast sailing vessel and, by changing from one ship to another in order to conceal his movements, arrived at Alexandria.

34. Meanwhile the traitors in the Piraeus threw B.C. 86 another message over the walls, saying that Archelaus Hard would on that very night send a convoy of soldiers fighting on with wheat to the city of Athens, which was suffering the walls from hunger. Sulla laid a trap for them and captured both the provisions and the soldiers. On the same day, near Chalcis, Munatius wounded Neoptolemus, another general of Mithridates, killed about 1500 of his men, and took a still larger number prisoners. Not long after, by night, while the guards

299

CAP. τῷ Πειραιεῖ νυκτός, ἔτι κοιμωμένων τῶν φυλά-
V κων, Ῥωμαῖοι διὰ τῶν ἐγγὺς μηχανῶν κλίμακας
ἐπενεγκόντες ἐπὶ τὸ τεῖχος ἐπέβησαν, καὶ τοὺς
φύλακας τοὺς ἐγγὺς ἔκτειναν. ἐφ' ᾧ τῶν βαρ-
βάρων οἱ μὲν εὐθὺς ἀπεπήδων ἐς τὸν Πειραιᾶ, τὸ
τεῖχος καταλιπόντες ὡς εἰλημμένον ἅπαν, οἱ δ' ἐς
ἀλκὴν τραπέντες ἔκτεινάν τε τὸν ἡγεμόνα τῶν
ἐπιβάντων καὶ τοὺς λοιποὺς ἔξω κατεκρήμνισαν.
οἱ δὲ καὶ διὰ τῶν πυλῶν ἐκδραμόντες ὀλίγου τὸν
ἕτερον τῶν Ῥωμαϊκῶν πύργων ἐνέπρησαν, εἰ μὴ
Σύλλας ἐπιδραμὼν ἀπὸ τοῦ στρατοπέδου, νυκτός
τε ὅλης καὶ δι' ἡμέρας ἐπιπόνως ἀγωνισάμενος,
περιέσωσεν. καὶ τότε μὲν ὑπεχώρουν οἱ βάρ-
βαροι, τοῦ δ' Ἀρχελάου πύργον ἕτερον μέγαν ἐπὶ
τὸ τεῖχος ἄντικρυς τοῦ Ῥωμαϊκοῦ πύργου στή-
σαντος ἐπυργομάχουν ἐς ἀλλήλους, ἑκατέρωθεν
πυκνὰ καὶ θαμινὰ πάντα ἀφιέντες, ἕως ὁ Σύλλας
ἐκ καταπελτῶν, ἀνὰ εἴκοσιν ὁμοῦ μολυβδαίνας
βαρυτάτας ἀφιέντων, ἔκτεινέ τε πολλούς, καὶ τὸν
πύργον Ἀρχελάου κατέσεισε καὶ δυσάρμοστον
ἐποίησεν, ὡς εὐθὺς αὐτὸν ὑπὸ Ἀρχελάου διὰ δέος
ὀπίσω κατὰ τάχος ὑπαχθῆναι.

35. Πιεζομένων δ' ἔτι μᾶλλον ὑπὸ τοῦ λιμοῦ
τῶν ἐν ἄστει, πεσσοὶ πάλιν ἐμήνυον ὅτι πέμψοι
νυκτὸς ἐς τὸ ἄστυ τροφάς. καὶ ὁ Ἀρχέλαος
ὑπονοῶν τι περὶ τὸν σῖτον γίγνεσθαι μήνυμα καὶ
προδοσίαν, ἅμα τὸν σῖτον ἔπεμπε, καί τινας
ἐφίστη ταῖς πύλαις μετὰ πυρὸς ἐς τοὺς Ῥωμαίους
ἐκδραμουμένους, εἰ Σύλλας γίγνοιτο περὶ τὸν
σῖτον. καὶ συνέπεσεν ἄμφω, Σύλλᾳ μὲν ἑλεῖν
τοὺς σιταγωγοῦντας, Ἀρχελάῳ δ' ἐμπρῆσαί τινα
τῶν μηχανημάτων. τοῦ δ' αὐτοῦ χρόνου καὶ

THE MITHRIDATIC WARS

on the walls of the Piraeus were asleep, the Romans brought up some ladders by means of the appliances which they had near at hand, mounted the walls, and killed the guards at that place. Thereupon some of the barbarians abandoned their posts and fled to the harbour, thinking that all the walls had been captured. Others offered a brave resistance and slew the leader of the assailing party and hurled the remainder over the wall. Still others darted out through the gates and almost burned one of the two Roman towers, and would have burned it had not Sulla ridden up from the camp and saved it by a hard fight lasting all that night and the next day. Then the barbarians retired. But Archelaus planted another great tower on the wall opposite the Roman tower and the men on the towers assailed each other, discharging all kinds of missiles constantly until Sulla, by means of his catapults, each of which discharged twenty of the heaviest leaden balls at one volley, had killed a large number of the enemy, and had so shaken the tower of Archelaus that it became insecure, and Archelaus was compelled, by fear of its destruction, to draw it back with all speed.

35. Meanwhile famine pressed more and more on the city of Athens, and the leaden balls gave the further information that provisions would be sent thither by night. Archelaus suspected that some traitor was giving information to the enemy about his convoys. Accordingly, at the same time that he sent it, he stationed a force at the gates with torches to make an assault on the Roman works if Sulla should attack the provision train. Both these things happened, Sulla capturing the train and Archelaus burning some of the Roman engines. At

CAP. V ’Αρκαθίας ὁ Μιθριδάτου υἱός, μεθ’ ἑτέρας στρατιᾶς ἐς Μακεδονίαν ἐμβαλών, οὐ δυσχερῶς ὀλίγων ὄντων τῶν ἐκεῖ Ῥωμαίων ἐκράτησε, καὶ Μακεδονίαν πᾶσαν ὑπηγάγετο, καὶ σατράπαις ἐπιτρέψας αὐτὸς ἐπὶ τὸν Σύλλαν ἐχώρει, μέχρι νοσήσας περὶ τὸ Τίσαιον ἐτελεύτησεν. ἐν δὲ τῇ ’Αττικῇ τῷ μὲν ἄστει πονουμένῳ σφόδρα ὑπὸ λιμοῦ πολλὰ ὁ Σύλλας ἐπετείχιζε φρούρια, τοῦ μὴ διαδιδράσκειν ἀλλ’ ἐμμένοντας ὑπὸ τοῦ πλήθους μᾶλλον ἐνοχλεῖσθαι·

36. Τῷ δὲ Πειραιεῖ, τὸ χῶμα ἐς ὕψος ἐγείρας, τὰ μηχανήματα ἐπῆγεν. ’Αρχελάου δὲ τὸ χῶμα ὑπορύττοντος καὶ τὴν γῆν ὑποφέροντός τε καὶ ἐς πολὺ διαλανθάνοντος, τὸ χῶμα ὑφίζανεν ἄφνω· καὶ ταχείας αἰσθήσεως γενομένης οἱ Ῥωμαῖοι τὰ μηχανήματα ὑφεῖλκον καὶ τὸ χῶμα ἀνεπλήρουν. τῷ δ’ αὐτῷ τρόπῳ καὶ αὐτοὶ τὴν γῆν ἐς τὰ τείχη τεκμαιρόμενοι διώρυττον· ἀλλήλοις τε συμπίπτοντες κάτω ξίφεσι καὶ δόρασιν ἐκ χειρός, ὡς δυνατὸν ἦν ἐν σκότῳ, διεμάχοντο. ὁμοῦ δὲ ταῦτα ἐγίγνετο, καὶ ὁ Σύλλας ἀπὸ τῶν χωμάτων μηχανήμασι πολλοῖς τὸ τεῖχος ἐκριοκόπει, μέχρι μέρος αὐτοῦ καταβαλών, καὶ τὸν πλησιάζοντα πύργον ἐπειγόμενος ἐμπρῆσαι, πολλὰ μὲν ἠφίει πυρφόρα τοξεύματα ἐς αὐτόν, τοὺς δὲ εὐτολμοτάτους ἀνέπεμπεν ἐπὶ κλιμάκων. σπουδῆς δὲ πολλῆς γιγνομένης ἑκατέρωθεν ὅ τε πύργος ἐνεπίμπρατο, καὶ μέρος τι τοῦ τείχους ὀλίγον ὁ Σύλλας καταβαλὼν εὐθὺς ἐπέστησε φυλακεῖον· τά τε ὑπορωρυγμένα τοῦ τείχους θεμέλια, ξύλοις ἀνηρτημένα καὶ θείου καὶ στυππίου καὶ πίσσης

THE MITHRIDATIC WARS

the same time Arcathias, the son of Mithridates, with another army invaded Macedonia and without difficulty overcame the small Roman force there, subjugated the whole country, appointed satraps to govern it, and himself advanced against Sulla, but was taken sick and died near Tisaeum. In the meantime the famine in Athens became very severe, and Sulla built forts around it to prevent anybody from going out, so that, by reason of their numbers, the hunger should be more severe upon those who were thus shut in.

36. When Sulla had raised his mound to the proper height, he advanced his engines against the Piraeus. But Archelaus undermined the mound and carried away the earth, the Romans for a long time suspecting nothing. Suddenly the mound sank down. Quickly understanding the state of things, the Romans withdrew their engines and filled up the mound, and, following the enemy's example, began in like manner to dig a tunnel to a spot which they calculated to be just under the walls The diggers met each other underground, and fought there with swords and spears as well as they could in the darkness. While this was going on, Sulla pounded the wall with rams erected on the tops of the mounds until part of it fell down. Then he hastened to burn the neighbouring tower, and discharged a large number of fire-bearing missiles against it, and ordered his bravest soldiers to mount the ladders. Both sides fought bravely, but the tower was burned. Another small part of the wall was thrown down also, over against which Sulla at once stationed a guard-post. Having now undermined a section of the wall, so that it was only sustained by wooden beams, he placed a large quantity of sulphur, hemp, and pitch

APPIAN'S ROMAN HISTORY, BOOK XII

CAP. V γέμοντα, αὐτίκα πάντα ἐνεπίμπρη. τῶν δ' ἄλλο παρ' ἄλλο κατέπιπτε καὶ τοὺς ἐφεστῶτας αὐτοῖς συγκατέφερεν. ὅ τε θόρυβος οὗτος δὴ μάλιστα αἰφνίδιος καὶ πολὺς ὢν πάντῃ τοὺς τειχοφύλακας ἐτάραττεν, ὡς καὶ τὸ ὑπὸ σφίσιν αὐτίκα πεσούμενον· ὅθεν ἐς πάντα συνεχῶς ἐπιστρεφόμενοι τήν τε γνώμην ὕποπτον εἶχον ὑπὸ τοῦ δέους καὶ ἀσθενῶς τοὺς πολεμίους ἀπεμάχοντο.

37. Καὶ ὁ Σύλλας αὐτοῖς ὧδε ἔχουσιν ἐπικείμενος ἀπαύστως, καὶ τῶν ἰδίων τὸ ἀεὶ πονοῦν ἐναλλάσσων, ἑτέρους ἐφ' ἑτέροις ἀκμῆτας ἐπῆγε σὺν κλίμαξι καὶ βοῇ καὶ παρακελεύσει, προτρέπων ἅμα καὶ ἀπειλῶν καὶ παρακαλῶν ὡς ἐν τῷδε τῷ βραχεῖ τοῦ παντὸς αὐτοῖς κριθησομένου. ἀντεπῆγε δὲ καὶ ὁ Ἀρχέλαος ἑτέρους ἀντὶ τῶν τεθορυβημένων, ἀνακαινίζων καὶ ὅδε τὸ ἔργον ἀεί, καὶ παρακαλῶν ἅμα καὶ ἐποτρύνων ἅπαντας ὡς ἐν ὀλίγῳ σφίσιν ἔτι τῆς σωτηρίας οὔσης. πολλῆς δὲ σπουδῆς καὶ προθυμίας ἑκατέρωθεν αὖθις ἅπασιν ἐγγενομένης φερεπονώτατος ἦν· καὶ ὁ φόνος ἴσος καὶ ὅμοιος ἐξ ἑκατέρων, ἕως ὁ Σύλλας ἔξωθεν ἐπιών, καὶ μᾶλλόν τι κάμνων, ἀνεκάλει τῇ σάλπιγγι τὴν στρατιάν, καὶ θαυμάσας πολλοὺς ἀπῆγεν. ὁ δ' Ἀρχέλαος αὐτίκα νυκτὸς τὰ πεπτωκότα τοῦ τείχους ᾠκοδόμει, μηνοειδῆ αὐτοῖς πολλὰ περιθεὶς ἔνδοθεν. οἷς ἔτι νεοδμήτοις ὁ Σύλλας αὖθις ἐπεχείρει παντὶ τῷ στρατῷ, νομίσας ἀσθενῆ καὶ ὑγρὰ ἔτι ὄντα ῥᾳδίως κατερείψειν. κάμνων

THE MITHRIDATIC WARS

under it, and set fire to the whole at once. The walls fell—now here, now there—carrying the defenders down with them. This great and unexpected crash demoralized the forces guarding the walls everywhere, as each one expected that the ground would sink under him next. Fear and loss of confidence kept them turning this way and that way, so that they offered only a feeble resistance to the enemy.

37. Against the forces thus demoralized Sulla kept up an unceasing fight, constantly relieving those of his troops who were worn out, bringing up fresh soldiers with ladders, one division after another, with shouts and cheers, urging them forward with threats and encouragement at the same time, and telling them that this brief moment was the crisis of the whole struggle. Archelaus, on the other hand, also brought up new forces in place of the discouraged ones. He, too, supported the attack continually with fresh troops, cheering and urging them on, and telling them that their salvation would soon be secured. A high degree of zeal and courage was again excited in both armies, and Archelaus surpassed all others in endurance, while the casualties were approximately equal on both sides. Finally Sulla, being the attacking party and the more exhausted, sounded a retreat and led his forces back, praising many of his men for their bravery. Archelaus forthwith repaired the damage to his wall by night, protecting many parts of it with lunettes inside. Sulla attacked these in turn with his whole army while they were still newly-built, thinking that as they were still moist and weak he could easily demolish them, but as he had to work in a narrow space and was

CAP. δὲ ὡς ἐν στενῷ, καὶ βαλλόμενος ἄνωθεν ἔκ τε
V μετώπου καὶ τῶν κεραιῶν ὡς ἐν μηνοειδέσι χωρίοις,
τοῦ μὲν ἐπιχειρεῖν ἔτι τῷ Πειραιεῖ πάμπαν ἀπεῖχε
τῇ γνώμῃ, καὶ ἐς πολιορκίαν, ὡς λιμῷ παραστη-
σόμενος αὐτούς, καθίστατο·

VI

CAP. 38. Αἰσθόμενος δὲ τοὺς ἐν ἄστει μᾶλλόν τι
VI πεπιεσμένους, καὶ κτήνη πάντα καταθύσαντας,
δέρματά τε καὶ βύρσας ἕψοντας καὶ λιχμωμένους
τὸ γιγνόμενον ἐξ αὐτῶν, τινὰς δὲ καὶ τῶν ἀποθνη-
σκόντων ἁπτομένους, ἐκέλευσε τῷ στρατῷ τὴν
πόλιν περιταφρεύειν, ἵνα μηδὲ καθ᾽ ἕνα τις ἐκ-
φεύγοι λανθάνων. ὡς δὲ καὶ τοῦτο ἐξείργαστο
αὐτῷ, κλίμακας ἐπῆγεν ὁμοῦ καὶ τὸ τεῖχος διώ-
ρυττεν. τροπῆς δ᾽ ὡς ἐν ἀσθενέσιν ἀνδράσιν
αὐτίκα γενομένης, ἐσέπεσεν ἐς τὴν πόλιν, καὶ
εὐθὺς ἐν Ἀθήναις σφαγὴ πολλὴ ἦν καὶ ἀνηλεής·
οὔτε γὰρ ὑποφεύγειν ἐδύναντο δι᾽ ἀτροφίαν, οὔτε
παιδίων ἢ γυναικῶν ἔλεος ἦν, τοῦ Σύλλα τὸν ἐν
ποσὶν ἀναιρεῖν κελεύοντος ὑπ᾽ ὀργῆς ὡς ἐπὶ ταχείᾳ
δὴ καὶ ἐς βαρβάρους ἀλόγῳ μεταβολῇ καὶ πρὸς
αὐτὸν ἀκράτῳ φιλονεικίᾳ. ὅθεν οἱ πλέονες,
αἰσθανόμενοι τοῦ κηρύγματος, ἑαυτοὺς τοῖς σφα-
γεῦσιν ὑπερρίπτουν ἐς τὸ ἔργον. ὀλίγων δ᾽ ἦν
ἀσθενὴς ἐς τὴν ἀκρόπολιν δρόμος· καὶ Ἀριστίων
αὐτοῖς συνέφυγεν, ἐμπρήσας τὸ ὠδεῖον, ἵνα μὴ
ἑτοίμοις ξύλοις αὐτίκα ὁ Σύλλας ἔχοι τὴν ἀκρό-
πολιν ἐνοχλεῖν. ὁ δ᾽ ἐμπιπράναι μὲν τὴν πόλιν
ἀπεῖπε, διαρπάσαι δὲ ἔδωκε τῷ στρατῷ· καὶ

THE MITHRIDATIC WARS

exposed to missiles from above, both in front and flank, as usually happens in attacking crescent-shaped fortifications, he was again worn out. Then he abandoned all idea of taking the Piraeus by assault and established a siege around it in order to reduce it by famine.

VI

38. But when he discovered that the defenders of Athens were very severely pressed by hunger, that they had devoured all their cattle, boiled the hides and skins, and licked what they could get therefrom, and that some had even partaken of human flesh, Sulla directed his soldiers to encircle the city with a ditch so that the inhabitants might not escape secretly, even one by one. This done, he brought up his ladders and at the same time began to break through the wall. The feeble defenders were soon put to flight, and the Romans rushed into the city. A great and pitiless slaughter ensued in Athens. The inhabitants, for want of nourishment, were too weak to fly, and Sulla ordered an indiscriminate massacre, not sparing women or children. He was angry that they had so suddenly joined the barbarians without cause, and had displayed such violent animosity toward himself. Most of the Athenians when they heard the order given rushed upon the swords of the slayers voluntarily. A few had taken their feeble course to the Acropolis, among them Arisition, who had burned the Odeum, so that Sulla might not have the timber in it at hand for storming the Acropolis. Sulla forbade the burning of the city, but allowed the soldiers to plunder it. In many

CAP. VI ἕτοιμοι σάρκες ἀνθρώπων ἐς τροφὴν ἐν πολλοῖς οἰκήμασιν ηὑρέθησαν. τῇ δὲ ἑξῆς ὁ Σύλλας τοὺς μὲν δούλους ἀπέδοτο, τοῖς δ' ἐλευθέροις, ὅσοι νυκτὸς ἐπιλαβούσης οὐκ ἔφθασαν ἀναιρεθῆναι, πάμπαν οὖσιν ὀλίγοις, τὴν μὲν ἐλευθερίαν ἔφη διδόναι, ψῆφον δὲ καὶ χειροτονίαν τῶνδε μὲν ὡς οἱ πεπολεμηκότων ἀφαιρεῖσθαι, τοῖς δ' ἐκγόνοις καὶ ταῦτα διδόναι.

39. Ὧδε μὲν ἄδην εἶχον αἱ Ἀθῆναι κακῶν· ὁ δὲ Σύλλας τῇ μὲν ἀκροπόλει φρουρὰν ἐπέστησεν, ᾗ τὸν Ἀριστίωνα καὶ τοὺς συμπεφευγότας λιμῷ καὶ δίψει πιεσθέντας ἐξεῖλεν οὐ μετὰ πολύ. καὶ αὐτῶν ὁ Σύλλας Ἀριστίωνα μὲν καὶ τοὺς ἐκείνῳ δορυφορήσαντας ἢ ἀρχήν τινα ἄρξαντας, ἢ ὁτιοῦν ἄλλο πράξαντας παρ' ἃ πρότερον ἁλούσης τῆς Ἑλλάδος ὑπὸ Ῥωμαίων αὐτοῖς διετέτακτο, ἐκόλασε θανάτῳ, τοῖς δὲ ἄλλοις συνέγνω, καὶ νόμους ἔθηκεν ἅπασιν ἀγχοῦ τῶν πρόσθεν αὐτοῖς ὑπὸ Ῥωμαίων ὁρισθέντων. συνηνέχθη δ' ἐκ τῆς ἀκροπόλεως χρυσίου μὲν ἐς τεσσαράκοντα λίτρας μάλιστα, ἀργύρου δ' ἐς ἑξακοσίας. καὶ τάδε μὲν ἀμφὶ τὴν ἀκρόπολιν ὀλίγον ὕστερον ἐγένετο·

40. Ὁ δὲ Σύλλας αὐτίκα τοῦ ἄστεος ληφθέντος, οὐ περιμένων ἔτι τὸν Πειραιᾶ διὰ πολιορκίας ἐξελεῖν, κριοὺς ὁμοῦ καὶ βέλη καὶ ἀκόντια ἐπῆγεν, ἄνδρας τε πολλοὺς οἳ διώρυσσον ὑπὸ χελώναις τὰ τείχη, καὶ σπείρας αὖ τοὺς ἐπὶ τῶν τειχῶν ἀκοντίζουσαί τε καὶ τοξεύουσαι θαμινὰ ἀνέκοπτον. καὶ κατήρειψέ τι τοῦ μηνοειδοῦς, ὑγροτέρου καὶ ἀσθενεστέρου ἔτι ὄντος ἅτε νεοδμήτου. ὑπιδομένου δὲ τοῦτο ἔτι πρότερον Ἀρχελάου, καὶ προοικοδομήσαντος ἔνδοθεν ὅμοια

THE MITHRIDATIC WARS

houses they found human flesh prepared for food. The next day Sulla sold the slaves. To the freemen who had escaped the slaughter of the previous night, a very small number, he promised their liberty but took away their rights as voters and electors because they had made war upon him, though he granted their offspring these privileges also.

39. In this way did Athens have her fill of horrors. Sulla stationed a guard around the Acropolis, to whom Aristion and his company were soon compelled by hunger and thirst to surrender. He inflicted the penalty of death on Aristion and his body-guard, and upon all who exercised any authority or who had done anything whatever contrary to the rules laid down for them after the first capture of Greece by the Romans. The rest he pardoned and gave to all of them substantially the same laws that had been previously established for them by the Romans. About forty pounds of gold and 600 pounds of silver was obtained from the Acropolis—but these events at the Acropolis took place somewhat later.

40. As soon as Athens was taken Sulla, not waiting any longer to reduce the Piraeus by siege, brought up rams, projectiles and missiles, and a large force of men, who dug through the walls under the shelter of pent-houses, and cohorts who hurled javelins and shot arrows in vast numbers at the defenders on the walls in order to drive them back. He knocked down a part of the newly built lunette, which was still moist and weak. Archelaus had anticipated this from the first and had built several others like it

CAP. VI πολλά, τὸ μὲν ἔργον ἦν τῷ Σύλλα διηνεκὲς
ἐμπίπτοντι ἐς ἕτερον ὅμοιον ἐξ ἑτέρου, ὁρμῇ δ'
ἀπαύστῳ καὶ στρατοῦ μεταβολῇ πυκνῇ χρώμενος,
καὶ περιθέων αὐτούς, καὶ παρακαλῶν ἐπὶ τὸ ἔργον
ὡς ἐν τῷδε ἔτι λοιπῷ τῆς ὅλης ἐλπίδος καὶ κέρδους
τῶν προπεπονημένων ὄντος· οἱ δὲ καὶ αὐτοὶ τῷ
ὄντι τοῦτο σφίσιν ἡγούμενοι τέλος εἶναι πόνων,
καὶ ἐς τὸ ἔργον αὐτὸ ὡς μέγα δὴ καὶ λαμπρόν,
τοιῶνδε τειχῶν κρατῆσαι, φιλοτιμούμενοι, προσ-
έκειντο βιαίως, μέχρι καταπλαγεὶς αὐτῶν τὴν
ὁρμὴν ὁ Ἀρχέλαος ὡς μανιώδη καὶ ἄλογον ἐξέλιπεν
αὐτοῖς τὰ τείχη, ἐς δέ τι τοῦ Πειραιῶς ἀνέδραμεν
ὀχυρώτατόν τε καὶ θαλάσσῃ περίκλυστον, ᾧ ναῦς
οὐκ ἔχων ὁ Σύλλας οὐδ' ἐπιχειρεῖν ἐδύνατο.

41. Ἐντεῦθεν ὁ μὲν Ἀρχέλαος ἐπὶ Θεσσαλίαν
διὰ Βοιωτῶν ἀνεζεύγνυ, καὶ συνῆγεν ἐς Θερμο-
πύλας τὰ λοιπὰ τοῦ τε ἰδίου στρατοῦ παντός, ὃν
ἔχων ἦλθε, καὶ τοῦ σὺν Δρομιχαίτῃ παραγεγονό-
τος. συνῆγε δὲ καὶ τὸ σὺν Ἀρκαθίᾳ τῷ παιδὶ
τοῦ βασιλέως ἐς Μακεδονίαν ἐμβαλόν, ἀκραιφ-
νέστατον δὴ καὶ πλῆρες ὂν τόδε μάλιστα, καὶ
οὓς αὐτίκα ἄλλους ὁ Μιθριδάτης ἀπέστειλεν· οὐ
γὰρ διέλιπεν ἐπιπέμπων. ὁ μὲν δὴ ταῦτα σὺν
ἐπείξει συνῆγεν, ὁ δὲ Σύλλας τὸν Πειραιᾶ τοῦ
ἄστεος μᾶλλον ἐνοχλήσαντά οἱ κατεπίμπρη,
φειδόμενος οὔτε τῆς ὁπλοθήκης οὔτε τῶν νεωσοί-
κων οὔτε τινὸς ἄλλου τῶν ἀοιδίμων. καὶ μετὰ
τοῦτ' ἐπὶ τὸν Ἀρχέλαον ᾔει διὰ τῆς Βοιωτίας καὶ
ὅδε. ὡς δ' ἐπλησίασαν ἀλλήλοις, οἱ μὲν ἐκ

THE MITHRIDATIC WARS

inside, so that Sulla came upon one wall after another, and found his task endless. But he pushed on with tireless energy, he relieved his men often, he was ubiquitous among them, urging them on and showing them that their entire hope of reward for their past labours depended on accomplishing this small remainder. The soldiers, too, believing that this would in fact be the end of their toils, and spurred to their work by the love of glory and the thought that it would be a splendid achievement to conquer such walls as these, pressed forward vigorously. Finally, Archelaus, dumbfounded at seeing them rush recklessly to the assault like maniacs, abandoned the walls to them and mounted hurriedly to that part of the Piraeus which was most strongly fortified and enclosed on all sides by the sea. As Sulla had no ships he could not even attack it.

41. Thence Archelaus withdrew to Thessaly by way of Boeotia and gathered what was left of his entire forces together at Thermopylae, both his own and those brought by Dromichaetes. He also united under his command the army that had invaded Macedonia under Arcathias, the son of King Mithridates, which was fresh and at nearly its full strength, and the recently arrived recruits from Mithridates, who never ceased sending reinforcements. While Archelaus was hastily gathering his forces Sulla burned the Piraeus, which had given him more trouble than the city of Athens, not sparing the Arsenal, or the navy yard, or any other of its famous buildings. Then he marched against Archelaus, proceeding also by way of Boeotia. As they neared each other the forces of Archelaus were just crossing from Ther-

CAP. VI Θερμοπυλῶν ἄρτι μετεχώρουν ἐς τὴν Φωκίδα, Θρᾷκές τε ὄντες καὶ ἀπὸ τοῦ Πόντου καὶ Σκύθαι καὶ Καππαδόκαι Βιθυνοί τε καὶ Γαλάται καὶ Φρύγες, καὶ ὅσα ἄλλα τῷ Μιθριδάτῃ νεόκτητα γένοιτο, πάντες ἐς δώδεκα μυριάδας ἀνδρῶν· καὶ στρατηγοὶ αὐτῶν ἦσαν μὲν καὶ κατὰ μέρος ἑκάστῳ, αὐτοκράτωρ δ' Ἀρχέλαος ἐπὶ πᾶσιν. Σύλλας δ' ἦγεν Ἰταλιώτας, καὶ Ἑλλήνων ἢ Μακεδόνων ὅσοι ἄρτι πρὸς αὐτὸν ἀπὸ Ἀρχελάου μετετίθεντο, ἢ εἴ τι ἄλλο περίοικον, οὐδ' ἐς τριτημόριον τὰ πάντα τῶν πολεμίων.

42. Ἀντικαταστάντες δ' ἀλλήλοις, ὁ μὲν Ἀρχέλαος ἐξέταττεν ἐς μάχην ἀεὶ προκαλούμενος, ὁ δὲ Σύλλας ἐβράδυνε, τὰ χωρία καὶ τὸ πλῆθος τῶν ἐχθρῶν περισκοπούμενος. ἀναχωροῦντι δ' ἐς Χαλκίδα τῷ Ἀρχελάῳ παρακολουθῶν καιρὸν ἐπετήρει καὶ τόπον. ὡς δὲ αὐτὸν εἶδε περὶ Χαιρώνειαν ἐν ἀποκρήμνοις στρατοπεδευόμενον, ἔνθα μὴ κρατοῦσιν ἀποχώρησις οὐδεμία ἦν, πεδίον αὐτὸς εὐρὺ πλησίον καταλαβὼν εὐθὺς ἐπῆγεν ὡς καὶ ἄκοντα βιασόμενος ἐς μάχην Ἀρχέλαον· ἐν ᾧ σφίσι μὲν ὕπτιον καὶ εὐπετὲς ἐς δίωξιν καὶ ἀναχώρησιν ἦν πεδίον, Ἀρχελάῳ δὲ κρημνοὶ περιέκειντο, οἳ τὸ ἔργον οὐκ εἴων ἐν οὐδενὶ κοινὸν ὅλου τοῦ στρατοῦ γενέσθαι, συστῆναι διὰ τὴν ἀνωμαλίαν οὐκ ἔχοντος· τραπεῖσί τε αὐτοῖς ἄπορος διὰ τῶν κρημνῶν ἐγίγνετο ἡ φυγή. ὁ μὲν δὴ τοιοῖσδε λογισμοῖς τῇ δυσχωρίᾳ μάλιστα πιστεύων, ἐπῄει ὡς οὐδὲν ἐσομένου χρησίμου τοῦ πλήθους Ἀρχελάῳ· ὁ δ' οὐκ ἐγνώκει

THE MITHRIDATIC WARS

mopylae into Phocis, consisting of Thracian, Pontic, Scythian, Cappadocian, Bithynian, Galatian, and Phrygian troops, and others from Mithridates' newly acquired territory, in all about 120,000 men, each nationality having its own general, but Archelaus being in supreme command over all. Sulla's forces were Italians and some Greeks and Macedonians, who had lately deserted Archelaus and come over to him, and a few others from the surrounding country, but they were in all not one-third the number of the enemy.

42. When they had taken position opposite each other, Archelaus repeatedly led out his forces and offered battle, but Sulla hesitated on account of the ground and the numbers of the enemy. When however Archelaus retreated toward Chalcis he followed him closely, watching for a favourable time and place. When he saw the enemy encamped in a rocky region near Chaeronea, where there was no chance of escape for the vanquished, he took possession of a broad plain near by and led on his forces, intending to compel Archelaus to fight whether he wanted to or not, and where the slope of the plain favoured the Romans either in advancing or retreating, while Archelaus was hedged in by rocks which would in no case allow his whole army to act in concert, as he could not bring them together by reason of the unevenness of the ground; and if they were routed their flight would be impeded by the rocks. Relying for these reasons chiefly on the difficulty of his adversary's position, Sulla moved forward, judging that the enemy's superiority in numbers would not be of any service to him. Archelaus had not intended coming to an engagement at

CAP. VI μὲν αὐτῷ τότε συμπλέκεσθαι, διὸ καὶ ἀμελῶς ἐστρατοπέδευσεν, ἐπιόντος δὲ ἤδη τῆς δυσχωρίας ὀψὲ καὶ μόγις ᾐσθάνετο, καὶ προύπεμπέ τινας ἱππέας ἐς κώλυσιν αὐτοῦ. τραπέντων δ' ἐκείνων καὶ ἐς τοὺς κρημνοὺς καταρριφθέντων, ἑξήκοντα αὖθις ἔπεμψεν ἅρματα, εἰ δύναιτο μετὰ ῥύμης κόψαι καὶ διαρρῆξαι τὴν φάλαγγα τῶν πολεμίων. διαστάντων δὲ τῶν Ῥωμαίων, τὰ μὲν ἅρματα ὑπὸ τῆς φορᾶς ἐς τοὺς ὀπίσω παρενεχθέντα τε καὶ δυσεπίστροφα ὄντα πρὸς τῶν ὑστάτων περιστάντων αὐτὰ καὶ ἐσακοντιζόντων διεφθείρετο·

43. Ὁ δ' Ἀρχέλαος δυνηθεὶς ἂν καὶ ὡς ἀπὸ τοῦ χάρακος εὐσταθῶς ἀπομάχεσθαι, τάχα οἱ καὶ τῶν κρημνῶν ἐς τοῦτο συλλαμβανόντων, ἐξῆγε σὺν ἐπείξει καὶ διέτασσε μετὰ σπουδῆς τοσόνδε πλῆθος οὐ προεγνωκότων ἀνδρῶν, ἐν στενωτάτῳ μάλιστα γεγονὼς διὰ τὸν Σύλλαν ἤδη πλησιάζοντα. τοὺς δ' ἱππέας πρώτους ἐπαγαγὼν μετὰ δρόμου πολλοῦ, διέτεμε τὴν φάλαγγα Ῥωμαίων ἐς δύο, καὶ εὐμαρῶς ἑκατέρους ἐκυκλοῦτο διὰ τὴν ὀλιγότητα. οἱ δ' ἀπεμάχοντο μὲν ἐγκρατῶς, ἐς πάντας ἐπιστρεφόμενοι, μάλιστα δ' ἐπόνουν οἱ περὶ Γάλβαν τε καὶ Ὁρτήσιον, καθ' οὓς αὐτὸς ὁ Ἀρχέλαος ἐτέτακτο, τῶν βαρβάρων ὡς ἐν ὄψει στρατηγοῦ σὺν προθυμίᾳ σφοδρᾷ ἐπικειμένων, μέχρι τοῦ Σύλλα μεταχωροῦντος ἐς αὐτοὺς σὺν ἱππεῦσι πολλοῖς, ὁ Ἀρχέλαος ἀπὸ τῶν σημείων στρατηγικῶν ὄντων καὶ τοῦ κονιορτοῦ πλείονος αἰρομένου τεκμηράμενος εἶναι Σύλλαν τὸν ἐπιόντα,

THE MITHRIDATIC WARS

that time, for which reason he had been careless in choosing the place for his camp. Now that the Romans were advancing he perceived gradually and too late the badness of his position, and sent forward a detachment of horse to prevent the movement. The detachment was put to flight and shattered among the rocks. He next charged with sixty chariots, hoping to sever and break in pieces the formation of the legions by the shock. The Romans opened their ranks and the chariots were carried through by their own momentum to the rear, and being difficult to turn were surrounded and destroyed by the javelins of the rear guard.

43. Although Archelaus might even so have offered a steady resistance from his fortified camp, where the crags would perhaps have helped him, he hastily led out his vast multitude of men who had not expected to fight here, and drew them up hurriedly, finding himself in a very confined position owing to the fact that Sulla was already approaching. He first made a powerful charge with his horse, cut the Roman formation in two, and, by reason of the smallness of their numbers, completely surrounded both parts. The Romans turned their faces to the enemy on all sides and fought bravely. The divisions of Galba and Hortensius suffered most, since Archelaus led the battle against them in person, and the barbarians fighting under the eye of the commander were spurred by emulation to the highest pitch of valour. But Sulla moved to their aid with a large body of horse and Archelaus, feeling sure that it was Sulla who was approaching, for he saw the standards of the commander-in-chief, and a great cloud of dust arising, abandoned the attempt

CAP.
VI
λύσας τὴν κύκλωσιν ἐς τάξιν ἀνεχώρει. ὁ δὲ τῶν τε ἱππέων τὸ ἄριστον ἄγων, καὶ δύο νεαλεῖς σπείρας ἐν τῇ παρόδῳ προσλαβών, αἳ ἐτετάχατο ἐφεδρεύειν, οὔπω τὸν κύκλον τοῖς πολεμίοις ἐξελίξασιν, οὐδ' ἐς μέτωπον εὐσταθῶς διατεταγμένοις, ἐνέβαλε, καὶ θορυβήσας ἔκοψέ τε καὶ ἐς φυγὴν τραπέντας ἐδίωκεν. ἀρξαμένης δ' ἐνταῦθα τῆς νίκης, οὐδὲ Μουρήνας ἥλιννεν ἐπὶ τοῦ λαιοῦ τεταγμένος, ἀλλ' ὀνειδίσας τοῖς ἀμφ' αὐτὸν καὶ γενναίως ἐμπεσὼν ἐδίωκε κἀκεῖνος.

44. Τρεπομένων δ' ἤδη τῶν Ἀρχελάου κερῶν, οὐδ' οἱ μέσοι τὴν τάξιν ἐφύλασσον, ἀλλ' ἀθρόα πάντων ἐγίγνετο φυγή. ἔνθα δὴ πάντα ὅσα εἴκασεν ὁ Σύλλας, ἐνέπιπτε τοῖς πολεμίοις· οὐ γὰρ ἔχοντες ἀναστροφὴν εὐρύχωρον οὐδὲ πεδίον ἐς φυγήν, ἐπὶ τοὺς κρημνοὺς ὑπὸ τῶν διωκόντων ἐωθοῦντο, καὶ αὐτῶν οἱ μὲν ἐξέπιπτον πρὸς αὐτόν, οἱ δ' εὐβουλότερον ἐς τὸ στρατόπεδον ἐφέροντο. Ἀρχέλαος δ' αὐτοὺς προλαβών, ἀπειρότατα δὴ τότε μάλιστα συμφορῶν πολεμικῶν, ἀπέκλειε, καὶ ἐπιστρέφειν ἐς τοὺς πολεμίους ἐκέλευεν. οἱ δ' ἀνέστρεφον μὲν ἐκ προθυμίας, οὔτε δὲ στρατηγῶν ἢ ἐπιστατῶν ἐς διάταξιν ἔτι σφίσι παρόντων, οὔτε τὰ σημεῖα ἕκαστοι τὰ ἑαυτῶν ἐπιγιγνώσκοντες ὡς ἐν ἀκόσμῳ τροπῇ διερριμμένοι, χωρίου τε καὶ ἐς φυγὴν καὶ ἐς μάχην ἀποροῦντες, στενωτάτου τότε μάλιστα αὐτοῖς διὰ τὴν δίωξιν γενομένου, ἐκτείνοντο μετ' ἀργίας, οἱ μὲν ὑπὸ τῶν πολεμίων, οὐδὲν ἀντιδρᾶσαι φθάνοντες, οἱ δὲ ὑπὸ σφῶν αὐτῶν ὡς ἐν πλήθει καὶ στενοχωρίᾳ θορυβούμενοι. πάλιν τε κατέφυγον ἐπὶ τὰς πύλας, καὶ εἰλοῦντο περὶ αὐτὰς ἐπιμεμφόμενοι

THE MITHRIDATIC WARS

to encircle the enemy and began to resume his first position. Sulla, leading the best part of his horse and picking up on his way two new cohorts that had been placed in reserve, struck the enemy before they had executed their manoeuvre and formed a solid front. He threw them into confusion, broke their lines, put them to flight, and pursued them. While victory was dawning on that side, Murena, who commanded the left wing, was not idle. Chiding his soldiers for their remissness he, too, dashed upon the enemy valiantly and put them to flight.

44. When Archelaus' two wings gave way the centre no longer held its ground, but fled in a body. Then everything that Sulla had foreseen befell the enemy. Not having room to turn around, or an open country for flight, they were driven by their pursuers among the rocks. Some of them rushed into the hands of the Romans; others with more wisdom fled toward their own camp. Archelaus placed himself in front of them and barred the entrance, and ordered them to turn and face the enemy, thus betraying the greatest inexperience of the exigencies of war. They obeyed him with alacrity, but as they no longer had either generals to lead, or officers to align them, nor were able to recognize their several standards, scattered as they were in disorderly flight, and had no room either to fly or to fight, being then more cramped than ever owing to the pursuit, they were killed without resistance, some by the enemy, upon whom they had no time to retaliate, and others by their own friends in the crowd and confusion. Again they fled toward the gates of the camp, around which they were pent, upbraiding the gate-keepers. They

CAP.
VI
τοῖς ἀποκλείουσιν. θεούς τε πατρίους αὑτοῖς καὶ τὴν ἄλλην οἰκειότητα σὺν ὀνείδει προύφερον, ὡς οὐχ ὑπὸ τῶν ἐχθρῶν μᾶλλον ἢ τῶνδε ὑπερορώντων αὐτοὺς ἀναιρούμενοι, ἔστε μόλις αὐτοῖς ὁ Ἀρχέλαος, ὀψὲ τῆς χρείας, ἀνέῳγνυ τὰς πύλας καὶ ὑπεδέχετο μετ᾽ ἀταξίας ἐστρέχοντας. οἱ δὲ Ῥωμαῖοι ταῦτα συνιδόντες, καὶ παρακαλέσαντες τότε μάλιστα ἀλλήλους, δρόμῳ τοῖς φεύγουσι συνεσέπιπτον ἐς τὸ στρατόπεδον, καὶ τὴν νίκην ἐς τέλος ἐξειργάσαντο.

45. Ἀρχέλαος δὲ καὶ ὅσοι ἄλλοι κατὰ μέρος ἐξέφυγον, ἐς Χαλκίδα συνελέγοντο, οὐ πολὺ πλείους μυρίων ἐκ δώδεκα μυριάδων γενόμενοι. Ῥωμαίων δὲ ἔδοξαν μὲν ἀποθανεῖν πεντεκαίδεκα ἄνδρες, δύο δ᾽ αὐτῶν ἐπανῆλθον. τοῦτο μὲν δὴ Σύλλᾳ καὶ Ἀρχελάῳ τῷ Μιθριδάτου στρατηγῷ τῆς περὶ Χαιρώνειαν μάχης τέλος ἦν, δι᾽ εὐβουλίαν δὴ μάλιστα Σύλλα καὶ δι᾽ ἀφροσύνην Ἀρχελάου τοιόνδε ἑκατέρῳ γενόμενον. Σύλλας δὲ πολλῶν μὲν αἰχμαλώτων πολλῶν δ᾽ ὅπλων καὶ λείας κρατῶν, τὰ μὲν ἀχρεῖα σωρευθέντα, διαζωσάμενος ὡς ἔθος ἐστὶ Ῥωμαίοις, αὐτὸς ἐνέπρησε τοῖς ἐνναλίοις θεοῖς, ἀναπαύσας δὲ τὴν στρατιὰν ἐπ᾽ ὀλίγον, ἐς τὸν Εὔριπον σὺν εὐζώνοις ἐπὶ τὸν Ἀρχέλαον ἠπείγετο. Ῥωμαίων δὲ ναῦς οὐκ ἐχόντων, ἀδεῶς τὰς νήσους περιέπλει τὰ παράλια πορθῶν. Ζακύνθῳ δ᾽ ἐκβὰς παρεστρατοπέδευσεν. καὶ τινῶν Ῥωμαίων, οἳ ἐπεδήμουν, νυκτὸς ἐπιθεμένων αὐτῷ, κατὰ τάχος ἐσβὰς αὖθις ἀνήγετο ἐς Χαλκίδα, λῃστεύοντι μᾶλλον ἢ πολεμοῦντι ἐοικώς.

THE MITHRIDATIC WARS

reminded them reproachfully of their country's gods CHAP and their common relationship, saying that they were VI slaughtered not so much by the swords of the enemy as by the indifference of their friends. Finally Archelaus, after more delay than was necessary, opened the gates and received the disorganised runaways. When the Romans observed this they gave a great cheer, burst into the camp with the fugitives, and made their victory complete.

45. Archelaus and the others that escaped in scattered detachments, came together at Chalcis. Not more than 10,000 of the 120,000 remained. The Roman loss was only fifteen, and two of these returned afterwards. Such was the result of the battle of Chaeronea between Sulla and Archelaus, the general of Mithridates, to which the sagacity of Sulla and the blundering of Archelaus contributed in equal measure. Sulla captured a large number of prisoners and a great quantity of arms and spoils, the useless part of which he put in a heap. Then he girded himself according to the Roman custom and burned it as a sacrifice to the gods of war. After giving his army a short rest he hastened against Archelaus at the Euripus with some light-armed troops, but as the Romans had no ships the latter sailed securely among the islands and ravaged the coasts. He landed at Zacynthus and laid siege to it, but being attacked in the night by a party of Romans who were sojourning there he re-embarked in a hurry and returned to Chalcis more like a pirate than a soldier.

Great slaughter of the barbarians

VII

CAP. VII

46. Μιθριδάτης δ' ἐπεὶ τοσῆσδε ἥττης ἐπύθετο, κατεπλάγη μὲν αὐτίκα καὶ ἔδεισεν ὡς ἐπὶ ἔργῳ τοσούτῳ, στρατιὰν δ' ὅμως ἄλλην ἀπὸ τῶν ὑπ' αὐτὸν ἐθνῶν ἁπάντων κατὰ σπουδὴν συνέλεγεν. νομίσας δ' ἄν τινας αὐτῷ διὰ τὴν ἧτταν ἢ νῦν, ἢ εἴ τινα καιρὸν ἄλλον εὕροιεν, ἐπιθήσεσθαι, τοὺς ὑπόπτους οἱ πάντας πρὶν ὀξύτερον γενέσθαι τὸν πόλεμον, ἀνελέγετο. καὶ πρῶτα μὲν τοὺς Γαλατῶν τετράρχας, ὅσοι τε αὐτῷ συνῆσαν ὡς φίλοι καὶ ὅσοι μὴ κατήκουον αὐτοῦ, πάντας ἔκτεινε μετὰ παίδων καὶ γυναικῶν χωρὶς τριῶν τῶν διαφυγόντων, τοῖς μὲν ἐνέδρας ἐπιπέμψας, τοὺς δ' ἐπὶ διαίτῃ μιᾶς νυκτός, οὐχ ἡγούμενος αὐτῶν οὐδένα οἱ βέβαιον, εἰ πλησιάσοι Σύλλας, ἔσεσθαι. σφετερισάμενος δ' αὐτῶν τὰς περιουσίας, φρουρὰς ἐσῆγεν ἐς τὰς πόλεις, καὶ σατράπην ἐς τὸ ἔθνος Εὔμαχον ἔπεμψεν· ὃν αὐτίκα τῶν τετραρχῶν οἱ διαφυγόντες, στρατιὰν ἀγείραντες ἀπὸ τῶν ἀγρῶν, ἐξέβαλον αὐταῖς φρουραῖς διώκοντες ἐκ Γαλατίας. καὶ Μιθριδάτῃ περιῆν Γαλατῶν ἔχειν τὰ χρήματα μόνα. Χίοις δὲ μηνίων ἐξ οὗ τις αὐτῶν ναῦς ἐς τὴν βασιλικὴν ἐν τῇ περὶ Ῥόδον ναυμαχίᾳ λαθοῦσα ἐνέβαλε, πρῶτα μὲν ἐδήμευσε τὰ ὄντα Χίοις τοῖς ἐς Σύλλαν φυγοῦσιν, ἑξῆς δ' ἔπεμπε τοὺς τὰ Ῥωμαίων ἐρευνησομένους ἐν Χίῳ. καὶ τρίτον Ζηνόβιος στρατιὰν ἄγων ὡς ἐς τὴν Ἑλλάδα διαβαλών, τὰ τείχη τῶν Χίων, καὶ ὅσα ἄλλα ἐρυμνὰ χωρία, τῆς νυκτὸς κατέλαβε, καὶ ταῖς πύλαις φρουρὰν ἐπιστήσας ἐκήρυσσε τοὺς μὲν

THE MITHRIDATIC WARS

VII

46. WHEN Mithridates heard of this great disaster he was astonished and terror-stricken, as was natural. Nevertheless, he proceeded with all haste to collect a new army from all his subject nations. Thinking that certain persons would be likely to turn against him on account of his defeat, either now or later, if they should find a good chance, he arrested all suspects before the war should become fiercer. First, he put to death the tetrarchs of Galatia with their wives and children, not only those who were united with him as friends, but those who were not his subjects—all except three who escaped. Some of these he took by stratagem, the others he slew one night at a banquet, for he believed that none of them would be faithful to him if Sulla should come near. He confiscated their property, established garrisons in their towns, and appointed Eumachus satrap of the nation. But the tetrarchs who had escaped forthwith raised an army from the country people, expelled him and his garrisons, and drove them out of Galatia, so that Mithridates had nothing left of that country except the money he had seized. Being angry with the inhabitants of Chios, ever since one of their vessels had accidentally run against the royal ship in the naval battle near Rhodes, he first confiscated the goods of all Chians who had fled to Sulla, and then sent persons to inquire what property in Chios belonged to Romans. In the third place, his general, Zenobius, who was conducting an army to Greece, seized the walls of Chios and all the fortified places by night, stationed guards at the gates, and made proclamation that all strangers should remain quiet, and that the

CAP. VII ξένους ἀτρεμεῖν, Χίους δὲ ἐς ἐκκλησίαν συνελθεῖν, ὡς διαλεξόμενος αὐτοῖς τι παρὰ τοῦ βασιλέως. ἐπεὶ δὲ συνῆλθον, ἔλεξεν ὅτι βασιλεὺς ὕποπτον ἔχει τὴν πόλιν διὰ τοὺς ῥωμαΐζοντας, παύσεται δὲ ἐὰν τά τε ὅπλα παραδῶτε καὶ ὅμηρα τῶν παίδων τοὺς ἀρίστους. οἱ μὲν δὴ κατειλημμένην σφῶν τὴν πόλιν ὁρῶντες ἔδοσαν ἄμφω, καὶ Ζηνόβιος αὐτὰ ἐς Ἐρυθρὰς ἐξέπεμψεν ὡς αὐτίκα τοῖς Χίοις γράψοντος τοῦ βασιλέως·

47. Ἐπιστολὴ δὲ ἧκε Μιθριδάτου τάδε λέγουσα· "εὔνοι καὶ νῦν ἐστὲ Ῥωμαίοις, ὧν ἔτι πολλοὶ παρ' ἐκείνοις εἰσί, καὶ τὰ ἐγκτήματα Ῥωμαίων καρποῦσθε, ἡμῖν οὐκ ἀναφέροντες. ἔς τε τὴν ἐμὴν ναῦν ἐν τῇ περὶ Ῥόδον ναυμαχίᾳ τριήρης ὑμετέρα ἐνέβαλέ τε καὶ κατέσεισεν. ὃ ἐγὼ περιέφερον ἑκὼν ἐς μόνους τοὺς κυβερνήτας, εἰ δύναισθε σώζεσθαι καὶ ἀγαπᾶν. λανθάνοντες δὲ καὶ νῦν τοὺς ἀρίστους ὑμῶν ἐς Σύλλαν διεπέμψατε, καὶ οὐδένα αὐτῶν ὡς οὐκ ἀπὸ τοῦ κοινοῦ ταῦτα πράττοντα ἐνεδείξατε οὐδ' ἐμηνύσατε, ὃ τῶν οὐ συμπεπραχότων ἔργον ἦν. τοὺς οὖν ἐπιβουλεύοντας μὲν τῇ ἐμῇ ἀρχῇ, ἐπιβουλεύσαντας δὲ καὶ τῷ σώματι, οἱ μὲν ἐμοὶ φίλοι ἐδικαίουν ἀποθανεῖν, ἐγὼ δ' ὑμῖν τιμῶμαι δισχιλίων ταλάντων." τοσαῦτα μὲν ἡ ἐπιστολὴ περιεῖχεν, οἱ δ' ἐβούλοντο μὲν ἐς αὐτὸν πρεσβεῦσαι, Ζηνοβίου δὲ κατακωλύοντος, ὅπλων τε ἀφῃρημένοι, καὶ παίδων σφίσι τῶν ἀρίστων ἐχομένων, στρατιᾶς τε βαρβαρικῆς τοσαύτης ἐφεστώσης, οἰμώζοντες ἔκ τε ἱερῶν κόσμους καὶ τὰ τῶν γυναικῶν πάντα ἐς τὸ πλήρωμα τῶν δισχιλίων ταλάντων συνέφερον. ὡς δὲ καὶ ταῦτ'

THE MITHRIDATIC WARS

Chians should repair to the assembly so that he might give them a message from the king. When they had come together he said that the king was suspicious of the city on account of the Roman faction in it, but that he would be satisfied if they would deliver up their arms and give the children of their principal families as hostages. Seeing that their city was already in his hands they gave both. Zenobius sent them to Erythrae and told the Chians that the king would write to them directly.

47. A letter came from Mithridates, saying: "You favour the Romans even now, and many of your citizens are still sojourning with them. You are reaping the fruits of the Roman lands in Chios, on which you pay us no percentage. Your trireme ran against and shook my ship in the battle before Rhodes. I willingly imputed that fault to the pilots alone, hoping that you would consult the interests of your safety and rest content. Now you have secretly sent your chief men to Sulla, and you have never proved or declared that any of them acted without public authority, as was your duty if you were not co-operating with them. Although my friends consider that those who are conspiring against my government, and have already conspired against my person, ought to suffer death, I condemn you to pay a fine of 2000 talents." Such was the purport of the letter. The Chians wanted to send legates to the king, but Zenobius would not allow it. As they were disarmed and had given up the children of their principal families, and a large barbarian army was in possession of the city, they collected, with loud lamentations, the temple ornaments and all the women's jewellery to complete the amount of 2000

CAP.
VII
ἐπεπλήρωτο, αἰτιασάμενος τὸν σταθμὸν ἐνδεῖν ὁ Ζηνόβιος ἐς τὸ θέατρον αὐτοὺς συνεκάλει, καὶ τὴν στρατιὰν περιστήσας μετὰ γυμνῶν ξιφῶν ἀμφί τε τὸ θέατρον αὐτὸ καὶ τὰς ἀπ' αὐτοῦ μέχρι τῆς θαλάσσης ὁδοὺς ἦγε τοὺς Χίους, ἀνιστὰς ἕκαστον ἐκ τοῦ θεάτρου, καὶ ἐνετίθετο ἐς τὰς ναῦς, ἑτέρωθι μὲν τοὺς ἄνδρας, ἑτέρωθι δ' αὐτῶν τὰ γύναια καὶ τὰ παιδία, βαρβαρικῶς ὑπὸ τῶν ἀγόντων ὑρβιζόμενα. ἀνάσπαστοι δ' ἐντεῦθεν ἐς Μιθριδάτην γενόμενοι διεπέμφθησαν ἐς τὸν Πόντον τὸν Εὔξεινον.

48. Καὶ Χῖοι μὲν ὧδε ἐπεπράχεσαν, Ζηνόβιον δὲ Ἐφέσιοι μετὰ στρατιωτῶν προσιόντα ἐκέλευον ἐξοπλίσασθαί τε παρὰ ταῖς πύλαις καὶ σὺν ὀλίγοις ἐσελθεῖν. ὁ δ' ὑπέστη μὲν ταῦτα, καὶ ἐσῆλθε πρὸς Φιλοποίμενα τὸν πατέρα Μονίμης τῆς ἐρωμένης Μιθριδάτου, ἐπίσκοπον Ἐφεσίων ἐκ Μιθριδάτου καθεστηκότα, καὶ συνελθεῖν οἱ τοὺς Ἐφεσίους ἐς ἐκκλησίαν ἐκήρυττεν. οἱ δὲ οὐδὲν χρηστὸν ἔσεσθαι παρ' αὐτοῦ προσδοκῶντες ἐς τὴν ἐπιοῦσαν ἀνέθεντο, καὶ νυκτὸς ἀλλήλους ἀγείραντές τε καὶ παρακαλέσαντες, Ζηνόβιον μὲν ἐς τὸ δεσμωτήριον ἐμβαλόντες ἔκτειναν, καὶ τὰ τείχη κατεῖχον, καὶ τὸ πλῆθος συνελόχιζον, καὶ τὰ ἐκ τῶν ἀγρῶν συνέλεγον, καὶ τὴν πόλιν ὅλως διὰ χειρὸς εἶχον. ὧν πυνθανόμενοι Τραλλιανοὶ καὶ Ὑπαιπηνοὶ καὶ Μεσοπολῖται καί τινες ἄλλοι, τὰ Χίων πάθη δεδιότες, ὅμοια τοῖς Ἐφεσίοις ἔδρων. Μιθριδάτης δ' ἐπὶ μὲν τὰ ἀφεστηκότα στρατιὰν ἐξέπεμπε, καὶ πολλὰ καὶ δεινὰ τοὺς λαμβανομένους ἔδρα· δείσας δὲ περὶ τοῖς λοιποῖς τὰς πόλεις τὰς Ἑλληνίδας ἠλευθέρου, καὶ χρεῶν ἀποκοπὰς αὐτοῖς ἐκήρυσσε,

talents. When this sum had been made up Zenobius accused them of giving him short weight and summoned them to the theatre. Then he stationed his army with drawn swords around the theatre itself and along the streets leading from it to the sea. Then he led the Chians one by one out of the theatre and put them in ships, the men separate from the women and children, and all treated with indignity by their barbarian captors. Thence they were dragged to Mithridates, who sent them to the Euxine. Such was the calamity that befell the citizens of Chios.

48. When Zenobius approached Ephesus with his army, the citizens ordered him to leave his arms at the gates and come in with only a few attendants. He obeyed the order and paid a visit to Philopoemen (the father of Monima, the favourite wife of Mithridates), whom the latter had appointed overseer of Ephesus, and summoned the Ephesians to the assembly. They expected nothing good from him, and adjourned the meeting till the next day. During the night they met and encouraged one another, after which they cast Zenobius into prison and put him to death. They then manned the walls, organized the population, brought in supplies from the country, and put the city in a state of complete defence. When the people of Tralles, Hypaepa, Mesopolis, and several other towns heard of this, fearing lest they should meet the fate of Chios, they followed the example of Ephesus. Mithridates sent an army against the revolters and inflicted terrible punishments on those whom he captured, but as he feared other defections, he gave freedom to the Greek cities, proclaimed the cancelling of debts,

CAP. VII καὶ τοὺς ἐν ἑκάστῃ μετοίκους πολίτας αὐτῶν ἐποίει καὶ τοὺς θεράποντας ἐλευθέρους, ἐλπίσας, ὅπερ δὴ καὶ συνηνέχθη, τοὺς κατάχρεως καὶ μετοίκους καὶ θεράποντας, ἡγουμένους ἐν τῇ Μιθριδάτου ἀρχῇ βεβαίως τὰ δοθέντα αὐτοῖς ἕξειν, εὔνους αὐτῷ γενήσεσθαι. Μυννίων δὲ καὶ Φιλότιμος οἱ Σμυρναῖοι καὶ Κλεισθένης καὶ Ἀσκληπιόδοτος οἱ Λέσβιοι, βασιλεῖ γνώριμοι πάντες, ὁ δὲ Ἀσκληπιόδοτος αὐτὸν καὶ ξεναγήσας ποτέ, ἐπιβουλὴν ἐπὶ τὸν Μιθριδάτην συνετίθεσαν· ἧς αὐτὸς ὁ Ἀσκληπιόδοτος μηνυτὴς ἐγένετο, καὶ ἐς πίστιν ὑπὸ κλίνῃ τινὶ παρεσκεύασεν ἀκοῦσαι τοῦ Μυννίωνος. ἁλούσης δὲ τῆς ἐπιβουλῆς οἱ μὲν αἰκισθέντες ἐκολάσθησαν, ὑποψία δ' ἐς τὰ ὅμοια πολλοὺς κατεῖχεν. ὡς δὲ καὶ Περγαμηνῶν τὰ αὐτὰ βουλεύοντες ὀγδοήκοντα ἄνδρες ἑάλωσαν, καὶ ἐν ἄλλαις πόλεσιν ἕτεροι, ζητητὰς ὁ Μιθριδάτης πανταχοῦ περιέπεμπεν, οἳ, τοὺς ἐχθροὺς ἐνδεικνύντων ἑκάστων, ἔκτειναν ἀμφὶ τοὺς χιλίους καὶ ἑξακοσίους ἄνδρας. ὧν οἱ κατηγορήσαντες οὐ πολὺ ὕστερον οἱ μὲν ὑπὸ Σύλλα ληφθέντες διεφθάρησαν, οἱ δὲ προανεῖλον ἑαυτούς, οἱ δ' ἐς τὸν Πόντον αὐτῷ Μιθριδάτῃ συνέφευγον.

49. Γιγνομένων δὲ τῶνδε περὶ τὴν Ἀσίαν, ὀκτὼ μυριάδων στρατὸς ἤθροιστο τῷ Μιθριδάτῃ, καὶ αὐτὸν Δορύλαος πρὸς Ἀρχέλαον ἦγεν ἐς τὴν Ἑλλάδα, ἔχοντα τῶν προτέρων ἔτι μυρίους. ὁ δὲ Σύλλας ἀντεστρατοπέδευε μὲν Ἀρχελάῳ περὶ Ὀρχομενόν, ὡς δὲ εἶδε τῆς ἐπελθούσης ἵππου τὸ πλῆθος, ὤρυσσε τάφρους πολλὰς ἀνὰ τὸ πεδίον, εὖρος δέκα πόδας, καὶ ἐπιόντος αὐτῷ τοῦ Ἀρχελάου ἀντιπαρέταξεν. ἀσθενῶς δὲ τῶν Ῥωμαίων

THE MITHRIDATIC WARS

gave the right of citizenship to all sojourners therein, and freed the slaves. He did this hoping (as indeed it turned out) that the debtors, sojourners, and slaves would consider their new privileges secure only under the rule of Mithridates, and would therefore be well disposed toward him. In the meantime Mynnio and Philotimus of Smyrna, Cleisthenes and Asclepiodotus of Lesbos, all of them the king's intimates (Asclepiodotus had once entertained him as a guest) joined in a conspiracy against Mithridates. Against this conspiracy Asclepiodotus himself laid information, and in order to confirm his story he arranged that the king should conceal himself under a couch and hear what Mynnio said. The plot being thus revealed the conspirators were put to death with torture, and many others suffered from suspicion of similar designs. When eighty citizens of Pergamus were caught taking counsel together to like purpose, and others in other cities, the king sent spies everywhere who denounced their personal enemies, and in this way about 1600 men lost their lives. Some of their accusers were captured by Sulla a little later and put to death, others committed suicide, and still others took refuge with Mithridates himself in Pontus.

49. While these events were taking place in Asia, Mithridates assembled an army of 80,000 men, which Dorylaus led to Archelaus in Greece, who still had 10,000 of his former force remaining. Sulla had taken a position against Archelaus near Orchomenus. When he saw the great number of the enemy's horse coming up, he dug a number of ditches through the plain ten feet wide, and drew up his army to meet Archelaus when the latter advanced. The Romans

APPIAN'S ROMAN HISTORY, BOOK XII

CAP. VII διὰ δέος τῆς ἵππου μαχομένων, ἐς πολὺ μὲν αὐτοὺς παριππεύων παρεκάλει καὶ ἐπέσπερχε σὺν ἀπειλῇ, οὐκ ἐπιστρέφων δ' αὐτοὺς ἐς τὸ ἔργον οὐδ' ὥς, ἐξήλατο τοῦ ἵππου, καὶ σημεῖον ἁρπάσας ἀνὰ τὸ μεταίχμιον ἔθει μετὰ τῶν ὑπασπιστῶν, κεκραγώς· " εἴ τις ὑμῶν, ὦ Ῥωμαῖοι, πύθοιτο, ποῦ Σύλλαν τὸν στρατηγὸν ὑμῶν αὐτῶν προυδώκατε, λέγειν, ἐν Ὀρχομενῷ μαχόμενον." οἱ δ' ἡγεμόνες αὐτῷ κινδυνεύοντι συνεξέθεον ἐκ τῶν ἰδίων τάξεων, συνεξέθεον δὲ καὶ ἡ ἄλλη πληθὺς αἰδουμένη, παλίωξίν τε εἰργάσαντο. καὶ τῆς νίκης ἀρχομένης, ἀναθορὼν αὖθις ἐπὶ τὸν ἵππον ἐπῄνει τὸν στρατὸν περιιὼν καὶ ἐπέσπερχεν, ἕως τέλεον αὐτοῖς τὸ ἔργον ἐξετελέσθη. καὶ τῶν πολεμίων ἀπώλοντο μὲν ἀμφὶ τοὺς μυρίους καὶ πεντακισχιλίους, καὶ τούτων ἦσαν οἱ μύριοι ἱππεῖς μάλιστα, καὶ σὺν αὐτοῖς ὁ παῖς Ἀρχελάου Διογένης· οἱ πεζοὶ δ' ἐς τὸ στρατόπεδον συνέφυγον.

50. Καὶ δείσας ὁ Σύλλας μὴ πάλιν αὐτὸν ὁ Ἀρχέλαος, οὐκ ἔχοντα ναῦς, ἐς Χαλκίδα ὡς πρότερον διαφύγοι, τὸ πεδίον ὅλον ἐκ διαστημάτων ἐνυκτοφυλάκει. καὶ μεθ' ἡμέραν, στάδιον οὐχ ὅλον ἀποσχὼν τοῦ Ἀρχελάου, τάφρον αὐτῷ περιώρυσσεν οὐκ ἐπεξιόντι. καὶ παρεκάλει τότε μάλιστα τὴν ἑαυτοῦ στρατιὰν ἐκπονῆσαι τοῦ παντὸς πολέμου τὸ ἔτι λείψανον ὡς τῶν πολεμίων αὐτὸν οὐδ' ὑφισταμένων, καὶ ἐπῆγεν αὐτὴν ἐπὶ τὸ χαράκωμα τοῦ Ἀρχελάου. ὅμοια δ' ἐκ μεταβολῆς ἐγίγνετο καὶ παρὰ τοῖς πολεμίοις ὑπ' ἀνάγκης, τῶν ἡγεμόνων αὐτοὺς περιθεόντων, καὶ τὸν παρόντα κίνδυνον προφερόντων τε, καὶ ὀνειδιζόντων εἰ μηδ' ἀπὸ χάρακος ἀπομαχοῦνται τοὺς

THE MITHRIDATIC WARS

fought badly because they were in terror of the enemy's cavalry. Sulla rode hither and thither a long time, encouraging and threatening his men. Failing to rally them even in this way, he leaped from his horse, seized a standard, ran out between the two armies with his shield-bearers, exclaiming, "If you are ever asked, Romans, where you abandoned Sulla, your own general, say that it was when he was fighting at the battle of Orchomenus." When the officers saw his peril they darted from their own ranks to his aid, and the troops, moved by a sense of shame, followed and drove the enemy back in their turn. This was the beginning of the victory. Sulla again leaped upon his horse and rode among his troops, praising and encouraging them until the victory was complete. The enemy lost 15,000 men, about 10,000 of whom were cavalry, and among them Diogenes, the son of Archelaus. The infantry fled to their camps.

50. Sulla feared lest Archelaus should escape him again, because he had no ships, and take refuge in Chalcis as before. Accordingly he stationed night watchmen at intervals over the whole plain, and the next day he enclosed Archelaus, who did not advance against him, with a ditch at a distance of less than 600 feet from his camp. Then more earnestly than ever he appealed to his army to finish the small remainder of the war, since the enemy were no longer even resisting; and so he led them against the camp of Archelaus. Like scenes transpired among the enemy, though under different conditions, because they were driven by necessity, the officers hurrying hither and thither, representing the imminent danger, and upbraiding the men if they should not be able

CHAP. VII

Archelaus again defeated by Sulla

CAP. VII ἐχθροὺς ὀλιγωτέρους ὄντας. ὁρμῆς δὲ καὶ βοῆς ἑκατέρωθεν γενομένης, πολλὰ μὲν ἐγίγνετο ἐπ' ἀμφοῖν ἔργα πολέμου, γωνίαν δέ τινα τοῦ χαρακώματος οἱ Ῥωμαῖοι, τὰς ἀσπίδας σφῶν ὑπερσχόντες, ἤδη διέσπων, καὶ οἱ βάρβαροι καταθορόντες ἀπὸ τοῦ χαρακώματος ἔσω τῆς γωνίας περιέστησαν αὐτὴν ὡς τοῖς ξίφεσιν ἀμυνούμενοι τοὺς ἐστρέχοντας. οὐδέ τις ἐτόλμα, μέχρι Βάσιλλος ὁ τοῦ τέλους ταξίαρχος ἐσήλατο πρῶτος καὶ τὸν ὑπαντήσαντα ἔκτεινεν. τότε δ' αὐτῷ συνεσέπιπτεν ὁ στρατὸς ἅπας, καὶ φυγὴ τῶν βαρβάρων ἐγίγνετο καὶ φόνος, τῶν μὲν καταλαμβανομένων, τῶν δ' ἐς τὴν ἐγγὺς λίμνην ὠθουμένων τε καὶ νεῖν οὐκ ἐπισταμένων, ἀξύνετα βαρβαριστὶ τοὺς κτενοῦντας παρακαλούντων. Ἀρχέλαος δ' ἐν ἕλει τινὶ ἐκρύφθη, καὶ σκάφους ἐπιτυχὼν ἐς Χαλκίδα διέπλευσεν. καὶ εἴ τις ἦν ἄλλη Μιθριδάτου στρατιὰ κατὰ μέρος ποι διατεταγμένη, πάντας αὐτοὺς ἐκάλει κατὰ σπουδήν.

VIII

CAP. VIII 51. Ὁ δὲ Σύλλας τῆς ἐπιούσης τόν τε ταξίαρχον ἐστεφάνου καὶ τοῖς ἄλλοις ἀριστεῖα ἐδίδου. καὶ τὴν Βοιωτίαν συνεχῶς μετατιθεμένην διήρπαζε, καὶ ἐς Θεσσαλίαν ἐλθὼν ἐχείμαζε, τὰς ναῦς τὰς μετὰ Λευκόλλου περιμένων. ἀγνοῶν δ' ὅπῃ ὁ Λεύκολλος εἴη, ἐναυπηγεῖτο ἑτέρας, καὶ ταῦτα μέντοι Κορνηλίου τε Κίννα καὶ Γαΐου Μαρίου, τῶν ἐχθρῶν αὐτοῦ, ἐν Ῥώμῃ ἐψηφισμένων εἶναι Ῥωμαίων πολέμιον, καὶ τὴν οἰκίαν αὐτοῦ καὶ τὰς ἐπαύλεις καθῃρηκότων, καὶ τοὺς φίλους ἀνελόντων.

THE MITHRIDATIC WARS

even to defend the camp against assailants inferior in numbers. There was a rush and a shout on each side, followed by many valiant deeds on the part of both. The Romans, protected by their shields, were demolishing a certain angle of the camp when the barbarians leaped down from the parapet inside and took their stand around this corner with drawn swords to ward off the invaders. No one dared to enter until the military tribune, Basillus, first leaped in and killed the man in front of him. Then the whole army dashed after him. The flight and slaughter of the barbarians followed. Some were overtaken and others driven into the neighbouring lake, and, not knowing how to swim, perished while begging for mercy in barbarian speech, not understood by their slayers. Archelaus hid in a marsh, and found a small boat by which he reached Chalcis. Here he hastily summoned any detachments of Mithridates' army which were stationed in various places.

VIII

51. THE next day Sulla decorated the tribune, Basillus, and gave rewards for valour to others. He ravaged Boeotia, which was continually changing from one side to the other, and then moved to Thessaly and went into winter quarters, waiting for Lucullus and his fleet. But as he did not know where Lucullus was, he began to build ships for himself, and this although Cornelius Cinna and Gaius Marius, his rivals at home, had caused him to be declared an enemy of the Roman people, destroyed his houses in the city and the country, and murdered his friends.

Sulla declared a public enemy

CAP. VIII ὁ δὲ οὐδὲν οὐδ' ὡς καθῄρει τῆς ἐξουσίας, τὸν στρατὸν ἔχων εὐπειθῆ καὶ πρόθυμον. Κίννας δὲ Φλάκκον ἑλόμενός οἱ συνάρχειν τὴν ὕπατον ἀρχήν, ἔπεμπεν ἐς τὴν Ἀσίαν μετὰ δύο τελῶν, ἀντὶ τοῦ Σύλλα, ὡς ἤδη πολεμίου γεγονότος, τῆς τε Ἀσίας ἄρχειν καὶ πολεμεῖν τῷ Μιθριδάτῃ. ἀπειροπολέμῳ δ' ὄντι τῷ Φλάκκῳ συνεξῆλθεν ἑκὼν ἀπὸ τῆς βουλῆς ἀνὴρ πιθανὸς ἐς στρατηγίαν, ὄνομα Φιμβρίας. τούτοις ἐκ Βρεντεσίου διαπλέουσιν αἱ πολλαὶ τῶν νεῶν ὑπὸ χειμῶνος διελύθησαν, καὶ τὰς πρόπλους αὐτῶν ἐνέπρησε στρατὸς ἄλλος ἐπιπεμφθεὶς ἐκ Μιθριδάτου. μοχθηρὸν δ' ὄντα τὸν Φλάκκον καὶ σκαιὸν ἐν ταῖς κολάσεσι καὶ φιλοκερδῆ ὁ στρατὸς ἅπας ἀπεστρέφετο, καὶ μέρος αὐτῶν τι, προπεμφθὲν ἐς Θεσσαλίαν, ἐς τὸν Σύλλαν μετεστρατεύσαντο. τοὺς δὲ ὑπολοίπους ὁ Φιμβρίας, στρατηγικώτερος τοῦ Φλάκκου φαινόμενος αὐτοῖς καὶ φιλανθρωπότερος κατεῖχε μὴ μεταθέσθαι.

52. Ὡς δ' ἔν τινι καταγωγῇ περὶ ξενίας ἔριδος αὐτῷ καὶ τῷ ταμίᾳ γενομένης ὁ Φλάκκος διαιτῶν οὐδὲν ἐς τιμὴν ἐπεσήμηνε τοῦ Φιμβρίου, χαλεπήνας ὁ Φιμβρίας ἠπείλησεν ἐς Ῥώμην ἐπανελεύσεσθαι. καὶ τοῦ Φλάκκου δόντος αὐτῷ διάδοχον ἐς ἃ τότε διῴκει, φυλάξας αὐτὸν ὁ Φιμβρίας ἐς Χαλκηδόνα διαπλέοντα, πρῶτα μὲν Θέρμον τὰς ῥάβδους ἀφείλετο, τὸν ἀντιστράτηγον ὑπὸ τοῦ Φλάκκου καταλελειμμένον, ὡς οἱ τοῦ στρατοῦ τὴν στρατηγίαν περιθέντος, εἶτα Φλάκκον αὐτὸν σὺν ὀργῇ μετ' ὀλίγον ἐπανιόντα ἐδίωκεν, ἕως ὁ μὲν Φλάκ-

THE MITHRIDATIC WARS

However, in spite of this he did not relax his authority in the least, since he had a zealous and devoted army. Cinna sent Flaccus, whom he had chosen as his colleague in the consulship, to Asia with two legions to take charge of that province and of the Mithridatic war in place of Sulla, who was now declared a public enemy. As Flaccus was inexperienced in the art of war, a man of senatorial rank named Fimbria, who inspired confidence as a general, accompanied him as a volunteer. As they were sailing from Brundusium most of their ships were destroyed by a tempest, and some that had gone in advance were burned by a new army that had been sent against them by Mithridates. Moreover, Flaccus was a rascal, and, being injudicious in punishments and greedy of gain, was hated by the whole army. Accordingly, some of the troops who had been sent ahead into Thessaly went over to Sulla, but Fimbria, whom they considered more humane and a better general than Flaccus, kept the rest from deserting.

52. Once while he was at an inn he had a dispute with the quaestor about their lodgings, and Flaccus, who acted as arbiter between them, showed little consideration for Fimbria, and the latter was vexed and threatened to go back to Rome. Accordingly Flaccus appointed a successor to perform the duties which he then had charge of. Fimbria, however, watched his opportunity, and when Flaccus had sailed for Chalcedon he first took the fasces away from Thermus, whom Flaccus had left as his propraetor, on the ground that the army had conferred the command upon himself, and when Flaccus returned soon afterwards in a furious rage, Fimbria compelled him to fly, until finally Flaccus took refuge in a

CHAP. VIII

Flaccus and Fimbria

B.C. 85

APPIAN'S ROMAN HISTORY, BOOK XII

CAP.
VIII

κος ἔς τινα οἰκίαν καταφυγὼν καὶ νυκτὸς τὸ τεῖχος ὑπερελθὼν ἐς Χαλκηδόνα πρῶτον καὶ ἀπ' αὐτῆς ἐς Νικομήδειαν ἔφυγε καὶ τὰς πύλας ἀπέκλεισεν, ὁ δὲ Φιμβρίας αὐτὸν ἐπελθὼν ἔκτεινεν ἐν φρέατι κρυπτόμενον, ὕπατόν τε ὄντα Ῥωμαίων καὶ στρατηγὸν τοῦδε τοῦ πολέμου ἰδιώτης αὐτὸς ὢν καὶ ὡς φίλῳ κελεύοντι συνεληλυθώς. ἐκτεμὼν τε τὴν κεφαλὴν αὐτοῦ μεθῆκεν ἐς θάλασσαν, καὶ τὸ λοιπὸν ἄταφον ἐκρίψας, αὐτὸν αὐτοκράτορα ἀπέφηνε τοῦ στρατοῦ. καὶ μάχας τινὰς οὐκ ἀγεννῶς ἠγωνίσατο τῷ παιδὶ τῷ Μιθριδάτου. αὐτόν τε βασιλέα συνεδίωξεν ἐς τὸ Πέργαμον, καὶ ἐς Πιτάνην ἐκ τοῦ Περγάμου διαφυγόντα ἐπελθὼν ἀπετάφρευεν, ἕως ὁ μὲν βασιλεὺς ἐπὶ νεῶν ἔφυγεν ἐς Μιτυλήνην, 53. ὁ δὲ Φιμβρίας, ἐπιὼν τὴν Ἀσίαν, ἐκόλαζε τοὺς καππαδοκίσαντας, καὶ τῶν οὐ δεχομένων αὐτὸν τὴν χώραν ἐλεηλάτει. Ἰλιεῖς δὲ πολιορκούμενοι πρὸς αὐτοῦ κατέφυγον μὲν ἐπὶ Σύλλαν, Σύλλα δὲ φήσαντος αὐτοῖς ἥξειν, καὶ κελεύσαντος ἐν τοσῷδε Φιμβρίᾳ φράζειν ὅτι σφᾶς ἐπιτετρόφασι τῷ Σύλλᾳ, πυθόμενος ὁ Φιμβρίας ἐπήνεσε μὲν ὡς ἤδη Ῥωμαίων φίλους, ἐκέλευσε δὲ καὶ αὐτὸν ὄντα Ῥωμαίων ἔσω δέχεσθαι, κατειρωνευσάμενός τι καὶ τῆς συγγενείας τῆς οὔσης ἐς Ῥωμαίους Ἰλιεῦσιν. ἐσελθὼν δὲ τοὺς ἐν ποσὶ πάντας ἔκτεινε καὶ πάντα ἐνεπίμπρη, καὶ τοὺς πρεσβεύσαντας ἐς τὸν Σύλλαν ἐλυμαίνετο ποικίλως, οὔτε τῶν ἱερῶν φειδόμενος οὔτε τῶν ἐς τὸν νεὼν τῆς Ἀθηνᾶς καταφυγόντων, οὓς αὐτῷ νεῷ κατέπρησεν.

THE MITHRIDATIC WARS

house and in the night-time climbed over the wall and fled first to Chalcedon and afterwards to Nicomedia, and closed the gates of the city. Fimbria followed him, found him concealed in a well, and killed him, although he was a Roman consul and the commanding officer of this war, while Fimbria himself was only a private citizen who had gone with him as a friend at his invitation. Fimbria cut off his head and threw it into the sea, and flung away the remainder of his body unburied. Then he appointed himself commander of the army, fought several successful battles with the son of Mithridates, and drove the king himself into Pergamus. Thence he escaped to Pitane, but Fimbria followed him and began to enclose the place with a ditch, until finally the king fled to Mitylene on a ship.

CHAP. VIII

53. Fimbria traversed the province of Asia, punished the Cappadocian faction, and devastated the territory of the towns that did not open their gates to him. The inhabitants of Ilium, who were besieged by him, appealed to Sulla for aid, and he said that he would come to their assistance, bidding them meanwhile to say to Fimbria that they had intrusted themselves to Sulla. Fimbria, when he heard this, congratulated them on being already friends of the Roman people, and ordered them to admit him within their walls because he also was a Roman, adding an ironical allusion to the relationship existing between Ilium and Rome. When he was admitted he made an indiscriminate slaughter and burned the whole town. Those who had been in communication with Sulla he tortured in various ways. He spared neither the sacred objects nor the persons who had fled to the temple of Athena, but burned them with the

Fimbria destroys Ilium

CAP. VIII

κατέσκαπτε δὲ καὶ τὰ τείχη, καὶ τῆς ἐπιούσης ἠρεύνα περιιὼν μή τι συνέστηκε τῆς πόλεως ἔτι. ἡ μὲν δὴ χείρονα τῶν ἐπὶ Ἀγαμέμνονος παθοῦσα ὑπὸ συγγενοῦς διωλώλει, καὶ οἰκόπεδον οὐδὲν αὐτῆς οὐδ' ἱερὸν οὐδ' ἄγαλμα ἔτι ἦν· τὸ δὲ τῆς Ἀθηνᾶς ἕδος, ὃ Παλλάδιον καλοῦσι καὶ διοπετὲς ἡγοῦνται, νομίζουσί τινες εὑρεθῆναι τότε ἄθραυστον, τῶν ἐπιπεσόντων τειχῶν αὐτὸ περικαλυψάντων, εἰ μὴ Διομήδης αὐτὸ καὶ Ὀδυσσεὺς ἐν τῷ Τρωϊκῷ ἔργῳ μετήνεγκαν ἐξ Ἰλίου.

Τάδε μὲν δὴ Φιμβρίας ἐς Ἴλιον εἰργάζετο, ληγούσης ἄρτι τῆς τρίτης καὶ ἑβδομηκοστῆς καὶ ἑκατοστῆς ὀλυμπιάδος. καί τινες ἡγοῦνται τὸ πάθος αὐτῇ τόδε μετ' Ἀγαμέμνονα χιλίοις καὶ πεντήκοντα ἔτεσι γενέσθαι μάλιστα.

54. Ὁ δὲ Μιθριδάτης ἐπεὶ καὶ τῆς περὶ Ὀρχομενὸν ἥττης ἐπύθετο, διαλογιζόμενος τὸ πλῆθος ὅσον ἐξ ἀρχῆς ἐς τὴν Ἑλλάδα ἐπεπόμφει, καὶ τὴν συνεχῆ καὶ ταχεῖαν αὐτοῦ φθοράν, ἐπέστελλεν Ἀρχελάῳ διαλύσεις ὡς δύναιτο εὐπρεπῶς ἐργάσασθαι. ὁ δὲ Σύλλα συνελθὼν ἐς λόγους εἶπε· "φίλος ὢν ὑμῖν πατρῷος, ὦ Σύλλα, Μιθριδάτης ὁ βασιλεὺς ἐπολέμησε μὲν διὰ στρατηγῶν ἑτέρων πλεονεξίαν, διαλύσεται δὲ διὰ τὴν σὴν ἀρετήν, ἢν τὰ δίκαια προστάσσῃς." καὶ ὁ Σύλλας ἀπορίᾳ τε νεῶν, καὶ χρήματα οὐκ ἐπιπεμπόντων οὐδ' ἄλλο οὐδὲν οἴκοθεν αὐτῷ τῶν ἐχθρῶν ὡς πολεμίῳ, ἁψάμενος ἤδη τῶν ἐν Πυθοῖ καὶ Ὀλυμπίᾳ καὶ Ἐπιδαύρῳ χρημάτων, καὶ ἀντιδοὺς πρὸς λόγον τοῖς ἱεροῖς τὸ ἥμισυ τῆς Θηβαίων γῆς πολλάκις

THE MITHRIDATIC WARS

temple itself. He demolished the walls, and the next day made a search to see whether anything of the place was left standing. So much worse was the city now treated by one of its own kin than it had been by Agamemnon, that not a house, not a temple, not a statue was left. Some say that the image of Athena, called the Palladium, which is supposed to have fallen from heaven, was at this time found unbroken, the falling walls having formed an arch over it; and this may be true unless Diomedes and Ulysses carried it away from Ilium during the Trojan war. Thus was Ilium destroyed by Fimbria at the close of the 173rd Olympiad. Some people think that 1050 years had intervened between this calamity and that which it suffered at the hands of Agamemnon

54. When Mithridates heard of his defeat at Orchomenus, he reflected on the immense number of men he had sent into Greece from the beginning, and the continual and swift disaster that had overtaken them. Accordingly, he sent word to Archelaus to make peace on the best terms possible. The latter had an interview with Sulla in which he said, " King Mithridates was your father's friend, O Sulla. He became involved in this war through the rapacity of other Roman generals. He will avail himself of your virtuous character to make peace, if you will grant him fair terms." As Sulla had no ships; as his enemies at Rome had sent him no money, nor anything else, but had declared him an outlaw; as he had already taken the money from the Pythian, Olympian, and Epidauric temples, in return for which he had assigned to them half of the territory of Thebes on account of its frequent defections; and

CAP.
VIII

ἀποστάντων, ἔς τε τὴν στάσιν αὐτὴν τῶν ἐχθρῶν ἐπειγόμενος ἀκραιφνῆ καὶ ἀπαθῆ τὸν στρατὸν μεταγαγεῖν, ἐνεδίδου πρὸς τὰς διαλύσεις, καὶ εἶπεν· " ἀδικουμένου μὲν ἦν, ὦ Ἀρχέλαε, Μιθριδάτου, περὶ ὧν ἠδικεῖτο πρεσβεύειν, ἀδικοῦντος δὲ γῆν τοσήνδε ἀλλοτρίαν ἐπιδραμεῖν, καὶ κτεῖναι πολὺ πλῆθος ἀνδρῶν, τά τε κοινὰ καὶ ἱερὰ τῶν πόλεων καὶ τὰ ἴδια τῶν ἀνῃρημένων σφετερίσασθαι. τῷ δ᾽ αὐτῷ λόγῳ καὶ ἐς τοὺς ἰδίους φίλους, ᾧ περὶ ἡμᾶς, ἄπιστος γενόμενος, ἔκτεινε καὶ τῶνδε πολλούς, καὶ τῶν τετραρχῶν οὓς ὁμοδιαίτους εἶχε, νυκτὸς μιᾶς, μετὰ γυναικῶν καὶ παίδων τῶν οὐ πεπολεμηκότων. ἐπὶ δὲ ἡμῖν καὶ φύσεως ἔχθραν μᾶλλον ἢ πολέμου χρείαν ἐπεδείξατο, παντοίαις ἰδέαις κακῶν τοὺς περὶ τὴν Ἀσίαν Ἰταλιώτας, σὺν γυναιξὶ καὶ παισὶ καὶ θεράπουσι τοῖς οὖσι γένους Ἰταλικοῦ, λυμηνάμενός τε καὶ κτείνας. τοσοῦτον ἐξήνεγκεν ἐς τὴν Ἰταλίαν μῖσος ὁ νῦν ἡμῖν ὑποκρινόμενος φιλίαν πατρῴαν, ἧς οὐ πρὶν ἑκκαίδεκα μυριάδας ὑμῶν ὑπ᾽ ἐμοῦ συγκοπῆναι ἐμνημονεύετε.

55. Ἀνθ᾽ ὧν δίκαιον μὲν ἦν ἄσπειστα αὐτῷ τὰ παρ᾽ ἡμῶν γενέσθαι, σοῦ δὲ χάριν ὑποδέχομαι συγγνώμης αὐτὸν τεύξεσθαι παρὰ Ῥωμαίων, ἂν τῷ ὄντι μεταγιγνώσκῃ. εἰ δὲ ὑποκρίνοιτο καὶ νῦν, ὥρα σοι τὸ σαυτοῦ σκοπεῖν, ὦ Ἀρχέλαε, ἐνθυμουμένῳ μὲν ὅπως ἔχει τὰ παρόντα σοί τε κἀκείνῳ, σκοποῦντι δ᾽ ὅν τινα τρόπον ἐκεῖνός τε ἑτέροις κέχρηται φίλοις καὶ ἡμεῖς Εὐμένει καὶ Μασσανάσσῃ." ὁ δ᾽ ἔτι λέγοντος αὐτοῦ τὴν πεῖραν ἀπεσείετο, καὶ δυσχεράνας ἔφη τὸν ἐγχειρίσαντά οἱ τὴν στρατηγίαν οὔ ποτε προδώσειν·

because he was in a hurry to lead his army fresh and unimpaired against the hostile faction at home, he assented to the proposal, and said, "If injustice was done to Mithridates, O Archelaus, he ought to have sent an embassy to show how he was wronged. It was the act of the wrong-doer, not of the wronged, to overrun such a vast territory belonging to others, kill such a vast number of people, seize the public and sacred funds of cities, and confiscate the private property of those whom he destroyed. He has been just as perfidious to his own friends as to us, and has put many of them to death, and many of the tetrarchs whom he had brought together at a banquet, and their wives and children, who had not fought against him. Towards us he showed that he was moved by an inborn enmity rather than by any necessity for war, visiting every possible calamity upon the Italians throughout Asia, torturing and murdering them, together with their wives, children, and such slaves as were of Italian blood. Such hatred did this man bear towards Italy, who now pretends friendship for my father!—a friendship which you did not call to mind until I had destroyed 160,000 of your troops.

55. "In return for this conduct we should have every right to be absolutely implacable towards him, but for your sake I will undertake to obtain his pardon from Rome if he actually repents. But if he plays the hypocrite again, I advise you, Archelaus, to look out for yourself. Consider how matters stand at present for you and him. Bear in mind how he has treated his other friends and how we treated Eumenes and Masinissa." While he was yet speaking, Archelaus rejected the offer with indignation, saying that he would never betray one who had put an army under

CAP VIII "ἐλπίζω δέ σοι διαλλάξειν, ἢν μέτρια προστάσσῃς." διαλιπὼν οὖν ὁ Σύλλας ὀλίγον, εἶπεν· "ἐὰν τὸν στόλον ἡμῖν, ὃν ἔχεις, ὦ Ἀρχέλαε, παραδιδῷ πάντα Μιθριδάτης, ἀποδῷ δὲ καὶ στρατηγοὺς ἡμῖν ἢ πρέσβεις ἢ αἰχμαλώτους ἢ αὐτομόλους ἢ ἀνδράποδα ἀποδράντα, καὶ Χίους ἐπὶ τοῖσδε, καὶ ὅσους ἄλλους ἀνασπάστους ἐς τὸν Πόντον ἐποιήσατο, μεθῇ, ἐξαγάγῃ δὲ καὶ τὰς φρουρὰς ἐκ πάντων φρουρίων, χωρὶς ὧν ἐκράτει πρὸ τῆσδε τῆς παρασπονδήσεως, ἐσενέγκῃ δὲ καὶ τὴν δαπάνην τοῦδε τοῦ πολέμου τὴν δι' αὐτὸν γενομένην, καὶ στέργῃ μόνης ἄρχων τῆς πατρῴας δυναστείας. ἐλπίζω πείσειν Ῥωμαίους αὐτῷ μηδὲν ἐπιμηνῖσαι τῶν γεγονότων." ὁ μὲν δὴ τοσάδε εἶπεν, ὁ δὲ Ἀρχέλαος τὰς μὲν φρουρὰς αὐτίκα πανταχόθεν ἐξῆγε, περὶ δὲ τῶν ἄλλων ἐπέστελλε τῷ βασιλεῖ. καὶ Σύλλας τὴν ἐν τοσῷδε ἀργίαν διατιθέμενος, Ἐνετοὺς καὶ Δαρδανέας καὶ Σιντούς, περίοικα Μακεδόνων ἔθνη, συνεχῶς ἐς Μακεδονίαν ἐμβάλλοντα, ἐπιὼν ἐπόρθει, καὶ τὸν στρατὸν ἐγύμναζε, καὶ ἐχρηματίζετο ὁμοῦ.

56. Ἐλθόντων δὲ τῶν Μιθριδάτου πρέσβεων, οἳ τοῖς μὲν ἄλλοις συνετίθεντο, μόνην δ' ἐξαιρούμενοι Παφλαγονίαν ἐπεῖπον ὅτι πλεόνων ἂν ἔτυχε Μιθριδάτης, εἰ πρὸς τὸν ἕτερον ὑμῶν στρατηγὸν διελύετο Φιμβρίαν, δυσχεράνας ὁ Σύλλας τῇ παραβολῇ, καὶ Φιμβρίαν ἔφη δώσειν δίκην, καὶ αὐτὸς ἐν Ἀσίᾳ γενόμενος εἴσεσθαι πότερα συνθηκῶν ἢ πολέμου δεῖται Μιθριδάτης. ὧδε δ' εἰπὼν ἤλαυνεν ἐπὶ Κύψελλα διὰ Θρᾴκης, Λεύκολλον ἐς Ἄβυδον προπέμψας· ἤδη γὰρ αὐτῷ καὶ ὅδε

THE MITHRIDATIC WARS

his command. "I hope," he said, "to come to an agreement with you if you offer moderate terms." After a short pause Sulla said, "If Mithridates will deliver to us the entire fleet in your possession, Archelaus; if he will surrender our generals and ambassadors and all prisoners, deserters, and runaway slaves, and send back to their homes the people of Chios and all others whom he has dragged off to Pontus; if he will remove his garrison from all places except those that he held before this breach of the peace; if he will pay the cost of the war incurred on his account, and remain content with his ancestral dominions—I shall hope to persuade the Romans not to remember the injuries he has done them." Such were the terms which he offered. Archelaus at once withdrew his garrison from all the places he held and referred the other conditions to the king. In order to make use of his leisure in the meantime, Sulla marched against the Eneti, the Dardani, and the Sinti, tribes on the border of Macedonia, who were continually invading that country, and devastated their territory. In this way he exercised his soldiers and enriched them at the same time.

CHAP VIII

Terms of treaty offered by Sulla

56. The ambassadors of Mithridates returned with ratifications of all the terms except those relating to Paphlagonia, and they added that Mithridates could have obtained better conditions, "if he had negotiated with your other general, Fimbria." Sulla was indignant that he should be brought into such comparison and said that he would bring Fimbria to punishment, and would go himself to Asia and see whether Mithridates wanted peace or war. Having spoken thus he marched through Thrace to Cypsella after having sent Lucullus forward to Abydus, for

B.C. 84

Mithridates delays and Sulla marches to Asia

CAP. ἀφῖκτο, κινδυνεύσας μὲν ὑπὸ λῃστῶν ἁλῶναι
VIII πολλάκις, στόλον δέ τινα νεῶν ἀγείρας ἀπό τε
Κύπρου καὶ Φοινίκης καὶ Ῥόδου καὶ Παμφυλίας,
καὶ πολλὰ δῃώσας τῆς πολεμίας, καὶ τῶν Μιθρι-
δάτου νεῶν ἀποπειράσας ἐν παράπλῳ. Σύλλας
μὲν οὖν ἀπὸ Κυψέλλων καὶ Μιθριδάτης ἐκ Περγά-
μου συνῄεσαν αὖθις ἐς λόγους, καὶ κατέβαινον ἐς
πεδίον ἄμφω σὺν ὀλίγοις, ἐφορώντων τῶν στρατῶν
ἑκατέρωθεν. ἦσαν δ' οἱ λόγοι Μιθριδάτου μὲν
ὑπόμνησις φιλίας καὶ συμμαχίας ἰδίας καὶ
πατρῴας, καὶ ἐπὶ τοῖς Ῥωμαίων πρέσβεσι καὶ
προβούλοις καὶ στρατηγοῖς κατηγορία ὧν ἐς αὐτὸν
ἐπεπράχεσαν ἀδίκως, Ἀριοβαρζάνην τε κατά-
γοντες ἐς Καππαδοκίαν, καὶ Φρυγίας αὐτὸν ἀφαι-
ρούμενοι, καὶ Νικομήδῃ περιορῶντες ἀδικοῦντα.
" καὶ τάδε ", ἔφη, " πάντα ἔπραξαν ἐπὶ χρήμασι,
παραλλὰξ παρ' ἐμοῦ τε καὶ παρ' ἐκείνων λαμ-
βάνοντες· ὃ γὰρ δὴ μάλιστ' ἄν τις ὑμῶν, ὦ Ῥωμαῖοι,
τοῖς πλείοσιν ἐπικαλέσειεν, ἔστιν ἡ φιλοκερδία.
ἀναρραγέντος δὲ ὑπὸ τῶν ὑμετέρων στρατηγῶν
τοῦ πολέμου, πάντα ὅσα ἀμυνόμενος ἔπραττον,
ἀνάγκῃ μᾶλλον ἢ κατὰ γνώμην ἐγίγνετο."

57. Ὁ μὲν δὴ Μιθριδάτης ὧδε εἰπὼν ἐπαύσατο,
ὁ δὲ Σύλλας ὑπολαβὼν ἀπεκρίνατο· " ἐφ' ἕτερα
μὲν ἡμᾶς ἐκάλεις, ὡς τὰ προτεινόμενα ἀγαπήσων,
οὐ μὴν ὀκνήσω καὶ περὶ τῶνδε διὰ βραχέων εἰπεῖν.
ἐς μὲν Καππαδοκίαν ἐγὼ κατήγαγον Ἀριοβαρ-
ζάνην Κιλικίας ἄρχων, ὧδε Ῥωμαίων ψηφισα-
μένων· καὶ σὺ κατήκουες ἡμῶν, δέον ἀντιλέγειν
καὶ ἢ μεταδιδάσκειν ἢ μηκέτι τοῖς ἐγνωσμένοις
ἀντιτείναι. Φρυγίαν δέ σοι Μάνιος ἔδωκεν ἐπὶ
δωροδοκίᾳ, ὃ κοινόν ἐστιν ἀμφοῖν ἀδίκημα. καὶ

THE MITHRIDATIC WARS

Lucullus had arrived at last, having several times run the risk of capture by pirates. He had collected a fleet composed of ships from Cyprus, Phoenicia, Rhodes, and Pamphylia, and had ravaged much of the enemy's coast, and had skirmished with the ships of Mithridates on the way. Then Sulla advanced from Cypsella and Mithridates from Pergamus, and they met in a conference. Each went with a small force to a plain in sight of the two armies. Mithridates began by discoursing of his own and his father's friendship and alliance with the Romans. Then he accused the Roman ambassadors, deputies, and generals of doing him injuries by restoring Ariobarzanes to the throne of Cappadocia, depriving him of Phrygia, and allowing Nicomedes to wrong him. "And all this," he said, "they did for money, taking it from me and from them by turns; for there is nothing about which most of you are so open to accusation, O Romans, as avarice. When war had broken out through the acts of your generals all that I did in self-defence was the result of necessity rather than of intention."

CHAP VIII

A personal conference

57. When Mithridates had ceased speaking Sulla replied: "Although you called us here," he said, "for a different purpose, namely, to accept our terms of peace, I shall not refuse to speak briefly of those matters. I restored Ariobarzanes to the throne of Cappadocia by decree of the Senate when I was governor in Cilicia, and you obeyed the decree. You ought to have opposed it and given your reasons then, or forever after held your peace. Manius gave Phrygia to you for a bribe, which was a crime on the part of both of you. By the very fact of your getting

Sulla's address to Mithridates

343

CAP.
VIII τῷδε μάλιστα αὐτὴν ὁμολογεῖς οὐ δικαίως λαβεῖν, ἐκ δωροδοκίας. ὅ τε Μάνιος καὶ τὰ ἄλλα ἠλέγχθη παρ' ἡμῖν ἐπὶ χρήμασι πράξας, καὶ πάντα ἀνέλυσεν ἡ βουλή. ᾧ λόγῳ καὶ Φρυγίαν ἀδίκως σοι δοθεῖσαν οὐχ ἑαυτῇ συντελεῖν ἐπέταξεν ἐς τοὺς φόρους, ἀλλ' αὐτόνομον μεθῆκεν. ὧν δὲ ἡμεῖς οἱ πολέμῳ λαβόντες οὐκ ἀξιοῦμεν ἄρχειν, τίνι λόγῳ σὺ καθέξεις; Νικομήδης δὲ αἰτιᾶται μέν σε καὶ Ἀλέξανδρον αὐτῷ τὸν τὸ σῶμα τρώσοντα ἐπιπέμψαι, καὶ Σωκράτη τὸν χρηστὸν ἐπὶ τὴν ἀρχήν, καὶ τάδε αὐτὸς ἀμυνόμενος ἐς τὴν σὴν ἐμβαλεῖν· εἰ δέ τι ὅμως ἠδικοῦ, ἐς Ῥώμην πρεσβεύειν ἔδει καὶ τὰς ἀποκρίσεις ἀναμένειν. εἰ δὲ καὶ θᾶττον ἠμύνου Νικομήδη, πῶς καὶ Ἀριοβαρζάνην ἀπήλαυνες οὐδὲν ἀδικοῦντα; ἐκβαλὼν δ' ἀνάγκην ἐπέθηκας τοῖς παροῦσι Ῥωμαίων κατάγειν αὐτόν, καὶ καταγόμενον κωλύων σὺ τὸν πόλεμον ἐξῆψας, ἐγνωκὼς μὲν οὕτω πρὸ πολλοῦ, καὶ ἐν ἐλπίδι ἔχων γῆς ἄρξειν ἁπάσης εἰ Ῥωμαίων κρατήσειας, προφάσεις δ' ἐπὶ τῇ γνώμῃ τάσδε ποιούμενος. καὶ τούτου τεκμήριον, ὅτι καὶ Θρᾷκας καὶ Σκύθας καὶ Σαυρομάτας, οὔπω τινὶ πολεμῶν, ἐς συμμαχίαν ὑπήγου, καὶ ἐς τοὺς ἀγχοῦ βασιλέας περιέπεμπες, ναῦς τε ἐποιοῦ, καὶ πρῳρέας καὶ κυβερνήτας συνεκάλεις.

58. Μάλιστα δ' ὁ καιρὸς ἐλέγχει σε τῆς ἐπιβουλῆς. ὅτε γὰρ τὴν Ἰταλίαν ἀφισταμένην ἡμῶν ᾔσθάνου, τὴν ἀσχολίαν τήνδε ἡμῶν φυλάξας ἐπέθου μὲν Ἀριοβαρζάνῃ καὶ Νικομήδει καὶ Γαλάταις καὶ Παφλαγονίᾳ, ἐπέθου δὲ Ἀσίᾳ τῷ

it by bribery you confess that you had no right to it. Manius was tried at Rome for the other acts that he had done for money and the Senate annulled them all. For this reason they decided, not that Phrygia, which had been given to you wrongfully, should be made tributary to Rome, but that it should be free. If we who had taken it by war do not think best to govern it, by what right could you hold it? Nicomedes also charges you with sending against him an assassin named Alexander, and then Socrates Chrestus, a rival claimant of the kingdom, and says that it was to avenge these wrongs that he invaded your territory. However, if he wronged you, you ought to have sent an embassy to Rome and waited for an answer. But although you were too hasty in taking vengeance on Nicomedes, why did you expel Ariobarzanes, who had not harmed you? When you drove him out of his kingdom you imposed upon the Romans, who were there, the necessity of restoring him. By preventing them from doing so you brought on the war. You had meditated war a long time, because you hoped to rule the whole world if you could conquer the Romans, and the reasons you tell of were mere pretexts to cover your real intent. The proof of this is that you, although not yet at war with any nation, sought the alliance of the Thracians, Sarmatians, and Scythians, sent to the neighbouring kings for aid, built a navy, and enlisted look-out men and helmsmen.

58. "The time you chose convicts you of treachery most of all. When you heard that Italy had revolted from us you seized the occasion when we were occupied to fall upon Ariobarzanes, Nicomedes, Galatia, and Paphlagonia, and finally upon our

CAP.
VIII ἡμετέρῳ χωρίῳ. καὶ λαβὼν οἷα δέδρακας ἢ τὰς πόλεις, αἷς τοὺς θεράποντας καὶ χρήστας ἐπέστησας ἐλευθερίας καὶ χρεῶν ἀποκοπαῖς, ἢ τοὺς Ἕλληνας, ὧν μιᾷ προφάσει χιλίους καὶ ἑξακοσίους διέφθειρας, ἢ Γαλατῶν τοὺς τετράρχας, οὓς ὁμοδιαίτους ἔχων ἀπέκτεινας, ἢ τὸ τῶν Ἰταλιωτῶν γένος, οὓς μιᾶς ἡμέρας σὺν βρέφεσι καὶ μητράσιν ἔκτεινάς τε καὶ κατεπόντωσας, οὐκ ἀποσχόμενος οὐδὲ τῶν ἐς τὰ ἱερὰ συμφυγόντων. ὃ πόσην μὲν ὠμότητά σου, πόσην δὲ ἀσέβειαν καὶ ὑπερβολὴν μίσους ἐς ἡμᾶς προενήνοχεν. σφετερισάμενος δ' ἁπάντων τὰ χρήματα, ἐς τὴν Εὐρώπην ἐπέρας μεγάλοις στρατοῖς, ἡμῶν ἀπειπόντων ἅπασι τῆς Ἀσίας βασιλεῦσι τῆς Εὐρώπης μηδὲ ἐπιβαίνειν. διαπλεύσας δὲ Μακεδονίαν τε ἡμετέραν οὖσαν ἐπέτρεχες καὶ τοὺς Ἕλληνας τὴν ἐλευθερίαν ἀφῃροῦ. οὐ πρίν τε ἤρξω μετανοεῖν, οὐδ' Ἀρχέλαος ὑπὲρ σοῦ παρακαλεῖν, ἢ Μακεδονίαν μέν με ἀνασώσασθαι, τὴν δὲ Ἑλλάδα τῆς σῆς ἐκλῦσαι βίας, ἑκκαίδεκα δὲ μυριάδας τοῦ σοῦ στρατοῦ κατακόψαι, καὶ τὰ στρατόπεδά σου λαβεῖν αὐταῖς παρασκευαῖς. ὃ καὶ θαυμάζω σου δικαιολογουμένου νῦν ἐφ' οἷς δι' Ἀρχελάου παρεκάλεις. ἢ πόρρω μὲν ὄντα με ἐδεδοίκεις, ἀγχοῦ δὲ γενόμενον ἐπὶ δίκην ἐληλυθέναι νομίζεις; ἧς ὁ καιρὸς ἀνάλωται, σοῦ τε πολεμήσαντος ἡμῖν, καὶ ἡμῶν ἀμυναμένων ἤδη καρτερῶς καὶ ἀμυνουμένων ἐς τέλος." τοσαῦτα τοῦ Σύλλα μετ' ὀργῆς ἔτι λέγοντος, μετέπιπτεν ὁ βασιλεὺς καὶ ἐδεδοίκει, καὶ ἐς τὰς δι' Ἀρχελάου γενομένας συνθήκας ἐνεδίδου, τάς τε ναῦς καὶ τὰ ἄλλα πάντα παραδοὺς ἐς τὸν Πόντον ἐπὶ τὴν πατρῴαν ἀρχὴν ἐπανῄει μόνην.

Asiatic province. When you had taken them, how shamefully you treated the cities, appointing slaves and debtors to rule over some of them, by freeing slaves and cancelling debts, and the Greek towns, where you destroyed 1600 men on one false accusation! You brought the tetrarchs of Galatia together at a banquet and slew them. You butchered or drowned all residents of Italian blood in one day, including mothers and babes, not sparing even those who had fled to the temples. What cruelty, what impiety, what boundless hate did you exhibit toward us! After you had confiscated the property of all your victims you crossed over to Europe with great armies, although we had forbidden all the kings of Asia even to set foot in Europe. You overran our province of Macedonia and deprived the Greeks of their freedom. Nor did you begin to repent, nor Archelaus to intercede for you, until I had recovered Macedonia and delivered Greece from your grasp, and destroyed 160,000 of your soldiers, and taken your camps with all their belongings. I am astonished that you should now seek to justify the acts for which you asked pardon through Archelaus. If you feared me at a distance, do you think, now that I am near, that I have come to debate with you? The time for that passed by when you took up arms against us, and we vigorously repelled your assaults, and intend to repel them to the end." While Sulla was still speaking with vehemence the king yielded to his fears and consented to the terms that had been offered through Archelaus. He delivered up the ships and everything else that had been required, and went back to his paternal kingdom of Pontus as his sole possession. And thus the first war between Mithridates and the Romans came to an end.

Mithridates accepts the terms

IX

Ὧδε μὲν ὁ πρῶτος Μιθριδάτου καὶ Ῥωμαίων πόλεμος κατεπαύετο· 59. Σύλλας δὲ Φιμβρίου δύο σταδίους ἀποσχὼν ἐκέλευε παραδοῦναί οἱ τὸν στρατόν, οὐ παρανόμως ἄρχοι. ὁ δ' ἀντεπέσκωπτε μὲν ὡς οὐδ' ἐκεῖνος ἐννόμως ἔτι ἄρχοι, περιταφρεύοντος δ' αὐτὸν τοῦ Σύλλα, καὶ πολλῶν οὐκ ἀφανῶς ἀποδιδρασκόντων, ἐς ἐκκλησίαν τοὺς λοιποὺς ὁ Φιμβρίας συναγαγὼν παρεκάλει παραμένειν. οὐ φαμένων δὲ πολεμήσειν πολίταις, καταρρήξας τὸν χιτωνίσκον ἑκάστοις προσέπιπτεν. ὡς δὲ καὶ τοῦτ' ἀπεστρέφοντο, καὶ πλείους ἐγίγνοντο αἱ αὐτομολίαι, τὰς σκηνὰς τῶν ἡγεμόνων περιῄει, καί τινας αὐτῶν χρήμασι διαφθείρας ἐς ἐκκλησίαν αὖθις συνεκάλει, καὶ συνόμνυσθαί οἱ προσέτασσεν. ἐκβοησάντων δὲ τῶν ἐνετῶν ὅτι δέοι καλεῖν ἐπὶ τὸν ὅρκον ἐξ ὀνόματος, ὁ μὲν ἐκήρυττε τοὺς εὖ τι παθόντας ὑφ' ἑαυτοῦ, καὶ Νώνιον πρῶτον ἐκάλει, κοινωνόν οἱ πάντων γεγονότα. οὐκ ὀμνύντος δ' οὐδ' ἐκείνου, τὸ ξίφος ἐπισπάσας ἠπείλει κτενεῖν αὐτόν, μέχρι βοῆς ἐκ πάντων γενομένης καταπλαγεὶς καὶ τοῦδ' ἐπαύσατο. θεράποντα δὲ χρήμασι καὶ ἐλπίσιν ἐλευθερίας ἀναπείσας ἔπεμψεν ὡς αὐτόμολον ἐπιχειρεῖν τῷ Σύλλα σώματι. ὁ δὲ τῷ ἔργῳ πλησιάζων καὶ ταρασσόμενος, καὶ ἐκ τοῦδε ὕποπτος γενόμενος, συνελήφθη τε καὶ ὡμολόγησεν. καὶ ὁ στρατὸς ὁ τοῦ Σύλλα, σὺν ὀργῇ καὶ καταφρονήσει περιστάντες τὸ τοῦ Φιμβρίου χαράκωμα, κατελοιδόρουν αὐτὸν καὶ Ἀθηνίωνα ἐκά-

IX

59. Sulla now advanced within two stades of Fimbria and ordered him to deliver up his army since he held the command contrary to law. Fimbria replied mockingly that Sulla himself did not now hold a lawful command. Sulla drew a line of circumvallation around Fimbria, and many of the latter's soldiers deserted openly. Fimbria called the rest of them together and besought them to stand by him. When they refused to fight against their fellow-citizens he rent his garments and prostrated himself before them man by man. As they still turned away from him, and still more of them deserted, he went round among the tents of the tribunes, and having bought some of them with money, called an assembly again, and told them all to swear that they would stand by him. Those who had been suborned exclaimed that all ought to be called up by name to take the oath. He summoned those who were under obligations to him for past favours. The first name called was that of Nonius, who had been his close companion. When even he refused to take the oath Fimbria drew his sword and threatened to kill him, and would have done so had he not been alarmed by the outcry of the others and compelled to desist. Then he bribed a slave with money and the promise of freedom to go to Sulla as a deserter and assassinate him. As the slave was nearing his task he became frightened, and thus fell under suspicion, was arrested and confessed. Sulla's soldiers, standing angrily and contemptuously round Fimbria's camp, reviled him and nicknamed him

CHAP. IX
Sulla demands the surrender of Fimbria

CAP. IX λουν, ὃς δραπετῶν τῶν ἐν Σικελίᾳ ποτὲ ἀποστάντων ὀλιγήμερος ἐγεγένητο βασιλεύς.

60. Ἐφ' οἷς ὁ Φιμβρίας πάντα ἀπογνοὺς ἐπὶ τὴν τάφρον προῆλθε, καὶ Σύλλαν αὐτῷ παρεκάλει συνελθεῖν ἐς λόγους. ὁ δὲ ἀνθ' αὐτοῦ 'Ρουτίλιον ἔπεμπε· καὶ τόδε πρῶτον ἐλύπει τὸν Φιμβρίαν, οὐδὲ συνόδου, διδομένης καὶ τοῖς πολεμίοις, ἀξιωθέντα. δεομένῳ δ' αὐτῷ συγγνώμης τυχεῖν εἴ τι νέος ὢν ἐξήμαρτεν, ὁ 'Ρουτίλιος ὑπέστη Σύλλαν ἀφήσειν ἐπὶ θάλασσαν ἀπαθῆ διελθεῖν, εἰ μέλλοι τῆς Ἀσίας, ἧς ἐστὶν ὁ Σύλλας ἀνθύπατος, ἀποπλευσεῖσθαι. ὁ δὲ εἰπὼν ἑτέραν ὁδὸν ἔχειν κρείττονα, ἐπανῆλθεν ἐς Πέργαμον, καὶ ἐς τὸ τοῦ Ἀσκληπιοῦ ἱερὸν παρελθὼν ἐχρήσατο τῷ ξίφει. οὐ καιρίου δ' αὐτῷ τῆς πληγῆς γενομένης, ἐκέλευσε τὸν παῖδα ἐπερεῖσαι. ὁ δὲ καὶ τὸν δεσπότην ἔκτεινε καὶ αὑτὸν ἐπὶ τῷ δεσπότῃ.

Οὕτω μὲν καὶ Φιμβρίας ἀπέθανε, πολλὰ τὴν Ἀσίαν ἐπὶ Μιθριδάτῃ λελυμασμένος. καὶ αὐτὸν ὁ Σύλλας ἐφῆκε τοῖς ἀπελευθέροις θάψαι, καὶ ἐπεῖπεν οὐ μιμεῖσθαι Κίνναν καὶ Μάριον ἐν Ῥώμῃ θάνατόν τε πολλῶν καὶ ἀταφίαν ἐπὶ τῷ θανάτῳ καταγνόντας. τὸν δὲ στρατὸν τοῦ Φιμβρίου προσιόντα οἱ δεξιωσάμενός τε καὶ τῷ σφετέρῳ συναγαγών, Κουρίωνι προσέταξε Νικομήδην ἐς Βιθυνίαν καὶ Ἀριοβαρζάνην ἐς Καππαδοκίαν καταγαγεῖν, τῇ τε βουλῇ περὶ πάντων ἐπέστελλεν, οὐχ ὑποκρινόμενος ἐψηφίσθαι πολέμιος.

61. Αὐτὴν δὲ τὴν Ἀσίαν καθιστάμενος, Ἰλιέας μὲν καὶ Χίους καὶ Λυκίους καὶ Ῥοδίους καὶ Μαγνησίαν καί τινας ἄλλους, ἢ συμμαχίας ἀμειβόμενος, ἢ ὧν διὰ προθυμίαν ἐπεπόνθεσαν οὐ

THE MITHRIDATIC WARS

Athenio—a man who had once been a king of fugitive slaves in Sicily for a few days.

60. Thereupon Fimbria in despair went to the line of circumvallation and asked for a colloquy with Sulla. The latter sent Rutilius instead. Fimbria was disappointed at the outset that he was not even deemed worthy of an interview, although it had been given to the enemy. When he begged pardon for an offence due to his youth, Rutilius promised that Sulla would allow him to go away in safety to the coast if he would sail away from the province of Asia, of which Sulla was proconsul. Fimbria said that he had another and better route. He returned to Pergamus, entered the temple of Aesculapius, and stabbed himself with his sword. As the wound was not mortal he ordered his slave to drive the weapon home. The latter killed his master and then himself.

So perished Fimbria, who, as well as Mithridates, had sorely afflicted Asia. Sulla gave his body to his freedmen for burial, adding that he would not imitate Cinna and Marius, who had deprived many in Rome of their lives and of burial after death. The army of Fimbria came over to him, and he exchanged pledges with it and joined it with his own. Then he directed Curio to restore Nicomedes to Bithynia and Ariobarzanes to Cappadocia, and reported everything to the Senate, ignoring the fact that he had been voted an enemy.

61. Having settled the affairs of Asia, Sulla bestowed freedom on the inhabitants of Ilium, Chios, Lycia, Rhodes, Magnesia, and some others, either as a reward for their cooperation, or a recompense for

CAP. ἕνεκα, ἐλευθέρους ἠφίει καὶ Ῥωμαίων ἀνέγραφε
IX φίλους, ἐς δὲ τὰ λοιπὰ πάντα στρατιὰν περι-
έπεμπεν. καὶ τοὺς θεράποντας, οἷς ἐλευθερίαν
ἐδεδώκει Μιθριδάτης, ἐκήρυττεν αὐτίκα ἐς τοὺς
δεσπότας ἐπανιέναι. πολλῶν δὲ ἀπειθούντων,
καὶ πόλεων τινῶν ἀφισταμένων, ἐγίγνοντο σφαγαὶ
κατὰ πλῆθος ἐλευθέρων τε καὶ θεραπόντων ἐπὶ
ποικίλαις προφάσεσι, τείχη τε πολλῶν καθῃ-
ρεῖτο, καὶ συχνὰ τῆς Ἀσίας ἠνδραποδίζετο καὶ
διηρπάζετο. οἵ τε καππαδοκίσαντες ἄνδρες ἢ
πόλεις ἐκολάζοντο πικρῶς, καὶ μάλιστα αὐτῶν
Ἐφέσιοι, σὺν αἰσχρᾷ κολακείᾳ ἐς τὰ Ῥωμαίων
ἀναθήματα ὑβρίσαντες. ἐπὶ δὲ τοῖσδε καὶ
κήρυγμα περιήει, τοὺς ἐν ἀξιώσει κατὰ πόλιν ἐς
ἡμέραν ῥητὴν πρὸς τὸν Σύλλαν ἀπαντᾶν ἐς
Ἔφεσον. καὶ συνελθοῦσιν αὐτοῖς ἐπὶ βήματος
ἐδημηγόρησεν οὕτως.

62. "Ἡμεῖς στρατῷ πρῶτον ἐς Ἀσίαν παρήλ-
θομεν Ἀντιόχου τοῦ Σύρων βασιλέως πορθοῦντος
ὑμᾶς. ἐξελάσαντες δ᾽ αὐτόν, καὶ τὸν Ἅλυν καὶ
Ταῦρον αὐτῷ θέμενοι τῆς ἀρχῆς ὅρον, οὐ κατέ-
σχομεν ὑμῶν ἡμετέρων ἐξ ἐκείνου γενομένων, ἀλλὰ
μεθήκαμεν αὐτονόμους, πλὴν εἴ τινας Εὐμένει καὶ
Ῥοδίοις συμμαχήσασιν ἡμῖν ἔδομεν, οὐχ ὑπο-
τελεῖς ἀλλ᾽ ἐπὶ προστάταις εἶναι. τεκμήριον δ᾽
ὅτι Λυκίους αἰτιωμένους τι Ῥοδίων ἀπεστήσαμεν.
ἡμεῖς μὲν δὴ τοιοίδε περὶ ὑμᾶς γεγόναμεν· ὑμεῖς
δέ, Ἀττάλου τοῦ φιλομήτορος τὴν ἀρχὴν ἡμῖν ἐν
διαθήκαις καταλιπόντος, Ἀριστονίκῳ καθ᾽ ἡμῶν
τέτταρσιν ἔτεσι συνεμαχεῖτε, μέχρι καὶ Ἀριστό-

THE MITHRIDATIC WARS

what they had suffered from their loyalty to him, and inscribed them as friends of the Roman people. Then he distributed his army among the remaining towns and issued a proclamation that the slaves who had been freed by Mithridates should at once return to their masters. As many disobeyed and some of the cities revolted, numerous massacres ensued, of both free men and slaves, on various pretexts. The walls of many towns were demolished. Many others were plundered and their inhabitants sold into slavery. The Cappadocian faction, both men and cities, were severely punished, and especially the Ephesians, who, with servile adulation of the king, had treated the Roman offerings in their temples with indignity. After this a proclamation was sent around commanding the principal citizens to come to Ephesus on a certain day to meet Sulla. When they had assembled Sulla addressed them from the tribune as follows:—

CHAP. IX

62. "We first came to Asia with an army when Antiochus, king of Syria, was despoiling you. We drove him out and fixed the boundaries of his dominions beyond the river Halys and Mount Taurus. We did not retain possession of you when you had become our subjects instead of his, but set you free, except that we awarded a few places to Eumenes and the Rhodians, our allies in the war, not as tributaries, but as clients. A proof of this is that when the Lycians complained of the Rhodians we freed them from the authority of Rhodes. Such was our conduct toward you. You, on the other hand, when Attalus Philometor had left his kingdom to us in his will, gave aid to Aristonicus against us for four years, until he was captured and most of you, under the

His speech to the people

CAP. IX νικος ἑάλω καὶ ὑμῶν οἱ πλείους ἐς ἀνάγκην καὶ φόβον περιήλθετε. καὶ ὧδε πράσσοντες ὅμως, ἔτεσιν εἴκοσι καὶ τέτταρσιν ἐς μέγα περιουσίας καὶ κάλλους κατασκευῆς ἰδιωτικῆς τε καὶ δημοσίας προελθόντες, ὑπὸ εἰρήνης καὶ τρυφῆς ἐξυβρίσατε αὖθις, καὶ τὴν ἀσχολίαν ἡμῶν τὴν ἀμφὶ τὴν Ἰταλίαν φυλάξαντες οἱ μὲν ἐπηγάγεσθε Μιθριδάτην, οἱ δ' ἐλθόντι συνέθεσθε. ὃ δ' ἐστὶ πάντων μιαρώτατον, ὑπέστητε αὐτῷ μιᾶς ἡμέρας τοὺς Ἰταλιώτας ἅπαντας αὐτοῖς παισὶ καὶ μητράσιν ἀναιρήσειν, καὶ οὐδὲ τῶν ἐς τὰ ἱερὰ συμφυγόντων διὰ τοὺς ὑμετέρους θεοὺς ἐφείσασθε. ἐφ' οἷς ἔδοτε μέν τινα καὶ αὐτῷ Μιθριδάτῃ δίκην, ἀπίστῳ τε ἐς ὑμᾶς γενομένῳ, καὶ φόνου καὶ δημεύσεων ἐμπλήσαντι ὑμᾶς, καὶ γῆς ἀναδασμοὺς ἐργασαμένῳ καὶ χρεῶν ἀποκοπὰς καὶ δούλων ἐλευθερώσεις, καὶ τυράννους ἐπ' ἐνίοις, καὶ ληστήρια πολλὰ ἀνά τε γῆν καὶ θάλασσαν, ὡς εὐθὺς ὑμᾶς ἔχειν ἐν πείρᾳ καὶ παραβολῇ οἵους ἀνθ' οἵων προστάτας ἐπελέγεσθε. ἔδοσαν δέ τινα καὶ ἡμῖν δίκην οἱ τῶνδε ἄρξαντες. ἀλλὰ δεῖ καὶ κοινὴν ὑμῖν ἐπιτεθῆναι τοιάδε ἐργασαμένοις· ἣν εἰκὸς μὲν ἦν ὁμοίαν οἷς ἐδράσατε γενέσθαι, μή ποτε δὲ Ῥωμαῖοι σφαγὰς ἀσεβεῖς ἢ δημεύσεις ἀβούλους ἢ δούλων ἐπαναστάσεις, ἢ ὅσα ἄλλα βαρβαρικά, μηδ' ἐπὶ νοῦν λάβοιεν. φειδοῖ δὲ γένους ἔτι καὶ ὀνόματος Ἑλληνικοῦ καὶ δόξης τῆς ἐπὶ τῇ Ἀσίᾳ, καὶ τῆς φιλτάτης Ῥωμαίοις εὐφημίας οὕνεκα, μόνους ὑμῖν ἐπιγράφω πέντε ἐτῶν φόρους ἐσενεγκεῖν αὐτίκα, καὶ τὴν τοῦ πολέμου δαπάνην, ὅση τε γέγονέ μοι

impulse of necessity and fear, returned to your duty. Notwithstanding all this, after a period of twenty-four years, during which you had attained to great prosperity and magnificence, public and private, you again became insolent through peace and luxury and took the opportunity, while we were preoccupied in Italy, some of you to call in Mithridates and others to join him when he came. Most infamous of all, you obeyed the order he gave to kill all the Italians in your communities, including women and children, in one day. You did not even spare those who fled to the temples dedicated to your own gods. You have received some punishment for this crime from Mithridates himself, who broke faith with you and gave you your fill of rapine and slaughter, redistributed your lands, cancelled debts, freed your slaves, appointed tyrants over some of you, and committed robberies everywhere by land and sea; so that you learned immediately by experiment and comparison what kind of champion you had chosen instead of your former one. The instigators of these crimes paid some penalty to us also. But it is necessary, too, that some punishment should be inflicted upon you in common for doing such things; and it is reasonable that it should be one corresponding to your crimes. But may the Romans never even dream of impious slaughter, indiscriminate confiscation, servile insurrections, or other acts of barbarism. From a desire to spare even now the Greek race and name so celebrated throughout Asia, and for the sake of that fair repute that is ever dear to the Romans, I shall only impose upon you the taxes of five years, to be paid at once, together with what the war has cost me, and whatever

He imposes five years' taxes and the cost of the war

CAP. καὶ ἔσται καθισταμένῳ τὰ ὑπόλοιπα. διαιρήσω
IX δὲ ταῦθ᾽ ἑκάστοις ἐγὼ κατὰ πόλεις, καὶ τάξω
προθεσμίαν ταῖς ἐσφοραῖς, καὶ τοῖς οὐ φυλάξασιν
ἐπιθήσω δίκην ὡς πολεμίοις."

63. Τοσάδε εἰπὼν ἐπιδιῄρει τοῖς πρέσβεσι τὴν
ζημίαν, καὶ ἐπὶ τὰ χρήματα ἔπεμπεν. αἱ δὲ
πόλεις ἀποροῦσαί τε καὶ δανειζόμεναι μεγάλων
τόκων, αἱ μὲν τὰ θέατρα τοῖς δανείζουσιν, αἱ δὲ
τὰ γυμνάσια ἢ τεῖχος ἢ λιμένας ἢ εἴ τι δημό-
σιον ἄλλο, σὺν ὕβρει στρατιωτῶν ἐπειγόντων,
ὑπετίθεντο. τὰ μὲν δὴ χρήματα ὧδε τῷ Σύλλα
συνεκομίζετο, καὶ κακῶν ἄδην εἶχεν ἡ Ἀσία·
ἐπέπλει δ᾽ αὐτὴν καὶ ληστήρια πολύανδρα φανε-
ρῶς, στόλοις ἐοικότα μᾶλλον ἢ λῃσταῖς, Μιθριδά-
του μὲν αὐτὰ πρώτου καθέντος ἐς τὴν θάλασσαν,
ὅτε πάνθ᾽ ὡς οὐκ ἐς πολὺ καθέξων ἐλυμαίνετο,
πλεονάσαντα δ᾽ ἐς τότε μάλιστα, καὶ οὐ τοῖς
πλέουσι μόνοις ἀλλὰ καὶ λιμέσι καὶ χωρίοις καὶ
πόλεσιν ἐπιχειροῦντα φανερῶς. Ἰασσός γέ τοι
καὶ Σάμος καὶ Κλαζομεναὶ καὶ Σαμοθρᾴκη Σύλλα
παρόντος ἐλήφθησαν, καὶ τὸ ἱερὸν ἐσυλήθη τὸ
Σαμοθρᾴκιον χιλίων ταλάντων κόσμον, ὡς ἐνομί-
ζετο. ὁ δέ, εἴτε ἑκὼν ὡς ἁμαρτόντας ἐνυβρίζεσθαι
καταλιπών, εἴτ᾽ ἐπὶ τὴν ἐς Ῥώμην στάσιν ἐπει-
γόμενος, ἐς τὴν Ἑλλάδα καὶ ἀπ᾽ αὐτῆς ἐς τὴν
Ἰταλίαν μετὰ τοῦ πλείονος στρατοῦ διέπλει.
καὶ τὰ μὲν ἀμφὶ Σύλλαν ἐν τοῖς Ἐμφυλίοις
ἀναγέγραπται, 64. ἄρχεται δ᾽ ὁ δεύτερος Ῥωμαίων
τε καὶ Μιθριδάτου πόλεμος ἐνθένδε.

Μουρήνας μὲν ὑπὸ Σύλλα σὺν δύο τέλεσι τοῖς
Φιμβρίου καθίστασθαι τὰ λοιπὰ τῆς Ἀσίας

THE MITHRIDATIC WARS

else may be spent in settling the affairs of the province. I will apportion these charges to each of you according to cities, and will fix the time of payment. Upon the disobedient I shall visit punishment as upon enemies."

CHAP IX

63. After he had thus spoken Sulla apportioned the fine to the delegates and sent men to collect the money. The cities, oppressed by poverty, borrowed it at high rates of interest and mortgaged their theatres, their gymnasiums, their walls, their harbours, and every other scrap of public property, being urged on by the soldiers with contumely. Thus was the money collected and brought to Sulla, and the province of Asia had her fill of misery. She was assailed openly by a vast number of pirates, resembling regular fleets rather than robber bands. Mithridates had first fitted them out at the time when he was ravaging all the coasts, thinking he could not long hold these regions. Their numbers had then greatly increased, and they did not confine themselves to ships alone, but attacked harbours, castles, and cities. They captured Iassus, Samos, and Clazomenae, also Samothrace, where Sulla was staying at the time, and robbed the temple at that place of ornaments valued at 1000 talents. Sulla, willing perhaps that those who had offended him should be maltreated, or because he was in haste to put down the hostile faction in Rome, left them and sailed for Greece, and thence passed on to Italy with the greater part of his army. What he did there I have related in my history of the civil wars.

Piracy in the Mediterranean

64. The second Mithridatic war begins at this point. Murena, who had been left by Sulla with Fimbria's two legions to settle the rest of the affairs

B.C. 83
Second Mithridatic War

357

CAP.
IX ὑπελέλειπτο, καὶ πολέμων ἀφορμὰς ἠρεσχήλει δι' ἐπιθυμίαν θριάμβου· Μιθριδάτης δ' ἐς τὸν Πόντον ἐσπλεύσας Κόλχοις καὶ Βοσποριανοῖς ἀφισταμένοις ἐπολέμει. ὧν Κόλχοι τὸν υἱὸν παρ' αὐτοῦ, Μιθριδάτην, βασιλέα σφίσιν ᾐτοῦντο δοθῆναι, καὶ λαβόντες αὐτίκα ὑπήκουσαν. ὑποπτεύσας δ' ὁ βασιλεὺς τόδε πρὸς τοῦ παιδὸς αὐτοῦ βασιλείας ἐπιθυμοῦντος γενέσθαι, καλέσας αὐτὸν ἔδησεν ἐν πέδαις χρυσαῖς καὶ μετ' οὐ πολὺ ἀπέκτεινε, πολλὰ χρήσιμόν οἱ περὶ τὴν Ἀσίαν ἐν τοῖς πρὸς Φιμβρίαν ἀγῶσι γενόμενον. ἐπὶ δὲ Βοσποριανοὺς ναῦς τε συνεπήγνυτο καὶ στρατὸν ἠτοιμάζετο πολύν, ὡς τὸ μέγεθος αὐτοῦ τῆς παρασκευῆς δόξαν ἐγεῖραι ταχεῖαν, οὐκ ἐπὶ Βοσποριανοῖς ἀλλ' ἐπὶ Ῥωμαίοις τάδε συλλέγεσθαι. οὐ γάρ πω οὐδ' Ἀριοβαρζάνῃ πᾶσαν ἐβεβαίου Καππαδοκίαν, ἀλλ' ἔστιν αὐτῆς ἃ καὶ τότε κατεῖχεν. Ἀρχέλαόν τε ἐν ὑποψίαις ἐτίθετο ὡς πολλὰ πέρα τοῦ δέοντος κατὰ τὴν Ἑλλάδα ἐν ταῖς διαλύσεσιν ἐπιχωρήσαντα τῷ Σύλλᾳ. ὧν ὁ Ἀρχέλαος αἰσθανόμενός τε καὶ δείσας ἐς Μουρήναν ἔφυγε, καὶ παροξύνας αὐτὸν ἔπεισε Μιθριδάτῃ προεπιχειρεῖν. Μουρήνας μὲν δὴ διὰ Καππαδοκίας αὐτίκα ἐσβαλὼν ἐς Κόμανα, κώμην ὑπὸ τῷ Μιθριδάτῃ μεγίστην, σεβάσμιον ἱερὸν καὶ πλούσιον ἔχουσαν, ἱππέας τινὰς ἔκτεινε τοῦ Μιθριδάτου, καὶ πρέσβεσιν αὐτοῦ τὰς συνθήκας προτείνουσιν οὐκ ἔφη συνθήκας ὁρᾶν· οὐ γὰρ συνεγέγραπτο Σύλλας, ἀλλ' ἔργῳ τὰ λεχθέντα βεβαιώσας ἀπήλλακτο. ταῦτα δ' εἰπὼν ὁ Μουρήνας εὐθέως ἐλεηλάτει, καὶ οὐδὲ τῶν ἱερῶν χρημάτων ἀποσχόμενος ἐχείμαζεν ἐν Καππαδοκίᾳ.

THE MITHRIDATIC WARS

of Asia, sought trifling pretexts for war, being ambitious of a triumph. Mithridates, after his return to Pontus, went to war with the Colchians and the tribes around the Cimmerian Bosporus who had revolted from him. The Colchians asked him to give them his son, Mithridates, as their ruler, and when he did so they at once returned to their allegiance. The king suspected that this was brought about by his son through his own ambition to be king. Accordingly he sent for him and first bound him with golden fetters, and soon afterwards put him to death, although he had served him well in Asia in the battles with Fimbria. Against the tribes of the Bosporus he built a fleet and fitted out a large army. The magnitude of his preparations quickly gave rise to the belief that they were made not against those tribes, but against the Romans, for he had not yet even restored the whole of Cappadocia to Ariobarzanes, but still retained a part of it. He also had suspicions of Archelaus, thinking that he had yielded far more than was necessary to Sulla in his negotiations in Greece. When Archelaus heard of this he became alarmed and fled to Murena, and by working on him persuaded him to anticipate Mithridates in beginning hostilities. Murena marched suddenly through Cappadocia and attacked Comana, a very large country town belonging to Mithridates, with a rich and venerable temple, and killed some of the king's cavalry. When the king's ambassadors appealed to the treaty he replied that he saw no treaty; for Sulla had not written it out, but had gone away after seeing what he proposed orally carried out in fact. When Murena had delivered this answer he began robbing forthwith, not even sparing the money of the temples, and then went into winter quarters in Cappadocia.

CHAP. IX

Aggressions of Murena

APPIAN'S ROMAN HISTORY, BOOK XII

CAP.
IX

65. Μιθριδάτης δ' ἐς Ῥώμην ἔπεμπε πρός τε τὴν βουλὴν καὶ πρὸς Σύλλαν, αἰτιώμενος ἃ ποιεῖ Μουρήνας. ὁ δ' ἐν τούτῳ τὸν Ἅλυν ποταμὸν περάσας, μέγαν τε ὄντα καὶ δύσπορον τότε μάλιστα αὐτῷ γενόμενον ὑπ' ὄμβρων, τετρακοσίας τοῦ Μιθριδάτου κώμας ἐπέτρεχεν, οὐκ ἀπαντῶντος ἐς οὐδὲν αὐτῷ τοῦ βασιλέως, ἀλλὰ τὴν πρεσβείαν ἀναμένοντος. λείας δὲ πολλῆς καταγέμων ἐς Φρυγίαν καὶ Γαλατίαν ἐπανῄει, ἔνθα αὐτῷ Καλίδιος, ἐπὶ ταῖς Μιθριδάτου μέμψεσι πεμφθεὶς ἀπὸ Ῥώμης, ψήφισμα μὲν οὐδὲν ἐπέδωκεν, ἔφη δ' ἐς ἐπήκοον ἐν μέσῳ τὴν βουλὴν αὐτῷ κελεύειν φείδεσθαι τοῦ βασιλέως ὄντος ἐνσπόνδου. ταῦτα δ' εἰπὼν ὤφθη διαλεγόμενος αὐτῷ μόνῳ, καὶ ὁ Μουρήνας οὐδὲν ἀνεὶς τῆς ὁρμῆς καὶ τότε τὴν γῆν ἐπῄει τὴν τοῦ Μιθριδάτου. ὁ δὲ σαφῶς ὑπὸ Ῥωμαίων ἡγούμενος πολεμεῖσθαι, Γόρδιον ἐς τὰς κώμας ἐσβαλεῖν ἐκέλευσεν. καὶ αὐτίκα ὁ Γόρδιος ὑποζύγιά τε πολλὰ καὶ σκευοφόρα καὶ ἀνθρώπους, ἰδιώτας τε καὶ στρατιώτας, συνήρπαζε, καὶ αὐτῷ Μουρήνα, μέσον λαβὼν ποταμόν, ἀντεκαθέζετο. μάχης δ' οὐδέτερος ἦρχεν, ἕως ἀφίκετο Μιθριδάτης σὺν τῷ πλείονι στρατῷ. καὶ εὐθὺς ἀμφὶ τῷ ποταμῷ μάχη γίγνεται καρτερά. καὶ βιασάμενος ὁ Μιθριδάτης ἐπέρα τὸν ποταμόν, καὶ τἆλλα πολὺ κρείττων τοῦ Μουρήνα γενόμενος. ὁ δ' ἐς λόφον καρτερὸν ἀναφυγών, ἐπιχειροῦντος αὐτῷ τοῦ βασιλέως πολλοὺς ἀποβαλὼν ἔφευγε διὰ τῶν ὀρεινῶν ἐπὶ Φρυγίας, ὁδὸν ἀτριβῆ, βαλλόμενός τε καὶ χαλεπῶς.

66. Ἥ τε νίκη λαμπρὰ καὶ ὀξεῖα ἐξ ἐφόδου γενομένη ταχὺ διέπτη καὶ πολλοὺς ἐς τὸν Μιθρι-

THE MITHRIDATIC WARS

65. Mithridates sent an embassy to the Senate and to Sulla to complain of the acts of Murena. The latter, meantime, had passed over the river Halys, which was then swollen by rains and very difficult to cross. He overran 400 villages belonging to Mithridates, for the king offered no opposition, but waited for the return of his embassy. He then returned to Phrygia and Galatia loaded with plunder. There he met Calidius, who had been sent from Rome on account of the complaints of Mithridates. Calidius did not bring a decree of the Senate, but he declared in the hearing of all that the Senate ordered him not to molest the king, who was at peace with them. After he had thus spoken he was seen talking to Murena alone, and Murena abated nothing of his violence, but again invaded the territory of Mithridates. The latter, thinking that open war had been ordered by the Romans, directed his general, Gordius, to retaliate on their villages. Gordius straightway seized and carried off a large number of yoke-animals, beasts of burden, and men, both private citizens and soldiers, and took position against Murena himself, with a river flowing between them. Neither of them began the fight until Mithridates came up with a large army, when a severe engagement immediately took place on the banks of the river. Mithridates prevailed and crossed the river, and in all respects got the better of Murena. The latter retreated to a strong hill where the king attacked him. After losing many men Murena fled over the mountains to Phrygia by a pathless route, severely harassed by the missiles of the enemy.

CHAP. IX
B.C. 82
Mithridates appeals to Rome

He attacks and defeats Murena

66. The news of this brilliant and rapid victory spread quickly and caused many to change sides to

CAP.
IX

δάτην μετέβαλεν. ὁ δὲ καὶ τὰ ἐν Καππαδοκίᾳ φρούρια τοῦ Μουρήνα πάντα ἐπιδραμών τε καὶ ἐξελάσας ἔθυε τῷ στρατίῳ Διὶ πάτριον θυσίαν ἐπὶ ὄρους ὑψηλοῦ, κορυφὴν μείζονα ἄλλην ἀπὸ ξύλων ἐπιτιθείς. πρῶτοι δ᾽ ἐς αὐτὴν οἱ βασιλεῖς ξυλοφοροῦσι, καὶ περιθέντες ἑτέραν ἐν κύκλῳ βραχυτέραν τῇ μὲν ἄνω γάλα καὶ μέλι καὶ οἶνον καὶ ἔλαιον καὶ θυμιάματα πάντα ἐπιφοροῦσι, τῇ δ᾽ ἐπιπέδῳ σῖτόν τε καὶ ὄψον ἐς ἄριστον τοῖς παροῦσιν ἐπιτιθέντες, οἷόν τι καὶ ἐν Πασαργάδαις ἐστὶ τοῖς Περσῶν βασιλεῦσι θυσίας γένος, ἅπτουσι τὴν ὕλην. ἡ δ᾽ αἰθομένη διὰ τὸ μέγεθος τηλοῦ τε χιλίων σταδίων γίγνεται τοῖς πλέουσι καταφανής, καὶ πελάσαι φασὶν ἐς πολλὰς ἡμέρας, αἰθομένου τοῦ ἀέρος, οὐ δυνατὸν εἶναι.

Ὁ μὲν δὴ τὴν θυσίαν ἦγε πατρίῳ νόμῳ· Σύλλα δ᾽ οὐκ ἀξιοῦντος Μιθριδάτην ἔνσπονδον πολεμεῖσθαι, Αὖλος Γαβίνιος ἐπέμφθη Μουρήνᾳ μὲν ἀληθῆ τήνδε προαγόρευσιν ἐρῶν, μὴ πολεμεῖν Μιθριδάτῃ, Μιθριδάτην δὲ καὶ Ἀριοβαρζάνην ἀλλήλοις συναλλάξων. ὁ δὲ Μιθριδάτης ἐν τῇδε τῇ συνόδῳ παιδίον τετραετὲς ἐγγυήσας τῷ Ἀριοβαρζάνῃ, καὶ ἐπὶ τῇδε προφάσει λαβὼν ἔχειν Καππαδοκίας ὅσα τε εἶχε καὶ ἕτερα ἐπ᾽ ἐκείνοις, εἱστία πάντας, καὶ χρυσίον ἐπὶ τε τῇ κύλικι καὶ τῇ τροφῇ καὶ ἐπὶ σκώμμασι καὶ ἐπὶ ᾠδῇ πᾶσιν, ὥσπερ εἰώθει, προυτίθει· οὐ μόνος Γαβίνιος οὐχ ἥψατο. ὁ μὲν δὴ δεύτερος Μιθριδάτῃ καὶ Ῥωμαίοις πόλεμος τρίτῳ μάλιστα ἔτει ἐς τοῦτο διελύετο.

THE MITHRIDATIC WARS

Mithridates. He drove all of Murena's garrisons out of Cappadocia and offered sacrifice to Zeus Stratius [1] on a lofty pile of wood on a high hill, according to the fashion of his country, which is as follows. First, the kings themselves carry wood to the heap. Then they make a smaller pile encircling the other one. On the higher pile they pour milk, honey, wine, oil, and various kinds of incense. On the lower they spread a banquet of bread and meat for those present (as at the sacrifices of the Persian kings at Pasargadae) and then they set fire to the wood. The height of the flame is such that it can be seen at a distance of 1000 stades from the sea, and they say that nobody can come near it for several days on account of the heat. Mithridates performed a sacrifice of this kind according to the custom of his country.

Sulla however thought that it was not right to make war against Mithridates when he had not violated the treaty. Accordingly, Aulus Gabinius was sent to tell Murena that the former order, that he should not fight Mithridates, was to be taken seriously, and to reconcile Mithridates and Ariobarzanes with each other. At a conference between them Mithridates betrothed his little daughter, four years old, to Ariobarzanes, and on this pretext stipulated that he should not only retain that part of Cappadocia which he then held, but have another part in addition. Then he gave a banquet to all, with prizes of gold for those who should excel in drinking, eating, jesting, singing, and so forth, as was customary—a contest in which Gabinius alone took no part. Thus the second war between Mithridates and the Romans, lasting about three years, came to an end.

[1] That is, "God of armies."

APPIAN'S ROMAN HISTORY, BOOK XII

X

CAP. X

67. Καὶ σχολὴν ἄγων ὁ Μιθριδάτης Βόσπορον ἐχειροῦτο, καὶ βασιλέα αὐτοῖς τῶν υἱέων ἕνα ἀπεδείκνυ Μαχάρην. ἐς δ' Ἀχαιοὺς τοὺς ὑπὲρ Κόλχους ἐσβαλών, οἳ δοκοῦσιν εἶναι τῶν ἐκ Τροίας κατὰ τὴν ἐπάνοδον πλανηθέντων, δύο μέρη τοῦ στρατοῦ πολέμῳ τε καὶ κρύει καὶ ἐνέδραις ἀποβαλὼν ἐπανῆλθε, καὶ ἐς Ῥώμην ἔπεμπε τοὺς συγγραψομένους τὰ συγκείμενα. ἔπεμπε δὲ καὶ Ἀριοβαρζάνης, εἴθ' ἑκὼν εἴτε πρός τινων ἐνοχλούμενος, οὐκ ἀπολαμβάνειν Καππαδοκίαν, ἀλλὰ τὸ πλέον αὐτῆς ἔτι Μιθριδάτην ἀφαιρεῖσθαι. Μιθριδάτης μὲν οὖν, Σύλλα κελεύοντος αὐτῷ μεθεῖναι Καππαδοκίαν, μεθῆκε, καὶ ἑτέραν πρεσβείαν ἐπέπεμπεν ἐπὶ τὰς τῶν συνθηκῶν συγγραφάς· ἤδη δὲ Σύλλα τεθνεῶτος, οὐκ ἐπαγόντων αὐτὴν ὡς ἐν ἀσχολίᾳ τῶν προβούλων ἐπὶ τὸ κοινόν, Τιγράνη τὸν γαμβρὸν Μιθριδάτης ἔπεισεν ἐς Καππαδοκίαν ἐμβαλεῖν ὥσπερ ἀφ' ἑαυτοῦ. καὶ τὸ μὲν σόφισμα οὐκ ἔλαθε Ῥωμαίους, ὁ δ' Ἀρμένιος Καππαδοκίαν σαγηνεύσας ἐς τριάκοντα μυριάδας ἀνθρώπων ἀνασπάστους ἐς Ἀρμενίαν ἐποίησε, καὶ συνῴκιζεν αὐτοὺς μεθ' ἑτέρων ἔς τι χωρίον ἔνθα πρῶτον Ἀρμενίας τὸ διάδημα αὐτὸς περιεθήκατο, καὶ Τιγρανόκερτα ἀφ' ἑαυτοῦ προσεῖπεν· δύναται δ' εἶναι Τιγρανόπολις.

68. Καὶ τάδε μὲν ἦν ἐν Ἀσίᾳ· Σερτώριος δ' Ἰβηρίας ἡγούμενος αὐτήν τε Ἰβηρίαν καὶ τὰ περίοικα πάντα ἐπὶ Ῥωμαίους ἀνίστη, καὶ βουλὴν ἐκ τῶν οἱ συνόντων, ἐς μίμημα τῆς συγκλήτου,

THE MITHRIDATIC WARS

X

67. As Mithridates was now at leisure he subdued the tribes of the Bosporus and appointed Machares, one of his sons, king over them. Then he fell upon the Achaeans beyond Colchis (who are supposed to be descended from those who lost their way when returning from the Trojan war), but lost two divisions of his army, partly in battle, partly by cold, and partly by stratagem. When he returned home he sent ambassadors to Rome to sign the agreements. At the same time Ariobarzanes, either of his own notion or owing to the importunacy of others, sent thither to complain that Cappadocia had not been delivered up to him, but that a greater part of it was yet retained by Mithridates. Sulla commanded Mithridates to give up Cappadocia. He did so, and then sent another embassy to sign the agreements. But now Sulla had died, and as the Senate was otherwise occupied the consuls did not admit them. So Mithridates persuaded his son-in-law, Tigranes, to make an incursion into Cappadocia as though it were on his own account. This artifice did not deceive the Romans, but the Armenian king drew a cordon round Cappadocia, carried off about 300,000 people to his own country and settled them, with others, in a certain place where he had first assumed the diadem of Armenia and which he had called after himself, Tigranocerta, or the city of Tigranes.

CHAP. X
B.C. 80
New troubles brewing

B.C. 78

68. While these things were taking place in Asia Sertorius, the governor of Spain, incited that province and all the neighbouring country to rebel against the Romans, and selected from his associates a senate in

Mithridates forms an alliance with Sertorius
B.C. 75

CAP. X κατέλεγεν. δύο δ' αὐτοῦ τῶν στασιωτῶν, Λεύκιοι, Μάγιός τε καὶ Φάννιος, Μιθριδάτην ἔπειθον συμμαχῆσαι τῷ Σερτωρίῳ, πολλὰ περὶ τῆς Ἀσίας αὐτὸν καὶ τῶν ἐγγὺς ἐθνῶν ἐπελπίζοντες. ὁ μὲν δὴ πεισθεὶς ἐς τὸν Σερτώριον ἔπεμψεν· ὁ δὲ τοὺς πρέσβεις ἐς τὴν ἑαυτοῦ σύγκλητον παραγαγών τε, καὶ μεγαλοφρονησάμενος ὅτι τὸ κλέος αὐτοῦ καὶ ἐς τὸν Πόντον διίκετο καὶ Ῥωμαίους ἔξοι πολιορκεῖν ἀπό τε δύσεως καὶ ἐξ ἀνατολῆς, συνετίθετο τῷ Μιθριδάτῃ δώσειν Ἀσίαν τε καὶ Βιθυνίαν καὶ Παφλαγονίαν καὶ Καππαδοκίαν καὶ Γαλατίαν, στρατηγόν τε αὐτῷ Μᾶρκον Οὐάριον καὶ συμβούλους τοὺς Λευκίους, Μάγιόν τε καὶ Φάννιον, ἔπεμψεν. μεθ' ὧν ὁ Μιθριδάτης ἐξέφαινε τὸν τρίτον καὶ τελευταῖον οἱ γενόμενον ἐς Ῥωμαίους πόλεμον, ἐν ᾧ πᾶσαν ἀπώλεσε τὴν ἀρχὴν Σερτωρίου μὲν ἀποθανόντος, ἐν Ἰβηρίᾳ, ἐπιπεμφθέντων δέ οἱ στρατηγῶν ἀπὸ Ῥώμης προτέρου Λευκόλλου τοῦδε τοῦ νεναυαρχηκότος Σύλλᾳ, ὑστέρου δὲ Πομπηίου, ἐφ' ὅτου πάντα ὅσα ἦν Μιθριδάτου καὶ ὅσα αὐτοῖς γειτονεύοντα, μέχρι ἐπὶ ποταμὸν Εὐφράτην, προφάσει καὶ ὁρμῇ τοῦ Μιθριδατείου πολέμου ἐς Ῥωμαίους ἅπαντα περιηνέχθη.

69. Μιθριδάτης μὲν οὖν, οἷα Ῥωμαίων πολλάκις ἐς πεῖραν ἐλθών, καὶ τόνδε μάλιστα τὸν πόλεμον ἡγούμενος, ἀπροφασίστως δὴ καὶ ὀξέως γενόμενον, ἄσπειστον ἕξειν, πᾶσαν ἐπενόει παρασκευὴν ὡς ἄρτι δὴ κριθησόμενος περὶ ἁπάντων. καὶ τὸ λοιπὸν τοῦ θέρους καὶ τὸν χειμῶνα ὅλον ὑλοτομῶν ἐπήγνυτο ναῦς καὶ ὅπλα, καὶ σίτου διακοσίας μεδίμνων μυριάδας ἐπὶ θαλάσσῃ

THE MITHRIDATIC WARS

imitation of that of Rome. Two members of his faction, Lucius Magius and Lucius Fannius, proposed to Mithridates that he should ally himself with Sertorius, holding out to him great hopes of Asia and the neighbouring nations. Mithridates fell in with this suggestion and sent ambassadors to Sertorius. The latter introduced them to his senate and prided himself that his fame had extended to Pontus, and that he could now besiege the Roman power from both the east and the west. So he made a treaty with Mithridates to give him Asia, Bithynia, Paphlagonia, Cappadocia, and Galatia, and sent Marcus Varius to him as a general and the two Luciuses, Magius and Fannius, as counsellors. With their assistance Mithridates began his third and last war against the Romans, in the course of which he lost his entire kingdom, and Sertorius lost his life in Spain. Two generals were sent against Mithridates from Rome; the first, Lucullus, the same who had served as prefect of the fleet under Sulla; the second, Pompey, by whom the whole of his dominions, and the adjoining territory as far as the river Euphrates, owing to the pretext and impulse for annexation which the Mithridatic war supplied, were brought under Roman sway.

69. Mithridates had been in collision with the Romans so often that he knew that this war, above all, so inexcusably and hastily begun, would be an implacable one. He made every preparation with the thought that all would now be at stake. The remainder of the summer and the whole of the winter he spent in cutting timber, building ships, and making arms. He distributed 2,000,000 medimni

CAP. διετίθει. σύμμαχοί τε αὐτῷ προσεγίγνοντο, χωρὶς
X τῆς προτέρας δυνάμεως, Χάλυβες Ἀρμένιοι
Σκύθαι Ταῦροι Ἀχαιοὶ Ἡνίοχοι Λευκόσυροι,
καὶ ὅσοι περὶ Θερμώδοντα ποταμὸν γῆν ἔχουσι
τὴν Ἀμαζόνων λεγομένην. τοσαῦτα μὲν ἐπὶ
τοῖς προτέροις αὐτῷ περὶ τὴν Ἀσίαν προσεγίγ-
νετο, περάσαντι δ' ἐς τὴν Εὐρώπην Σαυροματῶν
οἵ τε βασίλειοι καὶ Ἰάζυγες καὶ Κόραλλοι, καὶ
Θρᾳκῶν ὅσα γένη παρὰ τὸν Ἴστρον ἢ Ῥοδόπην
ἢ τὸν Αἷμον οἰκοῦσι, καὶ ἐπὶ τοῖσδε Βαστέρναι,
τὸ ἀλκιμώτατον αὐτῶν γένος. τοσάδε μὲν δὴ
καὶ τῆς Εὐρώπης τότε προσελάμβανεν ὁ Μιθρι-
δάτης. καὶ μυριάδες ἐκ πάντων ἐς τὸ μάχιμον
αὐτῷ συνελέγοντο τεσσαρεσκαίδεκα μάλιστα
πεζῶν, καὶ ἱππεῖς ἐπὶ μυρίοις ἑξακισχίλιοι.
πολὺς δὲ καὶ ἄλλος ὅμιλος ὁδοποιῶν καὶ σκευο-
φόρων εἵπετο καὶ ἐμπόρων.

70. Ἀρχομένου δ' ἦρος ἀπόπειραν τοῦ ναυτικοῦ
ποιησάμενος, ἔθυε τῷ στρατίῳ Διὶ τὴν συνήθη
θυσίαν, καὶ Ποσειδῶνι λευκῶν ἵππων ἅρμα καθεὶς
ἐς τὸ πέλαγος ἐπὶ Παφλαγονίας ἠπείγετο, στρατ-
ηγούντων αὐτῷ Ταξίλου τε καὶ Ἑρμοκράτους. ὡς
δ' ἀφίκετο, ἐδημηγόρησε τῷ στρατῷ περί τε τῶν
προγόνων μάλα σεμνολόγως καὶ περὶ αὐτοῦ
μεγαληγόρως, ὅτι τὴν ἀρχὴν ἐκ βραχέος ἐπὶ
πλεῖστον προαγαγὼν οὔποτε Ῥωμαίων ἡττηθείη
παρών. εἶτα κατηγόρησεν αὐτῶν ἐς πλεονεξίαν
καὶ ἀμετρίαν, ὑφ' ἧς, ἔφη, καὶ τὴν Ἰταλίαν καὶ
τὴν πατρίδα αὐτὴν δεδούλωνται. καὶ τὰς γενο-
μένας οἱ τελευταίας συνθήκας ἐπέφερεν ὡς οὐκ
ἐθέλουσιν ἀναγράψασθαι, καιροφυλακοῦντες αὖθις

of corn along the coast. Besides his former forces he had for allies the Chalybes, Armenians, Scythians, Taurians, Achaeans, Heniochi, Leucosyrians, and those who occupy the territory about the river Thermodon, called the country of the Amazons. These additions to his former strength were from Asia. In Europe he drew from the Sarmatian tribes, both the Basilidae and the Iazyges, the Coralli, and those Thracians who dwelt along the Danube and on the Rhodope and Haemus mountains, and besides these the Bastarnae, the bravest nation of all. Altogether Mithridates recruited a fighting force of about 140,000 foot and 16,000 horse. A great crowd of road-makers, baggage-carriers, and sutlers followed.

70. At the beginning of spring Mithridates made trial of his navy and sacrificed to Zeus Stratius in the customary manner, and also to Poseidon by plunging a chariot with white horses into the sea. Then he hastened against Paphlagonia with his two generals, Taxiles and Hermocrates, in command of his army. When he arrived there he made a speech to his soldiers, speaking proudly about his ancestors and boastfully about himself, telling how he had raised his kingdom to greatness from small beginnings, and how his army had never been defeated by the Romans when he was present. He accused the Romans of boundless greed, "dominated by which," he said, "they have even enslaved Italy and their own fatherland." He accused them of bad faith respecting the last treaty, saying that they were not willing to register it because they were watching for an oppor-

CAP. ἐπιθέσθαι. καὶ τοῦτο αἴτιον τοῦ πολέμου τιθέ-
X μενος, ἐπῆγε τὴν ἑαυτοῦ στρατιὰν ὅλην καὶ
παρασκευήν, καὶ Ῥωμαίων ἀσχολίαν πολεμου-
μένων ὑπὸ Σερτωρίου κατὰ κράτος ἐν Ἰβηρίᾳ καὶ
στασιαζόντων ἐς ἀλλήλους ἀνὰ τὴν Ἰταλίαν.
"διὸ καὶ τῆς θαλάσσης," ἔφη, "καταφρονοῦσι
λῃστευομένης πολὺν ἤδη χρόνον, καὶ σύμμαχος
αὐτοῖς οὐδείς ἐστιν, οὐδ᾽ ὑπήκοος ἑκούσιος ἔτι.
οὐχ ὁρᾶτε δ᾽ αὐτῶν," ἔφη, "καὶ τοὺς ἀρίστους,"
ἐπιδεικνὺς Οὐάριόν τε καὶ τοὺς Λευκίους, "πολε-
μίους μὲν ὄντας τῇ πατρίδι, συμμάχους δ᾽ ἡμῖν;"

71. Ταῦτ᾽ εἰπὼν καὶ τὸν στρατὸν ἐρεθίσας
ἐνέβαλεν ἐς Βιθυνίαν, Νικομήδους ἄρτι τεθνεῶτος
ἄπαιδος καὶ τὴν ἀρχὴν Ῥωμαίοις ἀπολιπόντος.
Κόττας δ᾽ ἡγούμενος αὐτῆς, ἀσθενὴς τὰ πολέμια
πάμπαν, ἔφυγεν ἐς Χαλκηδόνα μεθ᾽ ἧς εἶχε δυνά-
μεως. καὶ Βιθυνία μὲν ἦν αὖθις ὑπὸ τῷ Μιθρι-
δάτῃ, τῶν πανταχοῦ Ῥωμαίων ἐς Χαλκηδόνα πρὸς
Κότταν συνθεόντων. ἐπιόντος δὲ καὶ τῇ Χαλκη-
δόνι τοῦ Μιθριδάτου, Κόττας μὲν ὑπ᾽ ἀπραξίας
οὐ προῄει, Νοῦδος δὲ ὁ ναύαρχος αὐτοῦ, σὺν μέρει
τινὶ στρατοῦ τὰ ὀχυρώτατα τοῦ πεδίου κατα-
λαβὼν καὶ ἐξελαθείς, ἔφυγεν ἐπὶ τὰς πύλας τῆς
Χαλκηδόνος διὰ θριγκίων πολλῶν πάνυ δυσχερῶς.
ἀμφί τε τὰς πύλας ὠθισμὸς ἦν ἐσπηδώντων ὁμοῦ·
ὅθεν οὐδὲν τοῖς διώκουσιν αὐτοὺς βέλος ἠτύχει.
ὡς δὲ καὶ περὶ τῶν πυλῶν δείσαντες οἱ φύλακες
τὰ κλεῖθρα καθῆκαν ἐς αὐτὰς ἀπὸ μηχανῆς,
Νοῦδον μὲν καὶ τῶν ἄλλων ἡγεμόνων τινὰς καλῳ-
δίοις ἀνιμήσαντο, οἱ δὲ λοιποὶ μεταξὺ τῶν τε
φίλων καὶ τῶν πολεμίων ἀπώλλυντο, τὰς χεῖρας

THE MITHRIDATIC WARS

tunity to violate it again. After thus setting forth the cause of the war he dwelt upon the composition of his army and his resources, upon the preoccupation of the Romans, who were waging a difficult war with Sertorius in Spain, and were torn with civil dissensions throughout Italy, "for which reason," he said, "they have allowed the sea to be overrun by pirates a long time, and have not a single ally, nor any subjects who still obey them willingly. Do you not see," he added, "some of their noblest citizens (pointing to Varius and the two Luciuses) at war with their own country and allied with us?"

71. When he had finished speaking and exciting his army, he invaded Bithynia. Nicomedes had lately died childless and bequeathed his kingdom to the Romans. Cotta, its governor, a man altogether unwarlike, fled to Chalcedon with what forces he had, and thus Bithynia again passed under the rule of Mithridates, and the Romans flocked from all directions to Cotta at Chalcedon. When Mithridates advanced to that place Cotta did not go out to meet him because he was inexperienced in military affairs, but his naval prefect, Nudus, with a part of the army occupied the strongest positions on the plain. He was driven out of it, however, and fled to the gates of Chalcedon over many walls which greatly obstructed his movement. There was a struggle at the gates among those trying to gain entrance simultaneously, for which reason no missile cast by the pursuers missed its mark. The guards, fearing also for the gates, let the bolt down from the machine. Nudus and some of the other officers were drawn up by ropes. The remainder perished between their friends and their foes, holding out their

CAP. ἐς ἑκατέρους ὀρέγοντες. ὅ τε Μιθριδάτης τῇ
X φορᾷ τῆς εὐτυχίας χρώμενος ἐπῆγεν αὐτῆς ἡμέρας
ἐπὶ τὸν λιμένα τὰς ναῦς, καὶ τὸ κλεῖθρον ἀλύσει
χαλκῇ δεδεμένον ἀπορρήξας τέσσαρας μὲν ἐνέ-
πρησε τῶν πολεμίων, τὰς δὲ λοιπὰς ἑξήκοντα
ἀνεδήσατο, οὐδὲν οὔτε Νούδου κωλύοντος ἔτι οὔτε
Κόττα, ἀλλ' ἐς τὰ τείχη συγκεκλεισμένων. ἀπέ-
θανον δὲ Ῥωμαίων μὲν ἐς τρισχιλίους, καὶ Λεύκιος
Μάλλιος, ἀνὴρ ἀπὸ βουλῆς, Μιθριδάτου δὲ Βασ-
τερνῶν τῶν πρώτων ἐσπεσόντων ἐς τὸν λιμένα
εἴκοσιν.

XI

CAP. 72. Λεύκιος δὲ Λεύκολλος ὑπατεύειν καὶ στρα-
XI τηγεῖν αἱρεθεὶς τοῦδε τοῦ πολέμου τέλος μέν τι
στρατιωτῶν ἦγεν ἐκ Ῥώμης, δύο δ' ἄλλα τὰ
Φιμβρίου καὶ ἐπ' αὐτοῖς ἕτερα δύο προσλαβών,
σύμπαντας ἔχων πεζοὺς τρισμυρίους καὶ ἱππέας
ἐς χιλίους ἐπὶ ἑξακοσίοις, παρεστρατοπέδευε τῷ
Μιθριδάτῃ περὶ Κύζικον. καὶ δι' αὐτομόλων
ἐπιγνοὺς εἶναι τῷ βασιλεῖ στρατιὰν μὲν ἀνδρῶν
ἀμφὶ μυριάδας τριάκοντα, ἀγορὰν δὲ εἴ τι σιτο-
λογοῦντες ἢ ἐκ θαλάσσης λάβοιεν, ἔφη πρὸς τοὺς
ἀμφ' αὑτὸν ἀμαχὶ λήψεσθαι τοὺς πολεμίους
αὐτίκα, καὶ τοῦ ἐπαγγέλματος αὐτοῖς ἐνεκελεύετο
μνημονεύειν. ὄρος δὲ ἰδὼν εὔκαιρον ἐς στρατο-
πεδείαν, ὅθεν αὐτὸς μὲν εὐπορήσειν ἔμελλεν
ἀγορᾶς, τοὺς δὲ πολεμίους ἀποκλείσειν, ἐπεχείρει
καταλαβεῖν ὡς ἐν τῷδε τὴν νίκην ἀκίνδυνον ἕξων.
μιᾶς δ' οὔσης ἐς αὐτὸ διόδου στενῆς, ὁ Μιθριδάτης
αὐτὴν ἐφύλαττεν ἐγκρατῶς, ὧδε καὶ Ταξίλου καὶ

hands in entreaty to both. Mithridates made good use of his success. He moved his ships up to the harbour the same day, broke the brazen chain that closed the entrance, burned four of the enemy's ships, and towed the remaining sixty away, neither Nudus nor Cotta offering further resistance, for they remained shut up inside the walls. The Roman loss was about 3000, including Lucius Manlius, a man of senatorial rank. Mithridates lost twenty of his Bastarnae, who were the first to break into the harbour.

XI

72. Lucius Lucullus, who had been chosen consul and general for this war, led one legion of soldiers from Rome, joined with it the two of Fimbria, and added two others, making in all 30,000 foot and about 1600 horse, with which he pitched his camp near that of Mithridates at Cyzicus. When he learned from deserters that the king's army contained about 300,000 men and that all his supplies were furnished by foragers or came by sea, he said to those around him that he would at once reduce the enemy without fighting, and he told them to remember his promise. Seeing a mountain well suited for a camp, where he could readily obtain supplies, and could cut off those of the enemy, he moved forward to occupy it in order to gain a victory by that means without danger. There was only one narrow pass leading to it, and Mithridates held it with a strong guard, having been advised to do so by

CAP. XI τῶν ἄλλων ἡγεμόνων αὐτῷ παραινούντων. Λεύκιος δὲ Μάγιος ὁ Σερτωρίῳ καὶ Μιθριδάτῃ τὰ ἐς ἀλλήλους διαιτήσας, ἀνῃρημένου τοῦ Σερτωρίου πρὸς Λεύκολλον ἐπεπόμφει κρύφα, καὶ πίστιν λαβὼν μετέπειθε τὸν Μιθριδάτην ὑπεριδεῖν Ῥωμαίων παροδευόντων τε καὶ στρατοπεδευόντων ὅπῃ θελήσειαν. τὰ γὰρ ὑπὸ Φιμβρίᾳ γενόμενα δύο τέλη βουλεύειν αὐτομολίαν, καὶ αὐτίκα τῷ βασιλεῖ προσέσεσθαι· τί οὖν χρῄζειν αὐτὸν ἀγῶνος καὶ φόνου, δυνάμενον ἀμαχὶ κρατῆσαι τῶν πολεμίων; οἷς ὁ Μιθριδάτης συνθέμενος ἀνοήτως μάλα καὶ ἀνυπόπτως, περιεῖδε Ῥωμαίους διὰ στενοῦ παροδεύοντας ἀδεῶς καὶ ἐπιτειχίζοντας αὐτῷ μέγα ὄρος, οὗ κρατοῦντες αὐτοὶ μὲν ὄπισθεν ἔμελλον ἀγορὰν ἀδεῶς ἐπάξεσθαι, Μιθριδάτην δὲ λίμνῃ καὶ ὄρεσι καὶ ποταμοῖς ἀποκλείσειν τῶν κατὰ γῆν ἁπάντων, ὅ τι μὴ γλίσχρως ποτὲ λάβοι, οὔτε ἐξόδους εὐρείας ἔτι ἔχοντα, οὔτε βιάζεσθαι δυνάμενον ἔτι Λεύκολλον ὑπὸ τῆς δυσχωρίας, ἧς κρατῶν κατεφρόνησεν. ὅ τε χειμὼν ἤδη πλησιάζων ἔμελλε καὶ τῶν ἀπὸ τῆς θαλάσσης αὐτὸν ἐν ἀπορίᾳ καταστήσειν. ἃ θεωρῶν ὁ Λεύκολλος τοὺς φίλους ἀνεμίμνησκε τῆς ὑποσχέσεως, καὶ τὸ ἐπαγγελθὲν ὡς παρὸν ἐδείκνυ.

73. Ὁ δὲ Μιθριδάτης δυνηθεὶς ἂν ἴσως καὶ τότε διὰ τὸ πλῆθος διὰ μέσων ὤσασθαι τῶν πολεμίων, τούτου μὲν ὑπερεῖδε, Κυζίκῳ δὲ οἷς παρεσκεύασε πρὸς πολιορκίαν ἐπετίθετο, νομίσας ἐν τῷδε διορθώσειν τὴν δυσχωρίαν ὁμοῦ καὶ τὴν ἀπορίαν. οἷα δὲ εὐπορῶν στρατοῦ πολλοῦ, πᾶσιν ἔργοις

THE MITHRIDATIC WARS

Taxiles and his other officers. But Lucius Magius, who had brought about the alliance between Sertorius and Mithridates, now that Sertorius was dead, opened secret communications with Lucullus, and having secured pledges from him persuaded Mithridates to allow the Romans to pass through and encamp where they pleased. "The two legions of Fimbria," he said, "want to desert, and will come over to you directly. What is the use of a battle and bloodshed when you can conquer the enemy without fighting?" Mithridates assented to this advice heedlessly and without suspicion. He allowed the Romans to go through the pass unmolested and to fortify the great hill on his front, the possession of which would enable them to draw supplies themselves from their rear with security, while Mithridates, on the other hand, would be cut off by a lake, by mountains, and by rivers, from all provisions on the landward side, except an occasional supply secured with difficulty; he would have no easy way out and would no longer be able to overcome Lucullus on account of the impregnability of his position, which he had overlooked when himself in possession of the ground. Moreover, winter was now approaching and would soon interrupt his supplies by sea. Lucullus, observing this, reminded his friends of his promise, and showed them that his prediction was practically accomplished.

73. Although Mithridates might perhaps even now have been able to break through the enemy's lines by force of numbers, he neglected to do so, but pressed the siege of Cyzicus with the apparatus he had prepared, thinking that he should find a remedy in this way both for the badness of his position and for his want of supplies. As he had plenty of

CAP. ἐπεχείρει, τόν τε σταθμὸν ἀποτειχίζων τείχει
XI διπλῷ, καὶ τὰ λοιπὰ τῆς πόλεως ἀποταφρεύων.
χώματά τε ἤγειρε πολλά, καὶ μηχανὰς ἐπήγνυτο,
πύργους καὶ χελώνας κριοφόρους, ἑλέπολίν τε
ἑκατὸν πήχεων, ἐξ ἧς ἕτερος πύργος ἐπῆρτο κατα-
πέλτας καὶ λίθους καὶ βέλη ποικίλα ἀφιείς. κατὰ
δὲ τοὺς λιμένας δύο πεντήρεις ἐζευγμέναι πύργον
ἕτερον ἔφερον, ἐξ οὗ γέφυρα, ὁπότε προσπελάσειαν
ἐς τὸ τεῖχος, ὑπὸ μηχανῆς ἐξήλλετο. ὡς δ'
ἕτοιμα αὐτῷ πάντα ἐγεγένητο, πρῶτα μὲν τρισ-
χιλίους αἰχμαλώτους Κυζικηνοὺς ἐπὶ νεῶν τῇ
πόλει προσῆγεν, οἳ χεῖρας ἐς τὸ τεῖχος ὀρέγοντες
ἐδέοντο σφῶν κινδυνευόντων φείσασθαι τοὺς πολί-
τας, μέχρι Πεισίστρατος αὐτοῖς, ὁ στρατηγὸς ὁ
τῶν Κυζικηνῶν, ἀπὸ τοῦ τείχους ἐκήρυξε φέρειν
τὸ συμβαῖνον ἐγκρατῶς, αἰχμαλώτους γεγονότας.

74. Ὁ δὲ Μιθριδάτης ὡς ἀπέγνω τῆσδε τῆς
πείρας, ἐπῆγε τὴν ἐπὶ τῶν νεῶν μηχανήν· καὶ ἥ
τε γέφυρα ἐς τὸ τεῖχος ἐξήλατο ἄφνω, καὶ τέσσαρες
ἀπ' αὐτῆς ἄνδρες ἐξέδραμον. ᾧ δὴ καὶ μάλιστα
καινοτρόπῳ φανέντι καταπλαγέντες οἱ Κυζικηνοὶ
ἐπὶ μέν τι ὑπεχώρησαν, οὐκ ὀξέως δὲ ἑτέρων
ἐπιδραμόντων ἀνεθάρρησάν τε καὶ τοὺς τέσσαρας
κατέωσαν ἐς τὸ ἔξω, ταῖς τε ναυσὶ πῦρ καὶ πίσσαν
ἐπιχέαντες ἠνάγκασαν πρύμναν τε κρούσασθαι
καὶ ὑποχωρεῖν ὀπίσω μετὰ τοῦ μηχανήματος.
ὧδε μὲν δὴ τῶν κατὰ θάλασσαν ἐπενεχθέντων
ἐκράτουν οἱ Κυζικηνοί· τρίτα δ' αὐτοῖς ἐπήγετο
τῆς αὐτῆς ἡμέρας τὰ ἐν τῇ γῇ μηχανήματα ὁμοῦ
πάντα, πονουμένοις τε καὶ μεταθέουσιν ἐς τὸ ἀεὶ
βιαζόμενον. τοὺς μὲν οὖν κριοὺς λίθοις ἀπεκαύ-

THE MITHRIDATIC WARS

soldiers he pushed the siege in every possible way. He blockaded the harbour with a double sea wall and dug a trench around the rest of the city. He raised numerous mounds, built machines, towers, and penthouses with rams. He constructed a siege tower 100 cubits high, from which rose another tower, from which catapult-bolts, stones, and various missiles were discharged. Two quinqueremes joined together carried another tower against the port, from which a bridge could be projected by a mechanical device when brought near the wall. When all was in readiness he first sent up to the city on ships 3000 inhabitants of Cyzicus whom he had taken prisoners. These raised their hands toward the wall in supplication and besought their fellow-citizens to spare them in their dangerous position, but Pisistratus, the Cyzicean general, proclaimed from the walls that as they were in the enemy's hands they must meet their fate resolutely.

74. When this attempt had failed Mithridates brought up the machine erected on the ships and suddenly projected the bridge upon the wall and four of his men ran across. The Cyziceans were at first dumbfounded by the novelty of the device and gave way somewhat, but as the rest of the enemy were slow in following, they plucked up courage and thrust the four over the wall. Then they poured burning pitch on the ships and compelled them to back out stern foremost with the machine. In this way the Cyziceans beat off the invaders by sea. On the same day, as a third resort, all the machines on the landward side were massed against the toiling citizens, who flew this way and that way to meet the constantly shifting assault. They knocked off the

CAP.
XI λιζον ἢ βρόχοις ἀνέκλων ἢ φορμοῖς ἐρίων τῆς βίας ἐξέλυον, τῶν δὲ βελῶν τοῖς μὲν πυρφόροις ὑπήντων ὕδατι καὶ ὄξει, τὰ δ' ἄλλα προβολαῖς ἱματίων ἢ ὀθόναις κεχαλασμέναις τῆς φορᾶς ἀνέλυον, ὅλως τε οὐδὲν προθυμίας ἀνδρὶ δυνατῆς ἐξέλειπον. καὶ τάδε αὐτοῖς φερεπονώτατα δὴ κακοπαθοῦσιν ὅμως γε τοῦ τείχους ἐκαύθη τι καὶ συνέπεσεν ἐς ἑσπέραν. οὐ μὴν ἔφθασέ τις ἐσαλάμενος ἔτι θερμόν, ἀλλ' αὐτὸ νυκτὸς αὐτίκα περιῳκοδόμησαν οἱ Κυζικηνοί. τῶν δὲ αὐτῶν ἡμερῶν πνεῦμα σφοδρὸν ἐπιγενόμενον περιέκλασε τὰ λοιπὰ τῶν μηχανημάτων τοῦ βασιλέως.

75. Λέγεται δ' ἡ πόλις ἐμπροίκιον ὑπὸ Διὸς τῇ κόρῃ δοθῆναι, καὶ σέβουσιν αὐτὴν οἱ Κυζικηνοὶ μάλιστα θεῶν. ἐπελθούσης δὲ τῆς ἑορτῆς, ἐν ᾗ θύουσι βοῦν μέλαιναν, οἱ μὲν οὐκ ἔχοντες ἔπλαττον ἀπὸ σίτου, μέλαινα δὲ βοῦς ἐκ πελάγους πρὸς αὐτοὺς διενήχετο, καὶ τὸ κλεῖθρον τοῦ στόματος ὑποδῦσά τε καὶ ἐς τὴν πόλιν ἐσδραμοῦσα ὥδευσεν ἀφ' ἑαυτῆς ἐς τὸ ἱερὸν καὶ τοῖς βωμοῖς παρές...η. ταύτην μὲν οὖν οἱ Κυζικηνοὶ μετὰ χρηστῆς ἐλπίδος ἔθυον, οἱ δὲ φίλοι τῷ Μιθριδάτῃ συνεβούλευον ὡς ἱερᾶς τῆς πόλεως ἀποπλεῦσαι. ὁ δ' οὐ πεισθεὶς ἐπὶ τὸ Δίνδυμον ὄρος ὑπερκείμενον ἀνῄει, καὶ χῶμα ἀπ' αὐτοῦ ἐς τὴν πόλιν ἔχου, πύργους τε ἐφίστη, καὶ ὑπονόμοις τὸ τεῖχος ἀνεκρήμνη. τοὺς δ' ἵππους ἀχρείους οἱ τότε ὄντας, καὶ ἀσθενεῖς δι' ἀτροφίαν καὶ χωλεύοντας ἐξ ὑποτριβῆς, ἐς Βιθυνίαν περιέπεμπεν· οἷς ὁ Λεύκολλος περῶσι τὸν Ῥύνδακον ἐπιπεσὼν ἔκ-

THE MITHRIDATIC WARS

heads of the rams with stones, or broke them off with the aid of nooses, or deadened their blows with baskets of wool. They extinguished the enemy's fire-bearing missiles with water and vinegar, and broke the force of others by means of garments or linen cloths held loosely in front. In short, they left nothing untried that was within the compass of human energy. Although they toiled most perseveringly, yet a portion of the wall, that had been weakened by fire, gave way towards evening; but on account of the heat nobody was in a hurry to dash in. The Cyziceans built another wall around it that night, and about this time a tremendous wind rose and broke the rest of the king's machines.

75. It is said that the city of Cyzicus was given by Zeus to Proserpina by way of dowry, and of all the gods the inhabitants have most veneration for her. Her festival now came around, on which they are accustomed to sacrifice a black heifer to her, and as they had none they made one of paste. Just then a black heifer swam to them from the sea, dived under the chain at the mouth of the harbour, ran into the city, found her own way to the temple, and took her place by the altar. The Cyziceans sacrificed her with joyful hopes. Thereupon the friends of Mithridates advised him to sail away from the place since it was sacred, but he would not do so. He ascended Mount Dindymus, which overhung the city, and built a mound extending from it to the city walls, on which he constructed towers, and, at the same time, undermined the wall with tunnels. As his horses were not useful here, and were weak for want of food and had sore hoofs, he sent them by a roundabout way to Bithynia. Lucullus fell upon them as

CAP. XI τεινε πολλούς, καὶ αἰχμαλώτους ἔλαβεν ἄνδρας μὲν ἐς μυρίους καὶ πεντακισχιλίους, ἵππους δ' ἐς ἑξακισχιλίους καὶ σκευοφόρα πολλά.

Καὶ τάδε μὲν ἦν περὶ Κύζικον, τῷ δ' αὐτῷ χρόνῳ Φρυγίαν Εὔμαχος Μιθριδάτου στρατηγὸς ἐπιτρέχων ἔκτεινε Ῥωμαίων πολλοὺς μετὰ παίδων καὶ γυναικῶν, Πισίδας τε καὶ Ἰσαύρους ὑπήγετο καὶ Κιλικίαν, μέχρι τῶν τις Γαλατικῶν τετραρχῶν Δηιόταρος ἐπιπολάζοντα αὐτὸν συνεδίωξε καὶ πολλοὺς διέφθειρεν.

76. Καὶ περὶ μὲν Φρυγίαν τοιάδε ἐγίγνετο, Μιθριδάτου δὲ χειμὼν ἐπιγενόμενος ἀφῄρητο καὶ τὴν ἐκ τῆς θαλάττης ἀγοράν, εἴ τις ἦν, ὥστε πάμπαν ὁ στρατὸς ἐλίμωττε, καὶ πολλοὶ μὲν ἀπέθνησκον, εἰσὶ δ' οἳ καὶ σπλάγχνων ἐγεύοντο βαρβαρικῶς· οἱ δ' ἄλλοι ποηφαγοῦντες ἐνόσουν. καὶ τὰ νεκρὰ σφῶν ἀγχοῦ ἄταφα ῥιπτούμενα λοιμὸν ἐπῆγεν ἐπὶ τῷ λιμῷ. διεκαρτέρει δ' ὅμως ὁ Μιθριδάτης, ἐλπίζων ἔτι τὴν Κύζικον αἱρήσειν τοῖς χώμασι τοῖς ἀπὸ τοῦ Δινδύμου. ὡς δὲ καὶ ταῦθ' ὑπεσύροντο οἱ Κυζικηνοί, καὶ τὰς ἐπ' αὐτῶν μηχανὰς ἐπίμπρασαν, καὶ αἰσθήσει τοῦ λιμοῦ πολλάκις ἐπεκθέοντες τοῖς πολεμίοις ἀσθενεστάτοις γεγονόσιν ἐπετίθεντο, δρασμὸν ὁ Μιθριδάτης ἐβούλευε, καὶ ἔφευγε νυκτὸς αὐτὸς μὲν ἐπὶ τῶν νεῶν ἐς Πάριον, ὁ δὲ στρατὸς αὐτοῦ κατὰ γῆν ἐς Λάμψακον. περῶντας δ' αὐτοὺς τὸν Αἴσηπον ὅ τε ποταμὸς τότε μάλιστα ἀρθεὶς μέγας, καὶ ἐπὶ τῷ ποταμῷ Λεύκολλος ἐπιδραμὼν ἔφθειρεν. ὧδε μὲν οἱ Κυζικηνοὶ πολλὴν βασιλέως παρασκευὴν διέφυγον, αὐτοί τε γενναίως ἀγωνισάμενοι, καὶ λιμῷ πιεσθέντος ὑπὸ Λευκόλλου. ἀγῶνά τε αὐτῷ

THE MITHRIDATIC WARS

they were crossing the river Rhyndacus, killed a large number, and captured about 15,000 men, 6000 horses, and a large amount of baggage-animals.

While these things were transpiring at Cyzicus Eumachus, one of Mithridates' generals, overran Phrygia and killed a great many Romans, with their wives and children, subjugated the Pisidians and the Isaurians and also Cilicia. Finally Deïotarus, one of the tetrarchs of Galatia, drove the marauder away and slew many of his men. Such was the course of events in and around Phrygia.

76. When winter came Mithridates was deprived of any supplies which came to him by sea, so that his whole army suffered from hunger, and many of them died. There were some who even after the fashion of the barbarians ate the entrails. Others were made sick by subsisting on herbs. Moreover the corpses that were thrown out in the neighbourhood unburied brought on a plague in addition to the famine. Nevertheless Mithridates continued his efforts, hoping still to capture Cyzicus by means of the mounds extending from Mount Dindymus. But when the Cyziceans undermined them and burned the machines on them, and made frequent sallies upon his forces, knowing that they were weakened by want of food, Mithridates began to think of flight. He fled by night, going himself with his fleet to Parius, and his army by land to Lampsacus. Many lost their lives in crossing the river Aesepus, which was then greatly swollen, and where Lucullus attacked them. Thus the Cyziceans escaped the vast siege preparations of the king by means of their own bravery and of the famine that Lucullus brought upon the enemy. They instituted games in his

θέμενοι μέχρι νῦν τελοῦσι, τὰ Λευκόλλεια καλούμενα. Μιθριδάτης δὲ τοὺς ἐς Λάμψακον ἐσφυγόντας, ἔτι τοῦ Λευκόλλου περικαθημένου, ναῦς ἐπιπέμψας ἐξεκόμισε σὺν αὐτοῖς Λαμψακηνοῖς. μυρίους δ' ἐπιλέκτους ἐπὶ νεῶν πεντήκοντα Οὐαρίῳ, πεμφθέντι οἱ στρατηγεῖν ὑπὸ Σερτωρίου, καὶ Ἀλεξάνδρῳ τῷ Παφλαγόνι καὶ Διονυσίῳ τῷ εὐνούχῳ καταλιπών, ταῖς πλέοσιν αὐτῶν ἐς Νικομήδειαν ἔπλει. καὶ χειμὼν ἐπιγενόμενος πολλὰς ἑκατέρων διέφθειρεν.

77. Λεύκολλος δ' ἐπεὶ τὸ κατὰ γῆν εἴργαστο διὰ τοῦ λιμοῦ, ναῦς ἐκ τῆς Ἀσίας ἀγείρας διέδωκε τοῖς ἀμφ' αὐτὸν στρατηγοῦσιν. καὶ Τριάριος μὲν Ἀπάμειαν εἷλεν ἐπιπλεύσας, καὶ πολλὴ τῶν Ἀπαμέων συμφυγόντων ἐς τὰ ἱερὰ ἐγένετο σφαγή· Βάρβας δὲ Προυσιάδα εἷλε τὴν πρὸς τῷ ὄρει, καὶ Νίκαιαν ἔλαβε, τῶν Μιθριδάτου φρουρῶν ἐκφυγόντων. Λεύκολλος δὲ περὶ τὸν Ἀχαιῶν λιμένα τρισκαίδεκα ναῦς εἷλε τῶν πολεμίων. Οὐάριον δὲ καὶ Ἀλέξανδρον καὶ Διονύσιον περὶ Λῆμνον ἐν ἐρήμῃ νήσῳ καταλαβών, ἔνθα δείκνυται βωμὸς Φιλοκτήτου καὶ χαλκοῦς ὄφις καὶ τόξα καὶ θώραξ ταινίαις περίδετος, μνῆμα τῆς ἐκείνου πάθης, ἐπέπλει μὲν αὐτοῖς ῥοθίῳ τε πολλῷ καὶ μετὰ καταφρονήσεως, εὐσταθῶς δ' ἐκείνων ὑπομενόντων ἔστησε τὴν εἰρεσίαν, καὶ κατὰ δύο ναῦς ἐπιπέμπων ἠρέθιζεν ἐς ἔκπλουν. οὐ σαλευόντων δ' ἐκείνων ἀλλ' ἀπὸ γῆς ἀμυνομένων, περιέπλευσε τὴν νῆσον ἑτέραις ναυσί, καὶ πεζοὺς ἐς αὐτὴν ἐκβιβάσας συνήλασε τοὺς ἐχθροὺς ἐπὶ τὰς ναῦς. οἱ δ' ἐς μὲν

THE MITHRIDATIC WARS

honour, which they celebrate to this day, called the Lucullean games. Mithridates sent ships for those who had taken refuge in Lampsacus, where they were still besieged by Lucullus, and carried them away, together with the citizens of Lampsacus themselves. Leaving 10,000 picked men and fifty ships under Varius (the general sent to him by Sertorius), and Alexander the Paphlagonian, and Dionysius the eunuch, he sailed with the bulk of his force for Nicomedia. A storm came up in which many of both divisions perished.

77. When Lucullus had accomplished this result on land by starving his enemies, he collected a fleet from the Asiatic province and distributed it to the generals serving under him. Trirarius sailed to Apamea, captured it, and slew a great many of the inhabitants who had taken refuge in the temples. Barba took Prusias, situated at the base of a mountain, and occupied Nicaea, which had been abandoned by the Mithridatic garrison. At the harbour of the Achaeans Lucullus captured thirteen of the enemy's ships. He overtook Varius and Alexander and Dionysius near Lemnos on a barren island (where the altar of Philoctetes is shown with the brazen serpent, the bow, and the breast-plate bound with fillets, a memorial of the sufferings of that hero), and sailed against them contemptuously at full speed. But as they resisted steadily, he checked his oarsmen and sent his ships towards them by twos in order to entice them out to sea. As they declined the challenge, but continued to defend themselves on land, he sent a part of his fleet round to another side of the island, disembarked a force of infantry, and drove the enemy to their ships. Still

CAP. XI τὸ πέλαγος οὐκ ἠφίεσαν, τὸν Λευκόλλου στρατὸν δεδιότες, παρὰ δὲ τὴν γῆν πλέοντες, ἔκ τε τῆς γῆς καὶ τῆς θαλάσσης ἀμφίβολοι γιγνόμενοι κατετιτρώσκοντο, καὶ φόνος πολὺς ἦν αὐτῶν καὶ φυγή. ἐλήφθησαν δ' ἐν σπηλαίῳ κρυπτόμενοι Οὐάριός τε καὶ Ἀλέξανδρος καὶ Διονύσιος ὁ εὐνοῦχος. καὶ αὐτῶν ὁ μὲν Διονύσιος, πιὼν ὅπερ ἤγετο φάρμακον, αὐτίκα ἀπέθανε, Οὐάριον δ' ἀναιρεθῆναι προσέταξε Λεύκολλος· οὐ γὰρ ἐδόκει Ῥωμαῖον ἄνδρα βουλευτὴν θριαμβεύειν. Ἀλέξανδρος δὲ ἐς τὴν πομπὴν ἐφυλάσσετο. καὶ Λεύκολλος περὶ τῶνδε Ῥωμαίοις ἐπέστελλε, τὰ γράμματα δάφνῃ περιβαλών, ὡς ἔθος ἐστὶν ἐπὶ νίκαις· αὐτὸς δὲ ἠπείγετο ἐς Βιθυνίαν.

78. Μιθριδάτῃ δ' ἐς Πόντον ἐσπλέοντι χειμὼν ἐς δὶς ἐπιγίγνεται, καὶ τῶν ἀνδρῶν ἀμφὶ τοὺς μυρίους καὶ νῆες ἀμφὶ τὰς ἑξήκοντα διεφθάρησαν· αἱ δὲ λοιπαὶ διερρίφησαν, ὡς ἑκάστην ὁ χειμὼν ἐξήνεγκεν. αὐτὸς δὲ ῥηγνυμένης τῆς στρατηγίδος ἐς λῃστῶν σκάφος, ἀπαγορευόντων τῶν φίλων, ὅμως ἐνέβη· καὶ ἐς Σινώπην αὐτὸν οἱ λῃσταὶ διέσωσαν. ὅθεν ὁ μὲν ἐς Ἀμισὸν ἀπὸ κάλω διαπλέων, πρός τε τὸν κηδεστὴν Τιγράνην τὸν Ἀρμένιον καὶ ἐς Μαχάρην τὸν υἱόν, ἄρχοντα Βοσπόρου, περιέπεμπεν, ἐπικουρεῖν ἐπείγων ἑκάτερον. ἔς τε Σκύθας τοὺς ὁμόρους χρυσὸν καὶ δῶρα πολλὰ Διοκλέα φέρειν ἐκέλευεν. ἀλλ' ὁ μὲν αὐτοῖς τε δώροις καὶ αὐτῷ χρυσίῳ πρὸς Λεύκολλον ηὐτομόλησε. Λεύκολλος δ' ἐπὶ τῇ νίκῃ θρασέως προϊὼν ἐς τὸ πρόσθεν καὶ τὰ ἐν ποσὶν ἅπαντα χειρούμενος προυνόμευεν. οἷα δ' εὐδαίμονος χώρας καὶ πολὺν χρόνον ἀπολεμήτου, τὸ μὲν ἀνδράποδον

they did not venture out to sea, but defended themselves from the shore, because they were afraid of the army of Lucullus. Thus they were exposed to missiles on both sides, landward and seaward, and received a great many wounds, and after heavy slaughter took to flight. Varius, Alexander, and Dionysius the eunuch were captured in a cave where they had concealed themselves. Dionysius drank poison which he had with him and immediately expired. Lucullus gave orders that Varius should be put to death, for it did not seem good to lead a Roman senator in triumph, but he kept Alexander to adorn his procession. He then sent letters wreathed with laurel to Rome, as is the custom of victors, and then pressed forward to Bithynia.

78. As Mithridates was sailing to Pontus a second tempest overtook him and he lost about 10,000 men and about sixty ships, and the remainder were scattered wherever the wind blew them. His own ship sprang a leak and he went aboard a small piratical craft although his friends tried to dissuade him. The pirates landed him safely at Sinope. From that place he was towed to Amisus, whence he sent appeals to his son-in-law, Tigranes the Armenian, and his son, Machares, the ruler of the Cimmerian Bosporus, that they should hasten to his assistance. He ordered Diocles to take a large quantity of gold and other presents to the neighbouring Scythians, but Diocles took the gold and the presents and deserted to Lucullus. Lucullus moved forward boldly after his victory, subduing everything in his path and subsisting on the country. As it was a rich district, exempt from the ravages of war, the price of a slave

CAP. XI τεττάρων δραχμῶν αὐτίκα ἐγίγνετο, ὁ δὲ βοῦς μιᾶς, αἶγες δὲ καὶ πρόβατα καὶ ἐσθὴς καὶ τὰ λοιπὰ τούτων κατὰ λόγον. Λεύκολλος δ' Ἀμισόν τε καὶ Εὐπατορίαν, ἥν τινα τῇ Ἀμισῷ παρῳκοδόμησεν ὁ Μιθριδάτης Εὐπατορίαν τε ὠνόμαζεν ἀφ' ἑαυτοῦ καὶ βασίλεια ἡγεῖτο, περικαθήμενος ἐπολιόρκει, καὶ ἑτέρῳ στρατῷ Θεμίσκυραν, ἢ τῶν Ἀμαζόνων τινὸς ἐπώνυμος οὖσα παρὰ τὸν Θερμώδοντα ποταμὸν ἔστιν. τούτων δ' οἱ μὲν τοῖς Θεμισκυρίοις ἐπικαθήμενοι πύργους ἐπῆγον αὐτοῖς καὶ χώματα ἐχώννυον καὶ ὑπονόμους ὤρυττον, οὕτω δή τι μεγάλους ὡς ἐν αὐτοῖς ὑπὸ τὴν γῆν ἀλλήλοις κατὰ πλῆθος ἐπιχειρεῖν· καὶ οἱ Θεμισκύριοι ὀπὰς ἄνωθεν ἐς αὐτοὺς ὀρύττοντες, ἄρκτους τε καὶ θηρία ἕτερα καὶ σμήνη μελισσῶν ἐς τοὺς ἐργαζομένους ἐνέβαλλον. οἱ δ' ἀμφὶ τὴν Ἀμισὸν ἕτερον τρόπον ἐμόχθουν, ἀπομαχομένων αὐτοὺς τῶν Ἀμισέων καὶ πολλάκις ἐκθεόντων καὶ ἐς μονομαχίας προκαλουμένων. Μιθριδάτης δ' αὐτοῖς πολλὴν ἀγορὰν καὶ ὅπλα καὶ στρατιὰν ἔπεμπεν ἐκ Καβείρων, ἔνθα χειμάζων στρατὸν ἄλλον συνέλεγεν. καὶ συνῆλθον αὐτῷ πεζοὶ μὲν ἐς τετρακισμυρίους, ἱππεῖς δὲ ἐς τετρακισχιλίους.

XII

CAP. XII 79. Ἱσταμένου δ' ἦρος ὁ μὲν Λεύκολλος διὰ τῶν ὀρῶν ἐπὶ τὸν Μιθριδάτην ἐχώρει. προφυλακαὶ δ' ἦσαν ἐκείνῳ κωλύειν τε Λεύκολλον, καὶ διαπυρ-

THE MITHRIDATIC WARS

at once became four drachmas, of an ox one, and of goats, sheep, clothing, and other things in proportion. Lucullus laid siege to Amisus and also to Eupatoria, which Mithridates had built alongside of Amisus[1] naming it after himself, and regarding it as his seat of empire. With another army he besieged Themiscyra, which is named after one of the Amazons and is situated on the river Thermodon. The besiegers of this place brought up towers, built mounds, and dug tunnels so large that great subterranean battles were fought in them. The inhabitants cut openings into these tunnels from above and thrust bears and other wild animals and swarms of bees into them against the workers. Those who were besieging Amisus suffered in other ways. The inhabitants repelled them bravely, made frequent sallies, and often challenged them to single combat. Mithridates sent them plenty of supplies and arms and soldiers from Cabira, where he wintered and collected a new army. Here he brought together about 40,000 foot and 4000 horse.

XII

79. WHEN spring came Lucullus marched over the mountains against Mithridates, who had stationed advanced posts to hinder his approach, and to signal

B.C. 71
Second campaign of Lucullus against Mithridates

---

[1] Another geographical error. Amisus was on the seacoast, and Eupatoria a considerable distance inland.

CAP. σεύειν οἱ συνεχῶς, εἴ τι γίγνοιτο. καὶ ἦρχε τῆσδε
XII τῆς φυλακῆς ἐκ Μιθριδάτου τις ἀνὴρ τοῦ βασιλείου
γένους, ὄνομα Φοῖνιξ· ὅς, ἐπεὶ Λεύκολλος ἐπέλαζε,
Μιθριδάτῃ μὲν διεπύρσευσεν, ἐς δὲ Λεύκολλον
ηὐτομόλησε μετὰ τῆς δυνάμεως. καὶ ὁ Λεύκολλος
ἀδεῶς ἤδη τὰ ὄρη διεξελθὼν ἐς Κάβειρα κατέβη.
γενομένης δ' αὐτῷ τε καὶ Μιθριδάτῃ τινὸς ἱπ-
πομαχίας, ἡττώμενος αὖθις ἐς τὸ ὄρος ἀνέθορεν.
ὁ δὲ ἵππαρχος αὐτοῦ Πομπώνιος ἐς Μιθριδάτην
τετρωμένος ἀνήχθη· καὶ πυθομένῳ βασιλεῖ τίνα
χάριν οἱ περισωθεὶς δύναιτο ἀποδοῦναι, "εἰ μέν,"
ἔφη, "σὺ φίλος γένοιο Λευκόλλῳ, πάνυ πολλοῦ
ἀξίαν· εἰ δ' ἐχθρὸς εἴης, οὐδὲ βουλεύσομαι." ὧδε
μὲν ὁ Πομπώνιος ἀπεκρίνατο· καὶ αὐτὸν τῶν
βαρβάρων κτείνειν ἀξιούντων, ὁ βασιλεὺς εἶπεν
οὐκ ἐξυβριεῖν ἐς ἀτυχοῦσαν ἀρετήν. ἐκτάσσων
δὲ συνεχῶς, οὐ κατιόντος ἐς μάχην τοῦ Λευκόλλου,
περιιὼν ἀνάβασιν ἐπ' αὐτὸν ἐζήτει. καί τις ἀνὴρ
ἐν τούτῳ Σκύθης, ὄνομα Ὀλκάβας, αὐτόμολος ὢν
ἐς Λεύκολλον ἐκ πολλοῦ, καὶ παρὰ τήνδε τὴν
ἱππομαχίαν πολλοὺς περισώσας, καὶ δι' αὐτὸ
παρὰ τοῦ Λευκόλλου τραπέζης τε καὶ γνώμης καὶ
ἀπορρήτων ἀξιούμενος, ἧκεν ἐπὶ τὴν σκηνὴν
αὐτοῦ περὶ μεσημβρίαν ἀναπαυομένου, καὶ ἐσελ-
θεῖν ἐβιάζετο, βραχὺ καὶ σύνηθες ἐπὶ τοῦ ζωστῆ-
ρος ἐγχειρίδιον περικείμενος. κωλυόμενος δ'
ἠγανάκτει, καὶ χρείαν τινὰ ἐπείγειν ἔλεγεν ἐξανα-
στῆσαι τὸν στρατηγόν. τῶν δὲ θεραπευτήρων
οὐδὲν εἰπόντων χρησιμώτερον εἶναι Λευκόλλῳ
τῆς σωτηρίας, ἐπέβη τὸν ἵππον αὐτίκα καὶ ἐς τὸν

THE MITHRIDATIC WARS

continuously with beacons whenever anything should happen. He appointed a member of the royal family, named Phoenix, commander of this advanced guard. When Lucullus drew near, Phoenix gave the fire-signal to Mithridates and then deserted to Lucullus with his forces. Lucullus now passed over the mountains without difficulty and came down to Cabira, but was beaten by Mithridates in a cavalry engagement and retreated again to the mountain. Pomponius, his master of horse, was wounded and taken prisoner and brought to the presence of Mithridates. The king asked him what favour Pomponius could render him if his life were spared. The Roman replied, "A most valuable favour if you make peace with Lucullus, but if you continue his enemy I will not even consider your question." The barbarians wanted to put him to death, but the king said that he would not do violence to bravery overtaken by misfortune. He drew out his forces for battle several days in succession, but Lucullus would not come down and fight; so he looked about for some way to reach him by ascending the mountain. At this juncture a Scythian, named Olcaba, who had deserted to Lucullus some time before and had saved the lives of many in the recent cavalry fight, and for that reason was deemed worthy to share Lucullus' table, his confidence, and his secrets, came to his tent while he was taking his noonday rest and tried to force his way in. He was wearing a short dagger in his belt as was his custom. When he was prevented from entering he became angry and said that there was a pressing need that the general should be aroused. The servants replied that there was nothing more needful to Lucullus than his safety. Thereupon the Scythian mounted his horse

APPIAN'S ROMAN HISTORY, BOOK XII

CAP. XII Μιθριδάτην ἐξήλασεν, εἴτε ἐπιβουλεύων καὶ δόξας ὑποπτεύεσθαι, εἴτε σὺν ὀργῇ, περιυβρίσθαι νομίζων. ἕτερόν τε Σκύθην, ὄνομα Σοβάδακον, ἐνέφηνε τῷ Μιθριδάτῃ βουλεύειν ἐς Λεύκολλον αὐτομολίαν. Σοβάδακος μὲν δὴ συνελαμβάνετο,

80. Λεύκολλος δὲ τὴν κάθοδον τὴν ἐς τὸ πεδίον ἱπποκρατούντων τῶν πολεμίων ἐκτρεπόμενος, καὶ περίοδον ἑτέραν οὐχ ὁρῶν, ηὗρεν ἐν σπηλαίῳ κυνηγὸν ὀρείων ἀτραπῶν ἐπιστήμονα, ᾧ χρώμενος ἡγεμόνι κατὰ ὁδοὺς ἀτριβεῖς περιῆλθεν ὑπὲρ κεφαλῆς τοῦ Μιθριδάτου, καὶ κατῄει μὲν ἐκκλίνας καὶ τότε τὸ πεδίον διὰ τοὺς ἵππους, χαράδραν δὲ ὕδατος ἐν προβολῇ θέμενος ἐστρατοπέδευσεν. ἀπορῶν δ' ἀγορᾶς ἐς Καππαδοκίαν ἔπεμπεν ἐπὶ σῖτον, καὶ ἐς τοὺς πολεμίους ἠκροβολίζετο, μέχρι, φευγόντων ποτὲ τῶν βασιλικῶν, ὁ Μιθριδάτης ἀπὸ τοῦ χάρακος ἐπιδραμὼν καὶ ἐπιπλήξας ἐπέστρεφεν αὐτούς, καὶ Ῥωμαίους οὕτω κατεφόβησεν ὡς ἄνω διὰ τῶν ὁρῶν φεύγοντας οὐδ' ἀποστάντων αἰσθέσθαι τῶν πολεμίων ἐς πολύ, ἀλλ' ἕκαστον ἡγεῖσθαι τὸν συμφεύγοντά οἱ καὶ ἐπιόντα ὄπισθεν εἶναι πολέμιον· οὕτω πάνυ κατεπεπλήγεσαν. καὶ ὁ Μιθριδάτης περὶ τῆσδε τῆς νίκης πανταχοῦ γράφων περιέπεμπεν. τῶν δ' ἱππέων πολὺ μέρος, καὶ μάλιστα δὴ τὸ μαχιμώτατον, ἐφεδρεύειν ἔταξε τοῖς ἐκ τῆς Καππαδοκίας τὴν ἀγορὰν τῷ Λευκόλλῳ φέρουσιν, ἐλπίζων ἐν ἀπορίᾳ τροφῶν αὐτὸν γενόμενον πείσεσθαι οἷον αὐτὸς ἔπαθε περὶ Κύζικον.

THE MITHRIDATIC WARS

and went immediately to Mithridates, either because he had plotted against Lucullus and now thought that he was suspected, or because he considered himself insulted and was angry on that account. He exposed to Mithridates another Scythian, named Sobadacus, who was meditating deserting to Lucullus, and Sobadacus was accordingly arrested.

80. Lucullus hesitated about going down directly into the plain since the enemy was so much superior in horse, nor could he discover any way round, but he found a hunter in a cave who was familiar with the mountain paths. With him for a guide he made a circuitous descent by rugged paths over Mithridates' head. On this occasion too he avoided the plain on account of the cavalry, and came down and chose a place for his camp where he had a mountain stream on his front. As he was short of supplies he sent to Cappadocia for corn, and skirmished with the enemy until one day, when the royal forces were put to flight, Mithridates came running to them from his camp and, with reproachful words, rallied them, and so terrified the Romans that they fled up the mountain side with such swiftness that they did not know for a long time that the hostile force had desisted from the pursuit, but each one thought that the fleeing comrade behind him was an enemy, so great was the panic that had overtaken them. Mithridates sent bulletins everywhere announcing this victory. He then sent a large detachment composed of the bravest of his horse to intercept the convoy that was bringing supplies from Cappadocia to Lucullus, hoping to bring upon him the same scarcity of provisions from which he had himself suffered at Cyzicus.

CAP.
XII

81. Καὶ τὸ μὲν ἐνθύμημα μέγα ἦν, ἀποκλεῖσαι τροφῶν Λεύκολλον, ἐκ μόνης ἔχοντα Καππαδοκίας· οἱ δ' ἱππεῖς οἱ βασιλέως τοῖς προδρόμοις τῶν σιτοφόρων ἐν στενῷ περιτυχόντες, καὶ οὐκ ἀναμείναντες ἐς εὐρυχωρίαν προελθεῖν, ἀχρεῖον ὡς ἐν στενῷ σφίσι τὴν ἵππον ἐποίησαν. ἐν ᾧ καὶ Ῥωμαῖοι φθάσαντες ἐξ ὁδοιπορίας ἐς μάχην παρασκευάσασθαι, τοὺς μὲν ἔκτειναν τῶν βασιλικῶν, βοηθούσης οἷα πεζοῖς τῆς δυσχωρίας, τοὺς δὲ ἐς τὰς πέτρας κατήραξαν, τοὺς δὲ διέρριψαν ὑποφεύγοντας. ὀλίγοι δὲ νυκτὸς ἐς τὸ στρατόπεδον διαδραμόντες τε καὶ μόνοι περιγενέσθαι λέγοντες, μέγα ὂν σφίσι τὸ συμβὰν μειζόνως διεθρόησαν. Μιθριδάτης δ' αὐτὸ πρὸ τοῦ Λευκόλλου πυθόμενός τε, καὶ Λεύκολλον ἐλπίσας ἐπὶ τοσῇδε ἱππέων ἀπωλείᾳ αὐτίκα οἱ προσπεσεῖσθαι, φυγὴν ὑπ' ἐκπλήξεως ἐπενόει, καὶ τόδε τοῖς φίλοις εὐθὺς ἐξέφερεν ἐν τῇ σκηνῇ. οἱ δέ, πρίν τι γενέσθαι παράγγελμα, νυκτὸς ἔτι, σπουδῇ τὰ ἴδια ἕκαστος ἐξέπεμπεν ἐκ τοῦ στρατοπέδου· καὶ ὠθουμένων περὶ τὰς πύλας σκευοφόρων πολὺ πλῆθος ἦν. ὅπερ ἡ στρατιὰ θεωμένη καὶ τοὺς φέροντας ἐπιγιγνώσκουσα, καὶ τοπάζουσα πολλὰ ἀτοπώτερα, σὺν δέει, καὶ ἀγανακτήσει τοῦ μηδὲν αὐτοῖς ἐπηγγέλθαι, τὸν χάρακα σφῶν ἐπιδραμόντες ἔλυον, καὶ διέφευγον ὡς ἐκ πεδίου πάντοθεν ἀκόσμως, ὅπῃ δύναιτο ἕκαστος αὐτῶν, ἄνευ στρατηγοῦ καὶ ἐπιστάτου παραγγέλματος. ὧν ὁ Μιθριδάτης ὀξύτερόν τε καὶ σὺν ἀταξίᾳ γιγνομένων αἰσθόμενος, ἐξέδραμεν ἐκ τῆς σκηνῆς ἐς

THE MITHRIDATIC WARS

81. It was an excellent idea, to cut off Lucullus' supplies, which were drawn from Cappadocia alone, but when the king's cavalry came upon the advance guard of the convoy in a narrow defile, they did not wait till their enemies had reached the open country. Consequently their horses were useless in the narrow space, where the Romans hastily put their marching column in line of battle. Aided, as foot-soldiers would naturally be, by the difficulties of the ground, they killed some of the king's troops, drove others over precipices, and scattered the rest in flight. A few of them escaped to their camp by night, and said that they were the only survivors, so that rumour magnified the calamity, which was indeed sufficiently great. Mithridates heard of this affair before Lucullus did, and he expected that Lucullus would take advantage of so great a slaughter of his horsemen to attack him forthwith. Accordingly in his panic he began to contemplate flight, and at once communicated his purpose to his friends in his tent. They did not wait for the signal to be given, but while it was still night each one hastily sent his own baggage out of the camp, and there was a great crush of pack animals around the gates. When the soldiers perceived the commotion, and saw what the baggage-carriers were doing, they imagined every sort of absurdity. Filled with terror, mingled with anger that the signal had not been given to them also, they ran and demolished their own fortification and scattered in every direction, as it was a plain, helter-skelter, without orders from the commanding general or any other officer. When Mithridates perceived the hurried and disorderly rush he dashed out of his tent among them and attempted to say

CAP. αὐτοὺς καὶ λέγειν τι ἐπεχείρει, οὐδενὸς δ' ἐσακού-
XII οντος ἔτι, συνθλιβεὶς ὡς ἐν πλήθει κατέπεσε, καὶ
ἐς τὸν ἵππον ἀναβληθεὶς ἐς τὰ ὄρη σὺν ὀλίγοις
ἐφέρετο.

82. Λεύκολλος δὲ τῆς περὶ τὴν ἀγορὰν εὐπρα-
γίας πυθόμενος, καὶ τὴν φυγὴν τῶν πολεμίων
ἰδών, ἐπὶ μὲν τοὺς ἐκφυγόντας ἔπεμπε διώκειν
ἱππέας πολλούς, τοῖς δὲ συσκευαζομένοις ἔτι κατὰ
τὸ στρατόπεδον τοὺς πεζοὺς περιστήσας ἐκέλευε
μὴ διαρπάζειν ἐν τῷ τότε μηδέν, ἀλλὰ κτείνειν
ἀφειδῶς. οἱ δὲ σκεύη τε χρυσᾶ καὶ ἀργυρᾶ
πολλὰ καὶ ἐσθῆτας πολυτελεῖς θεώμενοι ἐξέ-
στησαν τοῦ παραγγέλματος. αὐτόν τε τὸν
Μιθριδάτην οἱ καταλαμβάνοντες, ἡμίονόν τινα
τῶν χρυσοφόρων ἐς τὸ σάγμα πατάξαντες, προ-
πεσόντος τοῦ χρυσίου περὶ τόδε γενόμενοι δια-
φυγεῖν ἐς Κόμανα περιεῖδον· ὅθεν ἐς Τιγράνην
ἔφυγε σὺν ἱππεῦσι δισχιλίοις. ὁ δὲ αὐτὸν ἐς
ὄψιν οὐ προσέμενος, ἐν χωρίοις ἐκέλευσε διαίτης
βασιλικῆς ἀξιοῦσθαι, ὅτε δὴ καὶ μάλιστα τῆς
ἀρχῆς ἀπογνοὺς ὁ Μιθριδάτης Βάκχον εὐνούχων
ἔπεμπεν ἐς τὰ βασίλεια, τὰς ἀδελφὰς αὐτοῦ καὶ
τὰς γυναῖκας καὶ παλλακάς, ὅπῃ δύναιτο, ἀνε-
λοῦντα. αἱ μὲν δὴ διεφθείροντο ξίφεσι καὶ φαρ-
μάκοις καὶ βρόχοις, δεινὰ ποιοῦσαι· ταῦτα δ'
ὁρῶντες οἱ φρούραρχοι τοῦ Μιθριδάτου ἀθρόως
ἐς τὸν Λεύκολλον μετετίθεντο, χωρὶς ὀλίγων. καὶ
ὁ Λεύκολλος αὐτοὺς ἐπιὼν καθίστατο, καὶ τὰς ἐπὶ
τοῦ Πόντου πόλεις περιπλέων ᾕρει, Ἄμαστρίν τε
καὶ Ἡράκλειαν καὶ ἑτέρας.

83. Σινώπη δ' ἀντεῖχεν ἔτι καρτερῶς, καὶ διεναυ-
μάχησεν οὐ κακῶς. πολιορκούμενοι δὲ τὰς ναῦς

THE MITHRIDATIC WARS

something, but nobody would listen to him. He was crushed in the crowd and knocked from his horse, but remounted and was borne to the mountains with a few followers.

82. When Lucullus heard of the success of his provision train and observed the enemy's flight, he sent out a large force of cavalry in pursuit of the fugitives. Those who were still collecting baggage in the camp he surrounded with his infantry, whom he ordered for the time to abstain from plunder, and to kill indiscriminately. But the soldiers, seeing vessels of gold and of silver in abundance and much costly clothing, disregarded the order. Those who overtook Mithridates himself cut open the pack saddle of a mule that was loaded with gold, which fell out, and while they were busy with it they allowed him to escape to Comana. From thence he fled to Tigranes with 2000 horsemen. Tigranes did not admit him to his presence, but ordered royal entertainment to be provided for him on his estates. Mithridates, in utter despair of his kingdom, sent the eunuch Bacchus to his palace to put his sisters, wives and concubines to death in any way he could. They were stabbed, poisoned, and hanged, lamenting their fate, but when the garrison commanders of Mithridates saw these things they went over to Lucullus in a body, all but a few. Lucullus marched to these towns and regulated them. He also sailed round among the cities on the Pontic coast and captured Amastris, Heraclea and some others.

83. Sinope continued to resist him vigorously, and the inhabitants fought him on the water not without

CAP.
XII
τὰς βαρυτέρας σφῶν διέπρησαν, καὶ ἐς τὰς κουφοτέρας ἐμβάντες ἀπέδρασαν. Λεύκολλος δὲ τὴν πόλιν εὐθὺς ἐλευθέραν ἠφίει δι' ἐνύπνιον, ὃ τοιόνδε ἦν. Αὐτόλυκόν φασιν, ἐπὶ τὰς Ἀμαζόνας Ἡρακλεῖ συστρατεύοντα, ὑπὸ χειμῶνος ἐς Σινώπην καταχθῆναι καὶ τῆς πόλεως κρατῆσαι· ἀνδριάς τε σεβάσμιος τοῖς Σινωπεῦσιν ἔχρα, ὃν οἱ μὲν Σινωπεῖς οὐ φθάσαντες ἐς φυγὴν ἐπαγαγέσθαι, ὀθόναις καὶ καλῳδίοις περιέδησαν· οὐδὲν δ' ὁ Λεύκολλος εἰδὼς οὐδὲ προμαθὼν ἔδοξεν ὑπ' αὐτοῦ κληθεὶς ὁρᾶν αὐτόν, καὶ τῆς ἐπιούσης τὸν ἀνδριάντα τινῶν περιβεβλημένον παραφερόντων ἐκλῦσαι κελεύσας, εἶδεν οἷον ἔδοξε νυκτὸς ἑωρακέναι. τὸ μὲν δὴ ἐνύπνιον τοιόνδε ἦν, Λεύκολλος δὲ καὶ Ἀμισὸν ἐπὶ τῇ Σινώπῃ συνῴκιζεν, ἐκφυγόντων μὲν ὁμοίως τῶν Ἀμισέων διὰ θαλάσσης, πυνθανόμενος δ' ὑπ' Ἀθηναίων αὐτοὺς θαλασσοκρατούντων συνῳκίσθαι, καὶ δημοκρατίᾳ χρησαμένους ἐπὶ πολὺ τοῖς Περσικοῖς βασιλεῦσιν ὑπακοῦσαι, ἀναγαγόντος δ' αὐτοὺς ἐς τὴν δημοκρατίαν ἐκ προστάγματος Ἀλεξάνδρου πάλιν δουλεῦσαι τοῖς Ποντικοῖς. ἐφ' οἷς ἄρα συμπαθὴς ὁ Λεύκολλος γενόμενός τε, καὶ φιλοτιμούμενός γε καὶ ὅδε ἐπὶ Ἀλεξάνδρῳ περὶ γένος Ἀττικόν, αὐτόνομον ἠφίει τὴν πόλιν καὶ τοὺς Ἀμισέας κατὰ τάχος συνεκάλει. ὧδε μὲν δὴ Σινώπην καὶ Ἀμισὸν Λεύκολλος ἐπόρθει τε καὶ συνῴκιζε, καὶ Μαχάρῃ τῷ παιδὶ τῷ Μιθριδάτου, Βοσπόρου τε βασιλεύοντι

THE MITHRIDATIC WARS

success, but when they were besieged they burned their heavier ships, embarked on the lighter ones, and went away. Lucullus at once made it a free city, being moved thereto by the following dream. It is said that Autolycus, the companion of Hercules in his expedition against the Amazons, was driven by a tempest into Sinope and made himself master of the place, and that his consecrated statue gave oracles to the Sinopeans. They had not time to take it with them in their flight, so they wrapped it up with linen cloths and ropes. Nobody told Lucullus of this beforehand, and he knew nothing about it, but he dreamed that he saw Autolycus calling him, and the following day, when some men passed him carrying the image wrapped up, he ordered them to take off the covering and then he saw what he thought he had seen in the night. Such was his dream. After Sinope Lucullus restored to their homes the citizens of Amisus, who had fled by sea in like manner, because he learned that they had been settled there by Athens when she held the empire of the sea; that they had had a democratic form of government at first, and afterwards had been subject for a long time to the kings of Persia; that their democracy had been restored to them by decree of Alexander; and that they had finally been compelled to serve the kings of Pontus. Lucullus sympathized with them, and in emulation of the favour shown to the Attic race by Alexander he gave the city its freedom and recalled the citizens with all haste. After thus desolating and repeopling both Sinope and Amisus Lucullus entered into friendly relations with Machares, the son of Mithridates and ruler of the Bosporus, who had sent him a crown of

CAP. XII καὶ στέφανόν οἱ πεμψαντι ἀπὸ χρυσοῦ, φιλίαν συνέθετο, Μιθριδάτην δ' ἐξῄτει παρὰ Τιγράνους. καὶ ἐς τὴν Ἀσίαν αὐτὸς ἐπανελθών, ὀφείλουσαν ἔτι τῶν Συλλείων ἐπιβολῶν, τέταρτα μὲν ἐπὶ τοῖς καρποῖς, τέλη δ' ἐπὶ τοῖς θεράπουσι καὶ ταῖς οἰκίαις ὥριζεν. καὶ ἐπινίκια ἔθυεν ὡς δὴ τὸν πόλεμον κατωρθωκώς.

84. Ἐπὶ δὲ ταῖς θυσίαις ἐπὶ τὸν Τιγράνην, οὐκ ἐκδιδόντα οἱ τὸν Μιθριδάτην, ἐστράτευε σὺν δύο τέλεσιν ἐπιλέκτοις καὶ ἱππεῦσι πεντακοσίοις. καὶ τὸν Εὐφράτην περάσας, μόνα τὰ χρήσιμα τοὺς βαρβάρους αἰτῶν διώδευεν· οἱ γὰρ ἄνδρες οὐκ ἐπολέμουν, οὐδ' ἠξίουν τι πάσχειν, ἔστε Λεύκολλον καὶ Τιγράνην ἐπ' ἀλλήλοις διακριθῆναι. Τιγράνῃ δ' οὐδεὶς ἐμήνυεν ἐπιόντα Λεύκολλον· ὁ γάρ τοι πρῶτος εἰπὼν ἐκεκρέμαστο ὑπ' αὐτοῦ, συνταράσσειν αὐτὸν τὰς πόλεις νομίσαντος. ὡς δέ ποτε ᾔσθετο, Μιθροβαρζάνην προύπεμπε μετὰ δισχιλίων ἱππέων, Λεύκολλον ἐπισχεῖν τοῦ δρόμου. Μαγκαίῳ δὲ Τιγρανόκερτα φυλάττειν ἐπέτρεψεν, ἥν τινα πόλιν, ὥς μοι προείρηται, ἐπὶ τιμῇ τῇ ἑαυτοῦ βασιλεὺς ἐν ἐκείνῳ γενέσθαι τῷ χωρίῳ συνῴκιζε, καὶ τοὺς ἀρίστους ἐς αὐτὴν συνεκάλει, ζημίαν ἐπιτιθείς, ὅσα μὴ μεταφέροιεν, δεδημεῦσθαι. τείχη τε αὐτοῖς περιέβαλε πεντηκονταπήχη τὸ ὕψος, ἱπποστασίων ἐν τῷ βάθει γέμοντα, καὶ βασίλεια καὶ παραδείσους κατὰ τὸ προάστειον ἐποίει μακρούς, καὶ κυνηγέσια πολλὰ καὶ λίμνας· ἀγχοῦ δὲ καὶ φρούριον ἀνίστη καρτερόν. καὶ πάντα τότε Μαγκαίῳ ταῦτ' ἐπιτρέψας, περιῄει

THE MITHRIDATIC WARS

gold, and demanded the surrender of Mithridates from Tigranes. Then he went back in person to the province of Asia, which still owed part of the fine imposed by Sulla, and imposed on it a twenty-five per cent. tax on crops, and taxes on slaves and house-property. He offered a triumphal sacrifice to the gods, as though he had brought the war to a successful issue.

CHAP. XII
He demands the surrender of Mithridates from Tigranes

84. After the sacrifice had been performed he marched with two picked legions and 500 horse against Tigranes, who had refused to surrender Mithridates to him. Having crossed the Euphrates, he only required the barbarians, through whose territory he passed, to furnish necessary supplies, since they did not want to fight, or to expose themselves to suffering, but preferred to leave Lucullus and Tigranes to decide the issue by themselves. No one told Tigranes that Lucullus was advancing, for he had hanged the first man who had brought such a report, considering him a disturber of the good order of the cities. But when at last he learned the truth, he sent Mithrobarzanes forward with 2000 horse to hinder Lucullus' march. He entrusted to Mancaeus the defence of Tigranocerta, which city, as I have already said, the king had built in this region in honour of himself, and to which he had summoned the principal inhabitants of the country under penalty of confiscation of all of their goods that they did not transfer to it. He surrounded it with walls fifty cubits high, the base of which was full of stables. In the suburbs he built a palace and laid out large parks, hunting-grounds and lakes. He also erected a strong fortress near by. All these he put in charge of Mancaeus, and then he went through the country to collect an

B.C. 69
He marches against Tigranes

He besieges Tigranocerta

399

CAP. στρατιὰν ἀγείρων. Μιθροβαρζάνην μὲν οὖν ὁ
XII Λεύκολλος εὐθὺς ἐκ τῆς πρώτης συμβολῆς τρεψά-
μενος ἐδίωκε, Μαγκαῖον δὲ Σεξτίλιος ἐς Τιγρανό-
κερτα κατακλείσας τὰ μὲν βασίλεια αὐτίκα,
ἀτείχιστα ὄντα, διήρπασε, τὴν δὲ πόλιν καὶ τὸ
φρούριον ἀπετάφρευε, καὶ μηχανὰς ἐφίστη, καὶ
ὑπονόμοις ἀνεκρήμνη τὸ τεῖχος.

85. Καὶ Σεξτίλιος μὲν ἀμφὶ ταῦτα ἐγίγνετο,
Τιγράνης δέ, πεζῶν ἐς πέντε καὶ εἴκοσι μυριάδας
ἀγείρας καὶ ἱππέας ἐς πεντακισμυρίους, πρού-
πεμψεν αὐτῶν ἐς Τιγρανόκερτα περὶ ἑξακισχι-
λίους, οἳ διὰ μέσων Ῥωμαίων ἐς τὸ φρούριον
ὠσάμενοί τε καὶ τὰς παλλακὰς τοῦ βασιλέως
ἐξαρπάσαντες ἐπανῆλθον. τῷ δὲ λοιπῷ στρατῷ
Τιγράνης αὐτὸς ἤλαυνεν ἐπὶ Λεύκολλον. καὶ
αὐτῷ τότε πρῶτον Μιθριδάτης ἐς ὄψιν ἐλθὼν
συνεβούλευε μὴ συμπλέκεσθαι Ῥωμαίοις, ἀλλὰ
τῷ ἱππικῷ μόνῳ περιτρέχοντα καὶ τὴν γῆν
λυμαινόμενον ἐς λιμὸν αὐτούς, εἰ δύναιτο, περι-
κλεῖσαι, ᾧ τρόπῳ καὶ αὐτὸς ὑπὸ Λευκόλλου περὶ
Κύζικον ἀμαχὶ κάμνων τὸν στρατὸν ἀπολέσαι.
ὁ δὲ γελάσας αὐτοῦ τὴν στρατηγίαν, προῄει συνε-
σκευασμένος ἐς μάχην· καὶ τὴν Ῥωμαίων ὀλι-
γότητα ἰδὼν ἐπέσκωψεν οὕτως· " εἰ μὲν πρέσβεις
εἰσὶν οἵδε, πολλοί, εἰ δὲ πολέμιοι, πάμπαν ὀλίγοι."
Λεύκολλος δὲ λόφον εὔκαιρον ἰδὼν ὄπισθεν τοῦ
Τιγράνους, τοὺς μὲν ἱππέας ἐκ μετώπου προσ-
έτασσεν ἐνοχλεῖν αὐτῷ καὶ περισπᾶν ἐφ' ἑαυτοὺς
καὶ ὑποχωρεῖν ἑκόντας, ἵνα τῶν βαρβάρων διω-
κόντων ἡ τάξις παραλυθείη· τοῖς δὲ πεζοῖς αὐτὸς
ἐς τὸν λόφον περιοδεύσας ἀνῄει λαθών. καὶ ὡς
εἶδε τοὺς πολεμίους ὑπὸ τῆς διώξεως οἷα νικῶν-

THE MITHRIDATIC WARS

army. Lucullus, at his first encounter with Mithrobarzanes, defeated him and put him to flight. Sextilius shut up Mancaeus in Tigranocerta, plundered the palace, which was not fortified, drew a ditch around the city and fortress, stationed engines against them, and began to undermine the wall.

85. While Sextilius was doing this Tigranes brought together some 250,000 foot and 50,000 horse. He sent about 6000 of the latter to Tigranocerta, who broke through the Roman line to the tower, and seized and brought away the king's concubines. With the rest of his army Tigranes marched in person against Lucullus. Mithridates, who was now for the first time admitted to his presence, advised him not to come to close quarters with the Romans, but to circle round them with his horse only, to devastate the country, and to reduce them by famine if possible, in the same way that he himself had been served by Lucullus at Cyzicus, where he lost his army through exhaustion without fighting. Tigranes derided such generalship and advanced ready for battle. When he saw how small the Roman force was, he said sarcastically, "If they are here as ambassadors they are too many; if as enemies, altogether too few." Lucullus saw a hill favourably situated in the rear of Tigranes, and accordingly stationed his cavalry for a frontal attack, to harass the enemy and draw him on against themselves, retiring voluntarily, so that the barbarians should break their own ranks in the pursuit; but he himself went round with his infantry to the hill and took possession of it unobserved. When he saw the enemy pursuing as though they had won the fight, and scattered in all directions, with their entire

APPIAN'S ROMAN HISTORY, BOOK XII

CAP.
XII
τας ἐς πολλὰ διεσκεδασμένους, τὰ δὲ σκευοφόρα αὐτῶν πάντα ὑποκείμενα, ἀνεβόησε· "νικῶμεν, ὦ ἄνδρες," καὶ ἐπὶ τὰ σκευοφόρα πρῶτος ἵετο δρόμῳ. τὰ δὲ αὐτίκα σὺν θορύβῳ φεύγοντα τοῖς πεζοῖς ἐνέπιπτε, καὶ τοῖς ἱππεῦσιν οἱ πεζοί. τροπή τε ἦν εὐθὺς ὁλοσχερής· οἵ τε γὰρ ἐν τῇ διώξει μακρὰν ἀπεσπασμένοι τῶν Ῥωμαϊκῶν ἱππέων ἐπιστρεψάντων ἐς αὑτοὺς ἀπώλλυντο, καὶ τὰ σκευοφόρα τοῖς ἄλλοις ἐνέπιπτεν ὡς ἐνοχλούμενα. πάντων τε ὡς ἐν τοσῷδε πλήθει θλιβομένων, καὶ τὸ ἀκριβὲς οὐκ εἰδότων, ὁπόθεν ἡ ἧσσα αὐτοῖς ἄρχοιτο, πολὺς ἦν φόνος, οὐδενὸς σκυλεύοντος οὐδέν· ἀπηγόρευτο γὰρ ἐκ Λευκόλλου μετ' ἀπειλῆς, ὥστε καὶ ψέλια καὶ περιαυχένια παροδεύοντες ἔκτεινον ἐπὶ σταδίους ἑκατὸν καὶ εἴκοσιν, ἔστε νὺξ ἐπέλαβε. τότε δ' ἀναστρέφοντες ἐσκύλευον· ἐδίδου γὰρ ὁ Λεύκολλος ἤδη.

86. Γιγνομένην δὲ τὴν ἧτταν ὁ Μαγκαῖος ἐφορῶν ἀπὸ Τιγρανοκέρτων, τοὺς Ἕλληνας, οἳ ἐμισθοφόρουν αὐτῷ, πάντας ἐξώπλισεν ὑποπτεύων οἱ σύλληψιν δεδιότες, ἀθρόοι σκυτάλας ἔχοντες ἐβάδιζόν τε καὶ ἠλίζοντο. Μαγκαίου δὲ τοὺς βαρβάρους ἐπάγοντος αὐτοῖς ὡπλισμένους, διαδησάμενοι τὰ ἱμάτια ταῖς λαιαῖς ἀντὶ ἀσπίδων, μετὰ τόλμης ἐσέδραμον ἐς αὐτούς· καὶ ὅσους ἀνέλοιεν, εὐθὺς ἐμερίζοντο τὰ ὅπλα. ὡς δὲ ἐκ τῶν δυνατῶν εἶχον αὐτάρκως, μεσοπύργιά τινα κατέλαβον, καὶ Ῥωμαίους ἔξωθεν ἐκάλουν τε καὶ ἀναβαίνοντας ἐδέχοντο. οὕτω μὲν ἑάλω Τιγρανόκερτα, καὶ πλοῦτος διηρπάζετο πολύς, οἷα πόλεως νεοκατασκεύου, φιλοτίμως συνῳκισμένης.

THE MITHRIDATIC WARS

baggage-train lying at the foot of the hill, he exclaimed, "Soldiers, we are victorious," and dashed first upon their baggage-carriers. These immediately fled in confusion and ran against their own infantry, and the infantry against the cavalry. In a moment the rout was complete. After drawing their pursuer a long distance, the Roman horse turned and cut them to pieces, and the baggage-train in their confusion came into collision with the others. And as they all jostled each other in the crowd, and did not know with any certainty from what quarter their discomfiture proceeded, there was a great slaughter. Nobody stopped to plunder, for Lucullus had forbidden it with threats of punishment, so that they passed by bracelets and necklaces on the road, and continued killing for a distance of 120 stades until nightfall. Then they returned and betook themselves to plunder with the permission of Lucullus.

86. When Mancaeus beheld this defeat from Tigranocerta he disarmed all his Greek mercenaries because he suspected them. They, in fear of arrest, went about together and rested together with clubs in their hands. Mancaeus set upon them with his armed barbarians. They wound their clothing round their left arms, to serve as shields, ran upon their assailants courageously, and immediately shared the arms of all those they killed. When they were thus as far as possible provided with weapons they seized some of the spaces between the towers, called to the Romans outside, and admitted them when they came up. In this way was Tigranocerta taken, and much wealth was plundered, as was natural in a city newly built and founded on an ambitious scale.

CHAP. XII

Total defeat of Tigranes

Capture of Tigranocerta

XIII

87. Τιγράνης δὲ καὶ Μιθριδάτης στρατὸν ἄλλον ἤθροιζον περιιόντες, οὗ τὴν στρατηγίαν ἐπετέτραπτο Μιθριδάτης, ἡγουμένου Τιγράνους αὐτῷ γεγονέναι τὰ παθήματα διδάγματα. ἔπεμπον δὲ καὶ ἐς τὸν Παρθυαῖον, ἐπικουρεῖν σφίσι παρακαλοῦντες. ἀντιπρεσβεύοντος δὲ Λευκόλλου, καὶ ἀξιοῦντος ἢ οἷ συμμαχῆσαι ἢ ἀμφοτέροις ἐκστῆναι τοῦ ἀγῶνος, ὁ μὲν κρύφα συντιθέμενος ἑκατέροις, οὐκ ἔφθασεν οὐδετέροις ἀμῦναι, ὁ δὲ Μιθριδάτης ὅπλα τε εἰργάζετο κατὰ πόλιν ἑκάστην, καὶ ἐστρατολόγει σχεδὸν ἅπαντας Ἀρμενίους. ἐπιλεξάμενος δ' αὐτῶν τοὺς ἀρίστους, ἐς ἑπτακισμυρίους πεζοὺς καὶ ἱππέας ἡμίσεας, τοὺς μὲν ἄλλους ἀπέλυσε, τοὺς δ' ἐς ἴλας τε καὶ σπείρας ἀγχοτάτω τῆς Ἰταλικῆς συντάξεως καταλέγων Ποντικοῖς ἀνδράσι γυμνάζειν παρεδίδου. προσιόντος δ' αὐτοῖς τοῦ Λευκόλλου, ὁ μὲν Μιθριδάτης τὸ πεζὸν ἅπαν καὶ μέρος τι τῶν ἱππέων ἐπὶ λόφου συνεῖχε, τῇ λοιπῇ δ' ἵππῳ Τιγράνης τοῖς σιτολογοῦσι Ῥωμαίοις περιπεσὼν ἡσσᾶτο. καὶ μᾶλλον ἀδεῶς ἀπὸ τοῦδε οἱ Ῥωμαῖοι πλησίον αὐτοῦ Μιθριδάτου ἐσιτολόγουν τε καὶ ἐστρατοπέδευον. κονιορτὸς δ' αὖθις ἠγείρετο πολὺς ὡς ἐπιόντος τοῦ Τιγράνους· καὶ τὸ ἐνθύμημα ἦν ἐν μέσῳ Λεύκολλον ἀμφοῖν γενέσθαι. ὁ δ' αἰσθόμενος τοὺς μὲν ἀρίστους τῶν ἱππέων προύπεμψε πορρωτάτω συμπλέκεσθαι τῷ Τιγράνῃ καὶ κωλύειν αὐτὸν ἐξ ὁδοιπορίας ἐς τάξιν καθίστασθαι, αὐτὸς δὲ τὸν Μιθριδάτην προκαλούμενος ἐς

THE MITHRIDATIC WARS

XIII

87. TIGRANES and Mithridates traversed the country collecting a new army, the command of which was committed to Mithridates, because Tigranes thought that his disasters must have taught him some lessons. They also sent messengers to Parthia to solicit aid from that quarter. Lucullus sent opposing legates asking that the Parthians should either help him or remain neutral. Their king made secret agreements with both, but was in no haste to help either of them. Mithridates manufactured arms in every town and enrolled almost the whole population of Armenia. From these he selected the bravest, to the number of about 70,000 foot and half that number of horse, and dismissed the rest. He divided them into squadrons and cohorts as nearly as possible according to the Italian system, and handed them over to Pontic officers to be trained. When Lucullus moved toward them Mithridates, with all the foot-soldiers and a part of the horse, held his forces together on a hill. Tigranes, with the rest of the horse, attacked the Roman foragers and was beaten, for which reason the Romans foraged more freely afterwards even in the vicinity of Mithridates himself, and encamped near him. Again a great dust arose indicating the approach of Tigranes; and the plan was that the two kings should surround Lucullus. But he, perceiving their movement, sent forward the pick of his horse very far in advance, to engage Tigranes, and prevent him from deploying from his line of march into order of battle. He also challenged Mithridates to fight, and began to

CAP. μάχην . . . . . .[1] καὶ περιταφρεύων οὐκ ἠρέθιζεν,
XIII ἕως χειμὼν ἐπιπεσὼν διέλυσε τὸ ἔργον ἅπασιν.

88. Καὶ Τιγράνης μὲν ἐξ ὅλης Ἀρμενίας ἐς τὰ ἐντὸς ἀνεζεύγνυεν, ὁ δὲ Μιθριδάτης ἐς τὸν Πόντον ἐπὶ τὰ λοιπὰ τῆς ἰδίας ἀρχῆς ἠπείγετο, τετρακισχιλίους οἰκείους ἔχων, καὶ τοσούσδε ἑτέρους παρὰ Τιγράνους λαβών. ἐφείπετο δ' αὐτῷ καὶ ὁ Λεύκολλος, ἀναζευγνὺς καὶ ὅδε διὰ τὴν ἀπορίαν. φθάσας δ' αὐτὸν ὁ Μιθριδάτης ἐπέθετο Φαβίῳ τῷ δεῦρο ἐκ Λευκόλλου στρατηγεῖν ὑπολελειμμένῳ, καὶ τρεψάμενος αὐτὸν ἔκτεινε πεντακοσίους. ἐλευθερώσαντος δὲ τοῦ Φαβίου θεράποντας ὅσοι ἦσαν ἐν τῷ στρατοπέδῳ, καὶ δι' ὅλης ἡμέρας αὖθις ἀγωνιζομένου, παλίντροπος ἦν ὁ ἀγών, μέχρι τὸν Μιθριδάτην, πληγέντα λίθῳ τε ἐς τὸ γόνυ καὶ ὑπὸ τὸν ὀφθαλμὸν βέλει, κατὰ σπουδὴν ἀποκομισθῆναι, καὶ πολλὰς ἡμέρας τοὺς μὲν φόβῳ τοῦ βασιλέως τῆς σωτηρίας, τοὺς δὲ ὑπὸ πλήθους τραυμάτων ἠρεμῆσαι. Μιθριδάτην μὲν οὖν ἐθεράπευον Ἄγαροι, Σκυθικὸν ἔθνος, ἰοῖς ὄφεων ἐς τὰς θεραπείας χρώμενοι καὶ ἐπὶ τῷδε ἀεὶ βασιλεῖ συνόντες· Φαβίῳ δὲ Τριάριος, ἕτερος Λευκόλλου στρατηγός, ἐπελθὼν μετ' οἰκείου στρατοῦ, τήν τε ἀρχὴν παρὰ τοῦ Φαβίου καὶ τὸ ἀξίωμα παρελάμβανεν. καὶ μετ' οὐ πολὺ χωρούντων ἐς μάχην αὐτοῦ τε καὶ Μιθριδάτου, πνεῦμα, οἷον οὐκ ἐμνημονεύετο γενέσθαι, τάς τε σκηνὰς ἀμφοτέρων διέρριψε καὶ τὰ ὑποζύγια παρέσυρε καὶ τῶν ἀνδρῶν ἔστιν οὓς κατεκρήμνισεν.

[1] There is a lacuna in the text here.

surround him with a ditch, but could not draw him out. Finally, winter came on and interrupted the work on both sides.

88. Tigranes now withdrew into the interior of Armenia and Mithridates hastened to what was left of his own kingdom of Pontus, taking with him 4000 of his own troops and as many more that he had received from Tigranes. He was followed by Lucullus, who was also forced to move owing to lack of provisions. Before Lucullus could stop him, Mithridates attacked Fabius, who had been left in command by Lucullus, put him to flight, and killed 500 of his men. Fabius freed the slaves who had been in his camp and fought again an entire day, but the battle was going against him until Mithridates was struck by a stone on the knee and wounded by a dart under the eye, and was hastily carried out of the fight. For many days thereafter his forces were alarmed for the king's life, and the Romans were quiet on account of the great number of wounds they had received. Mithridates was cured by the Agari, a Scythian tribe, who make use of the poison of serpents as remedies, and for this reason always accompany the king. Triarius, another general of Lucullus, now came with his own army to the assistance of Fabius and received from the latter his command and authority. He and Mithridates not long afterwards joined battle, during which a tempest of wind, the like of which had not been known in the memory of man, tore down the tents of both, swept away the beasts of burden, and dashed some of their men over precipices. Both sides then retreated for the time.

CAP. XIII 89. Καὶ τότε μὲν ἀνεχώρουν ἑκάτεροι, ἀπαγγελλομένου δὲ Λευκόλλου προσιέναι, προλαβεῖν τὸ ἔργον ὁ Τριάριος ἐπειγόμενος ἔτι νυκτὸς ἐπεχείρει ταῖς Μιθριδάτου προφυλακαῖς. ἰσομάχου δ᾽ ἐς πολὺ τοῦ ἀγῶνος ὄντος, ὁ βασιλεὺς ἐς τὸ καθ᾽ αὑτὸν μέρος ἐπιβαρήσας ἔκρινε τὴν μάχην, καὶ διασπάσας τοὺς πολεμίους τὸ πεζὸν αὐτῶν κατέκλεισεν ἐς διώρυχα πηλοῦ, ἔνθα διεφθείροντο στῆναι μὴ δυνάμενοι. τοὺς δ᾽ ἱππέας ἀνὰ τὸ πεδίον ἐδίωκεν, ἐκθύμως τῇ φορᾷ τῆς εὐτυχίας καταχρώμενος, ἔστε τις αὐτὸν Ῥωμαῖος λοχαγός, οἷα θεράπων αὐτῷ συντροχάζων, ἐς τὸν μηρὸν ἐπάταξε ξίφει πληγὴν βαθεῖαν, οὐκ ἐλπίσας ἐς τὰ νῶτα διὰ τοῦ θώρακος ἐφίξεσθαι. καὶ τόνδε μὲν εὐθὺς οἱ πλησίον συνέκοπτον, ὁ δὲ Μιθριδάτης ἀπεφέρετο ὀπίσω, καὶ οἱ φίλοι τὴν στρατιὰν ἀπὸ νίκης λαμπρᾶς ἀνεκάλουν σὺν ἐπείξει βαρείᾳ. ἐνέπιπτε δὲ τοῖς μαχομένοις ἐπὶ τῷ παραλόγῳ τῆς ἀνακλήσεως θόρυβός τε καὶ ἀπορία, μή τι δεινὸν ἑτέρωθεν εἴη, μέχρι μαθόντες εὐθὺς ἐν τῷ πεδίῳ τὸ σῶμα περίσταντο καὶ ἐθορύβουν, ἕως Τιμόθεος αὐτοῖς ὁ ἰατρός, ἐπισχὼν τὸ αἷμα, ἐπέδειξεν αὐτὸν ἐκ μετεώρου, οἷόν τι καὶ Μακεδόσιν ἐν Ἰνδοῖς, ὑπὲρ Ἀλεξάνδρου δεδιόσιν, ὁ Ἀλέξανδρος αὑτὸν ἐπὶ νεὼς θεραπευόμενον ἐπέδειξεν. ὁ δὲ Μιθριδάτης ὡς ἀνήνεγκεν, αὐτίκα τοῖς ἀνακαλέσασιν ἐκ τῆς μάχης κατεμέμφετο, καὶ τὸν στρατὸν αὐτῆς ἡμέρας ἦγεν αὖθις ἐπὶ τὸ Ῥωμαίων στρατόπεδον. οἱ δὲ καὶ ἐκ τοῦδε ἐπεφεύγεσαν ἤδη σὺν δέει. σκυλευομένων δὲ τῶν νεκρῶν ἐφαίνοντο χιλίαρχοι μὲν εἴκοσι καὶ τέσσαρες, ἑκατόνταρχοι δὲ πεντήκοντα καὶ ἑκατόν,

THE MITHRIDATIC WARS

89. When, however, news was brought that Lucullus was coming, Triarius hastened to anticipate his action and attacked the outposts of Mithridates before daybreak. The fight continued for a long time doubtful, until the king weighed down the division of the enemy opposed to him and decided the battle. He scattered their ranks and drove their infantry into a muddy trench, where they were unable to stand and were slaughtered. He pursued their horse over the plain and made the most spirited use of his good fortune until a certain Roman centurion, who was running beside him in the guise of an attendant, gave him a severe wound with a sword in the thigh, as he could not expect to pierce his back through his corselet. Those who were near immediately cut the centurion in pieces. Mithridates was carried to the rear and his friends recalled the army from that brilliant victory with melancholy haste. Confusion befell them by reason of the unexpectedness of the recall, and fear lest some disaster had happened elsewhere. When they learned what it was they at once gathered on the plain round the person of the king, and were in consternation, until Timotheus, his physician, had staunched the blood and lifted the king up so that he could be seen, just as in India, when Alexander was being cured, he showed himself on a ship to the Macedonians, who were alarmed about him. As soon as Mithridates came to himself he reproved those who had recalled the army from the fight, and led his men again the same day against the camp of the Romans. But they had already fled from it in terror. In stripping the dead there were found 24 tribunes and 150 centurions. So great a

CAP. ὅσον ἡγεμόνων πλῆθος οὐ ῥᾳδίως συνέπεσε Ῥω-
XIII μαίοις ἐν ἥττῃ μιᾷ.

90. Ὁ δὲ Μιθριδάτης ἐς Ἀρμενίαν, ἣν δὴ νῦν
Ῥωμαῖοι βραχυτέραν Ἀρμενίαν καλοῦσιν, ἀνε-
ζεύγνυ, τὰ μὲν εὐκόμιστα πάντα σιτολογῶν, τὰ
δὲ δυσχερῆ διαφθείρων τε καὶ Λεύκολλον ἐπιόντα
προαφαιρούμενος. καί τις ἀνὴρ Ῥωμαῖος, ἀπὸ
βουλῆς, Ἀττίδιος ὄνομα, διὰ δίκην φυγὼν ἐκ τῆς
πατρίδος ἐς Μιθριδάτην πρὸ πολλοῦ καὶ φιλίας
ἀξιούμενος, ἑάλω τότε ἐπιβουλεύων αὐτῷ. καὶ
τόνδε μὲν ὁ βασιλεὺς οὐ δικαιῶν βασανίσαι,
Ῥωμαίων ποτὲ βουλευτὴν γενόμενον, ἔκτεινε,
τοὺς δὲ συναμαρτόντας ᾐκίσατο δεινῶς. ἀπελεύ-
θεροι δ' ὅσοι τῷ Ἀττιδίῳ συνεγνώκεσαν, ἀπαθεῖς
ἀφῆκεν ὡς δεσπότῃ διακονησαμένους. Λευκόλλου
δ' ἤδη τῷ Μιθριδάτῃ παραστρατοπεδεύοντος, ὁ
τῆς Ἀσίας στρατηγὸς περιπέμπων ἐκήρυσσε
Ῥωμαίους ἐπικαλεῖν Λευκόλλῳ πέρα τοῦ δέοντος
πολεμοῦντι, καὶ τοὺς ὑπ' αὐτῷ τῆς στρατείας
ἀφιέναι, καὶ τῶν οὐ πειθομένων τὰ ὄντα δημεύ-
σειν. ὧν ἐξαγγελθέντων ὁ στρατὸς αὐτίκα
διελύετο, χωρὶς ὀλίγων. ὅσοι πάνυ πένητες
ὄντες καὶ τὴν ζημίαν οὐ δεδιότες τῷ Λευκόλλῳ
παρέμενον.

XIV

CAP. 91. Ὧδε μὲν δὴ καὶ ὁ Λευκόλλου πρὸς Μιθρι-
XIV δάτην πόλεμος ἐς οὐδὲν βέβαιον οὐδὲ κεκριμένον
τέλος ἔληξεν· ἀφισταμένης γὰρ τῆς Ἰταλίας
ἐνοχλούμενοι, καὶ ληστευομένης τῆς θαλάσσης
λιμῷ πιεζόμενοι, οὐκ ἐν καιρῷ σφίσιν ἡγοῦντο

THE MITHRIDATIC WARS

number of officers had seldom fallen in any single Roman defeat.

90. Mithridates withdrew into the country which the Romans now call Lesser Armenia, taking all the provisions he could and spoiling what he could not carry, so as to prevent Lucullus from getting any on his march. At this juncture a certain Roman of senatorial rank, named Attidius, a fugitive from justice, who had been with Mithridates a long time and had enjoyed his friendship, was detected in a conspiracy against him. The king condemned him to death, but not to torture, because he had once been a Roman Senator, but his fellow-conspirators were subjected to dreadful torments. The freedmen who were cognizant of the designs of Attidius he dismissed unharmed, because they had only helped their master. When Lucullus was already encamped near Mithridates, the proconsul of Asia sent heralds to proclaim that Rome had accused Lucullus of unnecessarily prolonging the war, and had ordered that the soldiers under him be dismissed, and that the property of those who did not obey this order should be confiscated. When this information was received the army disbanded at once, except a few who remained with Lucullus because they were very poor and did not fear the penalty.

Intrigue against Lucullus at Rome

XIV

91. So it turned out that the Mithridatic war under Lucullus, like the preceding wars, came to no fixed and definite conclusion. The Romans, torn by revolts in Italy and threatened with famine by pirates on the sea, considered it inopportune to undertake

CAP. XIV. πολεμεῖν ἄλλον τοσόνδε πόλεμον, πρὶν τὰ ἐνοχλοῦντα διαθέσθαι. ὧν καὶ ὁ Μιθριδάτης αἰσθανόμενος ἐς Καππαδοκίαν ἐσέβαλε καὶ τὴν ἰδίαν ἀρχὴν ὠχύρου. καὶ τάδε αὐτὸν πράσσοντα οἱ Ῥωμαῖοι περιεώρων ἐφ' ὅσον αὐτοῖς ἡ θάλασσα ἐκαθαίρετο. ὡς δ' ἐκεκάθαρτο καὶ ὁ καθήρας Πομπήιος ἔτι ἦν ἐν Ἀσίᾳ, τὸν Μιθριδάτειον πόλεμον ἀνελάμβανον αὐτίκα, καὶ ἐπέστελλον καὶ τοῦδε τῷ Πομπηίῳ στρατηγῆσαι. διό μοι δοκεῖ μέρος ὄντα τῆς Πομπηίου στρατείας τὰ περὶ τὴν θάλασσαν αὐτῷ πρὸ Μιθριδάτου κατειργασμένα, καὶ ἐς οὐδεμίαν συγγραφὴν οἰκείαν ἄλλην ἀπαντῶντα, ἐς τόδε τὸ μέρος συναγαγεῖν τε καὶ ἐπιδραμεῖν, ὡς ἐγένετο.

92. Μιθριδάτης ὅτε πρῶτον Ῥωμαίοις ἐπολέμει καὶ τῆς Ἀσίας ἐκράτει, Σύλλα περὶ τὴν Ἑλλάδα πονουμένου, ἡγούμενος οὐκ ἐς πολὺ καθέξειν τῆς Ἀσίας, τά τε ἄλλα, ὥς μοι προείρηται, πάντα ἐλυμαίνετο, καὶ ἐς τὴν θάλασσαν πειρατὰς καθῆκεν, οἳ τὸ μὲν πρῶτον ὀλίγοις σκάφεσι καὶ μικροῖς οἷα λῃσταὶ περιπλέοντες ἐλύπουν, ὡς δὲ ὁ πόλεμος ἐμηκύνετο, πλέονες ἐγίγνοντο καὶ ναυσὶ μεγάλαις ἐπέπλεον. γευσάμενοι δὲ κερδῶν μεγάλων, οὐδ' ἡττωμένου καὶ σπενδομένου τοῦ Μιθριδάτου καὶ ἀναχωροῦντος ἔτι ἐπαύοντο· οἱ γὰρ βίου καὶ πατρίδων διὰ τὸν πόλεμον ἀφῃρημένοι, καὶ ἐς ἀπορίαν ἐμπεσόντες ἀθρόαν, ἀντὶ τῆς γῆς ἐκαρποῦντο τὴν θάλασσαν, μυοπάρωσι πρῶτον καὶ ἡμιολίαις, εἶτα δικρότοις καὶ τριήρεσι κατὰ μέρη περιπλέοντες, ἡγουμένων λῃστάρχων οἷα πολέμου στρατηγῶν. ἔς τε ἀτειχίστους πόλεις ἐμπίπτοντες,

THE MITHRIDATIC WARS

another war of this magnitude until their present troubles were ended. When Mithridates perceived this he again invaded Cappadocia and fortified his own kingdom, and the Romans overlooked these transactions while they were clearing the sea. But when this was accomplished, and while Pompey, the destroyer of the pirates, was still in Asia, the Mithridatic war was at once resumed and the command of it also given to Pompey. Since the campaign at sea, which preceded his war against Mithridates, was a part of the operations under his command, and does not find a fitting place in any other portion of my history, it seems well to introduce it here and to run over the events as they occurred.

CHAP. XIV

The command given to Pompey

92. When Mithridates first went to war with the Romans and subdued the province of Asia (Sulla being then pre-occupied with difficulties respecting Greece), he thought that he should not hold the province long, and accordingly plundered it in all sorts of ways, as I mentioned above, and sent out pirates on the sea. In the beginning they sailed around with a few small boats harassing the inhabitants like robbers. As the war lengthened they became more numerous and navigated larger ships. Having once tasted large gains, they did not desist even when Mithridates was defeated, made peace and retired. Having lost both livelihood and country by reason of the war and fallen into extreme destitution, they harvested the sea instead of the land, at first with pinnaces and hemiolii, then with two-bank and three-bank ships, sailing in squadrons under pirate chiefs, who were like generals of an army. They fell upon unfortified

B.C. 88

The pirates in the Mediterranean

B.C. 85

413

CAP. XIV καὶ ἑτέρων τὰ τείχη διορύττοντες ἢ κόπτοντες ἢ πολιορκίᾳ λαμβάνοντες, ἐσύλων· καὶ τοὺς ἄνδρας, οἷς τι πλέον εἴη, ἐς ναυλοχίαν ἐπὶ λύτροις ἀπῆγον. καὶ τάδε τὰ λήμματα, ἀδοξοῦντες ἤδη τὸ τῶν λῃστῶν ὄνομα, μισθοὺς ἐκάλουν στρατιωτικούς. χειροτέχνας τε εἶχον ἐπ' ἔργοις δεδεμένους, καὶ ὕλην ξύλου καὶ χαλκοῦ καὶ σιδήρου συμφέροντες οὔποτε ἐπαύοντο· ἐπαιρόμενοι γὰρ ὑπὸ τοῦ κέρδους, καὶ τὸ λῃστεύειν οὐκ ἐγνωκότες ἔτι μεθεῖναι, βασιλεῦσι δ' ἤδη καὶ τυράννοις ἢ στρατοπέδοις μεγάλοις ἑαυτοὺς ὁμοιοῦντες, καὶ νομίζοντες, ὅτε συνέλθοιεν ἐς τὸ αὐτὸ πάντες, ἄμαχοι γενήσεσθαι, ναῦς τε καὶ ὅπλα πάντα ἐτεκταίνοντο, μάλιστα περὶ τὴν τραχεῖαν λεγομένην Κιλικίαν, ἣν κοινὸν σφῶν ὕφορμον ἢ στρατόπεδον ἐτίθεντο εἶναι, φρούρια μὲν καὶ ἄκρας καὶ νήσους ἐρήμους καὶ ναυλοχίας ἔχοντες πολλαχοῦ, κυριωτάτας δὲ ἀφέσεις ἡγούμενοι τὰς περὶ τήνδε τὴν Κιλικίαν, τραχεῖάν τε καὶ ἀλίμενον οὖσαν καὶ κορυφαῖς μεγάλαις ἐξέχουσαν. ὅθεν δὴ καὶ πάντες ὀνόματι κοινῷ Κίλικες ἐκαλοῦντο, ἀρξαμένου μὲν ἴσως τοῦ κακοῦ παρὰ τῶν Τραχεωτῶν Κιλίκων, συνεπιλαβόντων δὲ Σύρων τε καὶ Κυπρίων καὶ Παμφύλων καὶ τῶν Ποντικῶν καὶ σχεδὸν ἁπάντων τῶν ἑῴων ἐθνῶν οἳ πολλοῦ καὶ χρονίου σφίσιν ὄντος τοῦ Μιθριδατείου πολέμου δρᾶν τι μᾶλλον ἢ πάσχειν αἱρούμενοι τὴν θάλασσαν ἀντὶ τῆς γῆς ἐπελέγοντο, 93. ὥστε πολλαὶ τάχιστα αὐτῶν μυριάδες ἦσαν, καὶ οὐ μόνης ἔτι τῆς ἑῴας θαλάσσης ἐκράτουν, ἀλλὰ καὶ τῆς ἐντὸς Ἡρακλείων στηλῶν ἁπάσης· καὶ γάρ τινας ἤδη Ῥωμαίων στρατηγοὺς ναυμαχίᾳ ἐνενικήκεσαν,

towns, and undermined or battered down the walls of others, or captured them by regular siege and plundered them, carrying off the wealthier citizens to their haven of refuge and holding them for ransom. They now scorned the name of robbers and called their takings prizes of war. They had artisans chained to their tasks, and were continually bringing in materials of timber, brass and iron. Being elated by their gains and having given up all thought of changing their mode of life, they now likened themselves to kings, rulers and great armies, and thought that if they should all unite they would be invincible. They built ships and made all kinds of arms, their chief seat being the part of Cilicia called Tracheia (Craggy), which they had chosen as their common anchorage and encampment. They had forts and peaks and desert islands and retreats everywhere, but they chose for their principal rendezvous this part of the coast of Cilicia which was rough and harbourless and rose in high mountain peaks, for which reason they were all called by the common name of Cilicians. Perhaps this evil had its beginning among the men of Cilicia Tracheia, who were joined by men of Syrian, Cyprian, Pamphylian, and Pontic origin and those of almost all the Eastern nations, who, on account of the severity and length of the Mithridatic war, preferred to do wrong rather than to suffer it, and for this purpose chose the sea instead of the land.

93. Thus, in a very short time, they increased in number to tens of thousands. They dominated now not only the Eastern waters, but the whole Mediterranean to the Pillars of Hercules. They now even vanquished some of the Roman generals in naval en-

CAP. XIV ἄλλους τε καὶ τὸν τῆς Σικελίας περὶ αὐτῇ Σικελίᾳ. ἄπλωτά τε ἤδη πάντα ἦν, καὶ ἡ γῆ τῶν ἔργων ἐνδεὴς διὰ τὴν ἀνεπιμιξίαν. ἥ τε πόλις ἡ Ῥωμαίων ᾔσθετο μάλιστα τοῦ κακοῦ, τῶν τε ὑπηκόων σφίσι καμνόντων, καὶ αὐτοὶ διὰ πλῆθος ἴδιον ἐπιπόνως λιμώττοντες. τὸ δ' ἔργον αὐτοῖς ἐφαίνετο μέγα καὶ δυσχερές, ἐξελεῖν τοσάδε στρατόπεδα ἀνδρῶν ναυτικῶν, μεμερισμένα μὲν ἐς πᾶσαν ἐν κύκλῳ γῆν καὶ θάλασσαν, κοῦφα δὲ ταῖς κατασκευαῖς ἐς τὸ ὑποφεύγειν, οὐκ ἐκ πατρίδων ἢ φανερᾶς χώρας ὁρμώμενα, οὐδ' οἰκεῖον οὐδὲν ἢ ἴδιον ἀλλ' ἀεὶ τὸ προστυχὸν ἔχοντα. ὥστε πολὺς ὢν ὁ τοῦδε τοῦ πολέμου παράλογος, ἔννομον οὐδὲν ἔχοντος οὐδὲ βέβαιον οὐδὲ φανερόν, ἀμηχανίαν ὁμοῦ καὶ φόβον εἰργάζετο. Μουρήνας τε ἐγχειρήσας αὐτοῖς οὐδὲν ἐξείργαστο μέγα. ἀλλ' οὐδὲ Σερουίλιος Ἰσαυρικὸς ἐπὶ τῷ Μουρήνᾳ, ἀλλ' ἤδη καὶ τῆς γῆς τῆς Ἰταλικῆς τοῖς παραλίοις, ἀμφί τε τὸ Βρεντέσιον καὶ τὴν Τυρρηνίαν, ἐπέβαινον οἱ λῃσταὶ σὺν καταφρονήσει, καὶ γύναια παροδεύοντα τῶν εὐπατριδῶν καὶ δύο στρατηγοὺς αὐτοῖς σημείοις συνηρπάκεσαν.

94. Ὧν οὔτε τὴν βλάβην οὔτε τὴν αἰσχύνην ἔτι φέροντες οἱ Ῥωμαῖοι τὸν τότε σφῶν ἐπὶ δόξης ὄντα μεγίστης Γναῖον Πομπήιον αἱροῦνται νόμῳ στρατηγὸν ἐπὶ τριετὲς αὐτοκράτορα εἶναι θαλάσσης τε ἁπάσης ἢ στηλῶν Ἡρακλείων ἐντός ἐστι, καὶ γῆς ἀπὸ θαλάσσης ἐπὶ σταδίους τετρακοσίους ἄνω. βασιλεῦσί τε καὶ δυνάσταις καὶ ἔθνεσι καὶ πόλεσι πάσαις ἐπέστελλον ἐς πάντα συλλαμβάνειν τῷ Πομπηίῳ, καὶ αὐτῷ στρατιὰν κατα-

THE MITHRIDATIC WARS

gagements, and among others the praetor of Sicily on the Sicilian coast itself. No sea could be navigated in safety, and land remained untilled for want of commercial intercourse. The city of Rome felt this evil most keenly, her subjects being distressed and herself suffering grievously from hunger by reason of her own populousness. But it appeared to her to be a great and difficult task to destroy so large a force of seafaring men scattered everywhither on land and sea, with no fixed possession to encumber their flight, sallying out from no particular country or any known places, having no property or anything to call their own, but only what they might chance to light upon. Thus the unexampled nature of this war, which was subject to no laws and had nothing tangible or visible about it, caused perplexity and fear. Murena had attacked them, but accomplished nothing worth mention, nor had Servilius Isauricus, who succeeded him. And now the pirates contemptuously assailed the very coasts of Italy, around Brundusium and Etruria, and seized and carried off some women of noble families who were travelling, and also two praetors with their very insignia of office.

94. When the Romans could no longer endure the damage and disgrace they made Gnaeus Pompey, who was then their man of greatest reputation, commander by law for three years, with absolute power over the whole sea within the Pillars of Hercules, and of the land for a distance of 400 stades from the coast. They sent letters to all kings, rulers, peoples and cities, that they should aid Pompey in all ways. They gave him power to raise troops and

CAP. XIV λέγειν ἔδοσαν καὶ χρήματα ἀγείρειν. συνέπεμψαν δὲ καὶ παρὰ σφῶν στρατὸν πολὺν ἐκ καταλόγου, καὶ ναῦς ὅσας εἶχον, καὶ χρημάτων ἐς ἑξακισχίλια τάλαντα Ἀττικά. οὕτω μέγα καὶ δυσεργὲς ἡγοῦντο εἶναι τοσῶνδε κρατῆσαι στρατοπέδων, ἐν τοσῇδε θαλάσσῃ καὶ μυχοῖς τοσοῖσδε διαλανθανόντων τε εὐμαρῶς καὶ ὑποχωρούντων ῥᾳδίως καὶ ἐμπιπτόντων αὖθις ἀφανῶς. ἀνήρ τε οὐδείς πω πρὸ τοῦ Πομπηίου ἐπὶ τοσήνδε ἀρχὴν αἱρεθεὶς ὑπὸ Ῥωμαίων ἐξέπλευσεν, ᾧ στρατιὰ μὲν αὐτίκα ἦν ἐν δώδεκα μυριάσι πεζῶν καὶ ἱππεῖς τετρακισχίλιοι, νῆες δὲ σὺν ἡμιολίαις ἑβδομήκοντα καὶ διακόσιαι, ὑπηρέται δ᾽ ἀπὸ τῆς βουλῆς, οὓς καλοῦσι πρεσβευτάς, πέντε καὶ εἴκοσιν· οἷς ὁ Πομπήιος ἐπιδιῄρει τὴν θάλασσαν, καὶ ναῦς ἐδίδου καὶ ἱππέας ἑκάστῳ καὶ στρατὸν πεζόν, καὶ στρατηγίας σημεῖα περικεῖσθαι, ἵν᾽ αὐτοκράτωρ ἐντελὴς οὗ πιστεύοιτο μέρους ἕκαστος ὑπάρχοι, αὐτὸς δ᾽, οἷα δὴ βασιλεὺς βασιλέων, αὐτοὺς περιθέοι καὶ ἐφορῴη μένοντας ἐφ᾽ ὧν ἐτάχθησαν, μηδὲ μεταδιώκων τοὺς λῃστὰς περιφέροιτο ἐξ ἔργων ἀτελῶν ἔτι ὄντων ἐς ἕτερα, ἀλλ᾽ εἶεν οἱ πανταχόθεν αὐτοῖς ἀπαντῶντές τε καὶ τὰς ἐς ἀλλήλους διαδρομὰς ἀποκλείοντες.

95. Οὕτω διαθεὶς ὁ Πομπήιος ἅπαντα, ἐπέστησεν Ἰβηρίᾳ μὲν καὶ ταῖς Ἡρακλείοις στήλαις Τιβέριον Νέρωνα καὶ Μάλλιον Τορκουᾶτον, ἀμφὶ δὲ τὴν Λιγυστικήν τε καὶ Κελτικὴν θάλασσαν Μᾶρκον Πομπώνιον, Λιβύῃ δὲ καὶ Σαρδόνι καὶ Κύρνῳ, καὶ ὅσαι πλησίον νῆσοι, Λέντλον τε Μαρκελλῖνον καὶ Πόπλιον Ἀτίλιον, περὶ

THE MITHRIDATIC WARS

to collect money from the provinces, and they furnished a large army from their own muster-roll, and all the ships they had, and money to the amount of 6000 Attic talents,—so great and difficult did they consider the task of overcoming such great forces, dispersed over so wide a sea, hiding easily in so many nooks, retreating quickly and darting out again unexpectedly. Never did any man before Pompey set forth with so great authority conferred upon him by the Romans. Presently he had an army of 120,000 foot and 4000 horse, and 270 ships, including hemiolii. He had twenty-five assistants of senatorial rank, whom they call *legati*,[1] among whom he divided the sea, giving ships, cavalry and infantry to each, and investing them with the insignia of praetors, in order that each one might have absolute authority over the part entrusted to him, while he, Pompey, like a king of kings, should move to and fro among them to see that they remained where they were stationed, lest, while he was pursuing the pirates in one place, he should be drawn to something else before his work was finished, and in order that there might be forces to encounter them everywhere and to prevent them from forming junctions with each other.

95. Pompey disposed of the whole in the following manner. He put Tiberius Nero and Manlius Torquatus in command of Spain and the Pillars of Hercules. He assigned Marcus Pomponius to the Gallic and Ligurian waters. Africa, Sardinia, Corsica and the neighbouring islands were committed to Lentulus Marcellinus and Publius Atilius, and the

His arrangements for attacking them

[1] Official assistants given to a general or the governor of a province.

CAP. XIV δὲ αὐτὴν Ἰταλίαν Λεύκιον Γέλλιον καὶ Γναῖον Λέντλον. Σικελίαν δὲ καὶ τὸν Ἰόνιον ἐφύλασσον αὐτῷ Πλώτιός τε Οὐᾶρος καὶ Τερέντιος Οὐάρρων μέχρι Ἀκαρνανίας, Πελοπόννησον δὲ καὶ τὴν Ἀττικήν, ἔτι δ' Εὔβοιαν καὶ Θεσσαλίαν καὶ Μακεδονίαν καὶ Βοιωτίαν Λεύκιος Σισιννᾶς, τὰς δὲ νήσους καὶ τὸ Αἰγαῖον ἅπαν καὶ τὸν Ἑλλήσποντον ἐπ' ἐκείνῳ Λεύκιος Λόλλιος, Βιθυνίαν δὲ καὶ Θρᾴκην καὶ τὴν Προποντίδα καὶ τὸ τοῦ Πόντου στόμα Πούπλιος Πείσων, Λυκίαν δὲ καὶ Παμφυλίαν καὶ Κύπρον καὶ Φοινίκην Μέτελλος Νέπως. ὧδε μὲν αὐτῷ διετετάχατο οἱ στρατηγοὶ ἐπιχειρεῖν τε καὶ ἀμύνεσθαι, καὶ φυλάσσειν τὰ τεταγμένα, καὶ τοὺς παρ' ἀλλήλων ἐκφεύγοντας ὑπολαμβάνειν, ἵνα μὴ διώκοντες ἀφίσταιντο μακράν, μηδὲ ὡς ἐν δρόμῳ περιφέροιντο, καὶ χρόνιον εἴη τὸ ἔργον, αὐτὸς δ' ἅπαντας ἐπέπλει. καὶ τὰ ἐς δύσιν πρῶτα ἡμέραις τεσσαράκοντα ἐπιδὼν ἐς Ῥώμην παρῆλθεν. ὅθεν ἐς Βρεντέσιον, καὶ ἐκ Βρεντεσίου τοσῷδε διαστήματι τὴν ἕω περιπλεύσας, ἐξέπληξεν ἅπαντας τάχει τε ἐπίπλου καὶ μεγέθει παρασκευῆς καὶ φόβῳ δόξης, ὥστε τοὺς λῃστὰς ἐλπίσαντας αὐτῷ προεπιχειρήσειν, ἢ οὐκ εὐμαρές γε τὸ κατὰ σφῶν ἔργον ἀποδείξειν, δείσαντας εὐθὺς τῶν τε πόλεων ἃς ἐπολιόρκουν ἐξαναχθῆναι, καὶ ἐς τὰς συνήθεις ἄκρας καὶ ναυλοχίας ὑποφεύγειν, καὶ Πομπηίῳ τὴν μὲν θάλασσαν αὐτίκα ἀμαχὶ κεκαθάρθαι, τοὺς δὲ λῃστὰς ὑπὸ τῶν στρατηγῶν ἁλίσκεσθαι πανταχοῦ κατὰ μέρη.

96. Αὐτὸς δὲ ἐς Κιλικίαν ἠπείγετο μετὰ ποικί-

THE MITHRIDATIC WARS

coast of Italy itself to Lucius Gellius and Gnaeus Lentulus. Sicily and the Adriatic as far as Acarnania were assigned to Plotius Varus, and Terentius Varro; the Peloponnesus, Attica, Euboea, Thessaly, Macedonia and Boeotia to Lucius Sisenna; the Greek islands, the whole Aegean sea, and the Hellespont in addition, to Lucius Lollius; Bithynia, Thrace, the Propontis and the mouth of the Euxine to Publius Piso; Lycia, Pamphylia, Cyprus and Phoenicia to Metellus Nepos. Thus were the commands of the praetors arranged for the purpose of attacking, defending and guarding their respective assignments, so that each might catch the pirates put to flight by others, and not be drawn a long distance from their own stations by the pursuit, nor carried round and round as in a race, and the time for doing the work protracted. Pompey himself made a tour of the whole. He first inspected the western stations, accomplishing the task in forty days, and passing through Rome on his return. Thence he went to Brundusium and, proceeding from this place, he occupied an equal time in visiting the eastern stations. He astonished all by the rapidity of his movement, the magnitude of his preparations, and his formidable reputation, so that the pirates, who had expected to attack him first, or at least to show that the task he had undertaken against them was no easy one, became straightway alarmed, abandoned their assaults upon the towns they were besieging, and fled to their accustomed peaks and inlets. Thus the sea was cleared by Pompey forthwith and without a fight, and the pirates were everywhere subdued by the praetors at their several stations.

96. Pompey himself hastened to Cilicia with forces *He proceeds to Cilicia*

CAP. XIV λου στρατοῦ καὶ μηχανημάτων πολλῶν, ἐλπίσας παντοίας μάχης καὶ πολιορκίας αὐτῷ δεήσειν ἐπὶ ἄκρας ἀποκρήμνους. οὐδενὸς δὲ ἐδέησε· τὸ γὰρ κλέος αὐτοῦ καὶ τὴν παρασκευὴν οἱ λῃσταὶ καταπλαγέντες, καὶ ἐλπίσαντες, εἰ μὴ διὰ μάχης ἔλθοιεν, τεύξεσθαι φιλανθρώπου, πρῶτοι μὲν οἱ Κράγον καὶ Ἀντίκραγον εἶχον, φρούρια μέγιστα, μετὰ δ' ἐκείνους οἱ ὄρειοι Κίλικες καὶ ἐφεξῆς ἅπαντες ἑαυτοὺς ἐνεχείρισαν, ὅπλα τε ὁμοῦ πολλά, τὰ μὲν ἕτοιμα τὰ δὲ χαλκευόμενα, παρέδωκαν, καὶ ναῦς τὰς μὲν ἔτι πηγνυμένας τὰς δ' ἤδη πλεούσας, χαλκόν τε καὶ σίδηρον ἐς ταῦτα συνενηνεγμένον καὶ ὀθόνας καὶ κάλως καὶ ὕλην ποικίλην, αἰχμαλώτων τε πλῆθος, τῶν μὲν ἐπὶ λύτροις τῶν δὲ ἐπὶ ἔργοις δεδεμένων. ὧν ὁ Πομπήϊος τὴν μὲν ὕλην ἐνέπρησε, τὰς δὲ ναῦς ἀπήγαγε, τοὺς δ' αἰχμαλώτους ἐς τὰς πατρίδας ἀφῆκε· καὶ πολλοὶ κενοτάφια σφῶν κατέλαβον ὡς ἐπὶ νεκροῖς γενόμενα. τοὺς δὲ πειρατὰς οἳ μάλιστα ἐδόκουν οὐχ ὑπὸ μοχθηρίας ἀλλ' ἀπορίᾳ βίου διὰ τὸν πόλεμον ἐπὶ ταῦτα ἐλθεῖν, ἐς Μαλλὸν καὶ Ἄδανα καὶ Ἐπιφάνειαν, ἢ εἴ τι ἄλλο πόλισμα ἔρημον ἢ ὀλιγάνθρωπον ἦν τῆσδε τῆς τραχείας Κιλικίας, συνῴκιζε· τοὺς δέ τινας αὐτῶν καὶ ἐς Δύμην τῆς Ἀχαΐας ἐξέπεμπεν. ὧδε μὲν ὁ λῃστρικὸς πόλεμος, χαλεπώτατος ἔσεσθαι νομισθείς, ὀλιγήμερος ἐγένετο τῷ Πομπηΐῳ· καὶ ναῦς ἔλαβε τὰς μὲν ἁλούσας μίαν καὶ ἑβδομήκοντα, τὰς δὲ ὑπ' αὐτῶν παραδοθείσας ἓξ καὶ τριακοσίας, πόλεις δὲ καὶ φρούρια καὶ ὁρμητήρια ἄλλα αὐτῶν ἐς εἴκοσι καὶ ἑκατόν. λῃσταὶ δ' ἀνῃρέθησαν ἐν ταῖς μάχαις ἀμφὶ τοὺς μυρίους.

THE MITHRIDATIC WARS

of various kinds and many engines, as he expected that there would be need of every kind of fighting and every kind of siege against their precipitous peaks; but he needed nothing. The terror of his name and the greatness of his preparations had produced a panic among the robbers. They hoped that if they did not resist they might receive lenient treatment. First, those who held Cragus and Anticragus, their largest citadels, surrendered themselves, and after them the mountaineers of Cilicia, and, finally, all, one after another. They gave up at the same time a great quantity of arms, some completed, others in the workshops; also their ships, some still on the stocks, others already afloat; also brass and iron collected for building them, and sail-cloth, rope and timber of all kinds; and finally a multitude of captives either held for ransom or chained to their tasks. Pompey burned the timber, carried away the ships and sent the captives back to their respective countries. Many of them there found their own cenotaphs, for they were supposed to be dead. Those pirates who had evidently fallen into this way of life not from wickedness, but from poverty consequent upon the war, Pompey settled in Mallus, Adana, and Epiphaneia, or any other uninhabited or thinly peopled town in Cilicia Tracheia. Some of them, too, he sent to Dyme in Achaia. Thus the war against the pirates, which it was supposed would prove very difficult, was brought to an end by Pompey in a few days. He took seventy-one ships by capture and 306 by surrender from the pirates, and about 120 of their towns, fortresses and other places of rendezvous. About 10,000 of the pirates were slain in battles.

XV

CAP. XV

97. Ἐπὶ δὴ τούτοις ὀξέως τε οὕτω καὶ παραδόξως γενομένοις οἱ Ῥωμαῖοι τὸν Πομπήιον μέγα ἐπαίροντες, ἔτι ὄντα περὶ Κιλικίαν εἵλοντο τοῦ πρὸς Μιθριδάτην πολέμου στρατηγὸν ἐπὶ τῆς ὁμοίας ἐξουσίας, αὐτοκράτορα ὄντα, ὅπη θέλοι, συντίθεσθαί τε καὶ πολεμεῖν, καὶ φίλους ἢ πολεμίους Ῥωμαίοις οὓς δοκιμάσειε ποιεῖσθαι· στρατιᾶς τε πάσης, ὅση πέραν ἐστὶ τῆς Ἰταλίας, ἄρχειν ἔδωκαν. ἅπερ οὐδενί πω παντάπασι πρὸ τοῦδε ὁμοῦ πάντα ἐδόθη. καὶ ἴσως αὐτὸν καὶ διὰ τάδε μέγαν ὀνομάζουσιν· ὁ γάρ τοι πόλεμος ὁ τοῦ Μιθριδάτου καὶ ὑπὸ τῶν προτέρων στρατηγῶν ἐξήνυστο ἤδη.

Πομπήιος μὲν οὖν εὐθὺς ἐκ τῆς Ἀσίας στρατὸν ἀγείρας μετεστρατοπέδευσεν ἐπὶ τοὺς ὅρους τοῦ Μιθριδάτου· Μιθριδάτῃ δὲ ἦν ἐπίλεκτος οἰκεῖος στρατός, τρισμύριοι πεζοὶ καὶ ἱππεῖς τρισχίλιοι, καὶ προυκάθητο τῆς χώρας. ἄρτι δ' αὐτὴν Λευκόλλου διεφθαρκότος ἀπόρως εἶχεν ἀγορᾶς· ὅθεν αὐτομολίαις ἐπετίθεντο πολλοί. καὶ τούσδε μὲν ὁ Μιθριδάτης ἐρευνώμενος ἐκρήμνη καὶ ὀφθαλμοὺς ἀνώρυττε καὶ ἔκαιεν. καὶ τὰ μὲν τῶν αὐτομολιῶν ἧσσον ἠνώχλει διὰ φόβον τῶν κολάσεων, ἐπέτριβε δ' ἡ ἀπορία.

98. Πρέσβεις οὖν ἐς Πομπήιον πέμψας ἠξίου μαθεῖν, τίς ἂν εἴη τοῦ πολέμου διάλυσις. ὁ δ' "ἐὰν τοὺς αὐτομόλους ἡμῖν παραδῷς" ἔφη, "καὶ σεαυτὸν ἡμῖν ἐπιτρέψῃς." ὧν ὁ Μιθριδάτης πυθόμενος τοῖς αὐτομόλοις τὸ περὶ αὐτῶν ἔφρασε, καὶ δεδιότας ὁρῶν ὤμοσεν ὅτι οἱ τὰ πρὸς Ῥωμαίους

THE MITHRIDATIC WARS

XV

97. For this victory, so swiftly and unexpectedly gained, the Romans extolled Pompey greatly; and while he was still in Cilicia they chose him commander of the war against Mithridates, giving him the same unlimited powers as before, to make war and peace as he liked, and to proclaim nations friends or enemies according to his own judgment. They gave him command of all the forces beyond the borders of Italy. All these powers together had never been given to any one general before; and this is perhaps the reason why they call him Pompey the Great, for the Mithridatic war had been already finished by his predecessors. He accordingly collected his army and marched to the territory of Mithridates. The latter had an army, selected from his own forces, of 30,000 foot and 3000 horse, stationed on his frontier; but since Lucullus had lately devastated that region there was a scant supply of provisions, and for this reason many of his men deserted. The deserters whom he caught he crucified, put out their eyes, or burned them alive. But while the fear of punishment lessened the number of deserters, the scarcity of provisions weakened him.

CHAP. XV
Extraordinary powers given to Pompey

He marches against Mithridates

98. So he sent envoys to Pompey asking on what terms he could obtain peace. Pompey replied, "By delivering up our deserters and surrendering at discretion." When Mithridates was made acquainted with these terms he communicated them to the deserters, and when he observed their consternation he swore that on account of the cupidity of the Romans he would never make

CAP.
XV
ἐστὶν ἄσπονδα διὰ τὴν πλεονεξίαν αὐτῶν, καὶ οὐκ
ἐκδώσει τινά, οὐδὲ πράξει ποτὲ ὃ μὴ κοινῇ πᾶσι
συνοίσει. ὁ μὲν δὴ ὧδε εἶπεν, ὁ δὲ Πομπήιος
ἐνέδραν ποι καθεὶς ἱππέων, ἑτέρους ἔπεμπεν ἐκ
φανεροῦ τοῖς προφύλαξι τοῦ βασιλέως ἐνοχλεῖν
καὶ εἴρητο αὐτοῖς ... ἐρεθίζειν καὶ ὑποφεύγειν
ὥσπερ ἡττωμένους, ... ἔστε περ οἱ ἐκ τῆς ἐνέδρας
περιλαβόντες αὐτοὺς ἐτρέψαντο. καὶ φεύγουσι
τάχ᾽ ἂν καὶ ἐς τὸ στρατόπεδον συνεσεπήδησαν, εἰ
μὴ δείσας ὁ βασιλεὺς προήγαγε τὸ πεζόν. οἱ δ᾽
ἀπεχώρουν. καὶ τέλος ἦν τοῦτο τῇ πρώτῃ Πομ-
πηίου καὶ Μιθριδάτου πείρᾳ ἐς ἀλλήλους καὶ
ἱππομαχίᾳ.

99. Ἐνοχλούμενος δ᾽ ὑπὸ τῆς ἀπορίας ὁ βασι-
λεὺς ἄκων ὑπεχώρει, καὶ ἐσεδέχετο Πομπήιον ἐς
τὴν ἑαυτοῦ, ἐλπίζων καθήμενον ἐν τῇδε τῇ διε-
φθαρμένῃ κακοπαθήσειν. ὁ δὲ ἀγορὰν μὲν ἐπακτὸν
ἐκ τῶν ὄπισθεν εἶχε, περιελθὼν δὲ τὰ πρὸς ἕω τοῦ
Μιθριδάτου, καὶ φρούρια αὐτῷ καὶ στρατόπεδα
πολλὰ ἐς ἑκατὸν καὶ πεντήκοντα σταδίους περι-
θεὶς ἀπετάφρευε τοῦ μὴ σιτολογεῖν αὐτὸν ἔτι
εὐμαρῶς. καὶ ὁ βασιλεὺς ἀποταφρεύοντι μὲν οὐκ
ἐπετίθετο, εἴθ᾽ ὑπὸ δέους εἴθ᾽ ὑπ᾽ ἀνοίας, ἣ πᾶσιν
ἐγγίγνεται πλησιαζόντων τῶν κακῶν, κάμνων δ᾽
αὖθις ἐξ ἀπορίας τὰ ὑποζύγια ὅσα εἶχε κατέκοπτε,
τοὺς ἵππους μόνους περιποιούμενος, ἔστε μόλις ἐς
πεντήκοντα διαρκέσας ἡμέρας νυκτὸς ἀπεδίδρασκε
σὺν σιωπῇ βαθείᾳ δι᾽ ὁδῶν δυσχερῶν. ὡς δὲ
αὐτὸν μόλις ἡμέρας ὁ Πομπήιος καταλαβὼν
εἴχετο τῶν ὑστάτων, ὁ μὲν καὶ τότε τῶν φίλων

peace with them, nor would he give up anybody to them, nor would he ever do anything that was not for the common advantage of all. So spake Mithridates. Then Pompey placed a cavalry force in ambush, and sent forward others to harass the king's outposts openly, and ordered them to provoke <the enemy> and then retreat, as though vanquished. <This was done> until those in ambush took their enemy in the rear and put them to flight. The Romans might have broken into the enemy's camp along with the fugitives had not the king, apprehending this danger, led forward his infantry, whereupon the Romans retired. This was the result of the first trial of arms and cavalry engagement between Pompey and Mithridates.

99. The king, being distressed by lack of provisions, retreated reluctantly and allowed Pompey to enter his territory, expecting that he also would suffer from scarcity when encamped in the devastated region. But Pompey had arranged to have his supplies sent after him. He passed round to the eastward of Mithridates, established a series of fortified posts and camps in a circle of 150 stades, and drew a line of circumvallation around him in order to make foraging no longer easy for him. The king did not oppose this work, either from fear, or from that mental paralysis which afflicts all men on the approach of calamity. Being again pressed for supplies he slaughtered his pack animals, keeping only his horses. Finally, when he had scarcely fifty days' provisions left he fled by night, in profound silence, by bad roads. Pompey overtook him with difficulty in the daytime and assailed his rearguard. The king's friends then again urged him to prepare for

CAP.
XV
ἐκτάξαι κελευόντων οὐκ ἐμάχετο, ἀλλὰ τοῖς ἱππεῦσι μόνοις τοὺς πλησιάζοντας ἀνακόπτων ἑσπέρας ἐν ὕλαις ηὐλίσατο πυκναῖς. τῇ δ' ἐπιούσῃ χωρίον κατέλαβε περίκρημνον, οὗ μία ἐς αὐτὸ ἄνοδος ἦν, καὶ τέσσαρες αὐτὴν σπεῖραι προὐφύλασσον. ἀντεφύλασσον δὲ καὶ Ῥωμαῖοι μὴ διαφυγεῖν Μιθριδάτην.

100. Ἅμα δ' ἡμέρᾳ τὸν μὲν στρατὸν αὐτῶν ὥπλιζεν ἑκάτερος, οἱ προφύλακες δ' ἀλλήλων κατὰ τὸ πρανὲς ἀπεπειρῶντο· καί τινες ἱππεῖς τοῦ Μιθριδάτου χωρίς τε τῶν ἵππων καὶ χωρὶς ἐπαγγέλματος ἐβοήθουν τοῖς σφετέροις προφύλαξιν. πλειόνων δέ σφισι Ῥωμαίων ἱππέων ἐπιόντων, οἱ ἄνιπποι τῶν Μιθριδατείων οἵδε ἀθρόως ἐς τὸ στρατόπεδον ἀνεπήδων, ἀναβησόμενοί τε τοὺς ἵππους καὶ ἐξ ἴσου τοῖς ἐπιοῦσι Ῥωμαίοις συνοισόμενοι. κατιδόντες δ' αὐτοὺς οἱ ἄνω ἔτι ὁπλιζόμενοι σὺν δρόμῳ καὶ βοῇ προσθέοντας, καὶ τὸ γιγνόμενον οὐκ εἰδότες ἀλλὰ φεύγειν αὐτοὺς ὑπολαβόντες, ὡς εἰλημμένου σφῶν ἤδη καθ' ἑκάτερα τοῦ στρατοπέδου, τὰ ὅπλα μεθέντες ἔφευγον. ἀδιεξόδου δ' ὄντος τοῦ χωρίου προσέπταιον ἀλλήλοις ἀναστρεφόμενοι, μέχρι καθήλαντο κατὰ τῶν κρημνῶν. οὕτω μὲν ἡ στρατιὰ τῷ Μιθριδάτῃ διὰ προπέτειαν τῶν ἄνευ προστάγματος τοῖς προμάχοις ἐπικουρεῖν ἑλομένων θορυβηθεῖσα διέφθαρτο, καὶ τὸ λοιπὸν ἔργον εὔκολον ἦν τῷ Πομπηίῳ, κτείνοντι καὶ συλλαμβάνοντι ἀνόπλους ἔτι καὶ ἐν περικρήμνῳ συγκεκλεισμένους. καὶ ἀνῃρέθησαν ἐς μυρίους, καὶ τὸ στρατόπεδον ὅλῃ τῇ παρασκευῇ κατελήφθη.

101. Μιθριδάτης δὲ μετὰ τῶν ὑπασπιστῶν

THE MITHRIDATIC WARS

battle, but he would not fight. He merely drove back the assailants with his horse and retired into the thick woods in the evening. The following day he took up a strong position defended by rocks, to which there was access by only one road, which he held with an advance guard of four cohorts. The Romans put an opposing force on guard there to prevent Mithridates from escaping.

100. At daybreak both commanders put their forces under arms. The outposts began skirmishing on the slope and some of the king's horsemen, without their horses and without orders, went to the assistance of their advance guard. A larger number of the Roman cavalry came up against them, and these horseless soldiers of Mithridates rushed in a body back to their camp to mount their horses and meet the advancing Romans on equal terms. When those who were still arming on the higher ground looked down and saw their own men running towards them with haste and outcries, but did not know the reason, they thought that they had been put to flight. They threw down their arms and fled, thinking that their camp had already been captured on either side. As there was no road out of the place they fell foul of each other in the confusion, until finally they leaped down the precipices. Thus the army of Mithridates perished through the rashness of those who caused a panic by going to the assistance of the advance guard without orders. Pompey was left the easy task of killing and capturing men not yet armed and shut up in a rocky defile. About 10,000 were slain and the camp with all its war-material was taken.

101. Mithridates, forcing his way to the cliffs, accom-

CAP.
XV
μόνων ὠσάμενος ἐς τὰ κατάκρημνα καὶ διαφυγὼν ἐνέτυχέ τισιν ἱππεῦσι μισθοφόροις καὶ πεζοῖς ὡς τρισχιλίοις, οἳ εὐθὺς αὐτῷ συνείποντο ἐς Σινόρηγα φρούριον, ἔνθα αὐτῷ χρήματα πολλὰ ἐσεσώρευτο· καὶ δωρεὰν καὶ μισθὸν ἐνιαυτοῦ τοῖς συμφυγοῦσι διέδωκεν. φέρων δ' ἐς ἑξακισχίλια τάλαντα ἐπὶ τὰς τοῦ Εὐφράτου πηγὰς ἠπείγετο ὡς ἐκεῖθεν ἐς Κόλχους περάσων. δρόμῳ δ' ἀπαύστῳ χρώμενος τὸν μὲν Εὐφράτην ὑπερῆλθεν ἡμέρᾳ μάλιστα τετάρτῃ, τρισὶ δ' ἄλλαις καθιστάμενος καὶ ὁπλίζων τοὺς συνόντας ἢ προσιόντας ἐς τὴν Χωτηνὴν Ἀρμενίαν ἐνέβαλεν, ἔνθα Χωτηνοὺς μὲν καὶ Ἴβηρας, κωλύοντας αὐτὸν βέλεσι καὶ σφενδόναις, ἐλαύνων διῆλθεν ἐπὶ τὸν Ἄψαρον ποταμόν. Ἴβηρας δὲ τοὺς ἐν Ἀσίᾳ οἱ μὲν προγόνους οἱ δ' ἀποίκους ἡγοῦνται τῶν Εὐρωπαίων Ἰβήρων, οἱ δὲ μόνον ὁμωνύμους· ἔθος γὰρ οὐδὲν ἦν ὅμοιον, ἢ γλῶσσα. Μιθριδάτης δ' ἐν Διοσκούροις χειμάζων, ἥν τινα πόλιν οἱ Κόλχοι σύμβολον ἡγοῦνται τῆς Διοσκούρων σὺν Ἀργοναύταις ἐπιδημίας, οὐδὲν σμικρόν, οὐδ' οἷον ἐν φυγῇ, διενοεῖτο, ἀλλὰ τὸν Πόντον ὅλον ἐν κύκλῳ καὶ Σκύθας ἐπὶ τῷ Πόντῳ καὶ τὴν Μαιῶτιδα λίμνην ὑπερελθὼν ἐς Βόσπορον ἐμβαλεῖν, τήν τε Μαχάρους τοῦ παιδὸς ἀρχήν, ἀχαρίστου περὶ αὐτὸν γενομένου, παραλαβὼν αὖθις ἐκ μετώπου Ῥωμαίοις γενέσθαι, καὶ πολεμεῖν ἐκ τῆς Εὐρώπης οὖσιν ἐν τῇ Ἀσίᾳ, τὸν πόρον ἐν μέσῳ θέμενος, ὃν κληθῆναι νομίζουσι Βόσπορον Ἰοῦς διανηξαμένης, ὅτε βοῦς γενομένη κατὰ ζηλοτυπίαν Ἥρας ἔφευγεν.

panied only by his body-guard, effected his escape, and fell in with a troop of mercenary horse and about 3000 foot who followed him directly to the fortress of Sinorex, where he had accumulated a large sum of money. Here he gave rewards and a year's pay to those who had fled with him. Taking about 6000 talents he hastened to the head waters of the Euphrates, intending to proceed thence to Colchis. Marching without halt, he crossed the Euphrates on about the fourth day. Three days later he put in order and armed the forces that had accompanied or joined him, and entered Armenia at Chotene. There the Choteneans and Iberians tried with darts and slings to prevent him from coming in, but he advanced through them and proceeded to the river Apsarus. Some people think that the Iberians of Asia were the ancestors of the Iberians of Europe: others think that the former emigrated from the latter; still others think they merely have the same name, as their customs and languages were not similar. Mithridates wintered at Dioscurias in Colchis, which city, the Colchians think, preserves the remembrance of the sojourn there of the Dioscuri with the Argonautic expedition. Here he conceived the vast plan, a strange one for a fugitive, of making the circuit of the whole Pontus, and then of Scythia and the sea of Azov, thus arriving at the Bosporus. He intended to take away the kingdom of Machares, his ungrateful son, and confront the Romans once more; wage war against them from the side of Europe while they were in Asia, and put between them the strait which is believed to have been called the Bosporus because Io swam across it when she was changed into a cow and fled from the jealousy of Hera.

CAP. XV 102. Ἐς τοσοῦτο παραδοξολογίας ἐπειγόμενος ὁ Μιθριδάτης ἐφικέσθαι ὅμως ἐπενόει, καὶ διώδευεν ἔθνη Σκυθικὰ καὶ πολεμικὰ καὶ ἀλλότρια πείθων ἢ βιαζόμενος· οὕτω καὶ φεύγων καὶ ἀτυχῶν αἰδέσιμος ἔτι καὶ φοβερὸς ἦν. Ἡνιόχους μὲν οὖν δεχομένους αὐτὸν παρώδευεν, Ἀχαιοὺς δ' ἐτρέψατο διώκων· οὓς ἀπὸ Τροίας ἐπανιόντας φασὶν ἐς τὸν Πόντον ὑπὸ χειμῶνος ἐκπεσεῖν, καὶ πολλὰ παθεῖν ὡς Ἕλληνας ὑπὸ βαρβάρων, πέμψαντας δ' ἐπὶ ναῦς ἐς τὰς πατρίδας καὶ ὑπεροφθέντας μηνῖσαι τῷ Ἑλληνικῷ γένει, καὶ Σκυθικῶς ὅσους ἕλοιεν Ἑλλήνων καταθύειν, πρῶτα μὲν ἅπαντας ὑπ' ὀργῆς, σὺν χρόνῳ δὲ τοὺς καλλίστους αὐτῶν μόνους, μετὰ δὲ τοὺς κληρουμένους. καὶ τάδε μὲν περὶ Ἀχαιῶν τῶν Σκυθικῶν· ὁ δὲ Μιθριδάτης ἐς τὴν Μαιῶτιν ἐμβαλών, ἧς εἰσὶ πολλοὶ δυνάσται, πάντων αὐτὸν κατὰ κλέος ἔργων τε καὶ ἀρχῆς, καὶ δυνάμεως ἔτι οἱ παρούσης ἀξιολόγου, δεχομένων τε καὶ παραπεμπόντων, καὶ δῶρα πολλὰ φερόντων καὶ κομιζομένων ἕτερα, ὁ δὲ καὶ συμμαχίαν αὐτοῖς ἐτίθετο, ἐπινοῶν ἕτερα καινότερα, διὰ Θρᾴκης ἐς Μακεδονίαν καὶ διὰ Μακεδόνων ἐς Παίονας ἐμβαλὼν ὑπερελθεῖν ἐς τὴν Ἰταλίαν τὰ Ἄλπεια ὄρη· γάμους τε θυγατέρων ἐπὶ τῇδε τῇ συμμαχίᾳ τοῖς δυνατωτέροις αὐτῶν ἠγγύα. Μαχάρης δ' αὐτὸν ὁ παῖς πυνθανόμενος ὁδόν τε τοσαύτην ὀλίγῳ χρόνῳ καὶ ἄγρια ἔθνη καὶ τὰ καλούμενα κλεῖθρα Σκυθῶν, οὐδενί πω

THE MITHRIDATIC WARS

102. Such was the chimerical project that Mithridates now eagerly pursued. He imagined nevertheless, that he should accomplish it. He pushed on through strange and warlike Scythian tribes, partly by permission, partly by force, so respected and feared was he still, although a fugitive and in misfortune. He passed through the country of the Heniochi, who recieved him willingly. The Achaeans, who resisted him, he put to flight. These, it is said, when returning from the siege of Troy, were driven by a storm into the Euxine sea and underwent great sufferings there at the hands of the barbarians because they were Greeks; and when they sent to their home for ships and their request was disregarded, they conceived such a hatred for the Grecian race that whenever they captured any Greeks they immolated them in Scythian fashion. At first in their anger they served all in this way, afterwards only the handsomest ones, and finally a few chosen by lot. So much for the Achaeans of Scythia. Mithridates finally reached the Azov country, of which there were many princes, all of whom received him, escorted him, and exchanged numerous presents with him, on account of the fame of his deeds, his empire, and his power, which was still not to be despised. He even formed an alliance with them in contemplation of other and more novel exploits, such as marching through Thrace to Macedonia, through Macedonia to Pannonia, and passing over the Alps into Italy. With the more powerful of these princes he cemented the alliance by giving them his daughters in marriage. When his son, Machares, learned that he had made such a journey in so short a time among savage tribes, and through the so-called Scythian

APPIAN'S ROMAN HISTORY, BOOK XII

CAP.
XV
γεγονότα περατά, διοδεῦσαι, πρέσβεις μέν τινας ἐς αὐτὸν ἔπεμπεν ἀπολογησομένους ὡς ἀνάγκῃ θεραπεύσειε Ῥωμαίους, ὀργὴν δὲ ἄκρον εἰδὼς ἔφευγεν ἐς τὴν ἐν τῷ Πόντῳ χερρόνησον, τὰς ναῦς διαπρήσας, ἵνα μὴ διώξειεν αὐτὸν ὁ πατήρ. ἑτέρας δ' ἐπιπέμψαντος ἐκείνου, προλαβὼν ἑαυτὸν ἔκτεινεν. ὁ δὲ Μιθριδάτης αὐτοῦ τῶν φίλων οὓς μὲν αὐτὸς ἐς τὴν ἀρχὴν ἀπιόντι ἐδεδώκει, πάντας ἔκτεινε, τοὺς δὲ τοῦ παιδὸς ἀπαθεῖς ὡς ὑπηρέτας ἰδίου φίλου γενομένους ἀφῆκεν.

103. Καὶ τάδε μὲν ἦν ἀμφὶ τὸν Μιθριδάτην, ὁ δὲ Πομπήιος αὐτὸν εὐθὺς μὲν ἐπὶ τῇ φυγῇ μέχρι Κόλχων ἐδίωξε, μετὰ δέ, οὐδαμὰ δόξας αὐτὸν οὔτε τὸν Πόντον οὔτε τὴν Μαιώτιδα λίμνην περιελεύσεσθαι, οὐδὲ μεγάλοις ἔτι πράγμασιν ἐγχειρήσειν ἐκπεσόντα, τοὺς Κόλχους ἐπῄει καθ' ἱστορίαν τῆς Ἀργοναυτῶν καὶ Διοσκούρων καὶ Ἡρακλέους ἐπιδημίας, τὸ πάθος μάλιστα ἰδεῖν ἐθέλων ὃ Προμηθεῖ φασὶ γενέσθαι περὶ τὸ Καύκασον ὄρος. χρυσοφοροῦσι δ' ἐκ τοῦ Καυκάσου πηγαὶ πολλαὶ ψῆγμα ἀφανές· καὶ οἱ περίοικοι κώδια τιθέντες ἐς τὸ ῥεῦμα βαθύμαλλα, τὸ ψῆγμα ἐνισχόμενον αὐτοῖς ἐκλέγουσιν. καὶ τοιοῦτον ἦν ἴσως καὶ τὸ χρυσόμαλλον Αἰήτου δέρος. τὸν οὖν Πομπήιον ἐπὶ τῇ ἱστορίᾳ ἀνιόντα οἱ μὲν ἄλλοι παρέπεμπον, ὅσα ἔθνη γείτονα· Ὀροίζης δ' ὁ τῶν Ἀλβανῶν βασιλεὺς καὶ Ἀρτώκης ὁ Ἰβήρων ἑπτὰ μυριάσιν ἐλόχων ἀμφὶ τὸν Κύρτον ποταμόν, ὃς δώδεκα στόμασι πλωτοῖς ἐς τὴν Κασπίαν θάλασσαν ἐρεύγεται, πολλῶν ἐς αὐτὸν ἐμβαλόν-

Gates, which had never been passed by any one before, he sent envoys to him to defend himself, saying that he had been under the necessity of conciliating the Romans. But, knowing his father's violent temper, he fled to the Pontic Chersonesus, burning his ships to prevent his father from pursuing him. When the latter procured other ships and sent them after him, he anticipated his fate by killing himself. Mithridates put to death all of his own friends whom he had left here in places of authority when he went away, but those of his son he dismissed unharmed, as they had acted under the obligations of private friendship. 103. This was the state of things with Mithridates.

Pompey at once pursued Mithridates in his flight as far as Colchis, but he thought that his foe would never get round to Pontus or to the sea of Azov, or undertake anything great now that he had been driven out of his kingdom. He advanced to Colchis in order to gain knowledge of the country visited by the Argonauts, the Dioscuri, and Hercules, and he especially desired to see the place where they say that Prometheus was fastened to Mount Caucasus. Many streams issue from Caucasus bearing gold-dust so fine as to be invisible. The inhabitants put sheepskins with shaggy fleece into the stream and thus collect the floating particles; and perhaps the golden fleece of Aeetes was of this kind. All the neighbouring tribes accompanied Pompey on his exploring expedition. Only Oroezes, king of the Albanians, and Artoces, king of the Iberians, placed 70,000 men in ambush for him at the river Cyrtus, which empties into the Caspian sea by twelve navigable mouths, receiving the waters of several

ΟΑΡ. τῶν ποταμῶν, καὶ μεγίστου πάντων Ἀράξου.
XV αἰσθόμενος δὲ τῆς ἐνέδρας ὁ Πομπήιος τὸν
ποταμὸν ἐξεύγνυ, καὶ τοὺς βαρβάρους συνελάσας
ἐς λόχμην βαθεῖαν (ὑλομαχῆσαι δ' εἰσὶ δεινοί,
κρυπτόμενοί τε καὶ ἐπιόντες ἀφανῶς) αὐτῇ λόχμῃ
τὸν στρατὸν περιστήσας ἐνέπρησε, καὶ τοὺς
ἐκφεύγοντας ἐδίωκεν, ἕως ἅπαντες ὅμηρά τε καὶ
δῶρα ἤνεγκαν. καὶ ἐθριάμβευσεν ἐς Ῥώμην καὶ
ἀπὸ τῶνδε. πολλαὶ δὲ ἔν τε τοῖς ὁμήροις καὶ
τοῖς αἰχμαλώτοις ηὑρέθησαν γυναῖκες, οὐ μείονα
τῶν ἀνδρῶν τραύματα ἔχουσαι· καὶ ἐδόκουν
Ἀμαζόνες εἶναι, εἴτε τι ἔθνος ἐστὶν αὐτοῖς
γειτονεῦον αἱ Ἀμαζόνες, ἐπίκλητοι τότε ἐς συμ-
μαχίαν γενόμεναι, εἴτε τινὰς πολεμικὰς ὅλως
γυναῖκας οἱ τῇδε βάρβαροι καλοῦσιν Ἀμαζόνας.

104. Ἐπανιὼν δ' ἐντεῦθεν ὁ Πομπήιος ἐστρά-
τευσεν ἐς Ἀρμενίαν, ἔγκλημα ἐς Τιγράνη τιθέμενος
ὅτι συνεμάχει Μιθριδάτῃ· καὶ ἦν ἤδη περὶ
Ἀρτάξατα τὴν βασίλειον. Τιγράνῃ δὲ οὐκ ἔγνω-
στο μὲν πολεμεῖν ἔτι, παῖδες δ' ἐκ τῆς Μιθριδάτου
θυγατρὸς αὐτῷ ἐγεγένηντο, ὧν δύο μὲν αὐτὸς ὁ
Τιγράνης ἀνῃρήκει, τὸν μὲν ἐν μάχῃ, πολεμοῦντά
οἱ, τὸν δ' ἐν κυνηγεσίοις, αὐτοῦ πεσόντος ἀμελή-
σαντα καὶ τὸ διάδημα περιθέμενον ἔτι κειμένου.
ὁ δὲ τρίτος, Τιγράνης, ἐν μὲν τοῖς κυνηγεσίοις
ὑπεραλγήσας τοῦ πατρὸς ἐστεφάνωτο ὑπ' αὐτοῦ,
μικρὸν δὲ διαλιπὼν ἀπέστη καὶ ὅδε, καὶ πολεμῶν

THE MITHRIDATIC WARS

large streams, the greatest of which is the Araxes. Pompey, discovering the ambush, bridged the river and drove the barbarians into a thick wood. These people are skilful forest-fighters, taking cover and attacking without shewing themselves. So Pompey surrounded the wood with his army, set it on fire, and pursued the fugitives when they ran out, until they all surrendered and brought him hostages and presents. Pompey was afterwards awarded one of his triumphs at Rome for these exploits. Among the hostages and prisoners many women were found, who had suffered wounds no less than the men. These were supposed to be Amazons, but whether the Amazons are a neighbouring nation, who were called to their aid at that time, or whether any warlike women are called Amazons by the barbarians there, is not known.

CHAP. XV
He fights a battle with the barbarians

104. On his return from that quarter Pompey marched against Armenia, making it a cause of war against Tigranes that he had assisted Mithridates. He was now not far from the royal residence, Artaxata. Tigranes was resolved to fight no longer. He had had three sons by the daughter of Mithridates, two of whom he had himself killed—one in battle, where the son was fighting against the father, and the other in the hunting-field because he had neglected to assist his father who had been thrown, but had put the diadem on his own head while the father was lying on the ground. The third one, whose name was Tigranes, had seemed to be much distressed by his father's hunting accident, and had received a crown from him, but, nevertheless, he also deserted him after a short interval, waged war against him, was defeated, and fled to

He marches against Tigranes

APPIAN'S ROMAN HISTORY, BOOK XII

CAP. XV

τῷ πατρὶ καὶ ἡττώμενος ἐς Φραάτην ἐπεφεύγει τὸν Παρθυαίων βασιλέα, ἄρτι τὴν Σιντρίκου τοῦ πατρὸς ἀρχὴν διαδεδεγμένον. πλησιάσαντος δὲ τοῦ Πομπηίου κοινωσάμενος Φραάτῃ, συγχωροῦντός τι κἀκείνου καὶ φιλίαν ἰδίαν ἐς τὸν Πομπήιον μνωμένου, κατέφυγεν ὁ παῖς ἱκέτης ἐς τὸν Πομπήιον, καὶ ταῦτα ὢν Μιθριδάτου θυγατριδοῦς. ἀλλὰ μέγα δικαιοσύνης καὶ πίστεως κλέος ἦν τοῦ Πομπηίου παρὰ τοῖς βαρβάροις, ᾧ δὴ πίσυνος καὶ ὁ πατὴρ Τιγράνης οὐδ' ἐπικηρυκευσάμενος ᾔει, τά τε ἄλλα πάντα ἑαυτὸν ἐπιτρέψας ἐς τὰ δίκαια Πομπηίῳ, καὶ κατηγορήσων τοῦ παιδὸς ἐπὶ Πομπηίου. χιλιάρχους δὲ αὐτῷ καὶ ἱππάρχους ἐπὶ τιμῇ κελεύσαντος ὑπαντᾶν τοῦ Πομπηίου, οἱ μὲν ὄντες ἀμφὶ τὸν Τιγράνη τὸ ἀκήρυκτον τῆς ὁδοῦ δεδιότες ἔφευγον ὀπίσω, ὁ δὲ Τιγράνης ἦλθε, καὶ τὸν Πομπήιον ὡς κρείττονα βαρβαρικῶς προσεκύνησεν. εἰσὶ δ' οἳ λέγουσιν ὑπὸ ῥαβδούχοις αὐτὸν ἀχθῆναι, μετάπεμπτον ὑπὸ τοῦ Πομπηίου γενόμενον. ὁποτέρως δ' ἦλθεν, ἐξελογεῖτο περὶ τῶν γεγονότων, καὶ ἐδίδου Πομπηίῳ μὲν αὐτῷ τάλαντα ἑξακισχίλια, τῇ στρατιᾷ δὲ δραχμὰς πεντήκοντα ἑκάστῳ, καὶ λοχαγῷ χιλίας, καὶ χιλιάρχῳ μυρίας.

105. Καὶ ὁ Πομπήιος αὐτῷ συνεγίγνωσκε τῶν γεγονότων καὶ συνήλασσε τῷ παιδί, καὶ διήτησε τὸν μὲν υἱὸν ἄρχειν τῆς Σωφηνῆς καὶ Γορδυηνῆς, αἳ νῦν ἄρα εἰσὶν Ἀρμενία βραχυτέρα, τὸν δὲ πατέρα τῆς ἄλλης Ἀρμενίας ἐπὶ τῷδε τῷ παιδὶ κληρονόμῳ. τὴν δὲ ἐπίκτητον αὐτὸν ἀρχὴν ἐκέλευεν ἤδη μεθεῖναι. καὶ μεθίει Συρίαν τὴν ἀπ' Εὐφράτου μέχρι τῆς θαλάσσης· εἶχε γὰρ δὴ καὶ

THE MITHRIDATIC WARS

Phraates, king of the Parthians, who had lately succeeded his father Sintricus in the government of that country. As Pompey drew near, this young Tigranes, after communicating his intentions to Phraates and receiving his approval (for Phraates also desired Pompey's friendship), took refuge with Pompey as a suppliant; and this although he was a grandson of Mithridates. But Pompey's reputation among the barbarians for justice and good faith was great, so that trusting to it Tigranes the father also came to him unheralded to submit all his affairs to Pompey's decision and to make complaint against his son. Pompey ordered tribunes and cavalry officers to meet him on the road, as an act of courtesy, but those who accompanied Tigranes feared to advance without the sanction of a herald and fled back. Tigranes came forward, however, and prostrated himself before Pompey as his superior, in barbarian fashion. There are those who relate that he was led up by lictors when sent for by Pompey. However that may be, he came and made explanations of the past, and gave to Pompey for himself 6000 talents, and for the army fifty drachmas to each soldier, 1000 to each centurion, and 10,000 to each tribune.

CHAP. XV

Tigranes comes to him as a suppliant

105. Pompey pardoned him for the past, reconciled him with his son, and decided that the latter should rule Sophene and Gordyene (which are now called Lesser Armenia), and the father the rest of Armenia, and that at his death the son should succeed him in that also. He required that Tigranes should now give up the territory that he had gained by war. Accordingly he gave up the whole of Syria from the Euphrates to the sea; for he held that and a part

Pompey pardons him and settles the affairs of Armenia

439

CAP.
XV
τήνδε καὶ Κιλικίας τινὰ ὁ Τιγράνης, Ἀντίοχον ἐκβαλὼν τὸν εὐσεβῆ προσαγορευθέντα. Ἀρμενίων δ' ὅσοι τὸν Τιγράνη πρὸς Πομπήιον ὁδεύοντα ἐγκατελελοίπεσαν, ἐν ὑποψίᾳ τοῦτ' ἔχοντες, τὸν παῖδα αὐτοῦ παρὰ τῷ Πομπηίῳ ἔτι ὄντα πείθουσιν ἐπιθέσθαι τῷ πατρί. καὶ ὁ μὲν ἐλήφθη καὶ ἐδέθη, καὶ μεταξὺ Παρθυαίους ἐρεθίζων ἐπὶ τὸν Πομπήιον ἐθριαμβεύθη καὶ ἀνῃρέθη· ὁ δὲ Πομπήιος ἐκτετελέσθαι οἱ τὸν πάντα πόλεμον ἡγούμενος, ᾤκιζε πόλιν ἔνθα τὴν μάχην ἐνίκα Μιθριδάτην, ἣ ἀπὸ τοῦ ἔργου Νικόπολις κλῄζεται, καὶ ἔστιν Ἀρμενίας τῆς βραχυτέρας λεγομένης. Ἀριοβαρζάνῃ δ' ἀπεδίδου βασιλεύειν Καππαδοκίας, καὶ προσεπέδωκε Σωφηνὴν καὶ Γορδυηνήν, ἃ τῷ παιδὶ ἐμεμέριστο τῷ Τιγράνους· καὶ στρατηγεῖται νῦν ἅμα τῇ Καππαδοκίᾳ καὶ τάδε. ἔδωκε δὲ καὶ τῆς Κιλικίας πόλιν Καστάβαλα καὶ ἄλλας. Ἀριοβαρζάνης μὲν οὖν τὴν βασιλείαν ὅλην τῷ παιδὶ περιὼν ἐνεχείρισε. καὶ πολλαὶ μεταβολαὶ μέχρι Καίσαρος ἐγένοντο τοῦ Σεβαστοῦ, ἐφ' οὗ, καθάπερ τὰ λοιπά, καὶ ἥδε ἡ βασιλεία περιῆλθεν ἐς στρατηγίαν.

XVI

CAP.
XVI
106. Ὁ δὲ Πομπήιος καὶ τὸν Ταῦρον ὑπερελθὼν ἐπολέμησε <μὲν> Ἀντιόχῳ τῷ Κομμαγηνῷ, ἕως ἐς φιλίαν ὁ Ἀντίοχος αὐτῷ συνῆλθεν, ἐπολέμησε δὲ καὶ Δαρείῳ τῷ Μήδῳ, μέχρι ἔφυγεν, εἴτε Ἀντιόχῳ συμμαχῶν εἴτε Τιγράνῃ πρότερον. ἐπολέμησε δὲ καὶ Ἄραψι τοῖς Ναβαταίοις,

THE MITHRIDATIC WARS

of Cilicia, which he had taken from Antiochus, surnamed Pius. Those Armenians who deserted Tigranes on the road, when he was going to Pompey, because they were suspicious, persuaded his son, who was still with Pompey, to make an attempt upon his father. Pompey thereupon seized and put him in chains. As he meanwhile tried to stir up the Parthians against Pompey, he was led in the latter's triumph and afterwards put to death. And now Pompey, thinking that the whole war was at an end, founded a city on the place where he had overcome Mithridates in battle, which is called Nicopolis (the city of victory) from that affair, and is situated in Lesser Armenia. To Ariobarzanes he gave back the kingdom of Cappadocia and added to it Sophene and Gordyene, which he had partitioned to the son of Tigranes, and which are now administered as parts of Cappadocia. He gave him also the city of Castabala and some others in Cilicia. Ariobarzanes, however, intrusted his whole kingdom to his son while he was still living. Many changes took place until the time of Caesar Augustus, under whom this kingdom, like the others, became a Roman province.

XVI

106. POMPEY then passed over Mount Taurus and made war against Antiochus, the king of Commagene, until the latter entered into friendly relations with him. He also fought against Darius the Mede, and put him to flight, either because he had helped Antiochus, or Tigranes before him. He made war against the Nabataean Arabs, whose king was

CAP. XVI Ἀρέτα βασιλεύοντος αὐτῶν, καὶ Ἰουδαίοις, Ἀριστοβούλου τοῦ βασιλέως ἀποστάντος, ἕως εἷλεν Ἱεροσόλυμα τὴν ἁγιωτάτην αὐτοῖς πόλιν. καὶ Κιλικίας δὲ ὅσα οὔπω Ῥωμαίοις ὑπήκουε, καὶ τὴν ἄλλην Συρίαν, ὅση τε περὶ Εὐφράτην ἐστὶ καὶ κοίλη καὶ Φοινίκη καὶ Παλαιστίνη λέγεται, καὶ τὴν Ἰδουμαίων καὶ Ἰτουραίων, καὶ ὅσα ἄλλα ὀνόματα Συρίας, ἐπιὼν ἀμαχὶ Ῥωμαίοις καθίστατο, ἔγκλημα μὲν οὐδὲν ἔχων ἐς Ἀντίοχον τὸν εὐσεβοῦς, παρόντα καὶ δεόμενον ὑπὲρ ἀρχῆς πατρῴας, ἡγούμενος δέ, Τιγράνη τὸν κρατήσαντα τοῦ Ἀντιόχου τῆς γῆς ἀπελάσας, Ῥωμαίοις αὐτὴν κατὰ τόδε προσκεκτῆσθαι. ταῦτα δ' αὐτῷ διοικουμένῳ πρέσβεις ἀφίκοντο Φραάτου καὶ Τιγράνους ἐς πόλεμον ἀλλήλοις συμπεσόντων, οἱ μὲν Τιγράνους ὡς φίλῳ συμμαχεῖν τὸν Πομπήιον ἀξιοῦντες, οἱ δὲ τοῦ Παρθυαίου φιλίαν αὐτῷ πρὸς Ῥωμαίους τιθέμενοι. καὶ ὁ Πομπήιος οὐκ ἀξιῶν Παρθυαίοις πολεμεῖν ἄνευ Ῥωμαίων ψηφίσματος, ἔπεμψεν ἀμφοτέροις διαλλακτάς.

107. Καὶ ὁ μὲν ἀμφὶ ταῦτα ἦν, Μιθριδάτῃ δὲ ἡ περίοδος ἤνυστο τοῦ Πόντου· καὶ Παντικάπαιον, ἐμπόριον Εὐρωπαίων ἐπὶ τῆς ἐκβολῆς τοῦ Πόντου καταλαβὼν κτείνει τῶν υἱέων Ξιφάρην ἐπὶ τοῦ πόρου διὰ μητρὸς ἁμάρτημα τοιόνδε. φρούριον ἦν τι Μιθριδάτῃ, ἔνθα λανθάνοντες ὑπόγειοι θησαυροὶ πολλῶν σιδηροδέτων χαλκέων πολλὰ

THE MITHRIDATIC WARS

Aretas, and against the Jews (whose king, Aristobulus, had revolted), until he had captured their holiest city, Jerusalem. He advanced against, and brought under Roman rule without fighting, those parts of Cilicia that were not yet subject to it, and the remainder of Syria which lies along the Euphrates, and the countries called Coele-Syria, Phoenicia, and Palestine, also Idumea and Ituraea, and the other parts of Syria by whatever name called; not that he had any complaint against Antiochus, the son of Antiochus Pius, who was present and asked for his paternal kingdom, but because he thought that, since he had himself dispossessed Tigranes, the conqueror of Antiochus, it belonged to the Romans by right of war. While he was settling these affairs ambassadors came to him from Phraates and Tigranes, who had gone to war with each other. Those of Tigranes asked Pompey to aid one who was his friend, while those of the Parthian sought to establish friendship between him and the Roman people. As Pompey did not think good to fight the Parthians without a decree of the Senate, he sent mediators to compose their differences.

107. While Pompey was about this business Mithridates had completed his circuit of the Euxine and occupied Panticapaeum, a European market-town at the outlet of that sea.[1] There at the Bosporus he put to death Xiphares, one of his sons, on account of the following fault of his mother. Mithridates had a castle where, in a secret underground treasury, a great deal of money lay concealed

---

[1] On the contrary, Panticapaeum was at the outlet of the Palus Maeotis (Sea of Azov) on the site of the modern city of Kertsch.

CAP.
XVI
χρήματα ἔκρυπτον. Στρατονίκη δέ, μία τῶν Μιθριδάτου παλλακῶν ἢ γυναικῶν, ᾗ τοῦδε τοῦ φρουρίου τὴν ἐπιστήμην καὶ φυλακὴν ἐπετέτραπτο, περιιόντος ἔτι τὸν Πόντον τοῦ Μιθριδάτου τὸ φρούριον ἐνεχείρισε τῷ Πομπηίῳ καὶ τοὺς θησαυροὺς ἀγνοουμένους ἐμήνυσεν, ἐπὶ συνθήκῃ μόνῃ τῇδε, ὅτι οἱ τὸν υἱὸν Ξιφάρην ὁ Πομπήιος, εἰ λάβοι, περισώσει. καὶ ὁ μὲν τοῖς χρήμασιν ἐπιτυχὼν ὑπέσχητο αὐτῇ τὸν Ξιφάρην καὶ ἐδεδώκει φέρεσθαι καὶ τὰ ἴδια· αἰσθόμενος δὲ τῶν γεγονότων ὁ Μιθριδάτης κτείνει τὸν Ξιφάρην ἐπὶ τοῦ πόρου, ἐφορώσης τῆς μητρὸς πέραθεν, καὶ ἐξέρριψεν ἄταφον. καὶ ὁ μὲν υἱοῦ κατεφρόνησεν ἐς ἀνίαν τῆς ἁμαρτούσης, καὶ πρέσβεις ἐς τὸν Πομπήιον, ἔτι περὶ Συρίαν ὄντα καὶ οὐκ αἰσθανόμενον αὐτοῦ παρόντος, ἔπεμπεν, οἳ τῆς πατρῴας ἀρχῆς αὐτὸν Ῥωμαίοις τελέσειν φόρους ὑπισχνοῦντο· Πομπηίου δ' αὐτὸν ἐλθόντα δεῖσθαι τὸν Μιθριδάτην κελεύοντος, καθὰ καὶ Τιγράνης ἀφίκετο, τοῦτο μὲν οὐκ ἔφη ποτὲ ὑποστήσεσθαι, Μιθριδάτης γε ὤν, πέμψειν δὲ τῶν παίδων τινὰς καὶ φίλους. ἅμα δὲ ταῦτ' ἔλεγε, καὶ στρατιὰν ἀθρόως κατέλεγεν ἐλευθέρων τε καὶ δούλων, ὅπλα τε πολλὰ καὶ βέλη καὶ μηχανὰς ἐπήγνυ, φειδόμενος οὔτε τινὸς ὕλας οὔτε βοῶν ἀροτήρων ἐς τὰ νεῦρα, ἐσφοράς τε πᾶσιν ἐς τὰ βραχύτατα τῆς περιουσίας ἐπέγραφεν. οἱ δὲ ὑπηρέται τούτου πολλοὺς ἐνύβριζον, οὐκ αἰσθανομένου τοῦ Μιθριδάτου· νόσον γάρ τινα ἑλκώδη τοῦ προσώπου νοσῶν ὑπὸ τριῶν εὐνούχων ἐθεραπεύετο καὶ ἑωρᾶτο.

THE MITHRIDATIC WARS

in numerous iron-bound brazen vessels. Stratonice, one of the king's concubines or wives, had been put in charge of this castle, and while he was still making his journey round the Euxine she delivered it up to Pompey and revealed to him the secret treasures, on the sole condition that he should spare her son, Xiphares, if he should capture him. Pompey took the money and promised her that he would spare Xiphares, and also allowed her to take away her own things. When Mithridates learned these facts he killed Xiphares at the straits, while his mother was looking on from the opposite shore, and cast away his body unburied, thus wreaking his spite on the son in order to grieve the mother who had offended him. And now he sent ambassadors to Pompey, who was still in Syria and who did not know that the king was at the straits. They promised that the king would pay tribute to the Romans if they would let him have his paternal kingdom. When Pompey required that Mithridates should come himself and make his petition as Tigranes had done, he said that as long as he was Mithridates he would never agree to that, but that he would send some of his sons and his friends to do so. Even while he was saying these things he was levying an army of freemen and slaves promiscuously, manufacturing arms, projectiles, and engines, helping himself to timber, and killing plough-oxen for the sake of their sinews. He levied tribute on all, even those of the slenderest means. His ministers were often brutal in their exactions, without his knowledge, for he had fallen sick with ulcers on his face and allowed himself to be seen only by three eunuchs, who treated him.

CHAP. XVI

He prepares for another war

APPIAN'S ROMAN HISTORY, BOOK XII

CAP.
XVI

108. Ὡς δ' ἔληγε τὸ πάθος, καὶ ὁ στρατὸς αὐτῷ ἀγήγερτο ἤδη, ἐπίλεκτοι μὲν ἐξήκοντα σπεῖραι, ἀνὰ ἑξακοσίους ἄνδρας, πολὺς δὲ καὶ ἄλλος ὅμιλος καὶ νῆες, καὶ χωρία ὅσα οἱ στρατηγοὶ παρὰ τὴν νόσον ᾑρήκεσαν, ἐπέρα τοῦ στρατοῦ μέρος ἐς Φαναγόρειαν, ἕτερον ἐμπόριον ἐπὶ τοῦ στόματος, ὡς ἑκατέρωθεν ἕξων τὰς ἐσβολάς, ἔτι Πομπηίου περὶ Συρίαν ὄντος. Κάστωρ δὲ Φαναγορεὺς ᾐκισμένος ποτὲ ὑπὸ Τρύφωνος εὐνούχου βασιλικοῦ, τὸν Τρύφωνα ἐσιόντα κτείνει προσπεσών, καὶ τὸ πλῆθος ἐς ἐλευθερίαν συνεκάλει. οἱ δέ, καίπερ ἤδη τῆς ἀκροπόλεως ἐχομένης ὑπὸ Ἀρταφέρνους τε καὶ ἑτέρων υἱέων τοῦ Μιθριδάτου, ξύλα περιθέντες τὴν ἄκραν ἐνεπίμπρασαν, ἕως ὁ μὲν Ἀρταφέρνης καὶ Δαρεῖος καὶ Ξέρξης καὶ Ὀξάθρης καὶ Εὐπάτρα, παῖδες τοῦ Μιθριδάτου, δείσαντες ἐπὶ τῷ πυρὶ παρέδοσαν ἑαυτοὺς ἄγεσθαι. καὶ ἦν αὐτῶν Ἀρταφέρνης ἀμφὶ τεσσαράκοντα ἔτη μόνος, οἱ δὲ λοιποὶ παῖδες εὔμορφοι. Κλεοπάτρα δὲ ἀντεῖχεν, ἑτέρα παῖς τοῦ Μιθριδάτου· καὶ αὐτὴν ὁ πατὴρ ἀγάμενος τῆς εὐψυχίας, δίκροτα πολλὰ ἐπιπέμψας ἐξήρπασεν. ὅσα δὲ ἐγγὺς ἦν φρούρια, ἀρτίληπτα τῷ Μιθριδάτῃ γενόμενα, πρὸς τὴν θερμουργίαν τῶν Φαναγορέων ἀφίστατο τοῦ Μιθριδάτου, Χερρόνησός τε καὶ Θεοδοσία καὶ Νύμφαιον, καὶ ὅσα ἄλλα περὶ τὸν Πόντον ἐστὶν εὔκαιρα ἐς πόλεμον. ὁ δὲ τὰς ἀποστάσεις ὁρῶν πυκνάς, καὶ τὸν στρατὸν ἐν ὑποψίᾳ ἔχων μὴ οὐ βέβαιος ᾖ διὰ τὴν ἀνάγκην τῆς στρατείας καὶ δι' ἐσφορῶν βαρύτητα καὶ τὴν ἀεὶ τοῖς στρατοῖς ἐς ἡγεμόνας ἀτυχοῦντας ἀπιστίαν, ἔπεμπεν ἐς τοὺς

THE MITHRIDATIC WARS

108. When he had recovered from his illness and his army was collected (it consisted of sixty picked cohorts of 600 men each and a great multitude of other troops, besides ships and strongholds that had been captured by his generals while he was sick) he sent a part of it across the strait to Phanagoria, another trading-place at the mouth of the sea, in order to possess himself of the passage on either side while Pompey was still in Syria. Castor of Phanagoria, who had once been maltreated by Trypho, the king's eunuch, fell upon him as he was entering the town, killed him, and summoned the citizens to revolt. Although the citadel was already held by Artaphernes and other sons of Mithridates, the inhabitants piled wood around it and set it on fire, in consequence of which Artaphernes, Darius, Xerxes, and Oxathres, sons, and Eupatra, a daughter, of Mithridates, in fear of the fire, surrendered themselves and were led into captivity. Of these Artaphernes alone was about forty years of age; the others were handsome children. Cleopatra, another daughter, resisted, and her father, in admiration of her courageous spirit, sent a number of biremes and rescued her. All the neighbouring castles that had been lately occupied by Mithridates now revolted from him in emulation of the daring action of the Phanagoreans, namely, Chersonesus, Theodosia, Nymphaeum, and all the others around the Euxine which are well situated for purposes of war. Mithridates, observing these frequent defections, and having suspicions of the army itself, lest it should fail him because the service was compulsory and the taxes very heavy, and because soldiers always lack confidence in unlucky commanders, sent his daughters in charge

CHAP XVI
B.C. 64

Revolt against Mithridates

APPIAN'S ROMAN HISTORY, BOOK XII

CAP. XVI
Σκύθας δι' εὐνούχων τοῖς δυνάσταις τὰς θυγατέρας ἐς γάμους, αἰτῶν στρατιὰν κατὰ τάχος ἤδη οἱ παρεῖναι. πεντακόσιοι δ' αὐτὰς ἀπὸ τοῦ στρατοῦ παρέπεμπον ἄνδρες· οἳ Μιθριδάτου βραχὺ διασχόντες ἔκτεινάν τε τοὺς ἄγοντας εὐνούχους, ἀεὶ πρὸς εὐνούχους κρατοῦντας τοῦ Μιθριδάτου πεπολεμωμένοι, καὶ τὰς κόρας ἐς τὸν Πομπήιον ἀπήγαγον.

109. Ὁ δὲ καὶ τέκνων τοσῶνδε καὶ φρουρίων καὶ τῆς ἀρχῆς ὅλης ἀφῃρημένος, καὶ ἐς οὐδὲν ἀξιόμαχος ἔτι ὤν, οὐδὲ τῆς Σκυθῶν συμμαχίας ἡγούμενος ἂν τυχεῖν, ὅμως οὐδὲν οὐδὲ τότε ἢ ταπεινὸν ἢ συμφορῶν ἄξιον ἐνεθυμεῖτο, ἀλλ' ἐς Κελτούς, ἐκ πολλοῦ φίλους ἐπὶ τῷδέ οἱ γεγονότας, ἐπενόει διελθὼν ἐς τὴν Ἰταλίαν σὺν ἐκείνοις ἐμβαλεῖν, ἐλπίζων οἱ πολλὰ καὶ τῆς Ἰταλίας αὐτῆς ἔχθει Ῥωμαίων προσέσεσθαι, πυνθανόμενος ὧδε καὶ Ἀννίβαν πρᾶξαι πολεμούμενον ἐν Ἰβηρίᾳ, καὶ ἐπιφοβώτατον ἐκ τοῦδε Ῥωμαίοις γενέσθαι. ᾔδει δὲ καὶ ἔναγχος τὴν Ἰταλίαν σχεδὸν ἅπασαν ἀπὸ Ῥωμαίων ἀποστᾶσαν ὑπὸ ἔχθους, καὶ ἐπὶ πλεῖστον αὐτοῖς πεπολεμηκυῖαν, Σπαρτάκῳ τε μονομάχῳ συστᾶσαν ἐπ' αὐτούς, ἀνδρὶ ἐπ' οὐδεμιᾶς ἀξιώσεως ὄντι. ταῦτα ἐνθυμούμενος ἐς Κελτοὺς ἠπείγετο. τοῦ δὲ τολμήματος ἂν αὐτῷ λαμπροτάτου γενομένου, ὁ στρατὸς ὤκνει δι' αὐτὸ μάλιστα τῆς τόλμης τὸ μέγεθος, ἐπί τε χρόνιον στρατείαν καὶ ἐς ἀλλοτρίαν γῆν ἀγόμενοι, καὶ ἐπὶ ἄνδρας ὧν οὐδ' ἐν τῇ σφετέρᾳ κρατοῦσιν. αὐτόν τε τὸν Μιθριδάτην ἡγούμενοι, πάντων ἀπογιγνώσκοντα,

THE MITHRIDATIC WARS

of eunuchs to the Scythian princes as wives, asking them at the same time to send him reinforcements as quickly as possible. Five hundred soldiers accompanied them from his own army. Soon after the soldiers left the presence of Mithridates they killed the eunuchs who were leading the women (for they always hated these persons, who were all-powerful with Mithridates) and conducted the young women to Pompey.

CHAP. XVI

109. Although bereft of so many children and castles and of his whole kingdom, and in no way fit for war, and although he could not expect any aid from the Scythians, there was still no trace in his designs of that humility which befitted his present fortunes. He proposed to turn his course to the Gauls, whose friendship he had cultivated a long time for this purpose, and with them to invade Italy, hoping that many of the Italians themselves would join him on account of their hatred of the Romans; for he had heard that such had been Hannibal's policy when the Romans were waging war against him in Spain, and that he had become in this way an object of the greatest terror to them. He knew also that almost all of Italy had lately revolted from the Romans by reason of their hatred and had waged war against them for a very long time, and had joined Spartacus, the gladiator, against them, although he was a man of no repute. Filled with these ideas he was for hastening to the Gauls; but the very boldness of the plan, which would have brought him great glory, made the soldiers shrink from prolonged service in a foreign land, against men whom they could not overcome even in their own country. They thought also that Mithridates,

He plans an invasion of Italy

CAP. XVI βούλεσθαί τι δρῶντα καὶ βασιλιζόμενον μᾶλλον ἢ δι' ἀργίας ἀποθανεῖν, ὅμως ἐνεκαρτέρουν καὶ ἡσύχαζον· οὐ γάρ τοι σμικρὸς οὐδ' εὐκαταφρόνητος ἦν ὁ βασιλεὺς οὐδ' ἐν ταῖς συμφοραῖς.

110. Ὧδε δ' ἐχόντων ἁπάντων, Φαρνάκης ὁ τῶν παίδων αὐτῷ τιμιώτατός τε καὶ πολλάκις ὑπ' αὐτοῦ τῆς ἀρχῆς ἀποδεδειγμένος ἔσεσθαι διάδοχος, εἴτε δείσας περὶ τοῦδε τοῦ στόλου καὶ τῆς ἀρχῆς, ὡς νῦν μὲν ἔτι συγγνωσομένων τι Ῥωμαίων, ἀπολουμένης δὲ πάμπαν ὁλοκλήρως εἰ ἐπὶ τὴν Ἰταλίαν ὁ πατὴρ στρατεύσειεν, εἴθ' ἑτέραις αἰτίαις καὶ λογισμῶν ἐπιθυμίαις, ἐπεβούλευε τῷ πατρί. ληφθέντων δὲ τῶν συνεγνωκότων αὐτῷ καὶ ἐς βασάνους ἀγομένων, Μηνοφάνης μετέπεισε τὸν Μιθριδάτην ὡς οὐ δέον, ἀποπλέοντα ἤδη, τὸν ἔτι οἱ τιμιώτατον υἱὸν ἀνελεῖν· εἶναι δ' ἔφη τὰς τοιαύτας τροπὰς ἔργα πολέμων, ὧν παυσαμένων καὶ τάδε καθίστασθαι. ὁ μὲν δὴ πεισθεὶς προύτεινε τῷ παιδὶ συγγνώμην. ὁ δὲ δείσας τι μήνιμα καὶ τὸν στρατὸν εἰδὼς κατοκνοῦντα τὴν στρατείαν, νυκτὸς ἐς πρώτους τοὺς Ῥωμαίων αὐτομόλους, ἀγχοτάτω τοῦ Μιθριδάτου στρατοπεδεύοντας, ἐσῆλθε, καὶ τὸν κίνδυνον αὐτοῖς ἰοῦσιν ἐπὶ τὴν Ἰταλίαν, ὅσος εἴη, σαφῶς εἰδόσιν ὑπερεπαίρων, πολλὰ δὲ μένουσιν ἐπελπίσας ἔσεσθαι παρ' ἑαυτοῦ, προήγαγεν ἐς ἀπόστασιν ἀπὸ τοῦ πατρός. ὡς δ' ἐπείσθησαν οἵδε, τῆς αὐτῆς νυκτὸς ἐς τὰ ἐγγὺς ἄλλα στρατόπεδα ἔπεμπεν ὁ Φαρνάκης. συνθεμένων δὲ κἀκείνων, πρῶτοι μὲν ἅμα ἕῳ ἠλάλαξαν οἱ αὐτόμολοι, ἐπὶ δ' ἐκείνοις οἱ ἀεὶ

THE MITHRIDATIC WARS

in utter despair, wanted to end his life in harness, like a king, rather than in idleness. However, they remained steadfast and silent, for there was nothing mean or contemptible about him even in his misfortunes.

110. While affairs were in this plight Pharnaces, the son who was most esteemed by him and whom he had often designated as his successor, either alarmed about the expedition and the kingdom (for he still had hopes of pardon from the Romans, but considered that the kingdom would be completely ruined if his father should invade Italy), or spurred by other motives and calculations of self-interest, formed a conspiracy against his father. His fellow-conspirators were captured and put to the torture, but Menophanes persuaded the king that it would not be seemly, just as he was starting on his expedition, to put to death the son who was still the dearest to him. Such aberrations were, he said, a common feature of wars, and subsided when the wars ended. In this way Mithridates was persuaded to pardon his son, but the latter, still fearing his father's anger, and knowing that the army shrank from the expedition, went by night first to the Roman deserters, who were encamped very near the king, and by magnifying to them the danger, which they well knew, of invading Italy, and by making them many promises if they would refuse to go, induced them to desert from his father. Then after he had persuaded them he sent emissaries the same night to the other camps near by, and won them over too. Early in the morning the deserters first raised a shout, and then those next to them took it up, one after another. Even the naval

CHAP. XVI

B.C. 63

His son Pharnaces forms a plot against him

Mutiny in the army

CAP. XVI πλησίον τὴν βοὴν μετελάμβανον. καὶ τὸ ναυτικὸν αὐτοῖς ἐπήχησεν, οὐ προειδότες μὲν ἅπαντες ἴσως, ὀξύρροποι δ᾽ ὄντες ἐς μεταβολὰς καὶ τὸ δυστυχοῦν ὑπερορῶντες, ἐν δὲ τῷ καινῷ τὸ εὔελπι ἀεὶ τιθέμενοι. οἱ δὲ καὶ ἀγνοίᾳ τῶν συνεγνωκότων, ἡγούμενοι πάντας διεφθάρθαι καὶ μόνοι ἔτι ὄντες ἔσεσθαι τοῖς πλείοσιν εὐκαταφρόνητοι, φόβῳ καὶ ἀνάγκῃ μᾶλλον ἢ ἑκουσίῳ γνώμῃ συνεπήχουν. Μιθριδάτης δ᾽ ἐγρόμενος ὑπὸ τῆς βοῆς ἔπεμπέ τινας ἐρησομένους ὅ τι χρῄζοιεν οἱ βοῶντες. οἱ δ᾽ οὐκ ἐγκαλυψάμενοι, " τὸν υἱόν," ἔφασαν, " βασιλεύειν, νέον ἀντὶ γέροντος εὐνούχοις τε ἐκδεδομένου καὶ κτείναντος ἤδη πολλοὺς υἱέας τε καὶ ἡγεμόνας καὶ φίλους."

111. Ὧν ὁ Μιθριδάτης πυθόμενος, ἐξῄει διαλεξόμενος αὐτοῖς. καί τι πλῆθος ἐκ φρουρίου τοῖς αὐτομόλοις συνέτρεχεν. οἱ δ᾽ οὐκ ἔφασαν αὐτοὺς προσήσεσθαι πρίν τι ἀνήκεστον ἐς πίστιν ἐργάσασθαι, δεικνύντες ὁμοῦ τὸν Μιθριδάτην. οἱ μὲν δὴ τὸν ἵππον ἔφθασαν αὐτοῦ κτεῖναι φυγόντος, καὶ τὸν Φαρνάκην ὡς ἤδη κρατοῦντες ἀνεῖπον βασιλέα· καὶ βύβλον τις πλατεῖαν φέρων ἐξ ἱεροῦ ἐστεφάνωσεν αὐτὸν ἀντὶ διαδήματος. ἅπερ ἄνωθεν ἐκ περιπάτου θεώμενος ἔπεμπεν ἐς τὸν Φαρνάκην ἄλλον ἐπ᾽ ἄλλῳ, φυγὴν αἰτῶν ἀσφαλῆ. οὐδενὸς δὲ τῶν πεμπομένων ἐπανιόντος, δείσας μὴ Ῥωμαίοις ἐκδοθείη, τοὺς μὲν σωματοφύλακας αὐτοῦ καὶ φίλους ἔτι παραμένοντας ἐπαινέσας ἔπεμψεν ἐς τὸν νέον βασιλέα, καὶ αὐτῶν τινας

THE MITHRIDATIC WARS

force joined in the cry, not because all of them had been advised beforehand perhaps, but being fickle, as ever, contemptuous of the unfortunate, and always ready to attach themselves to a new hope. Others, who were ignorant of the conspiracy, thought that all had been corrupted, and that if they remained alone they would not be able to offer a serious resistance against overwhelming numbers, and so from fear and necessity rather than inclination joined in the outcry. Mithridates, being awakened by the noise, sent messengers out to inquire what the shouters wanted. The latter made no concealment, but said, " We want your son to be king; we want a young man instead of an old one who is ruled by eunuchs, the slayer of so many of his sons, his generals, and his friends."

111. When Mithridates heard this he went out to reason with them. A number of troops from a guard-post then ran to join the deserters, but the latter refused to admit them unless they would do some irreparable deed as a proof of their fidelity, pointing at the same time to Mithridates. The king fled, but they had killed his horse first, and at the same time saluted Pharnaces as king, as though the rebels were already victorious, and one of them brought a broad papyrus leaf from a temple and crowned him with it in place of a diadem. The king saw these things from a high portico, and he sent messenger after messenger to Pharnaces asking permission to fly in safety. When none of his messengers returned, fearing lest he should be delivered up to the Romans, he praised those of his body-guard and friends who remained faithful to him, and sent them to the new king; but the army

CAP. XVI προσιόντας ἔκτεινεν ἡ στρατιὰ παραλόγως, αὐτὸς δὲ παραλύσας ὃ περὶ τῷ ξίφει φάρμακον ἀεὶ περιέκειτο ἐκίρνη. δύο δ' αὐτῷ θυγατέρες ἔτι κόραι συντρεφόμεναι, Μιθριδατίς τε καὶ Νύσσα, τοῖς Αἰγύπτου καὶ Κύπρου βασιλεῦσιν ἠγγυημέναι, προλαβεῖν τοῦ φαρμάκου παρεκάλουν, καὶ σφόδρα εἴχοντο, καὶ πίνοντα κατεκώλυον ἕως ἔπιον λαβοῦσαι. καὶ τῶν μὲν αὐτίκα τὸ φάρμακον ἥπτετο, τοῦ δὲ Μιθριδάτου, καίτοι συντόνως ἐξεπίτηδες βαδίζοντος, οὐκ ἐφικνεῖτο δι' ἔθος καὶ συντροφίαν ἑτέρων φαρμάκων, οἷς ἐς ἄμυναν δηλητηρίων ἐχρῆτο συνεχῶς· καὶ νῦν ἔτι φάρμακα Μιθριδάτεια λέγεται. Βίτοιτον οὖν τινὰ ἰδών, ἡγεμόνα Κελτῶν, "πολλὰ μὲν ἐκ τῆς σῆς," ἔφη, "δεξιᾶς ἐς πολεμίους ὠνάμην, ὀνήσομαι δὲ μέγιστον εἰ νῦν με κατεργάσαιο, κινδυνεύοντα ἐς πομπὴν ἀπαχθῆναι θριάμβου τὸν μέχρι πολλοῦ τοσῆσδε ἀρχῆς αὐτοκράτορα καὶ βασιλέα, ἀδυνατοῦντα ἐκ φαρμάκων ἀποθανεῖν δι' εὐήθη προφυλακὴν ἑτέρων φαρμάκων· τὸ γὰρ δὴ χαλεπώτατον καὶ σύνοικον ἀεὶ βασιλεῦσι φάρμακον, ἀπιστίαν στρατοῦ καὶ παίδων καὶ φίλων, οὐ προειδόμην ὁ τὰ ἐπὶ τῇ διαίτῃ πάντα προϊδὼν καὶ φυλαξάμενος." ὁ μὲν δὴ Βίτοιτος ἐπικλασθεὶς ἐπεκούρησε χρῄζοντι τῷ βασιλεῖ, 112. καὶ ὁ Μιθριδάτης ἀπέθνησκεν, ἑκκαιδέκατος ὢν ἐκ Δαρείου τοῦ Ὑστάσπου Περσῶν

THE MITHRIDATIC WARS

killed some of them under a misapprehension as they were approaching. Mithridates then took out some poison that he always carried in his sheath with his sword, and mixed it. Then two of his daughters, who were still girls growing up together, named Mithridatis and Nyssa, who had been betrothed to the kings of Egypt and of Cyprus, asked him to let them have some of the poison first, and insisted strenuously and prevented him from drinking it until they had taken some and swallowed it. The drug took effect on them at once; but upon Mithridates, although he walked about rapidly to hasten its action, it had no effect, because he had accustomed himself to other drugs by continually trying them as a means of protection against poisoners; and these are still called "Mithridatic drugs." Seeing a certain Bituitus there, an officer of the Gauls, he said to him, "I have profited much from your right arm against my enemies. I shall profit from it most of all if you will kill me, and save from the danger of being led in a Roman triumph one who has been so many years the absolute monarch of so great a kingdom, but who is now unable to die by poison because, like a fool, he has used other drugs as antidotes. Although I have kept watch and ward against all the poisons that a man takes with his food, I have not provided against that most deadly of all poisons, which is to be found in every king's house, the faithlessness of army, children and friends." Bituitus, much moved, rendered the king the service that he desired.

CHAP. XVI
Mithridates takes poison, but without effect

His death

112. So died Mithridates, who was the sixteenth in descent from Darius, the son of Hystaspes, king of

Character and career of Mithridates

CAP.
XVI βασιλέως, ὄγδοος δ' ἀπὸ Μιθριδάτου τοῦ Μακεδόνων ἀποστάντος τε καὶ κτησαμένου τὴν Ποντικὴν ἀρχήν. ἐβίω δ' ὀκτὼ ἢ ἐννέα ἐπὶ τοῖς ἑξήκοντα ἔτεσι, καὶ τούτων ἑπτὰ καὶ πεντήκοντα ἔτεσιν ἐβασίλευσεν· ἐς γὰρ ὀρφανὸν ὄντα περιῆλθεν ἡ ἀρχή. ἐχειρώσατο δὲ τὰ περίοικα τῶν βαρβάρων, καὶ Σκυθῶν ὑπηγάγετο πολλούς, Ῥωμαίοις τεσσαρακοντούτη πόλεμον ἐγκρατῶς ἐπολέμησεν, ἐν ᾧ Βιθυνίας ἐκράτησε πολλάκις καὶ Καππαδοκίας, Ἀσίαν τε ἐπέδραμε καὶ Φρυγίαν καὶ Παφλαγονίαν καὶ Γαλατίαν καὶ Μακεδόνας, ἔς τε τὴν Ἑλλάδα ἐμβαλὼν πολλὰ καὶ μεγάλα ἔδρασε, καὶ τῆς θαλάσσης ἀπὸ Κιλικίας ἐπὶ τὸν Ἰόνιον ἦρξε, μέχρι Σύλλας αὐτὸν αὖθις ἐς τὴν πατρῴαν ἀρχὴν συνέκλεισεν, ἑκκαίδεκα στρατοῦ μυριάδας ἀποβαλόντα. καὶ τοσῷδε πταίσματι συμπεσὼν ὅμως ἀνεκίνησε τὸν πόλεμον εὐμαρῶς. στρατηγοῖς τε συνενεχθεὶς ἐς μάχας τοῖς ἀρίστοις, Σύλλα μὲν ἡττᾶτο καὶ Λευκόλλου καὶ Πομπηίου, πολλὰ καὶ τῶνδε πλεονεκτήσας πολλάκις, Λεύκιον δὲ Κάσσιον καὶ Ὄππιον Κόιντον καὶ Μάνιον Ἀκύλιον αἰχμαλώτους ἑλὼν περιῆγετο, μέχρι τὸν μὲν ἔκτεινεν, αἴτιον τοῦ πολέμου γενόμενον, τοὺς δὲ ἀπέδωκε τῷ Σύλλᾳ. ἐνίκα δὲ καὶ Φιμβρίαν καὶ Μουρήναν καὶ Κότταν ὕπατον καὶ Φάβιον καὶ Τριάριον. τὸ φρόνημα δ' ἦν ἀεί, κἂν ταῖς συμφοραῖς, μέγας καὶ φερέπονος. οὐδεμίαν γέ τοι κατὰ Ῥωμαίων ὁδὸν ἐς ἐπιχείρησιν, οὐδ' ἡττώμενος,

THE MITHRIDATIC WARS

the Persians, and the eighth[1] from that Mithridates who left the Macedonians and acquired the kingdom of Pontus. He lived sixty-eight or sixty-nine years, and of these he reigned fifty-seven, for the kingdom came to him when he was an orphan. He subdued the neighbouring barbarians and many of the Scythians, and waged a hard-fought war against the Romans for forty years, during which he frequently conquered Bithynia and Cappadocia, besides making incursions into the Roman province of Asia and into Phrygia, Paphlagonia, Galatia, and Macedonia. He invaded Greece, where he performed many remarkable exploits, and ruled the sea from Cilicia to the Adriatic, until Sulla confined him again to his paternal kingdom after destroying 160,000 of his soldiers. Notwithstanding this great disaster he renewed the war without difficulty. He fought with the greatest generals of his time. He was vanquished by Sulla, Lucullus, and Pompey, although several times he got the better of them also. Lucius Cassius, Quintus Oppius, and Manius Aquilius he took prisoners and carried about with him. The last he killed because he was the cause of the war. The others he surrendered to Sulla. He defeated Fimbria, Murena, the consul Cotta, Fabius, and Triarius. He was always high-spirited and indomitable even in misfortunes. Even when beaten he left no avenue of attack against the Romans untried. He made

[1] In Section 9, *supra*, Mithridates Eupator is called the sixth in line from the first of that name, which is probably the truth.

CAP.
XVI
παρέλειπεν, ὃς καὶ Σαυνίταις καὶ Κελτοῖς συνετίθετο, καὶ ἐς Σερτώριον ἔπεμπεν ἐς Ἰβηρίαν. τρωθείς τε τὸ σῶμα πολλάκις ὑπὸ πολεμίων, καὶ ἑτέρων κατ' ἐπιβουλάς, οὐκ ἀπέστη τινὸς οὐδ' ὥς, καίπερ ὢν πρεσβύτης. οὐ μὴν οὐδὲ τῶν ἐπιβουλῶν τις αὐτὸν ἔλαθεν, οὐδ' ἡ τελευταία, ἀλλ' ἑκὼν ταύτην ὑπεριδὼν ἀπώλετο δι' αὐτήν· οὕτως ἀχάριστον ἡ πονηρία συγγνώμης τυγχάνουσα. φονικὸς δὲ καὶ ὠμὸς ἐς πάντας ἦν, καὶ τὴν μητέρα ἔκτεινε καὶ τὸν ἀδελφὸν καὶ τῶν παίδων τρεῖς υἱοὺς καὶ τρεῖς θυγατέρας. τὸ σῶμα δ' ἦν μέγας μέν, ὡς ὑποδεικνύουσιν ὅσα ὅπλα αὐτὸς ἔπεμψεν ἐς Νεμέαν τε καὶ Δελφούς, εὔρωστος δέ, ὡς μέχρι τέλους ἱππεῦσαί τε καὶ ἀκοντίσαι καὶ χίλια στάδια τῆς ἡμέρας, περιμενόντων αὐτὸν ἐκ διαστημάτων ἵππων, δραμεῖν. καὶ ἅρμα ἤλαυνεν ἑκκαίδεκα ἵππων ὁμοῦ. καὶ παιδείας ἐπεμέλετο Ἑλληνικῆς, διὸ καὶ τῶν ἱερῶν ᾔσθετο τῶν Ἑλληνικῶν, καὶ μουσικὴν ἠγάπα. καὶ σώφρων ἐς πολλὰ καὶ φερέπονος ὢν περὶ μόνας ἡττᾶτο τὰς τῶν γυναικῶν ἡδόνας.

113. Ὁ μὲν δὴ εὐπάτωρ τε καὶ Διόνυσος ἐπικληθεὶς Μιθριδάτης ὧδε ἐτελεύτα, καὶ Ῥωμαῖοι μαθόντες ἑώρταζον ὡς ἐχθροῦ δυσχεροῦς ἀπηλλαγμένοι· Φαρνάκης δὲ Πομπηίῳ τὸν νέκυν τοῦ πατρὸς ἐς Σινώπην ἐπὶ τριήρους ἔπεμπε, καὶ τοὺς Μάνιον ἑλόντας, ὅμηρά τε πολλὰ ὅσα ἦν Ἑλληνικά τε καὶ βαρβαρικά, δεόμενος ἢ τῆς πατρῴας ἀρχῆς ἢ Βοσπόρου γε βασιλεύειν μόνου, ἥν τινα καὶ Μαχάρης ὁ ἀδελφὸς αὐτοῦ βασιλείαν παρὰ Μιθριδάτου παρειλήφει. Πομπήιος δ' ἐς μὲν τὸ σῶμα τοῦ Μιθριδάτου χορηγίαν ἔδωκε, καὶ θάψαι

THE MITHRIDATIC WARS

alliances with the Samnites and the Gauls, and he CHAP. sent legates to Sertorius in Spain. He was often XVI wounded by enemies and by conspirators, but he never desisted from anything on that account, even when he was an old man. None of the conspiracies ever escaped his detection, not even the last one, but he voluntarily overlooked it and perished in consequence of it—so ungrateful is the wickedness that has been once pardoned. He was bloodthirsty and cruel to all—the slayer of his mother, his brother, three sons and three daughters. He had a large frame, as his armour, which he himself sent to Nemea and to Delphi, shows, and was so strong that he rode on horseback and hurled the javelin to the last, and could ride 1000 stades in one day, changing horses at intervals. He used to drive a chariot with sixteen horses at once. He cultivated Greek learning, and thus became acquainted with the religious cult of Greece, and was fond of music. He was abstemious and patient of labour for the most part, and yielded only to pleasures with women.

113. Such was the end of Mithridates, who bore the surnames of Eupator and Dionysus. When the Romans heard of his death, they held a festival because they were delivered from a troublesome enemy. Pharnaces sent his father's corpse to Pompey at Sinope in a trireme, together with the persons who captured Manius, and all the numerous hostages, both Greek and barbarian, and asked that he should be allowed to rule either his paternal kingdom, or Bosporus alone, which his brother, Machares, had received from Mithridates. Pompey He is buried provided for the expenses of the funeral of Mithri- at Sinope

459

CAP. βασιλείῳ ταφῇ τοῖς θεραπευτῆρσιν αὐτοῦ προσέ-
XVI ταξε, καὶ ἐν Σινώπῃ τοῖς βασιλείοις ἐνθέσθαι
τάφοις, ἀγάμενος αὐτὸν τῆς μεγαλουργίας ὡς τῶν
καθ᾽ αὑτὸν βασιλέων ἄριστον· Φαρνάκην δὲ
ἀπαλλάξαντα πόνου πολλοῦ τὴν Ἰταλίαν φίλον
καὶ σύμμαχον Ῥωμαίοις ἐποιήσατο, καὶ βασι-
λεύειν ἔδωκεν αὐτῷ Βοσπόρου, χωρὶς Φαναγορέων,
οὓς ἐλευθέρους καὶ αὐτονόμους ἀφῆκεν, ὅτι πρῶτοι
μάλιστα οἵδε ἀναρρωννυμένῳ τῷ Μιθριδάτῃ, καὶ
ναῦς καὶ στρατὸν ἄλλον καὶ ὁρμητήρια ἔχοντι,
ἐπεχείρησαν, ἡγεμόνες τε τοῖς ἄλλοις ἀποστάσεως
ἐγένοντο, καὶ Μιθριδάτῃ καταλύσεως αἴτιοι.

XVII

CAP. 114. Αὐτὸς δὲ ἑνὶ τῷδε πολέμῳ τά τε λῃστήρια
XVII καθήρας καὶ βασιλέα καθελὼν μέγιστον, καὶ
συνενεχθεὶς ἐς μάχας, ἄνευ τοῦ Ποντικοῦ πολέμου,
Κόλχοις τε καὶ Ἀλβανοῖς καὶ Ἴβηρσι καὶ Ἀρ-
μενίοις καὶ Μήδοις καὶ Ἄραψι καὶ Ἰουδαίοις καὶ
ἑτέροις ἔθνεσιν ἑῴοις, τὴν ἀρχὴν ὡρίσατο Ῥω-
μαίοις μέχρι Αἰγύπτου. ἐς δὲ Αἴγυπτον αὐτὴν
οὐ παρῆλθε, καίτοι στασιάζουσαν ἐς τὸν βασιλέα,
καὶ καλοῦντος αὐτὸν αὐτοῦ βασιλέως, καὶ πέμ-
ψαντος αὐτῷ δῶρα καὶ χρήματα καὶ ἐσθῆτας
ἐς τὸν στρατὸν ἅπαντα, εἴτε δείσας μέγεθος
ἀρχῆς ἔτι εὐτυχούσης, εἴτε φυλαξάμενος ἐχθ-
ρῶν φθόνον ἢ χρησμῶν ἀπαγόρευσιν, εἴτε ἑτέ-
ροις λογισμοῖς, οὓς ἐξοίσω κατὰ τὰ Αἰγύπτια.
τῶν δὲ εἰλημμένων ἐθνῶν τὰ μὲν αὐτόνομα
ἠφίει συμμαχίας οὕνεκα, τὰ δὲ ὑπὸ Ῥωμαίοις

THE MITHRIDATIC WARS

dates and directed his servants to give his remains a royal burial, and to place them in the tombs of the kings at Sinope, because he admired his great achievements and considered him the first of the kings of his time. Pharnaces, for delivering Italy from much trouble, he inscribed as a friend and ally of the Romans, and gave him Bosporus as his kingdom, except Phanagoria, whose inhabitants he made free and independent because they were about the first to resist Mithridates when he was recovering his strength, and in possession of a fleet, a new army and military posts, and because they led others to revolt and were the cause of his final collapse.

XVII

114. POMPEY, having cleared out the robber dens, and prostrated the greatest king then living, in one and the same war, and having fought successful battles, besides those of the Pontic war, with Colchians, Albanians, Iberians, Armenians, Medes, Arabs, Jews and other Eastern nations, extended the Roman sway as far as Egypt. But he did not advance into Egypt itself, although the king of that country invited him there to suppress a sedition, and sent gifts to himself and money and clothing for his whole army. He either feared the greatness of this still prosperous kingdom, or wished to guard against the envy of his enemies, or the warning voice of oracles, or for other reasons which I will publish in my Egyptian history. He let some of the subjugated nations go free, in order to make them allies. Others he placed at once under Roman rule, and

CAP. εὐθὺς ἐγίγνετο, τὰ δ᾽ ἐς βασίλεια διεδίδου,
XVII Τιγράνει μὲν Ἀρμενίαν καὶ Φαρνάκῃ Βόσπορον
καὶ Ἀριοβαρζάνῃ Καππαδοκίαν, καὶ ὅσα προεῖπον
ἔτερα. Ἀντιόχῳ δὲ τῷ Κομμαγηνῷ Σελεύκειαν
ἐπέτρεψε, καὶ ὅσα τῆς Μεσοποταμίας ἄλλα
κατέδραμεν. ἐποίει δὲ καὶ τετράρχας, Γαλλο-
γραικῶν μέν, οἳ νῦν εἰσὶ Γαλάται Καππαδόκαις
ὅμοροι, Δηιόταρον καὶ ἑτέρους, Παφλαγονίας δὲ
Ἄτταλον καὶ Κόλχων Ἀρίσταρχον δυνάστην.
ἀπέφηνε δὲ καὶ τῆς ἐν Κομάνοις θεᾶς Ἀρχέλαον
ἱερέα, ὅπερ ἐστὶ δυναστεία βασιλική, καὶ τὸν
Φαναγορέα Κάστορα Ῥωμαίων φίλον. πολλὴν
δὲ καὶ ἑτέροις χώραν τε καὶ χρήματα ἔδωκεν.

115. Καὶ πόλεις ᾤκισεν ἐν μὲν Ἀρμενίᾳ τῇ
βραχυτέρᾳ Νικόπολιν ἐπὶ τῇ νίκῃ, ἐν δὲ Πόντῳ
Εὐπατορίαν, ἣν αὐτὸς μὲν ὁ εὐπάτωρ Μιθριδάτης
ἔκτισε καὶ Εὐπατορίαν ὠνόμασεν ἀφ᾽ ἑαυτοῦ,
ὑποδεξαμένην δὲ Ῥωμαίους καθῃρήκει, καὶ ὁ
Πομπήιος ἐγείρας Μαγνόπολιν ἐκάλει. ἐν δὲ
Καππαδοκίᾳ Μάζακα, ὑπὸ τοῦ πολέμου λελυ-
μασμένην ἐς τέλος, ἤγειρεν αὖθις. καὶ ἑτέρας
πολλαχοῦ κατενεχθείσας ἢ βεβλαμμένας διωρ-
θοῦτο περί τε τὸν Πόντον καὶ Παλαιστίνην καὶ
κοίλην Συρίαν καὶ Κιλικίαν, ἐν ᾗ δὴ καὶ μάλιστα
τοὺς λῃστὰς συνῴκιζε. καὶ ἡ πόλις ἡ πάλαι Σόλοι
νῦν Πομπηιόπολις ἐστίν. ἐν δὲ Ταλαύροις, ἥν
τινα πόλιν ὁ Μιθριδάτης εἶχε ταμεῖον τῆς
κατασκευῆς, δισχίλια μὲν ἐκπώματα λίθου τῆς
ὀνυχίτιδος λεγομένης ηὑρέθη χρυσοκόλλητα, καὶ
φιάλαι καὶ ψυκτῆρες πολλοὶ καὶ ῥυτὰ καὶ κλῖναι
καὶ θρόνοι κατάκοσμοι, καὶ ἵππων χαλινοὶ καὶ
προστερνίδια καὶ ἐπωμίδια, πάντα ὁμοίως διάλιθα

THE MITHRIDATIC WARS

others he distributed to kings—to Tigranes, Armenia; to Pharnaces, Bosporus; to Ariobarzanes, Cappadocia and the other provinces before mentioned. To Antiochus of Commagene he handed over Seleucia and the parts of Mesopotamia that he conquered. He made Deïotarus and others tetrarchs of the Gallograecians, who are now the Galatians bordering on Cappadocia. He made Attalus prince of Paphlagonia and Aristarchus prince of Colchis. He also appointed Archelaus to the priesthood of the goddess worshipped at Comana, which is a royal office. Castor of Phanagoria was inscribed as a friend of the Roman people. Much territory and money were bestowed upon others.

CHAP. XVII

115. He founded cities also,—in Lesser Armenia Nicopolis, named after Victory; in Pontus Eupatoria, which Mithridates Eupator had built and named after himself, but destroyed because it had received the Romans. Pompey rebuilt it and named it Magnopolis. In Cappadocia he rebuilt Mazaca, which had been completely ruined by the war. He restored other towns in many places, that had been destroyed or damaged, in Pontus, Palestine, Coele-Syria, and also in Cilicia, where he had settled the greater part of the pirates, and where the city formerly called Soli is now known as Pompeiopolis. In the city of Talauri, which Mithridates used as a storehouse of furniture, were found 2000 drinking-cups made of onyx welded with gold, and many cups, wine-coolers, and drinking-horns, also ornamental couches and chairs, bridles for horses, and trappings for their breasts and shoulders, all ornamented in like manner with precious stones and gold. The quantity

Cities founded by him

CAP.
XVII
καὶ κατάχρυσα, ὧν ἡ παράδοσις διὰ τὸ πλῆθος ἐς τριάκοντα ἡμέρας παρέτεινεν. καὶ ἦν τὰ μὲν ἐκ Δαρείου τοῦ Ὑστάσπου, τὰ δὲ ἐκ τῆς Πτολεμαίων ἀρχῆς, ὅσα Κλεοπάτρα Κῴοις παρέθετο καὶ Κῷοι Μιθριδάτῃ ἐδεδώκεσαν· τὰ δὲ καὶ ὑπ' αὐτοῦ Μιθριδάτου κατεσκεύαστο καὶ συνείλεκτο, φιλοκάλου καὶ περὶ κατασκευὴν γενομένου.

116. Λήγοντος δὲ τοῦ χειμῶνος διέδωκεν ὁ Πομπήιος ἀριστεῖα τῷ στρατῷ, καθ' ἕκαστον ἄνδρα χιλίας πεντακοσίας Ἀττικάς, καὶ τοῖς ἡγουμένοις αὐτῶν ἀνάλογον· καί φασι γενέσθαι τάλαντα μύρια καὶ ἑξακισχίλια. αὐτὸς δ' ἐς Ἔφεσον καταβὰς διέπλευσεν ἐς τὴν Ἰταλίαν καὶ ἐς Ῥώμην ἠπείγετο, διαφεὶς ἐν Βρεντεσίῳ τὸν στρατὸν ἐς τὰ οἰκεῖα· ἐφ' ὅτῳ μάλιστα ὡς δημοτικῷ τοὺς Ῥωμαίους ἐξέπληξεν. καὶ αὐτῷ προσιόντι ἀπήντων κατὰ μέρος, πορρωτάτω μὲν οἱ νέοι, ἑξῆς δὲ ὡς ἐδύναντο καθ' ἡλικίαν ἕκαστοι, καὶ ἐπὶ πᾶσιν ἡ βουλὴ θαυμάζουσα τῶν γεγονότων· οὐ γάρ πώ τις ἐχθρὸν τηλικοῦτον ἑλὼν τοσάδε ὁμοῦ καὶ μέγιστα ἔθνη προσειλήφει, καὶ τὴν Ῥωμαίων ἀρχὴν ἐπὶ τὸν Εὐφράτην ὡρίκει. ὁ δὲ ἐθριάμβευσεν ἐπὶ λαμπροτάτης καὶ ἧς οὔτις πρὸ τοῦ δόξης, ἔτη ἔχων πέντε καὶ τριάκοντα, δύο ἐφεξῆς ἡμέραις, ἐπὶ πολλοῖς ἔθνεσιν, ἀπό τε τοῦ Πόντου καὶ Ἀρμενίας καὶ Καππαδοκίας καὶ Κιλικίας καὶ Συρίας ὅλης καὶ Ἀλβανῶν καὶ Ἡνιόχων καὶ Ἀχαιῶν τῶν ἐν Σκύθαις καὶ Ἰβηρίας τῆς ἑῴας. καὶ παρῆγεν ἐς μὲν τοὺς λιμένας ἑπτακοσίας ναῦς ἐντελεῖς, ἐς δὲ

THE MITHRIDATIC WARS

of this store was so great that the transfer of it occupied thirty days. Some of these things had been inherited from Darius, the son of Hystaspes; others came from the kingdom of the Ptolemies, having been deposited by Cleopatra at the island of Cos and given by the inhabitants to Mithridates; still others had been made or collected by Mithridates himself, as he was a lover of the beautiful in furniture as well as in other things.

116. At the end of the winter Pompey distributed rewards to the army; 1500 Attic drachmas to each soldier and in like proportion to the officers, the whole, it is said, amounting to 16,000 talents. Then he marched to Ephesus, embarked for Italy, and hastened to Rome, having dismissed his soldiers at Brundusium to their homes, a democratic action which greatly surprised the Romans. As he approached the city he was met by successive processions, first of youths, farthest from the city, then bands of men of different ages came out as far as they severally could walk; last of all came the Senate, which was lost in wonder at his exploits, for no one had ever before vanquished so powerful an enemy, and at the same time brought so many great nations under subjection and extended the Roman rule to the Euphrates. He was awarded a triumph exceeding in brilliancy any that had gone before, being now only thirty-five years of age. It occupied two successive days, and many nations were represented in the procession from Pontus, Armenia, Cappadocia, Cilicia and all Syria, besides Albanians, Heniochi, Achaeans of Scythia, and Eastern Iberians. Seven hundred undamaged ships were brought into the harbours. In the triumphal procession were two-

CAP. XVII τὴν πομπὴν τοῦ θριάμβου ζεύγη καὶ φορεῖα χρυσοφόρα καὶ ἕτερα κόσμου ποικίλου, καὶ τὴν Δαρείου τοῦ Ὑστάσπου κλίνην, καὶ τὸν τοῦ εὐπάτορος αὐτοῦ θρόνον. καὶ σκῆπτρον αὐτοῦ, καὶ εἰκόνα ὀκτάπηχυν ἀπὸ στερεοῦ χρυσίου παρῆγε, καὶ ἐπισήμου ἀργυρίου μυριάδας ἑπτακισχιλίας καὶ πεντακοσίας καὶ δέκα, ἁμάξας δὲ ὅπλων ἀπείρους τὸ πλῆθος, καὶ νεῶν ἔμβολα, καὶ πλῆθος αἰχμαλώτων τε καὶ λῃστῶν, οὐδένα δεδεμένον ἀλλ' ἐς τὰ πάτρια ἐσταλμένους.

117. Αὐτοῦ δὲ τοῦ Πομπηίου προῆγον ὅσοι τῶν πεπολεμημένων βασιλέων ἡγεμόνες ἢ παῖδες ἢ στρατηγοὶ ἦσαν, οἱ μὲν αἰχμάλωτοι ὄντες οἱ δὲ ἐς ὁμηρείαν δεδομένοι, τριακόσιοι μάλιστα καὶ εἴκοσι καὶ τέσσαρες. ἔνθα δὴ καὶ ὁ Τιγράνους ἦν παῖς Τιγράνης, καὶ πέντε Μιθριδάτου, Ἀρταφέρνης τε καὶ Κῦρος καὶ Ὀξάθρης καὶ Δαρεῖος καὶ Ξέρξης, καὶ θυγατέρες Ὀρσάβαρίς τε καὶ Εὐπάτρα. παρήγετο δὲ καὶ ὁ Κόλχων σκηπτοῦχος Ὀλθάκης, καὶ Ἰουδαίων βασιλεὺς Ἀριστόβουλος, καὶ οἱ Κιλίκων τύραννοι, καὶ Σκυθῶν βασίλειοι γυναῖκες, καὶ ἡγεμόνες τρεῖς Ἰβήρων καὶ Ἀλβανῶν δύο, καὶ Μένανδρος ὁ Λαοδικεύς, ἵππαρχος τοῦ Μιθριδάτου γενόμενος. τῶν δὲ οὐκ ἀφικομένων εἰκόνες παρεφέροντο, Τιγράνους καὶ Μιθριδάτου, μαχομένων τε καὶ νικωμένων καὶ φευγόντων. Μιθριδάτου δὲ καὶ ἡ πολιορκία, καὶ ἡ νὺξ ὅτε ἔφευγεν, εἴκαστο, καὶ ἡ σιωπή. ἐπὶ τέλει δὲ ἐδείχθη καὶ ὡς ἀπέθανεν αἵ τε παρθένοι αἱ συναποθανεῖν αὐτῷ ἑλόμεναι παρεζωγράφηντο, καὶ τῶν προαποθανόντων υἱέων καὶ θυγατέρων ἦσαν γραφαί, θεῶν τε βαρβαρικῶν εἰκόνες καὶ κόσμοι πάτριοι. παρεφέρετο

THE MITHRIDATIC WARS

horse-carriages and litters laden with gold or with other ornaments of various kinds, also the couch of Darius, the son of Hystaspes, the throne and sceptre of Mithridates Eupator himself, and his image, eight cubits high, made of solid gold, and 75,100,000 drachmas of silver coin; also an infinite number of wagons carrying arms and beaks of ships, and a multitude of captives and pirates, none of them bound, but all arrayed in their native costumes.

CHAP XVII

117. Before Pompey himself, at the head of the procession, went the satraps, sons, and generals of the kings against whom he had fought, who were present (some having been captured and others given as hostages) to the number of 324. Among them were Tigranes, the son of Tigranes, and five sons of Mithridates, namely, Artaphernes, Cyrus, Oxathres, Darius and Xerxes, also his daughters, Orsabaris and Eupatra. Olthaces, chief of the Colchians, was also led in the procession, and Aristobulus, king of the Jews, the tyrants of the Cilicians, and the female rulers of the Scythians, three chiefs of the Iberians, two of the Albanians, and Menander the Laodicean, who had been chief of cavalry to Mithridates. There were carried in the procession images of those who were not present, of Tigranes and of Mithridates, representing them as fighting, as vanquished, and as fleeing. Even the besieging of Mithridates and his silent flight by night were represented. Finally it was shown how he died, and the daughters who chose to perish with him were pictured also, and there were figures of the sons and daughters who died before him, and images of the barbarian gods decked out in the fashion of their coun-

Captives led in his procession

CAP. δὲ καὶ πίναξ ἐγγεγραμμένων τῶνδε· "νῆες ἑάλωσαν
XVII χαλκέμβολοι ὀκτακόσιαι· πόλεις ἐκτίσθησαν
Καππαδοκῶν ὀκτώ, Κιλίκων δὲ καὶ κοίλης Συρίας
εἴκοσι, Παλαιστίνης δὲ ἡ νῦν Σελευκίς· βασιλεῖς
ἐνικήθησαν Τιγράνης Ἀρμένιος, Ἀρτώκης Ἴβηρ,
Ὀροίζης Ἀλβανός, Δαρεῖος Μῆδος, Ἀρέτας
Ναβαταῖος, Ἀντίοχος Κομμαγηνός." τοσαῦτα
μὲν ἐδήλου τὸ διάγραμμα, αὐτὸς δὲ ὁ Πομπήιος
ἐπὶ ἅρματος ἦν, καὶ τοῦδε λιθοκολλήτου, χλαμύδα
ἔχων, ὥς φασιν, Ἀλεξάνδρου τοῦ Μακεδόνος, εἴ
τῳ πίστον ἐστιν· ἔοικε δ' αὐτὴν εὑρεῖν ἐν Μιθρι-
δάτου, Κῴων παρὰ Κλεοπάτρας λαβόντων.
εἵποντο δὲ αὐτῷ μετὰ τὸ ἅρμα οἱ συστρατευσά-
μενοι τῶν ἡγεμόνων, οἱ μὲν ἐπὶ ἵππων οἱ δὲ πεζοί.
παρελθὼν δ' ἐς τὸ Καπιτώλιον οὐδένα τῶν αἰχμα-
λώτων ἔκτεινεν ὡς ἕτεροι τῶν θριάμβους παρα-
γόντων, ἀλλ' ἐς τὰς πατρίδας ἔπεμψε δημοσίοις
δαπανήμασι, χωρὶς τῶν βασιλικῶν. καὶ τούτων
μόνος Ἀριστόβουλος εὐθὺς ἀνῃρέθη, καὶ Τιγράνης
ὕστερον. ὁ μὲν δὴ θρίαμβος ἦν τοιόσδε.

118. Ὧδε μὲν Ῥωμαῖοι Βιθυνοὺς καὶ Καππα-
δόκας ὅσα τε αὐτοῖς ὅμορα ἔθνη ἐπὶ τὸν Πόντον
κατοικεῖ τὸν Εὔξεινον, βασιλέα Μιθριδάτην
τεσσαράκοντα δύο ἔτεσι μάλιστα καθελόντες,
ὑπηγάγοντο σφίσιν ὑπήκοα εἶναι. τῷ δὲ αὐτῷ
πολέμῳ καὶ Κιλικίας τὰ μήπω σφίσι κατήκοα
καὶ Συρίας τήν τε Φοινίκην καὶ κοίλην καὶ
Παλαιστίνην καὶ τὴν ἐς τὸ μεσόγειον ἐπὶ
ποταμὸν Εὐφράτην, οὐδὲν ἔτι τῷ Μιθριδάτῃ
προσήκοντα, ῥύμῃ τῆσδε τῆς νίκης προσέλαβον,
καὶ φόρους τοῖς μὲν αὐτίκα τοῖς δὲ ὕστερον
ἔταξαν. Παφλαγονίαν τε καὶ Γαλατίαν καὶ

THE MITHRIDATIC WARS

tries. Moreover, a tablet was carried along with this inscription: "Ships with brazen beaks captured, 800; cities founded in Cappadocia, 8; in Cilicia and Coele-Syria, 20; in Palestine the one which is now Seleucis. Kings conquered: Tigranes the Armenian, Artoces the Iberian, Oroezes the Albanian, Darius the Mede, Aretas the Nabataean, Antiochus of Commagene." These were the facts recorded on the inscription. Pompey himself was borne in a chariot studded with gems, wearing, it is said, a cloak of Alexander the Great, if anyone can believe that. It seems to have been found among the possessions of Mithridates that the inhabitants of Cos had received from Cleopatra. His chariot was followed by the officers who had shared the campaigns with him, some on horseback and others on foot. When he arrived at the Capitol he did not put any of the prisoners to death, as had been the custom of other triumphs, but sent them all home at the public expense, except the kings. Of these Aristobulus alone was at once put to death and Tigranes somewhat later. Such was the character of Pompey's triumph.

118. Thus the Romans, having conquered King Mithridates at the end of about forty-two years, reduced to subjection Bithynia, Cappadocia, and the other neighbouring peoples dwelling near the Euxine sea. In the same war that part of Cilicia which was not yet subject to them, together with the Syrian countries, Phoenicia, Coele-Syria, Palestine, and the country inland as far as the Euphrates, although they did not belong to Mithridates, were gained by the impetus of the victory over him and were required to pay tribute, some immediately and others later. Paphlagonia, Galatia, Phrygia, and the ad-

CAP. XVII Φρυγίαν καὶ τὴν ὅμορον τῇ Φρυγίᾳ Μυσίαν, καὶ ἐπὶ τοῖσδε Λυδίαν καὶ Καρίαν καὶ Ἰωνίαν καὶ ὅσα ἄλλα Ἀσίας γῆς περὶ τὸ Πέργαμόν ἐστι, καὶ τὴν ἀρχαίαν Ἑλλάδα καὶ Μακεδονίαν, Μιθριδάτου περισπάσαντος ὀξέως ἀνελάβοντο· καὶ τοῖς πολλοῖς αὐτῶν, οὔπω σφίσιν ὑποτελέσιν οὖσιν, ἐπέθηκαν φόρους. δι᾽ ἅ μοι καὶ μάλιστα δοκοῦσι τόνδε τὸν πόλεμον ἡγεῖσθαι μέγαν, καὶ τὴν ἐπ᾽ αὐτῷ νίκην μεγάλην καλεῖν, καὶ τὸν στρατηγήσαντα Πομπήιον μέγαν τῇ ἰδίᾳ φωνῇ μέχρι νῦν ἐπονομάζειν, ἐθνῶν τε πλήθους ἕνεκα ὧν ἀνέλαβον ἢ προσέλαβον, καὶ χρόνου μήκους, τεσσαρακονταετοῦς γενομένου, τόλμης τε αὐτοῦ Μιθριδάτου καὶ φερεπονίας, δυνατοῦ σφίσιν ἐς ἅπαντα ὀφθέντος, 119. ᾧ νῆες μὲν ἦσαν οἰκεῖαι πολλάκις πλείους τετρακοσίων, ἱππεῖς δ᾽ ἔστιν ὅτε πεντακισμύριοι καὶ πεζῶν μυριάδες πέντε καὶ εἴκοσι καὶ μηχαναὶ καὶ βέλη κατὰ λόγον, συνεμάχουν δὲ βασιλεῖς καὶ δυνάσται ὅ τε Ἀρμένιος καὶ Σκυθῶν τῶν περὶ τὸν Πόντον, ἐπί τε Μαιώτιδα λίμνην καὶ ἀπ᾽ ἐκείνης ἐπὶ τὸν Θράκιον Βόσπορον περιπλέοντι. ἔς τε τοὺς Ῥωμαίων δυνατούς, στασιάζοντας ἀλλήλοις τότε μάλιστα καὶ Ἰβηρίαν ἀνιστάντας ἐπὶ Ῥωμαίους, περιέπεμπε, καὶ Κελτοῖς φιλίαν ἐτίθετο ὡς καὶ τῇδε ἐσβαλὼν ἐς τὴν Ἰταλίαν, λῃστῶν τε ἐνεπίμπλη τὴν θάλασσαν ἀπὸ Κιλικίας ἐπὶ στήλας Ἡρακλείους, οἳ πάντα ἄμικτα καὶ ἄπλωτα ταῖς πόλεσιν ἐς ἀλλήλους ἐποίουν, καὶ λιμὸν ἐπίπονον ἐξειργάσαντο ἐπὶ πλεῖστον. ὅλως τε οὐδὲν ἀνδρὶ δυνατὸν ἐξέλιπεν ἢ πράττων ἢ διανοούμενος, ὡς

THE MITHRIDATIC WARS

joining country of Mysia, and in addition Lydia, Caria, Ionia, and all the rest of Asia Minor in the neighbourhood of Pergamus, together with old Greece and Macedonia, of which Mithridates had deprived them, were quickly recovered. Most of these people, who did not pay them tribute before, were now subjected to it. For these reasons especially I think they considered this a great war and called the victory which ended it the Great Victory and gave the title of Great (in Latin Magnus[1]) to Pompey who gained it for them (by which appellation he is called to this day); on account of the great number of nations recovered or added to their dominion, the length of time (forty years) that the war had lasted, and the courage and endurance of Mithridates, who had shown himself capable of meeting all emergencies.

CHAP. XVII

119. Many times he had over 400 ships of his own, and on some occasions as many as 50,000 cavalry, and 250,000 infantry, with engines and missiles in proportion. For allies he had the king of Armenia and the princes of the Scythian tribes round the Euxine and the sea of Azov and beyond, as far as the Thracian Bosporus. He held communications with the leaders of the Roman civil wars, which were then fiercely raging, and with those who were inciting insurrection in Spain. He established friendly relations with the Gauls for the purpose of invading Italy by that route also. From Cilicia to the Pillars of Hercules he filled the sea with pirates, who stopped all commerce and navigation between cities and caused severe famine for a long time. In short, he left nothing within the power of man undone or unplanned in starting the

The armament of Mithridates

[1] See note on p. 477.

CAP. μέγιστον δὴ τόδε τὸ κίνημα ἐξ ἀνατολῆς ἐπὶ
XVII δύσιν γενόμενον ἐνοχλῆσαι πᾶσιν ὡς ἔπος εἰπεῖν,
ἢ πολεμουμένοις ἢ συμμαχοῦσιν ἢ λῃστευομένοις
ἢ γειτονεύουσιν. τοσόσδε εἷς οὗτος πόλεμος καὶ
ποικίλος ἐγένετο. καὶ ἐς τὰ μάλιστα λήγων
συνήνεγκε Ῥωμαίοις· ὡρίσαντο γὰρ ἐπὶ τῷδε τὴν
ἡγεμονίαν ἐκ δύσεως ἐπὶ ποταμὸν Εὐφράτην.
διελεῖν δ' αὐτὰ κατὰ ἔθνος οὐκ ἦν, ὁμοῦ τε πρα-
χθέντα καὶ ἀλλήλοις ἀναπεπλεγμένα. ἃ δὲ καὶ
ὡς ἐδύνατο αὐτῶν κεχωρίσθαι, κατὰ μέρη τέ-
τακται.

120. Φαρνάκης δ' ἐπολιόρκει Φαναγορέας καὶ
τὰ περίοικα τοῦ Βοσπόρου, μέχρι τῶν Φαναγο-
ρέων διὰ λιμὸν ἐς μάχην προελθόντων ἐκράτει τῇ
μάχῃ, καὶ βλάψας οὐδέν, ἀλλὰ φίλους ποιησά-
μενος καὶ λαβὼν ὅμηρα, ἀνεχώρει. μετ' οὐ πολὺ
δὲ καὶ Σινώπην εἷλε καὶ Ἀμισὸν ἐνθυμιζόμενος
καὶ Καλουίνῳ στρατηγοῦντι ἐπολέμησεν, ᾧ χρόνῳ
Πομπήιος καὶ Καῖσαρ ἐς ἀλλήλους ἦσαν, ἕως
αὐτὸν Ἄσανδρος ἐχθρὸς ἴδιος, Ῥωμαίων οὐ σχολα-
ζόντων, ἐξήλασε τῆς Ἀσίας. ἐπολέμησε δὲ καὶ
αὐτῷ Καίσαρι καθελόντι Πομπήιον, ἐπανιόντι
ἀπ' Αἰγύπτου, περὶ τὸ Σκότιον ὄρος, ἔνθα ὁ πατὴρ
αὐτοῦ Ῥωμαίων τῶν ἀμφὶ Τριάριον ἐκεκρατήκει·
καὶ ἡττηθεὶς ἔφευγε σὺν χιλίοις ἱππεῦσιν ἐς
Σινώπην. Καίσαρος δ' αὐτὸν ὑπ' ἀσχολίας οὐ
διώξαντος, ἀλλ' ἐπιπέμψαντος αὐτῷ Δομίτιον,
παραδοὺς τὴν Σινώπην Δομιτίῳ ὑπόσπονδος
ἀφείθη μετὰ τῶν ἱππέων. καὶ τοὺς ἵππους

THE MITHRIDATIC WARS

greatest possible movement, extending from the east to the west, so as to trouble practically the whole world, which was attacked in war, tangled in alliances, harassed by pirates, or affected by the nearness of the warfare. Such and so diversified was this one war; but in the end it brought the greatest gains to the Romans, for it pushed the boundaries of their dominion from the setting of the sun to the river Euphrates. It has been impossible to distinguish all these exploits by nations, since they were performed at the same time and were complicated with each other. Those, however, which could be separated I have arranged each by itself.

120. Pharnaces besieged the Phanagoreans and the towns round the Bosporus until the former were compelled by hunger to come out and fight, when he overcame them in battle; yet he did them no harm, but made friends with them, took hostages, and withdrew. Not long afterwards he took Sinope, and had a mind to take Amisus also, for which reason he made war against Calvinus, the Roman commander, at the time when Pompey and Caesar were contending against each other, until Asander, an enemy of his own, drove him out of Asia, while the Romans were still preoccupied. Afterwards he fought with Caesar himself (when the latter had overthrown Pompey and was returning from Egypt), near Mount Scotius, where his father had defeated the Romans under Triarius. He was beaten and fled to Sinope with 1000 cavalry. Caesar was too busy to follow him, but sent Domitius against him. He surrendered Sinope to Domitius, who agreed to let him go away with his cavalry. He killed his horses, though his men were extremely

CAP.
XVII
ἔκτεινε πολλὰ δυσχεραινόντων τῶν ἱππέων, ναυσὶ δ' ἐπιβὰς ἐς τὸν Πόντον ἔφυγε, καὶ Σκυθῶν τινας καὶ Σαυροματῶν συναγαγὼν Θευδοσίαν καὶ Παντικάπαιον κατέλαβεν. ἐπιθεμένου δ' αὖθις αὐτῷ κατὰ τὸ ἔχθος Ἀσάνδρου, οἱ μὲν ἱππεῖς ἀπορίᾳ τε ἵππων καὶ ἀμαθίᾳ πεζομαχίας ἐνικῶντο, αὐτὸς δὲ ὁ Φαρνάκης μόνος ἠγωνίζετο καλῶς, μέχρι κατατρωθεὶς ἀπέθανε, πεντηκοντούτης ὢν καὶ βασιλεύσας Βοσπόρου πεντεκαίδεκα ἔτεσιν.

121. Ὧδε μὲν δὴ καὶ Φαρνάκης ἐξέπεσε τῆς ἀρχῆς, καὶ αὐτοῦ τὴν βασιλείαν Γάιος μὲν Καῖσαρ ἔδωκε Μιθριδάτῃ τῷ Περγαμηνῷ συμμαχήσαντί οἱ προθύμως ἐν Αἰγύπτῳ· νῦν δ' εἰσὶν οἰκεῖοι, Πόντου δὲ καὶ Βιθυνίας πέμπεταί τις ἀπὸ τῆς βουλῆς στρατηγὸς ἐτήσιος τὰ δ' ἑτέροις ὑπὸ τοῦ Πομπηίου δεδομένα ὁ μὲν Γάιος, ἐπιμεμψάμενος τοῖς ἔχουσιν ὅτι Πομπηίῳ καθ' αὑτοῦ συνεμάχουν, ὅμως ἐφύλαξε, πλὴν τῆς ἐν Κομάνοις ἱερωσύνης, ἣν ἐς Λυκομήδην μετήνεγκεν ἀπὸ Ἀρχελάου· πάντα δὲ οὐ πολὺ ὕστερον, καὶ τάδε καὶ ὅσα Γάιος Καῖσαρ ἢ Μᾶρκος Ἀντώνιος ἔχειν ἑτέροις ἐδεδώκεσαν, ἐς στρατηγίας Ῥωμαίων περιῆλθεν, ἀπὸ τοῦ Σεβαστοῦ Καίσαρος ἑλόντος Αἴγυπτον, ὀλίγης ἔτι Ῥωμαίων προφάσεως ἐς ἑκάστους δεομένων. ὅθεν αὐτοῖς τῆς ἡγεμονίας ἐπὶ τῷδε τῷ Μιθριδατείῳ πολέμῳ προελθούσης ἔς τε τὸν Πόντον τὸν Εὔξεινον καὶ ἐπὶ ψάμμον τὴν πρὸ Αἰγύπτου καὶ ἐς ποταμὸν Εὐφράτην ἀπὸ Ἰβήρων τῶν παρὰ στήλαις Ἡρακλείοις, εἰκότως ἥ τε νίκη

THE MITHRIDATIC WARS

dissatisfied at this, then took ship and fled to the Bosporus.[1] Here he collected a force of Scythians and Sarmatians and captured Theodosia and Panticapaeum. His enemy, Asander, attacked him again, and his men were defeated for want of horses, and because they were not accustomed to fighting on foot. Pharnaces alone fought valiantly until he died of his wounds, being then fifty years of age and having been king of Bosporus fifteen years.

121. Thus Pharnaces was cut off from his kingdom and Caesar bestowed it upon Mithridates of Pergamus, who had rendered him very important help in Egypt. But the people of Bosporus are now a part of the Roman empire, and a praetor is sent by the Senate yearly to govern Pontus and Bithynia. Although Caesar was offended with the other rulers who held their possessions as gifts from Pompey, since they had aided Pompey against him, nevertheless he confirmed their titles, except the priesthood of Comana which he took from Archelaus and gave to Lycomedes. Not long after, all these countries, and those which Gaius Caesar or Mark Antony had given to others, were made Roman provinces by Augustus Caesar, after he had taken Egypt, as the Romans needed only the slightest pretext in each case. Thus, since their dominion had been advanced, in consequence of the Mithridatic war, from Spain and the Pillars of Hercules to the Euxine sea, and the sands which border Egypt, and the river Euphrates, it was fitting that this victory should be called the great one, and

---

[1] The text says, "to the Euxine," but Pharnaces, being at Sinope, was already at the Euxine. So Schweighäuser suggests "to the Bosporus."

CAP.
XVII μεγάλη καὶ ὁ στρατηγήσας Πομπήιος μέγας ἐκλήθη. ἔχουσι δ᾽ αὐτοῖς καὶ Λιβύην, ὅση μέχρι Κυρήνης (Κυρήνην γὰρ αὐτὴν Ἀπίων βασιλεὺς τοῦ Λαγιδῶν γένους νόθος ἐν διαθήκαις ἀπέλιπεν), Αἴγυπτος ἐς περίοδον τῆς ἐντὸς θαλάσσης ἔτι ἔλειπεν.

THE MITHRIDATIC WARS

that Pompey, who accompanied the army, should be styled the Great.[1] As they held Africa also as far as Cyrene (for Apion, the king of that country, a bastard of the house of the Lagidae, left Cyrene itself to the Romans in his will), Egypt alone was lacking to complete the whole circuit of the Mediterranean.

[1] This is an anachronism. The title of Great was bestowed upon Pompey by Sulla, in consequence of his victory over the Marian faction in Africa, in the year 81 B.C.

Printed in Great Britain by
Richard Clay and Company, Ltd.
Bungay, Suffolk.

THE LOEB CLASSICAL LIBRARY

VOLUMES ALREADY PUBLISHED

Latin Authors

AMMIANUS MARCELLINUS. Translated by J. C. Rolfe. 3 Vols.
APULEIUS: THE GOLDEN ASS (METAMORPHOSES). W. Adlington (1566). Revised by S. Gaselee.
ST. AUGUSTINE: CITY OF GOD. 7 Vols. Vol. I. G. H. McCracken. Vol. VI. W. C. Greene.
ST. AUGUSTINE, CONFESSIONS OF. W. Watts (1631). 2 Vols.
ST. AUGUSTINE, SELECT LETTERS. J. H. Baxter.
AUSONIUS. H. G. Evelyn White. 2 Vols.
BEDE. J. E. King. 2 Vols.
BOETHIUS: TRACTS and DE CONSOLATIONE PHILOSOPHIAE. Rev. H. F. Stewart and E. K. Rand.
CAESAR: ALEXANDRIAN, AFRICAN and SPANISH WARS. A. G. Way.
CAESAR: CIVIL WARS. A. G. Peskett.
CAESAR: GALLIC WAR. H. J. Edwards.
CATO: DE RE RUSTICA; VARRO: DE RE RUSTICA. H. B. Ash and W. D. Hooper.
CATULLUS. F. W. Cornish; TIBULLUS. J. B. Postgate; PERVIGILIUM VENERIS. J. W. Mackail.
CELSUS: DE MEDICINA. W. G. Spencer. 3 Vols.
CICERO: BRUTUS, and ORATOR. G. L. Hendrickson and H. M. Hubbell.
[CICERO]: AD HERENNIUM. H. Caplan.
CICERO: DE ORATORE, etc. 2 Vols. Vol. I. DE ORATORE, Books I. and II. E. W. Sutton and H. Rackham. Vol. II. DE ORATORE, Book III. De Fato; Paradoxa Stoicorum; De Partitione Oratoria. H. Rackham.
CICERO: DE FINIBUS. H. Rackham.
CICERO: DE INVENTIONE, etc. H. M. Hubbell.
CICERO: DE NATURA DEORUM and ACADEMICA. H. Rackham.
CICERO: DE OFFICIIS. Walter Miller.
CICERO: DE REPUBLICA and DE LEGIBUS; SOMNIUM SCIPIONIS. Clinton W. Keyes.

Cicero: De Senectute, De Amicitia, De Divinatione. W. A. Falconer.

Cicero: In Catilinam, Pro Flacco, Pro Murena, Pro Sulla. Louis E. Lord.

Cicero: Letters to Atticus. E. O. Winstedt. 3 Vols.

Cicero: Letters to His Friends. W. Glynn Williams. 3 Vols.

Cicero: Philippics. W. C. A. Ker.

Cicero: Pro Archia Post Reditum, De Domo, De Haruspicum Responsis, Pro Plancio. N. H. Watts.

Cicero: Pro Caecina, Pro Lege Manilia, Pro Cluentio, Pro Rabirio. H. Grose Hodge.

Cicero: Pro Caelio, De Provinciis Consularibus, Pro Balbo. R. Gardner.

Cicero: Pro Milone, In Pisonem, Pro Scauro, Pro Fonteio, Pro Rabirio Postumo, Pro Marcello, Pro Ligario, Pro Rege Deiotaro. N. H. Watts.

Cicero: Pro Quinctio, Pro Roscio Amerino, Pro Roscio Comoedo, Contra Rullum. J. H. Freese.

Cicero: Pro Sestio, In Vatinium. R. Gardner.

Cicero: Tusculan Disputations. J. E. King.

Cicero: Verrine Orations. L. H. G. Greenwood. 2 Vols.

Claudian. M. Platnauer. 2 Vols.

Columella: De Re Rustica. De Arboribus. H. B. Ash, E. S. Forster and E. Heffner. 3 Vols.

Curtius, Q.: History of Alexander. J. C. Rolfe. 2 Vols.

Florus. E. S. Forster; and Cornelius Nepos. J. C. Rolfe.

Frontinus: Stratagems and Aqueducts. C. E. Bennett and M. B. McElwain.

Fronto: Correspondence. C. R. Haines. 2 Vols.

Gellius, J. C. Rolfe. 3 Vols.

Horace: Odes and Epodes. C. E. Bennett.

Horace: Satires, Epistles, Ars Poetica. H. R. Fairclough.

Jerome: Selected Letters. F. A. Wright.

Juvenal and Persius. G. G. Ramsay.

Livy. B. O. Foster, F. G. Moore, Evan T. Sage, and A. C. Schlesinger and R. M. Geer (General Index). 14 Vols.

Lucan. J. D. Duff.

Lucretius. W. H. D. Rouse.

Martial. W. C. A. Ker. 2 Vols.

Minor Latin Poets: from Publilius Syrus to Rutilius Namatianus, including Grattius, Calpurnius Siculus, Nemesianus, Avianus, and others with "Aetna" and the "Phoenix." J. Wight Duff and Arnold M. Duff.

Ovid: The Art of Love and Other Poems. J. H. Mozley.

OVID: FASTI. Sir James G. Frazer.
OVID: HEROIDES and AMORES. Grant Showerman.
OVID: METAMORPHOSES. F. J. Miller. 2 Vols.
OVID: TRISTIA and EX PONTO. A. L. Wheeler.
PERSIUS. Cf. JUVENAL.
PETRONIUS. M. Heseltine; SENECA; APOCOLOCYNTOSIS. W. H. D. Rouse.
PLAUTUS. Paul Nixon. 5 Vols.
PLINY: LETTERS. Melmoth's Translation revised by W. M. L. Hutchinson. 2 Vols.
PLINY: NATURAL HISTORY. H. Rackham and W. H. S. Jones. 10 Vols. Vols. I.–V. and IX. H. Rackham. Vols. VI. and VII. W. H. S. Jones.
PROPERTIUS. H. E. Butler.
PRUDENTIUS. H. J. Thomson. 2 Vols.
QUINTILIAN. H. E. Butler. 4 Vols.
REMAINS OF OLD LATIN. E. H. Warmington. 4 Vols. Vol. I. (ENNIUS AND CAECILIUS.) Vol. II. (LIVIUS, NAEVIUS, PACUVIUS, ACCIUS.) Vol. III. (LUCILIUS and LAWS OF XII TABLES.) (ARCHAIC INSCRIPTIONS.)
SALLUST. J. C. Rolfe.
SCRIPTORES HISTORIAE AUGUSTAE. D. Magie. 3 Vols.
SENECA: APOCOLOCYNTOSIS. Cf. PETRONIUS.
SENECA: EPISTULAE MORALES. R. M. Gummere. 3 Vols.
SENECA: MORAL ESSAYS. J. W. Basore. 3 Vols.
SENECA: TRAGEDIES. F. J. Miller. 2 Vols.
SIDONIUS: POEMS and LETTERS. W. B. ANDERSON. 2 Vols.
SILIUS ITALICUS. J. D. Duff. 2 Vols.
STATIUS. J. H. Mozley. 2 Vols.
SUETONIUS. J. C. Rolfe. 2 Vols.
TACITUS: DIALOGUES. Sir Wm. Peterson. AGRICOLA and GERMANIA. Maurice Hutton.
TACITUS: HISTORIES AND ANNALS. C. H. Moore and J. Jackson. 4 Vols.
TERENCE. John Sargeaunt. 2 Vols.
TERTULLIAN: APOLOGIA and DE SPECTACULIS. T. R. Glover. MINUCIUS FELIX. G. H. Rendall.
VALERIUS FLACCUS. J. H. Mozley.
VARRO: DE LINGUA LATINA. R. G. Kent. 2 Vols.
VELLEIUS PATERCULUS and RES GESTAE DIVI AUGUSTI. F. W. Shipley.
VIRGIL. H. R. Fairclough. 2 Vols.
VITRUVIUS: DE ARCHITECTURA. F. Granger. 2 Vols.

Greek Authors

ACHILLES TATIUS. S. Gaselee.

AELIAN: ON THE NATURE OF ANIMALS. A. F. Scholfield. 3 Vols.

AENEAS TACTICUS, ASCLEPIODOTUS and ONASANDER. The Illinois Greek Club.

AESCHINES. C. D. Adams.

AESCHYLUS. H. Weir Smyth. 2 Vols.

ALCIPHRON, AELIAN, PHILOSTRATUS: LETTERS. A. R. Benner and F. H. Fobes.

ANDOCIDES, ANTIPHON, Cf. MINOR ATTIC ORATORS.

APOLLODORUS. Sir James G. Frazer. 2 Vols.

APOLLONIUS RHODIUS. R. C. Seaton.

THE APOSTOLIC FATHERS. Kirsopp Lake. 2 Vols.

APPIAN: ROMAN HISTORY. Horace White. 4 Vols.

ARATUS. Cf. CALLIMACHUS.

ARISTOPHANES. Benjamin Bickley Rogers. 3 Vols. Verse trans.

ARISTOTLE: ART OF RHETORIC. J. H. Freese.

ARISTOTLE: ATHENIAN CONSTITUTION, EUDEMIAN ETHICS, VICES AND VIRTUES. H. Rackham.

ARISTOTLE: GENERATION OF ANIMALS. A. L. Peck.

ARISTOTLE: METAPHYSICS. H. Tredennick. 2 Vols.

ARISTOTLE: METEROLOGICA. H. D. P. Lee.

ARISTOTLE: MINOR WORKS. W. S. Hett. On Colours, On Things Heard, On Physiognomies, On Plants, On Marvellous Things Heard, Mechanical Problems, On Indivisible Lines, On Situations and Names of Winds, On Melissus, Xenophanes, and Gorgias.

ARISTOTLE: NICOMACHEAN ETHICS. H. Rackham.

ARISTOTLE: OECONOMICA and MAGNA MORALIA. G. C. Armstrong; (with Metaphysics, Vol. II.).

ARISTOTLE: ON THE HEAVENS. W. K. C. Guthrie.

ARISTOTLE: ON THE SOUL. PARVA NATURALIA. ON BREATH. W. S. Hett.

ARISTOTLE: CATEGORIES, ON INTERPRETATION, PRIOR ANALYTICS. H. P. Cooke and H. Tredennick.

ARISTOTLE: POSTERIOR ANALYTICS, TOPICS. H. Tredennick and E. S. Forster.

ARISTOTLE: ON SOPHISTICAL REFUTATIONS.
On Coming to be and Passing Away, On the Cosmos. E. S. Forster and D. J. Furley.

ARISTOTLE: PARTS OF ANIMALS. A. L. Peck; MOTION AND PROGRESSION OF ANIMALS. E. S. Forster.

ARISTOTLE: PHYSICS. Rev. P. Wicksteed and F. M. Cornford. 2 Vols.
ARISTOTLE: POETICS and LONGINUS. W. Hamilton Fyfe; DEMETRIUS ON STYLE. W. Rhys Roberts.
ARISTOTLE: POLITICS. H. Rackham.
ARISTOTLE: PROBLEMS. W. S. Hett. 2 Vols.
ARISTOTLE: RHETORICA AD ALEXANDRUM (with PROBLEMS. Vol. II.) H. Rackham.
ARRIAN: HISTORY OF ALEXANDER and INDICA. Rev. E. Iliffe Robson. 2 Vols.
ATHENAEUS: DEIPNOSOPHISTAE. C. B. GULICK. 7 Vols.
ST. BASIL: LETTERS. R. J. Deferrari. 4 Vols.
CALLIMACHUS: FRAGMENTS. C. A. Trypanis.
CALLIMACHUS, Hymns and Epigrams, and LYCOPHRON. A. W. Mair; ARATUS. G. R. MAIR.
CLEMENT of ALEXANDRIA. Rev. G. W. Butterworth.
COLLUTHUS. Cf. OPPIAN.
DAPHNIS AND CHLOE. Thornley's Translation revised by J. M. Edmonds; and PARTHENIUS. S. Gaselee.
DEMOSTHENES I.: OLYNTHIACS, PHILIPPICS and MINOR ORATIONS. I.-XVII. AND XX. J. H. Vince.
DEMOSTHENES II.: DE CORONA and DE FALSA LEGATIONE. C. A. Vince and J. H. Vince.
DEMOSTHENES III.: MEIDIAS, ANDROTION, ARISTOCRATES, TIMOCRATES and ARISTOGEITON, I. AND II. J. H. Vince.
DEMOSTHENES IV.-VI.: PRIVATE ORATIONS and IN NEAERAM. A. T. Murray.
DEMOSTHENES VII.: FUNERAL SPEECH, EROTIC ESSAY, EXORDIA and LETTERS. N. W. and N. J. DeWitt.
DIO CASSIUS: ROMAN HISTORY. E. Cary. 9 Vols.
DIO CHRYSOSTOM. J. W. Cohoon and H. Lamar Crosby. 5 Vols.
DIODORUS SICULUS. 12 Vols. Vols. I.-VI. C. H. Oldfather. Vol. VII. C. L. Sherman. Vols. IX. and X. R. M. Geer. Vol. XI. F. Walton.
DIOGENES LAERTIUS. R. D. Hicks. 2 Vols.
DIONYSIUS OF HALICARNASSUS: ROMAN ANTIQUITIES. Spelman's translation revised by E. Cary. 7 Vols.
EPICTETUS. W. A. Oldfather. 2 Vols.
EURIPIDES. A. S. Way. 4 Vols. Verse trans.
EUSEBIUS: ECCLESIASTICAL HISTORY. Kirsopp Lake and J. E. L. Oulton. 2 Vols.
GALEN: ON THE NATURAL FACULTIES. A. J. Brock.
THE GREEK ANTHOLOGY. W. R. Paton. 5 Vols.
GREEK ELEGY AND IAMBUS with the ANACREONTEA. J. M. Edmonds. 2 Vols.

THE GREEK BUCOLIC POETS (THEOCRITUS, BION, MOSCHUS). J. M. Edmonds.

GREEK MATHEMATICAL WORKS. Ivor Thomas. 2 Vols.

HERODES. Cf. THEOPHRASTUS: CHARACTERS.

HERODOTUS. A. D. Godley. 4 Vols.

HESIOD AND THE HOMERIC HYMNS. H. G. Evelyn White.

HIPPOCRATES and the FRAGMENTS OF HERACLEITUS. W. H. S. Jones and E. T. Withington. 4 Vols.

HOMER: ILIAD. A. T. Murray. 2 Vols.

HOMER: ODYSSEY. A. T. Murray. 2 Vols.

ISAEUS. E. W. Forster.

ISOCRATES. George Norlin and LaRue Van Hook. 3 Vols.

ST. JOHN DAMASCENE: BARLAAM AND IOASAPH. Rev. G. R. Woodward and Harold Mattingly.

JOSEPHUS. H. St. J. Thackeray and Ralph Marcus. 9 Vols. Vols. I.–VII.

JULIAN. Wilmer Cave Wright. 3 Vols.

LUCIAN. 8 Vols. Vols. I.–V. A. M. Harmon. Vol. VI. K. Kilburn.

LYCOPHRON. Cf. CALLIMACHUS.

LYRA GRAECA. J. M. Edmonds. 3 Vols.

LYSIAS. W. R. M. Lamb.

MANETHO. W. G. Waddell: PTOLEMY: TETRABIBLOS. F. E. Robbins.

MARCUS AURELIUS. C. R. Haines.

MENANDER. F. G. Allinson.

MINOR ATTIC ORATORS (ANTIPHON, ANDOCIDES, LYCURGUS, DEMADES, DINARCHUS, HYPEREIDES). K. J. Maidment and J. O. Burtt. 2 Vols.

NONNOS: DIONYSIACA. W. H. D. Rouse. 3 Vols.

OPPIAN, COLLUTHUS, TRYPHIODORUS. A. W. Mair.

PAPYRI. NON-LITERARY SELECTIONS. A. S. Hunt and C. C. Edgar. 2 Vols. LITERARY SELECTIONS (Poetry). D. L. Page.

PARTHENIUS. Cf. DAPHNIS and CHLOE.

PAUSANIAS: DESCRIPTION OF GREECE. W. H. S. Jones. 4 Vols. and Companion Vol. arranged by R. E. Wycherley.

PHILO. 10 Vols. Vols. I.–V.; F. H. Colson and Rev. G. H. Whitaker. Vols. VI.–IX.; F. H. Colson.

PHILO: two supplementary Vols. (*Translation only.*) Ralph Marcus.

PHILOSTRATUS: THE LIFE OF APOLLONIUS OF TYANA. F. C. Conybeare. 2 Vols.

PHILOSTRATUS: IMAGINES; CALLISTRATUS: DESCRIPTIONS. A. Fairbanks.

PHILOSTRATUS and EUNAPIUS: LIVES OF THE SOPHISTS. Wilmer Cave Wright.

PINDAR. Sir J. E. Sandys.

PLATO: CHARMIDES, ALCIBIADES, HIPPARCHUS, THE LOVERS, THEAGES, MINOS and EPINOMIS. W. R. M. Lamb.

PLATO: CRATYLUS, PARMENIDES, GREATER HIPPIAS, LESSER HIPPIAS. H. N. Fowler.

PLATO: EUTHYPHRO, APOLOGY, CRITO, PHAEDO, PHAEDRUS. H. N. Fowler.

PLATO: LACHES, PROTAGORAS, MENO, EUTHYDEMUS. W. R. M. Lamb.

PLATO: LAWS. Rev. R. G. Bury. 2 Vols.

PLATO: LYSIS, SYMPOSIUM, GORGIAS. W. R. M. Lamb.

PLATO: REPUBLIC. Paul Shorey. 2 Vols.

PLATO: STATESMAN, PHILEBUS. H. N. Fowler; ION. W. R. M. Lamb.

PLATO: THEAETETUS and SOPHIST. H. N. Fowler.

PLATO: TIMAEUS, CRITIAS, CLITOPHO, MENEXENUS, EPISTULAE. Rev. R. G. Bury.

PLUTARCH: MORALIA. 15 Vols. Vols. I.–V. F. C. Babbitt. Vol. VI. W. C. Helmbold. Vol. VII. P. H. De Lacy and B. Einarson. Vol. IX. E. L. Minar, Jr., F. H. Sandbach, W. C. Helmbold. Vol. X. H. N. Fowler. Vol. XII. H. Cherniss and W. C. Helmbold.

PLUTARCH: THE PARALLEL LIVES. B. Perrin. 11 Vols.

POLYBIUS. W. R. Paton. 6 Vols.

PROCOPIUS: HISTORY OF THE WARS. H. B. Dewing. 7 Vols.

PTOLEMY: TETRABIBLOS. Cf. MANETHO.

QUINTUS SMYRNAEUS. A. S. Way. Verse trans.

SEXTUS EMPIRICUS. Rev. R. G. Bury. 4 Vols.

SOPHOCLES. F. Storr. 2 Vols. Verse trans.

STRABO: GEOGRAPHY. Horace L. Jones. 8 Vols.

THEOPHRASTUS: CHARACTERS. J. M. Edmonds. HERODES, etc. A. D. Knox.

THEOPHRASTUS: ENQUIRY INTO PLANTS. Sir Arthur Hort, Bart. 2 Vols.

THUCYDIDES. C. F. Smith. 4 Vols.

TRYPHIODORUS. Cf. OPPIAN.

XENOPHON: CYROPAEDIA. Walter Miller. 2 Vols.

XENOPHON: HELLENICA, ANABASIS, APOLOGY, and SYMPOSIUM. C. L. Brownson and O. J. Todd. 3 Vols.

XENOPHON: MEMORABILIA and OECONOMICUS. E. C. Marchant.

XENOPHON: SCRIPTA MINORA. E. C. Marchant.

IN PREPARATION

Greek Authors

ARISTOTLE: HISTORY OF ANIMALS. A. L. Peck.
PLOTINUS: A. H. Armstrong.

Latin Authors

BABRIUS AND PHAEDRUS. Ben E. Perry.

DESCRIPTIVE PROSPECTUS ON APPLICATION

London	WILLIAM HEINEMANN LTD
Cambridge, Mass.	HARVARD UNIVERSITY PRESS